两岸新编中国近代史

A NEW HISTORY OF MODERN CHINA WRITTEN BY SCHOLARS ACROSS THE STRAIT

典藏版

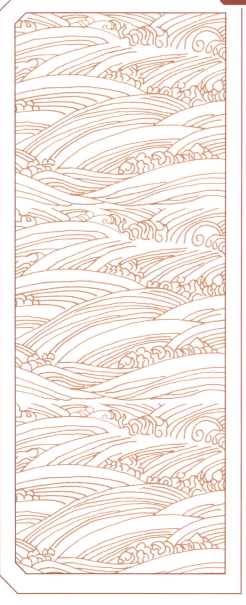

第一卷 晚清（上）

王建朗 黄克武 —— 主编

社会科学文献出版社
SOCIAL SCIENCES ACADEMIC PRESS (CHINA)

U0572031

本书作者[*]

（以姓氏拼音为序）

步　平　中国社会科学院近代史研究所　北京

蔡乐苏　清华大学马克思主义学院　北京

陈进金　东华大学历史系　花莲

陈谦平　南京大学历史学院　南京

崔志海　中国社会科学院近代史研究所　北京

戴鞍钢　复旦大学历史系　上海

冯筱才　华东师范大学历史系　上海

郭卫东　北京大学历史系　北京

黄道炫　中国社会科学院近代史研究所　北京

黄克武　"中央研究院"近代史研究所　台北

黄自进　"中央研究院"近代史研究所　台北

姜　涛　中国社会科学院近代史研究所　北京

金以林　中国社会科学院近代史研究所　北京

雷　颐　中国社会科学院近代史研究所　北京

李长莉　中国社会科学院近代史研究所　北京

李培德　香港大学经济及工商管理学院　香港

[*] 目前部分作者所在单位已有变动，为反映本书写作时的作者情况，本书仍标注当时作者所在单位。

李细珠　中国社会科学院近代史研究所　北京

李育民　湖南师范大学历史文化学院　长沙

廖大伟　东华大学人文学院　上海

廖敏淑　政治大学历史系　台北

林满红　"中央研究院"近代史研究所　台北

林美莉　"中央研究院"近代史研究所　台北

林桶法　辅仁大学历史系　台北

林文仁　台湾艺术大学　新北

刘石吉　"中央研究院"近代史研究所　台北

刘维开　政治大学历史系　台北

罗志田　北京大学历史系　北京

马　勇　中国社会科学院近代史研究所　北京

潘光哲　"中央研究院"近代史研究所　台北

桑　兵　中山大学历史系　广州

邵铭煌　政治大学图书资讯与档案学研究所　台北

沈松侨　"中央研究院"近代史研究所　台北

史建云　中国社会科学院近代史研究所　北京

唐启华　东海大学历史系　台中

陶飞亚　上海大学历史系　上海

汪朝光　中国社会科学院近代史研究所　北京

王建朗　中国社会科学院近代史研究所　北京

王奇生　北京大学历史系　北京

王先明　南开大学历史学院　天津

吴景平　复旦大学历史系　上海

吴翎君　东华大学历史系　花莲

吴义雄　中山大学历史系　广州

夏春涛　中国社会科学院党校　北京

谢国兴　"中央研究院"台湾史研究所　台北

忻　平　上海大学历史系　上海

熊月之　上海社会科学院历史研究所　上海

许雪姬　"中央研究院"台湾史研究所　台北

杨奎松　华东师范大学历史系　上海

杨天宏　四川大学历史文化学院　成都

杨维真　中正大学历史系　嘉义

张启雄　"中央研究院"近代史研究所　台北

张瑞德　"中央研究院"近代史研究所　台北

章　清　复旦大学历史系　上海

郑大华　中国社会科学院近代史研究所　北京

郑会欣　香港中文大学中国文化研究所　香港

朱　英　华中师范大学中国近代史研究所　武汉

卓遵宏　"国史馆"　台北

再版序一

王建朗

　　《两岸新编中国近代史》面世不觉已经八年，为了满足学界与社会需求，社会科学文献出版社决定再版此书。

　　回顾该书编写过程中的种种经历，回顾该书出版以后的社会反响，我有一种庆幸，有一份欣慰。庆幸的是，我们赶上了一个两岸学术交流的好时代。《两岸新编中国近代史》聚集了两岸优秀的近代史研究者，是两岸学者共同努力的结果，是两岸学术成就的结晶。该书展现了两岸近代史研究的前沿成果，展现了两岸学界在诸多问题上的学术共识。该书面世八年来，两岸形势发生了较大变化，学术交流受到了较大影响。我们庆幸，在那个过去了的时代，我们抓住了机遇。两岸合编中国近代史，是两岸近代史学界的创举，在两岸学术交流史上具有里程碑的意义。

　　我感到欣慰的是，《两岸新编中国近代史》出版后，受到学界和社会的关注和好评。该书先后获得第七届中华优秀出版物奖图书提名奖、第十一届中国社会科学院优秀科研成果奖二等奖等重要奖项。在许多高校，该书被作为近代史教学的重要辅导教材。我在一些高校参加学术活动时，为该书签字是常常出现的场景。八年来，近代史研究继续向前发展，该书也经受了时间的考验，被证明是站得住的、客观的和理智的研究。故而，此次社会科学文献出版社再版，主要做的是一些技术上的调整。另外，在形式上有所改动，新版第一、二卷为原晚清卷的上、下册，第三、四卷为原民国卷的上、下册。

　　近代史是一段已经过去的历史，它的屈辱和荣耀，它的挫折或前进，它的抉择与结局，皆已固化，谁也无法改变。但近代史研究却是一段随着时间的推移而常言常新的研究，人们可以在持续不断的研究中日益深化对这一历史时段的认识。今天，我们正处于一个新的世界大变局中。历史是最好的教科书，深入了解近代史无疑是应对今日变局的重要借鉴。这是因为，近代史上所发生的一些事情，今天仍在上演，有的是以各种变换了的形式出现，还有的甚至是以极其相似的形式重现。了解近代史，我们可以更为成熟地认识今天的世界，更为理智地面对今天的世界。近代史研究为人们认识过去和今天的世界提供了一份不可或缺的参考，这是近代史研究的魅力所在，也是近代史研究长盛不衰的原因所在。

编写《两岸新编中国近代史》的那段时光，在我的记忆中留下了愉快美好的一页，至今难忘。我想，两岸的参与者都会有同样的感受。我是一个乐观主义者，尽管两岸交流现在面临一些困难，但我仍乐观地期待，两岸的学术交流能尽快恢复正常，往日两岸学者共聚一堂切磋学问美好时光得以重现。我相信，这一天终究是要到来的！

2024 年 7 月

再版序二

黄克武

2016 年《两岸新编中国近代史》的出版具有重要的历史意义，代表两岸学者对寻求历史共识的努力。这个合作计划的出现有两个重要的背景。第一个背景是自 20 世纪 90 年代以来，台北与北京两个近代史研究所密切的交流与合作。当时台北的近代史研究所每年邀请两位北京近代史研究所的研究同仁到台北访问两周；此外，也多次邀请大陆学者来台开会。与此同时，北京近代史研究所则不定期邀请台北近代史研究所的研究人员到北京访问或参加会议，我们每年也有两三位同仁到北京近代史研究所访问。这样密切的学术交流活动持续了 20 多年。第二个背景是 2008—2016 年，马英九先生积极推动两岸交流。海峡两岸领导人习近平与马英九于 2015 年 11 月 7 日在新加坡举行会面，将两岸关系推向了历史的高峰。在此气氛之下，双方同意"共享史料、共写史书"。《两岸新编中国近代史》也得以顺利地在 2016 年完成出版，并于 2021 年在台湾推出了繁体字版。

这套书出版之后，颇受读者的好评。在"豆瓣读书"网站上，"晚清卷"获得 8.5 分，"民国卷"则是 8.3 分。就大部头的历史类的套书来说，表现不俗。读者多半肯定此书，例如有一位读者认为，"（该书可说是）目前通史系列著作中观点最新、结构最清晰的优秀作品了"，两岸名家合编，采用专题研究样式，"上部是历史主轴，下部是时代诸多面向。总之包含历史变迁与社会结构两大块。……自然是学术界最高水平的呈现"。但由于出自多人之手，有"连贯性不强，前后叙事不一"的缺点。这是十分公允的评论。也有读者注意到，由于该书是两岸学者的合作成果，因而打开了不同的视野，有的"学者的观点和我熟悉的那一套真的很不一样"，"民国卷因为会涉及政治的因素，会产生一点争议，不过这本书确实做到了客观"。我们由衷地感谢读者的支持与肯定，尤其是许多人在仔细阅读之后，坦诚地指出其中的优缺点。这些评论将鼓舞两岸的近代史学者继续努力。

然而，自民进党候选人当选台湾地区领导人后，两岸的交流受到较大影响，再加上 2019 年底开始，新冠疫情持续蔓延，2020 年到 2023 年底，多数的学术与文化交流活动都中止了。此一停滞的状态一直到今天仍未恢复。两岸的历史与文化同根同源，未来的发展也是密切相关。我希望通过此书的再版，能再次思索我们共享的过去，并推进未来两岸历史文化的交流。

2024 年 7 月 12 日于南港

序　一

王建朗

在不同人的眼中，有不同的近代。我们常说的中国近代，起于 1840 年，迄于 1949 年，几近 110 年的时间，在中国有文字以来的漫长的历史中，只是一个短暂的阶段。然而这百年之变，却是前所未有之巨大，它改变中国发展进程，调整中国发展方向，影响既深且巨，其波澜之余浪及今仍未平息。

如此波澜迭起的近代史，演绎出不同的解读，就毫不奇怪了。即使在大陆学者的笔下，也有多种不同版本的近代史。悲情与豪情、苦闷彷徨与探索争辩以不同的方式流淌于研究者的笔端，海峡两岸的史家对于近代史认知的差距则更曾有天壤之别。随着这段历史的远去（距离是观察者保持客观的重要前提）与时代的进步，随着海峡两岸交流的密切，两岸对于近代史的认识在不断接近。在高频率的交流中，了解、借鉴与吸收彼岸的学术成果已成为学术研究的必备前提，两岸学术交流与交融达到了新的高度。可以说，"学术自由行"早已成为两岸学术交流的常态。

正是在这样的背景下，我们开始考虑由两岸学者共同撰写一部中国近代史，全面展示两岸对于近代史研究的最新思考和成果。我们的设想获得了两岸学者的积极响应。《两岸新编中国近代史》采取专题架构，约请活跃在近代史研究领域的卓有研究的学者各自承担其专长议题。中国社会科学院近代史研究所承担了该书的组织工作。值此《两岸新编中国近代史》付梓之际，略陈陋见一二，以为序。

一

经历了"康乾盛世"后的中国是在一种漫不经心中进入近代的。中国所面临的危机，起初并不像历史上曾多次发生过的边疆族群武装大规模进入中原那样急迫。在统治者看来，似乎无非是利益之争、贸易之争，进而有些"边衅"而已。然而，在国门被不情愿地打开再打开之后，人们才渐渐意识到，中国将要发生的变化是翻天覆地的，可谓"数千年未有之大变局"也。

近代中国所闯入的外来者具有两重性：其一，它是入侵者，它对中国权益的不断侵犯和夺取，使中国失去了诸多主权，失去了独立与平等地位；其二，它是较农业文明更为先进的工业文明的传入者。历史上，处于较高发展阶段的中原文明曾经多次同化了征服者。而此次，面对着更高发展阶段的文明，中国社会丧失了数千年来未曾丧失的文化优越感，面临着如何向入侵者学习的问题。

简单说来，近代中国主要在做两件事：一是中国社会的全面近代化，从农业社会向工业社会转型，这是世界上其他国家也要行走的历程，向外部世界学习则是后进国家的必经之路；二是争取中国在国际社会中的平等地位，中国在原有的地区性国际体系中占有中心地位，近代以来逐渐沦落为一个失去诸多主权的弱国，中国要努力恢复平等地位，这一过程并非每个国家所必经。这两件事中，原应以第一件事为根本，为要务。但在近代中国（也不限于中国，若干后进国家也经历了这一过程），这两件事紧密地交织在一起，第二件事成为第一件事的前提条件，不解决好第二件事，第一件事就无从做好。因此，在相当长的时间内，努力去做第二件事竟成为历史发展主线，争取国家的独立平等被置于比争取社会发展更为优先的地位。

第一次鸦片战争打开了中国的国门，屡战屡败使清政府意识到了中外军力的差距。江宁条约及其后一系列条约的签订，使清政府经历了入主中原以来未曾有过的屈辱。一些有识之士看到了危机，主张睁眼看世界，"师夷长技以制夷"。然而，这样的呼声并未撼动社会，撼动中枢。鸦片战争后的十余年间，除了在几个口岸增设了租界，增加了一些经商的洋人和布道的传教士外，中国社会并没有感受到更大的压力和危机，也没有产生只有在危机之下才能出现的学习西方赶超西方的强烈诉求。中国社会基本上仍在按照自己的逻辑和节奏缓慢地发展着。

第二次鸦片战争给了中国猛烈一击。如果说第一次鸦片战争因其战场偏于南方，且毕竟朝廷未以全力与之死拼，其结果尚不足以警醒国人的话，第二次鸦片战争中，清军的抵抗不可谓不英勇，然而却无法抵御只有 2.5 万人的英法远征军，这一事实迫使国人无法继续闭眼沉浸于往日的辉煌。承认技不如人，"师夷长技以制夷"已不只是少数人的认识。

在这前后，中国社会内部正经历着一场狂风暴雨，中国历史上最后一次大规模的旧式农民战争在它谢幕式的演出中，再一次展现了农民战争所具有的巨大能量，使一个已近末世的封建王朝的弱点充分地暴露出来。与旧时农民战争稍有不同的是，太平天国对西方宗教的思想资源进行了改造，构建了自己的理论，并明确地宣布与传统文化体系为敌。太平天国甚至提出了一个令人耳目一新的《资政新篇》，尽管这个政纲看起来与太平天国体系格格不入，也并未付诸实施（或者说并无实施的可能），但它的提出终究显示出西风已经吹进了东方大国的不同角落。《资政新篇》的超前性使同时代的士大夫阵营相形见绌，甚至令人纳闷，如此政纲何以能在此时的造反阵营出现？观察太平天国两大未能实现的政纲《天朝田亩制度》和《资政新篇》，或许不必过于在意它的设计是否合理，是否具有操作性。它的出现，犹如长夜中的一星火花，体现了中国人对于平等的追求，对于现代的追求。遗憾的是，太平天国虽有火花闪现，但其实质与以往的农民战争并无太大不同，依然循着旧日农民战争的轨迹走向了败亡。

内忧外患之中，清政府终于走上了改革之路。这场改革运动的强有力推动者正是那些在平定太平天国运动的战场上建立了战功的将领。一方面，他们在战场上深切地体验到现代武器的威力，发展近代工业是他们的合理选择与要求；另一方面，他们的战功也为其在政治上的发言权提供了强有力的支撑。尽管不断面临着质疑与反对，但在这些务实且握有实权者的推动下，洋务运动还是拉开了帷幕，并一步步向前推进。

洋务运动经历了一个从"自强"到"求富"的发展过程，从最初兴办急用的军事工业到注意发展民用工业，这是一个自然的发展过程，诚如李鸿章所说，"必先富而后能强"。经历了三十余年的洋务运动，晚清似乎出现了重新振奋的新气象。社会的相对稳定、大机器生产的出现和发展、社会生产力的迅速提升、新式海军的建成等，给当政者及相当一批人造成"中兴"之感，"同光中兴"之说应时而生。殊不知，危机正悄悄逼近。

　　洋务运动将自己的范围限定于"洋务"，而远离"洋制"。"中体西用"是洋务运动的根本原则，体用之分的意识十分清晰：用可学取西洋技艺，体必坚持祖宗之制。几乎洋务运动一开始，中体西用论便已出现，可说是利弊兼存。在早期阶段，它是主张学习西方者的理论武器，为突破顽固派的反对、开展洋务运动提供了理由。当京师同文馆拟开设天文、算学馆并聘洋人教习西方科学时，便曾遭到守旧者的强烈反对，将引进西方科学上升到"用夷变夏"的高度，中体西用说则提供了可以抵御顽固派攻击的另一种解说。另一方面，中体西用说也为洋务运动的演进与深化设立了限制。随着时间的推移，随着洋务运动的发展，这种局限更进一步地显现出来。

　　与中国同受西方压迫的日本，以断然之心走上了学习西方的道路，进行了比中国更为坚决更为广泛的改革，成效大显，很快就走到了中国这个昔日老师的前头。不幸的是，决心"脱亚入欧"的日本走上了一条扩张的道路，并将矛头指向了中国。中国是它在东亚扩张不可绕过的障碍，只有打垮中国，才能成就其扩张之梦。当中国仍沉浸在中兴的虚假景象中时，日本已经开始了打垮中国的谋划。甲午一战，戳破了中兴的虚幻，国人痛定思痛，重新审视体用之说。

　　其实，在办理洋务过程中，一些人已经意识到了中体西用论的弊端。曾任两广总督的张树声在1884年去世前留下的《遗折》中，言生前所不敢言，指出："（西人）育才于学堂，论政于议院，君民一体，上下一心，务实而戒虚，谋定而后动，此其体也。轮船、大炮、洋枪、水雷、铁路、电线，此其用也。中国遗其体而求其用，无论竭蹶步趋，常不相及，就令铁舰成行，铁路四达，果足恃欤？"[①]

　　甲午战争被视为洋务运动破产的明证。甲午战败后，更多的人终于意识到，仅仅限于器物层面的学习洋务是远远不够的。社会上要求变法的呼声四起。作为传统社会精英阶层的应试举人，怀着历史传承的使命感，发出了变法的呼声。千余名应试举人联名上书朝廷，史称"公车上书"，构成了戊戌变法的前奏。变法呼吁获得了社会的广泛响应，新式报刊、新式学堂、新式社团广为宣扬，一时蔚为风气，并终获朝廷认可。值得注意的是，

　　① 何嗣焜编《张靖达公（树声）奏议》卷8，收入沈云龙主编《近代中国史料丛刊》第23辑第222册，台北，文海出版社，1968，第559页。

"公车上书"及随后开展的变法宣传，冲破了传统社会对"士人干政"的禁令，开了近代知识分子作为一个整体参与国家事务的先河，20世纪绵延不绝且威力巨大的学生运动，可以说由此而发端。这一集体性的政治参与方式，也为其他社会阶层参与政治提供了示范。由此，对国家事务的议论走出了庙堂。

戊戌变法的实质是痛下决心以西人之法来取代祖宗之法。戊戌变法的核心人物康有为向光绪皇帝上呈了《日本变政考》和《俄彼得变政记》，且毫不讳言变法若采鉴日本，一切已足。不幸，戊戌变法因诸种因素而未成功。主事者或流亡海外，或血溅闹市，光绪皇帝失去权力，处于软禁状态中。

戊戌变法失败后，曾经有所开放的社会出现了倒退，守旧与排外的思潮进一步发展。终于，在世纪之交爆发了义和团运动。就民众而言，这虽说是一场自发的朴素的反帝爱国运动，但就朝廷和官府而言，却是一种愚蠢的无知的倒退行为。盲目的排外主义被纵容和鼓动起来，清政府同时对若干个世界一流国家宣战，将国家陷于劫难之中。战争的胜负毫无悬念，中国为此付出了惨重代价。除了接受有损国家主权的道歉、惩凶、驻军等条件外，仅是赔款一项，中国便要支付4.5亿两白银。

经历了如此沉重的打击后，清政府终于意识到中国与世界的巨大差距，社会上要求变革的呼声再起。清末新政拉开了大幕。1905年，清廷颁布上谕，宣布派遣五大臣出洋考察政治。1906年9月发布诏书，宣布"仿行宪政"，实施政治体制改革。

清末十年的改革不能说毫无成就，改革官制，修订律例，编练新军，振兴实业，废除科举，兴办学堂，设谘议局、资政院等，确有诸多进展。然而，在改革的速度和方向上，清政府和社会期待逐渐显现出巨大的落差。社会所期望的改革，是要限制君权，扩大民权，建立起现代的君主立宪体制。而清政府的目标则相反，它期望通过改革，将过去模糊的无所不包的君权明确化、法制化。它并不想通过改革来放权，而是要通过改革将专制君权披上现代的外衣。1908年8月颁布的《钦定宪法大纲》便显示了清廷的这一意图。大纲规定"大清皇帝统治大清帝国，万世一系，永永尊戴"。君主将掌握颁行法律、召集及解散议院、设官制禄、统率陆海军、宣战媾和、订立条约、宣布戒严、司法等大权。1911 年 5 月，责任内阁建立。在清政府公布的 13 名国务大臣中，满族 9 人，其中皇族 7 人，汉族仅 4 人，这一责任内阁被时人讥称为"皇族内阁"。其内阁名单的出台，向社会公开了清廷皇族的集权之心，使人们对预备立宪的前途失去信心。各省谘议局联合会两次上书朝廷，指出由近支王公充当内阁总理大臣，不符立宪国通例，要求另选贤能，组织名副其实的责任内阁，但遭清廷申斥。

清政府如此拒绝改革，终于使立宪派抛弃幻想，走向清廷的对立面，而成为革命派的同路人。曾与革命派展开大论战的梁启超精辟地指出，是清廷制造了革命党，"伪改革者，革命之媒"，"现政府者，制造革命党之一大工场也"。晚清的政治腐败、民生凋敝与清廷的拒绝改革，使社会对革命派的态度也发生了变化，从不解与反对转化为同情与期待。孙中山回忆说，当 1895 年广州起义失败时，举国舆论莫不视其为乱臣贼子，大逆不道，诅咒谩骂之声，不绝于耳，但 1900 年惠州起义失败后，则鲜闻一般人之恶声相加，而有识之士，则多为其扼腕叹息，恨其事之不成矣。

清末十年，围绕着中国应走革命还是改良的道路，革命派和改良派争论激烈，甚至彼此恶语相向。这一争论影响深远，以至百年之后革命与改良优劣之争依然余波不断。后来人可以而且应该站在历史的高度来观察那一段历史，厘清革命与改良的纠结。至少，下列两点意见值得我们注意。

其一，革命与改良并不是完全背道而驰的对立选择，革命派和立宪派都是要在中国建立起近代民主政体，要实现国家的独立和富强，只是在实现的手段上存有分歧。两者都主张扩大民权，但一个要限制君权，一个要彻底取消君权。应该看到，尽管革命派与立宪派争吵不断，但在全局上却存在互动互利关系。两者之间的论战，使民主思想前所未有地普及开来。立宪派主导的国会请愿活动和收回利权运动为辛亥革命创造了有利条件。革命党人也对国会请愿运动和收回利权运动给予了声援和支持。

其二，革命与改良的发生皆有其深刻的社会原因，并不取决于个人愿望。对于社会的转型，一般而言，改良总是比革命付出的代价要小得多。因此，以改良为首要选择、避免公开的暴力对抗应为常情。可以说，改良是社会发展的常态，暴力革命则是非常态。然而，古今中外的历史表明，革命与改良的发生是不依据于个人或群体的良好愿望的，它完全取决于社会矛盾的发展状态。当社会矛盾尖锐到改良不足以应对时，革命便不可避免地发生了。当社会矛盾相对缓和之时，革命又绝非任何好事者所能煽动。

由于清政府阻塞了改良之路，社会普遍弥漫着革命情绪，只是等待着有人出来登高一呼。

辛亥之年，武昌首义，各地纷纷揭竿而起。数月之间，江山易色。从1911年10月10日武昌新军起义，到1912年1月1日中华民国临时政府成立，再到2月12日清帝颁布退位诏书，短短的四个月中，并没有经过特别重大的战役，清廷退出了历史舞台。可见，清廷的统治根基早已松散。

二

辛亥革命推倒了皇帝，建立了当时在世界上还不多见的共和政体，中国成为亚洲唯一的共和国，成为世界上继美、法之后第三个实行民主共和制的大国。无论人们如何看待这场革命，又无论这一革命本身具有怎样的不成熟性，在历史发展的长河中，辛亥革命都是一件划时代的重大事件。中国历史上的王朝更替屡见不鲜，短或数年、数十年，长或数百年，然周而复始，无非王朝易姓而已。辛亥革命所终结的，不仅仅是一个王朝，更是一个漫长的时代，一个长达数千年的王朝时代。

辛亥革命后六年间，两次帝制复辟来去匆匆，一方面显示了专制思想的顽固性，一方面也告诉人们，封建帝制确实被扫进了垃圾堆，民主取代君主，成为社会不可挑战的共识。此前数十年，在一般人的心目中，提倡无君无父的民主，简直是大逆不道。即使在十余年前，在先进的中国人中，能否实施民主也还是一个争论不休的问题。历史的变化竟是如此之迅速。

共和制度并不是一帖立竿见影的灵丹妙药。民国初建，并未立时给中国社会带来稳定，带来繁荣，甚而接引了一个持续的政治动荡时期，但它开辟了在专制制度下难以出现的新的发展的可能性则是无可置疑的。从思想到制度的大解放，为社会发展提供了新的空间。研究表明，北京政府统治时期并非像以前所描述的那样黑暗和低效。尽管这一时期呈现出转型期的动荡不安，但还是出现了经济的较快增长，有学者称之为中国资本主义经济发展的"黄金时代"，而这一时期思想与学术的百家争鸣，则更是常常为后世所称道。

辛亥之后，中国经历了一个由"宫廷政治"向"议会政治"的转向。然而，这一转向未能成功。在经历了十余年的持续动荡后，人们对议会政治失去了信心，转而寻求更具效率的政治体制。于是，一个融合了传统因素与现代政治观念、融合了中国因素与外国范例的政治方式产生了。20世纪20年代，一种新的与西方迥然不同的"政党政治"出现了，由"议会政治"向"政党政治"的转向由此而发生。接受了苏俄理念的政党——中国国民党与中国共产党，开始在政治舞台上扮演重要角色。这种政党并不是作为一个选举组织而存在，而是作为一个有着共同信仰的、有着严格纪律的、实行高度集权的政治组织而存在。这种政党一出现，便显示了它与众不同的整合能量，开始主导此后的中国历史进程。从1921年中国共产党成立，从1924年中国国民党改组并实行国共合作，到1928年北京政府垮台，短短数年间，新型政党显示了它强大的作战力。中国共产党在动员民众组织民众方面，展现出巨大的能量。作为一个有信仰有主义的政党，它在动员社会方面展现出前所未有的非凡能力。中国由此而走上了一条具有中国特色的政党治国或政党革命的道路，政党（或作为政党领袖的个人）在国家事务中成为中心角色。

人们常说，俄国十月革命一声炮响，给中国送来了马克思列宁主义。但中国民众之所以能接受马列主义，接受苏俄道路，不只在于苏俄政权的示范，还在于西方列强的冷漠。十月革命胜利后，苏俄主动宣布废除沙俄政府在中国取得的若干特权，三次对华宣言展示了苏俄外交的公开性与正义性，获得中国社会的欢呼。人们认为苏俄是中国的好朋友，中国应该走苏俄的道路。与英美法冷漠对待中国恢复国家主权的要求相比，苏俄主动放弃不平等特权的宣言表现出了它同情弱小民族的姿态，对比十分强烈。这对马克思列宁主义在中国的传播起到了促进作用。孙中山在求助于英美援助而不可得时，把目光转移到苏俄身上。中国共产党的建立与国共合作的形成，极大地影响了此后的中国走向。

这一时期的中国外交，也经历着一场变革。民国的建立，并未能即刻缓解中国外交的困境，并继续延续着晚清外交的某些惯性。第一次世界大战爆发后，日本利用列强在欧洲作战的机会在东方采取行动，借口对德宣战占领了中国胶东半岛，在此基础上向中国提出了"二十一条"。在日本发出最后通牒后，北京政府不得不签署了一系列"民四条约"。这是进入民国后所订立的新的不平等条约。

第一次世界大战同时给了中国外交一个缓慢抬头的机会，这个机会之源便是中国的参战。对于参战与否，中国内部产生了很大的争议，甚至出现了张勋复辟之类的闹剧。最终，北京政府决定对德宣战。通过宣战，中国废除了与德国订立的不平等条约，取消了德国在华治外法权，德国在华军队也被解除武装。宣战还使中国获得了以战胜国身份参加战后和会的机会。宣布参战是中国第一次主动地参与世界事务，是近代以来中国外交政策从消极回避转向主动参与的一个标志性事件，意义重大。

对战后巴黎和会，中国政府和民众都怀有较高期待。中国不仅要求收回德国的租借地及德国在山东享有的特权，还要求废除中国与日本签订的"民四条约"，废除列强在华享有的若干不平等特权。但和会结果令人大失所望，就连收回德国租借地这样的基本要求也未被和会所接受。巴黎和会的这一消息传回国内后，引起轩然大波，激发了五四爱国运动。中国代表团最终没有在和约上签字。这一大声说"不"的举动在近代中国外交史上十分罕见，它摆脱了以往中国外交始争终让的规律。在此后召开的华盛顿会议上，中国再次提出废除不平等特权的要求。巴黎和会和华盛顿会议虽未能如中国所愿，但它触发了中国的反帝爱国运动，对20世纪20年代中国民族主义运动的高涨产生了巨大影响。

1925年，北京政府发起修订不平等条约运动。修约活动大致有两种形式，一是召开关税会议和法权会议这样的多边会议，一是与单个国家展开双边交涉。关税会议初步达成协议，列强同意中国在1929年实现关税自主，中国政府承诺取消厘金制度。但关税会议进行之时，中国政局动荡不安，会议遂不了了之。法权会议则未有进展。会议对中国司法状况进行了调查，认为中国的司法状况不如人意，须待中国现代司法制度比较完善时方可讨论废除治外法权问题。与此同时，中国政府向条约到期国家发出照会，要求订立平等新约。在修约谈判中，面对抵制与拖延，北京政府曾单方面宣布废除与比利时、西班牙的条约。中国敢于单方面废除不平等条约，这在中国近代史上前所未有。

当北京政府致力于通过谈判来修订不平等条约之时，南方的革命政府已经走得更远。孙中山改行联俄外交后，确立了反帝外交政策。孙中山去世后，国共合作的广州政府于1926年发起了北伐战争。北京政府此时开展的修约外交在南方政府看来远远不够。他们认为不平等条约不应该谈判修订而应该直接宣告废除，应断然实行"革命外交"。南方政府提出了两大口号："打倒军阀"，"打倒列强"，采取了比北方政府激进的外交方针。以群众运动为前导，以北伐军部队为后盾，汉口、九江的英租界通过街头冲突、中国军警开进、谈判解决的三部曲而收回。在镇江，英国在北伐军到来之时主动提出交还镇江英租界。

正当北伐战争胜利进行之时，国共合作的革命阵营发生分裂。以四一二政变为标志，国民党发起"清党"运动，将昔日的盟友推向血泊之中。共产党举起了武装斗争的旗帜，从城市到乡村，开始了长达十年的国内战争。

日本全面侵华战争的爆发，促使国共开始了第二次合作。在攸关民族存亡的危机面前，国共两党结成抗日民族统一战线，分别承担起正面战场和敌后战场的作战任务，形成战略合作关系。尽管抗战期间国共摩擦不断，有时甚至发生很严重的军事冲突，但国共合作大局仍得以维持，这为中国抗战能够坚持下去提供了基本保证。

严重的民族危机，激发了中华民族的活力。中国在外交舞台上展现了前所未有的主动性。全面抗战前期，中国积极争取国际社会的支持，促使德国保持了一段时期的中立，从而继续获得德国的军事物资，促使苏联提供了最大规模的对华援助，促使战争初期保持中立的英美逐步走上援华制日的道路。太平洋战争爆发后，中国积极推动国际反法西斯阵线的形成。中国两度派出远征部队入缅作战，最终解放了缅北大片地区。中国积极支持邻国的抗日活动，成为朝鲜和越南抗日力量的庇护所和大本营。中国在国际政治舞台上崭露头角，积极参与战时问题的讨论和战后秩序的设计，为创立联合国和建立公平合理的战后秩序做出了独特的贡献。

抗日战争不只是一场抵抗日本侵略的战争，还是一场更广泛意义上的民族解放战争。经此一战，中国的国际地位有了极大提高。中国不仅废除了将其束缚百年之久的不平等条约，成为在世界民族之林中享有平等地位的国家，还担任了新成立的国际安全组织联合国安理会的常任理事国，成为对国际事务享有重要发言权的国家。近代以来，中国长久徘徊于国际舞台的边缘地带，抗日战争使中国重返中心舞台。这样的巨大变化，即使是最大胆的预言家在战争爆发前也是难以想象的。

抗日战争对中国的内政发展也产生了深远影响。中国的政治格局在战争中悄然发生了重大变化，埋下了变革的种子。全面抵抗战争，迫使国民党实际上开放党禁，中国共产党获得合法地位，各民主政团也得以开展活动。抗战中发生了两次民主宪政运动，尤其是第二次运动，浪卷朝野，波及社会各个阶层。在城市，无论是在知识界，还是在工商阶层，实行民主政治已经成为各界的共同要求。可以说，到抗战后期，国民党一党统治的理论基础和社会基础已经开始崩塌，继续实施专制统治已经失去了合法性。于是，当中国共产党提出建立新的民主协商制度时，社会充满着期待。抗战已经为此后的政局变化做好了思想观念和舆论上的准备。抗日战争开启了中国政治变革的大门，这扇大门一旦打开，国民党已无力再行关闭。

在全面抗战前期和太平洋战争爆发后的一段时期，中美关系有极大改进，美国成为中国最重要的盟友，中国也成为美国的重要伙伴。然而，随着美国越来越深入地走进中国，它更多更清楚地看到了国民党的黑暗面，对国民党日益失望。对抗战后期的民主运动，美国持一定程度的同情、肯定与支持态度，并一再敦促国民党政府做出响应。史迪威事件是中美矛盾发展的集中体现，一位上将级将领被盟国"驱逐"，这在美国历史上是前所未有的。为了缓和矛盾，美国做了妥协和退让，召回了史迪威。然而，美国对于国民党和蒋介石的失望是深入骨髓的。一个为维护统治而拒绝改革的顽固形象已深深地刻在美国人的心中。这对战后美国对国民党政府的支持的坚定程度，不能不产生消极影响。

战后，美国前参谋总长马歇尔奉命来华，试图调解国共军事冲突。尽管马歇尔做出了一些努力，但他最终仍无功而返，国共全面内战爆发。为了对抗苏联，阻止中国共产党获胜，美国选择支持国民党。然而，美国对蒋介石的支持是有条件有限度的。国民党难挽颓势，最终在国共较量中败下阵来。

抗战结束之时，国民党的军事力量貌似仍占有巨大的优势，何以战后短短的三四年中国共力量对比就发生了根本性的变化？中国共产党何以能如此迅速地夺取全国性胜利？人们对此有着不同角度的探讨，一个根本性的原因不可忽略：民心所向。当成千上万获得了土地的农民组成了浩荡的支前大军时，当成千上万失去了希望的市民为温饱为自由而走上街头时，民心的指向已十分清晰。人心思变，人们向往着一个新制度的到来。

三

近代中国的巨变是在世界巨变中发生的。19 世纪，西方列强以前所未有的力量和速度向世界扩张，向东方扩张。这是一个奉行社会达尔文主义的世纪，适者生存、弱肉强食被视为极为正常的规则，在列强的扩张浪潮中，古老而落后了的中国不幸成为其侵食对象，国家主权纷纷流失，国家地位一落千丈。中国人民为此进行了长期的艰难的抗争，力图恢复失去的国家主权，恢复在国际上的平等地位。这一抗争绵延百年，最终，在一次国际秩序的大变动中，中国抓住了机会，恢复了平等地位，并获得新的大国地位。

如何面对外部世界一直是近代以来横亘在中国人面前的一道难题。对于中国人来说，列强是入侵者，又是先进文明的传入者，排拒还是学习，一直是中国人争论不休的话题。屈辱的经历，使包藏亡我之祸心的异族形象长久地存在于数代中国人的记忆中，挥之不去。在与入侵者的斗争中，在向西方文明学习的过程中，中国改造了自己，走上了一条既与自己的过去不同又与外国有别的独特的发展道路。曾有学者以"改变自己，影响世界"来概括近代中国与世界的关系，这或许是我们从近代历史中获得的极为重要的教益。

《两岸新编中国近代史》得到海峡两岸学者的积极响应和大力支持，在此表示衷心的感谢。我的同事汪朝光先生承担了本书的各种事务性工作，我虽列名为主编之一，但贡献甚少，在此谨向汪朝光先生表示特别的感谢。徐思彦女士为本书的编审和出版工作付出巨大努力，使本书得以高质量地呈现于读者面前，在此一并表示由衷的感谢。

二〇一六年二月

序 二

黄克武

　　这本书是海峡两岸中国近代史学者携手合作的一个心血结晶，是一个划时代的创举。本书由中国社会科学院近代史研究所规划，并由大陆、台湾、香港学者撰稿，历经五年多的时间才完成。全书采取专题研究方式，类似西方的剑桥史之体例，大体以时间和事件为经，社会发展面向为纬，分章探讨清末民国时期最为关键的一些历史课题。全书共57章，是目前学界对于这些课题的归纳与总结，约略统计，其中大陆学者撰写34章、台湾学者撰写21章、香港学者撰写2章，为中文学界在中国近代史领域多年研究成果的系统展现。读者阅读此书，可以最有效地掌握学界最新的关于中国近代变迁的重要观点。

　　在时间断限上，本书从鸦片战争开始，描述了洋务与变法运动、立宪运动、清朝的覆灭、民国的肇建，乃至其后内忧外患之纷扰、国际关系之演变、内政外交之调适、国民党内部的派系纷争、国共两党之发展，下至20世纪中叶而止。大致上包括了晚清史与1949年之前的民国史，同时讨论了清季台湾社会、经济、文化的变迁与日本殖民统治时期至光复初期台湾人的"祖国经验"。结构上本书分为晚清卷与民国卷，每一卷又有上册与下册。上册依时序与事件勾勒历史发展之主轴，下册则包含了政治、社会、财政、经济、外交、宗教、生活世界与文化思想等诸多面向，因而同时包含了历史变迁与社会结构的两个面向。

　　此书名为"新"编中国近代史，主要希望能突破过去之窠臼，在历史论述上展现出新的特质。近年来因新史料之出现（如档案、报刊资料、日记与回忆录等）、新研究之进展、两岸的学术互动，以及对"研究典范"之反省，过去的不少成说都得以修正或重评。本书最大的特色，就是在很大程度上摆脱了过去受到各种主客观因素影响的历史论述，各章均避免"以论代史""论在史先"，而能依据新的史料、以关键性的细节，平实地、客观地描述中国近代曲折、复杂之历程，其间既有革命历程之艰辛曲折，也有现代转型的逐渐开展。历史不再是单一的线性演进过程，而是千回百转、多重面向的发展；历史中有黑暗与光明、邪恶与正义的对峙，但也不全是黑白分明、成王败寇之叙事。历史视野的开阔，造就了历史论述的变化。

历史未必是截然两分的。革命在现代中国的形塑之中曾被赋予历史的正当性与崇高感，然其反对者或对立面如"改良"者，在历史中也自有其存在的合理性及其意义。20世纪70年代后期，随着改革开放的展开，大陆学界开始重新评估中国近代史的各样问题和主题，"革命"与"改良"都被给予历史的合理定位，两者各有其成就与限制，也据此重新思索改良派思想家如严复、梁启超、杜亚泉、张謇等提出之"调适的智慧"，史家的史观逐渐走向多元化。

首先在晚清史部分，过去的主流论述是以革命党为中心的历史书写。此一观点环绕着孙中山所领导的兴中会、同盟会与革命党的革命事业，如何历经多次起义惨遭挫败最终在武昌起义后得到成功。这种论述强调革命党人之角色，忽略了革命党内部的分歧，尤其是湖南与江浙革命志士之地位，以及改革派（开明士绅）对辛亥革命的重要贡献，更将清廷视为颟顸无能、一无是处的统治者。

新的历史视野并不忽略革命之重要，而是将革命置于长期多元发展、曲折角力的历史背景中，来考察国人如何在政治、经济、社会、思想等方面走向近代，具体呈现出除了革命之外当时还有哪些选择，以及为何最后革命成为唯一的选择。本书所描述的辛亥革命不再是单一的"驱除鞑虏，恢复中华"的军事行动与族群斗争，也不再争辩此一革命乃"资产阶级革命"或"全民革命"的问题，而是将之视为长期酝酿的思想动员、社会动员的结果。其中道咸以来如魏源、徐继畬等趋新士人与马礼逊、傅兰雅等欧美传教士对西方地理、历史、思想、政体之引介，新学书刊之翻译，立宪派报刊对思想启蒙、国家想象与政治改革之提倡，乃至清廷的改革措施如科举废除、新政等所造成的结构性的影响等，这些因素与革命派的努力相交错，使人们敢于构思一个以民主科学为基础的新体制，而"践行政治民主化"。由此观之，各种因素有如积涓滴而成之洪流，方导致革命之成功。同时清廷也不再全是革命宣传中的"颟顸""腐败"与"缺乏改革诚意"之形象，而是努力肆应、积极变革，却因"小政府"的格局与心态，在新政期间试图有大作为而触发"结构性"的困境，在缺乏体制变革与伦理更新之下，黯然退出历史舞台。本书对于清廷与立宪派的研究与重新评估，与过去对两者所做完全负面的道德判断显然有别。

本书的主体结构虽分为晚清与民国两个部分，然多位学者均意识到两者非断为两截，而是有着千丝万缕的连带关系。无论是从王德威所说"没有晚清，何来五四"还是从张灏提出的"近代中国思想转型期"的观点来探究思想与社会的变迁，都强调两者之间的连续性关系，以及新因素与旧根底如何交融互释，从而开创出一番新的局面。从晚清到民国思想界的趋新或守旧、行动界的保守或进取，都要利用新式报刊、学校、结社等来做宣传。

以民族意识来说，中国传统主张华夏夷狄之辨的"族类思想"（亦即《左传》所谓"非我族类，其心必异"的观念）同时具有"种族的民族主义"与"文化的民族主义"之元素，成为革命党"黄帝"形象与康有为"孔子"形象之根基。前者发展成革命党以汉族为中心种族革命之象征符号，以此推动"反满"大业；后者则凝聚为康有为、梁启超等团结诸民族以成一大"国民国家"的理想，以此融合满汉。辛亥革命最后以高举种族革命之大旗获得国人认同而竟其功，然而民国成立以后，革命党人立即一改种族革命之初心，宣示"五族共和，汉、满、蒙、回、藏一律平等"，复又制定约法、召开国会，此一做法大体上仍承袭梁启超等人"政治民族主义"的未竟之业。民族主义从建立单一的汉人政权向建立以五族共和为主体的多民族现代民族国家的转变，是辛亥革命最重要的成果之一。不过民族问题在民国初年以后的内外环境中未得完全妥善的解决，其后各种争端继续出现，如何既尊重多元又能维系一体，以传成"共和"，成为新的问题与挑战。

民族主义以及由此而出现的追求"民族国家"之建立，是影响中国近代历史走向的一个关键因素。传统中国的族类观念虽提供了民族思想之基础，然近代中国民族主义之出现却主要依赖从古代以朝贡制度为主之天下秩序转移到以国际公法、世界格局为主之国家体制。亦即"天下观之破灭"和"个人与国家关系的改变"，国人逐渐建立起"反帝救亡""捍卫主权"的现代国家观念，并以契约、参与等民主思想与选举机制改造传统君臣尊卑观念，重构国家与国民之关系。辛亥革命所促成"帝制"到"共和"的转变即体现了此一现代民族国家之追求。此一转变极为复杂，有思想文化的面向，政治外交的面向，亦有财政金融的面向。革命爆发后，经由北方总代表唐绍仪和南方总代表伍廷芳的南北议和，促成和平的政权转移，其后孙中山让位、袁世凯主政，为解决共和肇建之困局，在唐绍仪、熊希龄和周学熙等人的主持下，进行与国际银行团协商筹借外债工作。此次所谓"第一次善后大借款"，解决了推翻清朝之后共和国的国际外交承认问题，也为北京政府处理后续对外赔偿及整编内政提供了理财基础。此后以革命方式建立之民国，在"政府"与"国家"两方面建立起从清朝至民国之继承关系，才能逐渐站稳脚跟。不过借款过程中列强的强势作为则埋下五四以后反对帝国主义的民族情绪。对内而言，民族主义则影响到此后不同政治势力之消长，"谁最有能力调动最大多数社会力量，谁就更容易统一中国；谁能有效地统一中国，成就民族独立，谁往往也就最容易受到历史的青睐"。

在经济发展上，我们也可以看到晚清与民国的连续性。晚清以来虽在农、商、工业等方面有所进展，然因幅员广大，人口与区域发展之不均衡（19世纪初年，90%以上的人口集中在1/3左右的地方，约90%是农村人口，而10%为城市人口），形成"双元经济"。其后，由于革命动荡、内战不断，中国无法像其他国家一样，进入经济发展的第二阶段，而使双元经济的情况有所改善，反而更加恶化。到了抗战时期，全国精华地区的沦陷，使政府更难负荷战时的财政负担，虽赖国际援助而苏困，但战时及战后通货膨胀亦随之爆发。双元经济问题成为近代中国的一个根本问题。同时，究竟要以资本主义的方法来提高生产，还是以社会主义的方式来宏观调控并解决分配，也成为反复思虑的核心关怀。

在民国史方面本书也和晚清史一样，避免过去单一的论述模式和叙事路径。首先是对北洋时期的重新评估，这是最近十多年来史学界提出的新观点。书中有几章讨论北洋政府时期，或谈内政中的乱与治，或谈外交。这几章都改变了过去将北洋视为"中国近代历史上最动荡、最黑暗的时期，其间外患频仍，内乱不断，兵连祸结，民不聊生"的刻板印象。在内政方面，北洋时期虽有乱，亦有治，其中尤其体现在"国家制度的建设上"，在"自治"和"联治"的冲击下，统一的中央政权受到冲击。然而这种冲击，却又为政治家在另外的政治框架内寻求国家统一创造了有利条件。在一定程度上，北洋政府是被"联治"运动及其内部之分裂所打倒的。因此"联省自治"的"分"反倒成为国民党走向新的统一的促成因素。北洋时期在制度建设上的成就也包括司法方面的改革。近年来有关北洋时期直隶、江苏、浙江等地方的研究显示，各地分权制衡体制之设立、司法独立之追求，如法官、法院制度之建立等，跨出司法近代化的一步。这些现象显示北洋之乱虽毋庸置疑，然北洋之治也是客观存在的。北洋时期在外交方面也有较突出的表现，不但外交官具有专业素质，其"修约外交"尤具正面之贡献，与广州政府"废约"的努力同样重要。从长远的角度来观察，近代中国外交主要目标是摆脱不平等条约束缚，恢复中国主权完整及国际地位平等，"修约"与"废约"都是达成此一目标的手段，"修约"循法律路线，依据法理要求改订平等条约；"废约"则走政治路线，诉诸革命及民意摆脱旧约束缚，两者相辅相成。总之，北洋政府利用外交和国际法的合法手段，力图改变中国国际地位的努力，应予肯定。

民国史之中国共发展与抗战等议题一直难以避免各种偏见，两岸各自主导一类型之论述。本书则主要依赖史实做深度的描写、分析与比较。其中国民党史部分主要由台湾学者负责，少数由大陆学者撰写，共产党史部分则由大陆学者操刀，其观点相互补足，而拼成一个较为公允而完整之历史图像。这样的合作方式与近年来两岸学者组成研究团队研究蒋介石的经验也相符合。虽双方学者均依史料来撰述，然台湾学者更能呈现蒋的成功之处，大陆学者则更能客观分析蒋的派系属性，发掘蒋的个性与统治缺失之处，因而相互补足各自可能有的局限。

抗战史方面也是如此，大陆学者肯定蒋介石在对日抗战中的作用，坚持了中国领土与主权的完整，在正面战场抵御日军，并取得最终之胜利，收回台湾、澎湖与南海诸岛，恢复了中国之版图。台湾学者也同意中共

"提倡抗日统一民族战线"，促成国共合作、共同抗日，同时建立抗日根据地，并在敌后游击战中牵制大量日军的成就。这样一来抗战的成功是中华民族各成员共同之成就，日本统治下的台湾民众与海外各地中国侨胞也不缺席。抗日战争是中华民族浴火重生、走向复兴的转折点，战后中国能跃居大国地位，成为联合国安理会常任理事国，其中的一个主要原因是中国在世界反法西斯战争中所发挥的作用得到各国的肯定。

本书也从不同层面介绍了抗战至国共内战期间蒋介石、执政的国民党与国民政府之表现，描述蒋汪、国共之分合，并剖析蒋最后遭到溃败之因素。以国方军队的发展来说，从黄埔军校开始模仿苏俄红军，建立党政制度与军队"标准化"，组成国民革命军，使其完成北伐，并在抗战之时抵御日军。其缺点则是军民关系之经营较为忽略，违纪扰民之事颇多，因而"在后勤补给、医药卫生方面，或是战地情报的搜集上，均无法获得民众的支持"。此一情况与中共军队政治工作之成功形成对比。

抗战时期的对日和战问题及蒋介石、汪精卫分裂在本书中也予以详细着墨，分析汪如何误信日本有谋和诚意、误判中日双方之实力与国际局势，企图以和谈来解决中日问题而走上绝路；并注意到国共之间的复杂关系。在外敌入侵之际，国人内部无法完全团结，彼此牵制，对局势之发展影响甚巨。

抗战也影响到国共势力之消长。全面抗战八年，因为种种原因，国民党的统治力量被严重削弱，国民党中央的统治范围越缩越小，军心、战力日渐萎靡，各种内在矛盾遂逐渐滋生发酵并蔓延开来。与此形成鲜明对照的，是中共军事力量在战争中的迅速发展和壮大，中共军队向敌后农村拓展，获得了巨大的发展空间。中共开战后长期把对日抗战的工作重心放在创造根据地和发动群众两方面，在此基础上发展武装力量，使其政治影响力全面提升。

在国共内战期间，蒋介石又在"经济、军事、政治等方面遭遇重大挫折"，如"行宪"引发政治乱局与派系斗争，以金圆券取代法币之币制改革造成经济崩溃，并"激怒了中国民众"，而在币改失败的同时，其军队又在三大战役之中惨败，此后"国共实力对比发生了根本的变化，国民党由强而弱，共产党由弱而强，国民党统治由衰颓而走向终结"，最终失去江山。

这些描写与分析都是依据史实所做的中肯论断。

从 1840 年到 1949 年的一百多年间，是中国面对世界与走向共和的关键时代，其间内忧外患不断，私心与公义纠葛，政治团体或分或合，时而起高楼，时而楼塌了，这些经纬万端的风云变化是 1949 年后海峡两岸分途发展的重要原因。如何深入认识这一段史实，并借此观察现状与思索未来，是所有关心中华民族未来的人应该思考的严肃课题。

本书的出现有深远的历史背景，它反映的不但是北京、台北两个近史所之间深厚的情谊，也是海峡两岸二十多年来学术互动的结果。两岸学者从陈三井先生所谓"境外相遇，犹抱琵琶半遮面"，到"轻舟已过，两岸猿声啼不住"，再到今日"海峡春潮，从此千山可任行"，是一个很可喜的发展。的确，现在海峡两岸的学术、文化交流顺畅，互动频繁。以往台湾学者去大陆较为方便，在台湾开放"自由行"之后，大陆学者来台也变得更为容易。"中央研究院"近史所每年都接待许多大陆学者来台访问、调阅民国档案、参与台湾学界的学术活动；在我所任教的大学每一学期都有许多大陆来台的交换学生选修我的课，在课堂上与台湾学生一样畅所欲言。这种海峡两岸之间多层次、多方位的学术交流，让许多过去因海峡两岸的阻绝、因政治意识形态干扰、因个人党派立场而有的偏见及产生的误解，逐渐扫去。本书一面见证了两岸学者因交流而建立起共识，两岸史学由分而合的过程；同时也证实了近代史虽与现实纠葛，然它不是政治的附庸，也不是社会科学的脚注。在历史学家努力找寻真相之下，本书提供读者一幅贴近真实的历史图像，也是对抗战胜利七十周年的一份重要贺礼。

二〇一五年十一月

目　录

第一章

清代通商与外政制度

一 通商与外政制度的概念意义

笔者想先说明本章标题的含义。首先，关于现今华人似乎已不太熟悉的"外政"一词。由于清朝在成立外务部以前，并没有一个西方近代式的专责外交机构，加上清朝与西方近代民族国家（nation-state）是截然不同的构造，无法通过西方近代式的政府外交机构或组织的视角，来理解其在对外关系上的构造、制度乃至思想观念的运作情形，因此西方人乃至受近代制度影响甚深的现代华人，已经很难理解清朝固有的对外关系。为了区别清朝固有的对外关系制度与西方近代外交制度的不同，笔者将清朝固有的对外关系制度称为外政制度，而非外交制度。事实上，在清代官员的文章中，对于与内政相对的涉外事务，屡屡以"外政"称之，如左宗棠在《拟专设海防全政大臣以一事权疏》①中提到："臣曾督海疆，重参枢密，窃见内外政事，每因事权不一，办理辄形棘手"；黄遵宪在《日本邻交志后序》②中提到："治外法权始于土耳其，当回部全盛时，西灭罗马，划其边境与欧人通商，徒以厌外政纷纭，遂令各国理事自理己民"；又，"万国公法公使凡四等，代君行事者为头等……至第四等即办事大臣及署任公使是也……

---

* 本章由廖敏淑撰写。

① 盛康辑《皇朝经世文续编》，光绪二十三年（1897）思补楼刊版。

② 麦仲华辑《皇朝经世文新编》卷4，法律，大同译书局，1897，第10页。

惟执本国外政大臣之书呈递于彼国之外政大臣以为信凭而已……"① 等，故"外政"一词也应该是符合当时情况的用语。

其次，关于本章及第三部分标题使用的"秩序"（order）一词。目前笔者尚未找到清朝自身详细规范自己所有对外关系制度乃至法律的文本，只能从实际发生的历史事件与活动中，去归纳清朝的外政运作原理和基本精神，而通过实际历史事例的积累，笔者认为清朝的对外关系存在多元样貌，在其运作过程中虽然不乏一定的基本处理原则，却又经常可见因时或因地制宜的应对之道。因此，相较于"体系"（system）的整体性与系统性，或是"制度"（system）的确定性与定则性，笔者认为"秩序"一词的含义还是比较松散的、开放的，在中文里头也具有次序、基本原则、条理、层次等意义，除了指出某些基本原理或次序、方向，对于所描述对象能赋予更多样的诠释空间。"秩序"并非一成不变的圭臬，而是在一定的原则、次序、方向上还存在着可能的因时或因地制宜，笔者以为这样的词更加贴近清朝在处理外政时的运作方式与基本态度，故采用了"秩序"一词。

朝贡体系论：解释明清两代对外关系的旧学说

近代以来，研究中国对外关系的学者不断地试图以一个简单的词或概念来描述中国固有的对外关系和世界观，尤其是与西方近代大致同处一个时期的清代，因其直接面对西方近代国际秩序，更是学者们研究中国在接触西方近代秩序后做出哪些沿革的最佳观察对象。其中，以费正清（J. K. Fairbank）为首的美国学者自20世纪中叶以降为明清两代建构的"朝贡体系"（tribute system）论，正是这些尝试中最具代表性的。

从费正清的构想出发，经过曼考尔（Mark Mancall）② 的理论精致化构

---

① 邵之棠：《论全权大臣》，《皇朝经世文统编》卷48下，文海出版社1978年影印本，第36页。

② Mark Mancall, "The Ch'ing Tribute System: an Interpretive Essay", in John King Fairbank ed., *The Chinese World Order: Traditional China's Foreign Relations* (Cambridge, Mass.: Harvard University Press, 1968); Mark Mancall, *Russia and China: Their Diplomatic Relations to 1728* (Cambridge, Mass.: Harvard University Press, 1971); Mark Mancall, *China at the Center: 300 Years of Foreign Policy* (New York: Free Press, 1984).

筑的朝贡体系论，① 由于带有浓厚的西方中心史观色彩，从 20 世纪七八十年代以来，史学界不断出现质疑朝贡体系论的观点，特别是柯文（Paul A. Cohen）提出应该从中国的视角研究中国史，② 从根本的史观上挑战朝贡体系的既有论述。受到柯文等美国学者的影响，随后在其他国家有关中西关系史的研究中也都出现了修正朝贡体系论的趋势。如日本的滨下武志，从经济史的角度修正朝贡体系论中"西洋冲击"的概念，认为西方国家到中国通商，并非引起西洋冲击，而是西方国家通过通商活动，参加了以中国为首的亚洲传统通商体制，所以应该是"东洋冲击"。尽管否定西洋冲击，但滨下所谓的亚洲传统通商体制指的是"朝贡贸易体制"，因此在通商层面上，滨下与朝贡体系论一样，认为明清两代中国的固有通商制度是"朝贡贸易"。③

除了西洋冲击与东洋冲击的认识差异，不论是朝贡体系论还是朝贡贸易体制论，都把明清两代视为一个整体，都认为清继承了明的朝贡制度，明清都采取只有朝贡国才能与中国通交、通商的外交体制，也都任意把明的制度套用到清，仿佛明清两代的中国是全然停滞、毫无变化的，而在铺陈这些概念时，两者都没有提供足以论证所有概念的历史个案与实证。

滨下朝贡贸易体制论修正费正清朝贡体系论的最重要概念，是在世界体系论上提出了与西洋冲击对照的东洋冲击。除此之外，滨下其他的概念仍然围绕朝贡制度来铺陈，依据朝贡制度画了象征中国国际秩序的同心圆，但滨下的论述尚未形成具有鲜明历史实像的详细内容，还不能够作为完全的对照组来取代朝贡体系论的架构，因此以下讨论代表明清中国世界秩序旧学说的问题，仍然以纵横中国史学界大半个世纪的朝贡体系论为主要对象。

---

① 关于费正清"朝贡体系"及"朝贡贸易"的概念，参见 John King Fairbank and S. Y. Teng（邓嗣禹），"On the Ch'ing Tributary System," *Harvard Journal of Asiatic Studies*, vol. 6, no. 2（1941），Cambridge, Mass.：Harvard-Yenching Institute, pp. 135 - 246；John King Fairbank, "Tributary Trade and China's Relations with the West," *The Far Eastern Quarterly*, vol. 1, no. 2（1942），pp. 129 - 149；John King Fairbank ed., *The Chinese World Order：Traditional China's Foreign Relations*；等等。

② Paul A. Cohen, *Discovering History in China：American Historical Writing on the Recent Chinese Past*（New York：Columbia University Press, 1984）.

③ 浜下武志『近代中国の国際的契機—朝貢貿易システムと近代アジア—』、東京大学出版会、1990；『朝貢システムとアジア』、岩波書店、1997。

　　"朝贡"原来是君臣之间的礼仪行为，随着周朝以来历史的发展，逐渐衍生出种种的意义。除了中国王朝内部的君臣名分，还扩展到了大国中国与周边小国之间的宗属关系，以及随之而来的交涉、通商等外政秩序，使得朝贡的概念变得十分复杂，从礼仪到内政、对外关系、通商乃至世界观，似乎都可以与朝贡纠缠在一起。既然朝贡是含义众多、复杂的概念，那么进一步推衍成"朝贡体系"，似乎也是令人安心的一种说法，因为含义太多，不管如何解释都能敷衍过去。但是，朝贡既然是中国历史上不断发展、演化的制度，必然在各个朝代都有其不同的内容与概念。如果把前近代中国的所有传统制度都一概归纳为朝贡，那只不过是将近代与传统粗暴二分的简单图示，那是认为中国过去几千年的历史几乎是停滞不动的，所以可以将几千年的历史模糊成一个"朝贡体系"概念。停滞不动的中国，等待西方近代的改变，正是西方中心史观对于近代以前中国历史的前提认识。

　　在这个前提下，朝贡体系论把焦点放在源自中国政治礼仪的"朝贡"，将主要完成于明朝的朝贡政治礼仪投射到清朝，着眼于明清两代在朝贡礼仪上的相似性，并从政治礼仪进一步推衍到贸易，再推衍到对外关系乃至整个中国的传统世界观，认为明清的中国政府把朝贡制度与通商贸易结合，于是得以巧妙地利用外国渴望通商的心理，顺利把诸外国视为"朝贡国"，借以羁縻外国，完成中国的"国际秩序"。其理论架构认为，外国借着朝贡或依附于朝贡形式才能与中国通商，因此通商附属于朝贡，商业受制于政治意识形态。依照这样的理论架构推衍出来的中国国际秩序，是所谓的"天朝"概念：中国是"天朝"，世界上的所有国家，不管实际上是否向中国朝贡，理论上都是中国的朝贡国。① 因此，依附于朝贡形式到中国通商的国家，理论上都是中国的"朝贡国"。在外交关系上，"朝贡国"的国家地位低于"天朝"中国。众所周知，朝贡体系论如此大费周章对清朝的传统外交通商制度做文章，乃是为了证明西洋冲击才是给"传统的、停滞的"古老中国带来变化的要素，认为鸦片战争以前中国的外交通商制度为"朝贡体系"，在战争及中英《南京条约》等西洋冲击之后则为"条约体系"。

　　由于朝贡体系论认为明清两代是一体的，因此经常将明代的史料套用

① 坂野正高『近代中国政治外交史：ヴァスコ・ダ・ガマから五四運動まで』、東京大学出版会、1973、77頁。

于清代，乃至直接作为清代制度的解释，例如费正清在 "On the Ch'ing Tri-butary System" 一文中，大量将从《万历会典》等明朝会典中所架构起来的朝贡制度直接作为对清代朝贡制度的理解，而滨下武志所绘制的同心圆和朝贡贸易体制概念也都是混同明清两代的制度而成的。笔者以为将明清两代的制度混同为一，正是他们误解明清两代历史实像的重要原因。

明清两代纵然在法制、礼制、经济发展、社会文化等方面有其连续性，但恰恰在对外关系上，无论是政治层面还是通商层面，这两个朝代的差异是相当大的。例如，明代最主要的外患是南倭北虏，因此长期采取 "海禁+贡舶贸易" 的政策，亦即只有贡舶才能互市（贸易）的 "贡市合一" 政策，以降低沿海的外患而得以专注对付北方的蒙古势力；清代则在台湾郑氏政权灭亡后立即采取开海政策，设立海关以管理中外商船贸易，而困扰有明一代的蒙古在清代成为中央政府直接管辖的地区。清朝管辖的地域范围与俄罗斯相接，两国之间早早订了《尼布楚条约》与《恰克图条约》来约束两国的外政及通商关系。对于明代几乎不存在的中俄关系，朝贡体系论只能将俄国视为例外，不加以处理，自然也对于学界公认具有西方近代国际法基础的《尼布楚条约》与《恰克图条约》之存在视而不见，以成全其将中英《南京条约》作为划分清代中国新旧外交秩序分水岭的学说架构。又，日本在明代是接受册封的中国属国，可以到中国进行明朝公认的贡舶贸易；但到了清代，日本并非清朝册封的属国，在开国之前，日本也没有到中国进行贡舶或民间贸易，倒是清代中国的商人可以到日本的长崎贸易。对于与明清两代中国拥有不同关系的日本，朝贡体系论也只能视为例外，不加以处理。可是，俄国与日本都是清代以来与中国在各方面都有着极深纠葛的重要国家，如果必须舍弃这些国家与中国的关系才能成全理论的话，这个架构如何有效诠释清代的世界观？

当然，朝贡体系论主要是通过朝贡制度来观察明清两代的世界观与国际秩序，明清两代也的确有着类似的朝贡制度，因为朝贡的制度化大抵完成于明代，而在朝贡礼仪上清代也沿袭了许多明代的制度，但两者并不完全一致。例如，清代在册封明代 "朝贡国" 时，总是要求对方必须先归还明代颁给的敕、印，之后才加以正式册封，并依亲疏远近关系规定合宜的贡期、贡道与贡物明细；除了南明政权还存在的顺治初年必须争夺作为 "中国" 的正统性时期，清朝也从未像明太祖、明成祖、宣德帝那般大肆招揽来朝国家，因此对于封贡关系的严谨对待程度，明清两代是不一样的。这正是明清两代所处的大环境、统辖范围、对外政策与世界观都不一样所导致的，明朝长期需要恭顺于中国的"朝贡国"带来海外商品，而清朝有着相对开放的海外贸易政策，不需要由贡舶带来商品。在通商层面上，清代开海以后基本上采取"贡市分离"的通商政策，不同于明代的"贡市合一"政策。清朝还拥有多元的对外关系，更与明朝以朝贡制度为主的对外关系迥然不同，绝不能将朝贡体系视为前近代以前的清朝传统世界秩序。

由于费正清受到英国人、海关税务司马士（H. B. Morse）的影响，只从英国、英籍税务司所管理的洋关角度来看清朝的海上贸易，造成了朝贡体系论认为清代中国是采取闭关自守的广东一港贸易制度，认为中国的洋行商人就像西方近代以前的垄断商业组织基尔特（Guild），于是已经进到近代的英国，在工业革命的需求下，亟须打破处于"前近代"的清朝通商制度。这都是西方中心主义论下的误解。事实上，清朝的通商制度不仅止于海上部分，还有陆路贸易、使节团贸易，而就算是海上贸易也不是只有广东一港，就连中国的洋行商人也不是垄断集团，自然不同于西方的基尔特。

因此，朝贡体系论只有在朝贡仪礼上或许还能模拟一下明清两代的相似性，其他不论是外政制度、通商制度乃至于与不同属国之间的关系上，朝贡体系论都无法有效诠释明清两代存在的差异，又如何能作为概括明清两代中国世界秩序的学说？

除上述基本历史认识错误外，朝贡体系论在时代的区分上模糊不清，也无法将国交与通商等对外关系层面及政治、经济的复杂面貌清晰地描绘出来，其将明清两代合一、将国交与通商混同、将朝贡礼仪与政经制度结合的做法，只能使史实更加模糊、混乱。结果，"朝贡"究竟是什么？其概念与具体内容至今仍是有待进行大量实证研究的课题。①

如上所述，朝贡体系论无论其前提史观、史学方法及其所描绘的面貌暧昧模糊之历史图像都存在严重问题，实在无法作为诠释明清两代中国世界秩序的理论。

虽然已有许多学者认为朝贡体系论存在许多缺失，其铺陈的概念、构

---

① 　岡本隆司「『朝貢』と『互市』と海関」『史林』（京都）第 90 卷第 5 号、2007 年 9 月、89 頁。

造之有效性也令人质疑，[①] 早已难以作为概括明清中国传统世界观的学说，但或许由于一直没有出现能够系统性地全面取代朝贡体系的新学说，迄今为止史学界的某些通史书籍和教科书，仍然把中国传统的对外关系归纳为朝贡制度或朝贡体系，也依然以鸦片战争和中英《南京条约》作为前近代和近代的分水岭，认为在此之前的中国外政是"朝贡体系"，此后则进入"条约体系"；在此之前的中国固有通商制度是"朝贡贸易"，此后则是被列强的"不平等条约"所约制的"开港场贸易"（指在开放对外通商的港口所进行的中外贸易）。

互市论与互市体制论：清代通商制度与试图取代朝贡体系论的新学说

进入21世纪，终于出现了试图系统性地重新构筑明清中国固有世界秩序的研究方向，即笔者所主张的以"互市"视角来重构清代通商制度历史实像的研究，[②] 以及试图以"互市体制"来建构明清世界秩序的京都大学岩井茂树教授之新学说。[③] 两者都是以中国的内在视角重新检视中国固有世界秩序，通过诸多历史个案研究，试图挑战立论于浓厚西方中心史观与西方近代视角下的朝贡体系论。两者对于同样时代与同样实例做出的分析和归纳也大致相同，但仍存在主张不一致的部分。

首先，两人在主张上最主要的不同之处在于，岩井旗帜鲜明地打出了"互市体制"的概念，认为"互市体制"才是近代以前中国的传统外交、通商体制，可以看出其试图以"互市体制"取代"朝贡体系"、以中国本位的视角取代西洋中心论的意图。

相较于此，笔者虽然也和岩井一样认识到通商与外政在对外关系上的

---

① 岡本隆司「『朝貢』と『互市』と海関」『史林』（京都）第 90 巻第 5 号、2007 年 9 月、87 頁。

② 参见廖敏淑『互市からみた清朝の通商秩序』、博士学位論文、北海道大学大学院法学研究科、2006；廖敏淑《清代对外通商制度》，王建朗、栾景河主编《近代中国、东亚与世界》下卷，社会科学文献出版社，2008 等著作。

③ 参见岩井茂樹「十六世紀中国における交易秩序の模索—互市の現実とその認識—」『中国近代社会の秩序形成』、京都大学人文科学研究所、2004；岩井茂樹「16—18 世紀の東アジアにおける国際商業と互市体制」『東アジア研究』（大阪）第 46 号、2006；岩井茂樹「朝貢と互市—非『朝貢体制』論の試み—」『帝国と互市——16—18 世紀東アジアの通交』、ニューズレター（京都）第 4 号、2006 等。

关联性，也同样否认朝贡体系论对于清代固有通商与外政诠释的有效性，但目前并不主张使用"互市体制"来取代"朝贡体系"。笔者认为通商与外政同属对外关系的范畴，两者必然息息相关、彼此交错影响，但两者之间也存在泾渭分明的领域。在泾渭分明的领域中，两者甚至可以几乎毫无关涉，这也是为什么在中国历史上屡屡存在互市（通商）可以回避国家主权（外交）等敏感问题的缘由。因此笔者宁可先将通商与外政分开处理，之后再来细究对外关系中通商与外政之间的关联。

其次，岩井认为，清朝康熙帝的开海是沿袭了明朝中叶以来放松海禁政策的趋势，强调中国从 16 世纪中叶以来在通商乃至外政秩序上发生了从"朝贡体系"到"互市体制"的变化，[1] 注重明清两代在中国史及世界史（主要指西方大航海时代参与了亚洲的贸易）上的连续性。

相对于此，笔者基于中国史的立场，着眼的是明清两代在通商与外政制度上的分断与歧异之处。笔者并不赞同明清两代发生了从"朝贡体系"到"互市体制"变化的观点。如前所述，笔者认为明清两代在对外制度与政策上存在极大分歧；况且就连对明朝通商制度的诠释，朝贡体系论也无法提供正确的、全面的历史实像，[2] 那么明朝的通商和外政制度是否适用朝贡体系论的概念？如果答案是否定的，自然也不存在从"朝贡体系"转向哪个体系或体制的变化。

再次，关于处理互市课题的时代断限，仅就目前两人已经发表的研究成果来看，岩井处理的事例集中在明朝中叶至清朝前中期；笔者则是站在中国史的立场，追寻互市的起源与历史沿革，并且全面整理清朝一代互市制度的沿革与变动，从而指出清朝乃至中国历朝固有的通商制度是互市。

截至目前，对于互市，岩井茂树更加关注的是 16 世纪中叶以来，也就是和西方近代（16—18 世纪）同处一个时代的明清中国，在通商乃至外政秩序上发生的变化。他认为应该以"互市体制"取代朝贡体系论对明清两代通商、外交之诠释。而笔者关注的重心在于，互市作为中国固有的、通古贯今的通商制度，其在中国历史中的起源与沿革、在有清一代的变迁，

---

①　岩井茂樹「朝貢と互市—非『朝貢体制』論の試み—」『帝国と互市——16—18 世紀東アジアの通交』、ニューズレター（京都）第 4 号、2006 年、17 頁。

②　廖敏淑：《清代对外通商制度》，王建朗、栾景河主编《近代中国、东亚与世界》下卷，第 450—452 页。

乃至在现今中国或中国周边国家的存在情形。

笔者认为明清时代虽然正逢西方向外发展的16—18世纪，在物质、经济、通商、航海等发展上彼此影响而颇有联动性，可是在对外关系层面上的重点却并非只有物流或基层民众的交流互动，还需要注意上层决策者的思维。当然，局势变迁和人民需要会影响决策者的判断，但是对于内政与外政秩序的全方位思考，更是决策者决定该国对外关系与政策的关键。就上层的决策而言，并非西方与中国接触了，中国就必然立刻发生变化，变与不变，或是何时改变、改变多少，取决于内外政的全方位考虑及中国政府维持中国世界秩序的力度。在这一点上，笔者认为明代与清代的当政者必然有着不同的考虑，甚至同一个朝代的各位皇帝之间也会有所不同。如何掌握长期理念方向与短期政策变化之间的关联性，是非常困难的课题，而这些考虑也未必像物流、经济发展等层面一样，具有长期的规律、稳定的方向。所以仅由通商或物流、经济等层面来看中国的对外关系是远远不够的，还必须研究外政秩序与通商之间、长期理念维持与短期政策变化之间的关联性，把每个环节的历史细节、每个层面的长期现象都弄清楚之后，才能比较全面地理解中国的世界观，也或许才能明白中国长期的世界秩序。在全方位弄清楚这些历史细节之前，对于清代的对外关系，笔者认为还是有必要将通商和外政先分开处理。

当然，岩井和笔者的研究都正在进行，日后应该还会有新的见解出现。无论如何，新的学说需要接受一段长期的论证与驳辩，希望有更多的学者参与讨论及历史个案的实证研究，以期在积累众多的实证研究后，学说能够更加完善、更加接近历史实像。

以下研究着重于重构清代的通商与外政制度，进而通过通商与外政层面来看清朝的对外关系与世界观。

二 互市：清代的通商制度

涉猎史料可以发现中国的史书中并无"朝贡贸易"一词，而经常可以看到与"通商""贸易"交互使用的"互市"一词，那么是否可以把"互市"视为中国或清朝固有的通商制度？

从乾隆朝纂修的《皇朝文献通考》中，可以看到清朝以"互市"来介绍其通商制度的记载。编修官在叙述互市制度的前言中提到："宋以前，互市之制，其详靡得而记。自宋开宝后，始置市舶司、榷场、博易场，沿革详略，具载马端临考。至前明末代，抽税过重，防奸则疏，以致大启海氛，公行抄劫，吴越濒海州郡，数被其害。"可知，清朝将本朝互市制度溯源至宋代，并对明代互市制度（指的是"贡舶贸易"，也就是朝贡体系论所谓"朝贡贸易"的典型）采取批判的态度。书中说清朝的互市制度有三种，分别是"关市""海舶"及"在馆交易"（使节团贸易）。而宋元两代蓬勃开放的市舶贸易，是史学界公认的自由与外国通商、贸易的活动。如果清朝自认其互市制度是渊源于宋代，那么至少到乾隆年间，清朝的制度也应该是自由与外国通商、贸易的制度。

费正清等人的朝贡体系论以鸦片战争为界，将清代史一分为二，鸦片战争后即是所谓的晚清时期。那么，鸦片战争后，清朝还认为与英国等国的开港贸易是互市吗？

由日本具代表性的近代中国史研究者编纂的《中国外交文书辞典（清末篇）》一书中，对"互市"做了如下定义：①（与外国）贸易；②依据通商条约，开港进行外国贸易〔二十年来，彼酋习我语言文字者不少（1863年用例）〕。① 该书主要是引用《筹办夷务始末》的例文，也就是依据皇帝与大臣之间关于对外关系的往来公文内容来定义词汇的辞典。在此引用的1863年用例，是《天津条约》《北京条约》刚缔结不久时任江苏巡抚李鸿章奏折里的句子。以下节录此奏折的一部分："互市二十年来，彼酋之习我言语文字者不少……臣拟请照同文馆之例，于上海添设外国语言文字学馆，夫通商纲领固在总理衙门，而中外交涉事件则转多，势不能以八旗学生兼顾……"② 此奏折中提到的"互市"，明显指的是中英《南京条约》及通商章程缔结后的通商贸易。由此可知，在鸦片战争、《南京条约》之后，亦即在朝贡体系论认为已进入其所谓的条约体系时期的时候，清朝的皇帝、大臣依然把通商贸易称为互市。因此可以说从清初到清末，都存在着把通商贸易称为互市、把通商贸易和互市两者视为一事的情形。

---

① 植田捷雄等编『中国外交文书辞典（清末编）』、学術文献普及会、1954、35 頁。

② 《筹办夷务始末》（同治朝），同治二年二月丙戌，第2—4 页。

以下按时间顺序，以历史实例考察有清一代"关市""海舶"及"在馆交易"（使节团贸易）三项互市制度。

关市

1. 山海关外太祖、太宗时代与明及朝鲜的陆路互市

努尔哈赤及其祖先原本是明朝"属夷"，接受明朝都指挥使的官职，被编为羁縻卫所。但在明神宗万历四十四年（1616），统一女真诸部落的努尔哈赤建立后金，从此后金与明朝是对等的邻国关系。

后金与明朝"于抚顺、清河、宽甸、暖阳四关口互市"。① 从明季陆路互市市场的情况来看，此四关市的贸易应该是以民间贸易为中心的市场。但后金建国之初，亟须筹措物资，后金多派官员以国家资金到互市市场交易，如太宗天聪九年（1635）"发帑银与明国互市，获蟒素等缎匹"，十年"遣察汉喇嘛……率每家十五人，携貂皮各五十张、人参各百斤，往明边杀虎口贸易"。②

天聪元年，"平壤之盟"，后金与朝鲜成为"兄弟之国"，建立正式国交关系，盟约中规定岁币、通使交聘及通商贸易等内容。贸易分为两种，一种是使节团贸易，即两国使节团在聘问之际，各自带着商人往对方京城贸易；另一种是在会宁、庆源、中江设立互市市场，定期贸易。③

从后金的立场来看，后金与明虽有小国、大国的差别，但仍是对等的邻国关系；后金与朝鲜也是对等的邻国关系（兄弟之国）。而后金、明、朝鲜三者之间彼此存在着互市通商关系，后金除官营贸易以筹措物资外，也鼓励民间互市贸易。

朝鲜因战败接受平壤之盟，不得不与后金互市，但仍遵明为宗主国。在后金与明敌对时，明朝为了禁止物资流入后金，经常关闭与后金间的市场，同时要求朝鲜不得将物资流通到后金。因此朝鲜除了开头几次互市，常常不履行与后金间的互市约定，两国为了互市与岁聘礼物不符合约定（代表弟国朝鲜对兄国后金的尊重）等问题常发生冲突。朝鲜不遵守盟约中

① 《清朝文献通考》卷26，征榷考1，征商，关市，第5075页。
② 《清太宗实录》卷24、卷27。
③ 张存武：《清韩宗藩贸易》，"中央研究院"近代史研究所，1978，第7页。

关于互市的约定，成为崇德元年（1636）清太宗（崇德元年，皇太极改国号为清）征伐朝鲜的"大义名分"理由之一。翌年，战败的朝鲜从弟国沦为清朝的属国。

清朝对属国朝鲜重新要求互市："定贡道，由凤凰城。其互市约，凡凤凰城诸处官员人等往义州市易者，每年定限二次，春季二月，秋季八月。"①综合康熙朝《大清会典》的规定，崇德二年以后清与朝鲜的陆路互市规定主要如下：互市市场为义州（每年二月、八月，与凤凰城官兵互市）、会宁（每年与宁古塔人互市一次）、庆源（每年与库尔喀人互市二次）；互市时，清朝派礼部的朝鲜通事二人，宁古塔官员、骁骑校、笔帖式各一人前往监视交易；交易的期限为20日；规定交易项目及违禁商品。这几个互市市场主要是为了供给清朝守边军队物资。②

2. 清朝入关后的陆路互市

（1）属国互市

崇德二年以后，清朝与朝鲜的互市基本上按照上述模式存在，但随着清朝消灭李自成及南明政权、统一中国本土，清朝可掌握的财力、物资大增，守边军士的物资供给不必全靠与朝鲜互市获取，使得上述三个互市市场的交易逐渐从驻防官兵交易为主的市场，转变为以民间商人为主的市场；由朝鲜供给清朝驻防官兵物资，转换成中国民间商人供给朝鲜物资的市场。特别是对实行海禁的朝鲜而言，与中国互市所获取的物资相当重要，除供给国内所需外，部分商品还可以转运釜山"倭馆"，与日本对马藩进行互市。

关于清朝与属国的陆路互市，再举安南/越南（嘉庆八年，嘉庆帝改安南为越南）的例子做参考。康熙五年（1666），安南将南明永历帝所授予的敕书、金印交给清朝，清朝派使册封国王，两国正式建立宗属关系。清朝与安南/越南的陆路互市，因该国的内战等因素曾经中断，但不论新设的互市市场，还是关闭后市场再开之时，双方都必须派遣官员订立互市章程，决定市场位置、商人进入市场道路、商人入境手续、互市时间等规定。关闭后再开的市场的互市章程，大多沿袭以前的章程规定，但因牵涉两国的国际贸易，还是必须重新交涉章程。与安南/越南交涉的中方最高对口单位

---

① 《清史稿》卷526，属国传1，朝鲜。
② 廖敏淑：《清代中国对外关系新论》，政治大学出版社，2013，第75—76页。

是两广总督，但主要是由广西巡抚及其下属负责实际交涉。两广总督、广西巡抚是两国外交、通商交涉的中方常态对口单位。清朝在商人进入安南/越南互市市场的中方边境设有关口，对商人进行出入境登记（发给腰牌、印票），并要求商人成立会馆，从殷实商人中选出"客长"，以监督管理前往安南/越南互市市场的中国商人。清朝制定腰牌、印票费用标准，对前往安南/越南互市市场的中国商人进行收费。安南/越南则对入境贸易的中国商人课征些许税收。

（2）与国互市

康熙二十八年，清俄两国签订对等的《尼布楚条约》，建立了国交关系。后来乾隆帝也称"俄罗斯乃我朝与国"，两国可说是与国关系。清俄两国根据条约规定，俄国队商开始了陆路互市。当时俄国队商陆路互市的地点主要是北京与尼布楚。在北京，依照会同馆等使节团贸易的规定进行；在尼布楚，按国境互市市场的规定。在尼布楚的互市主要是由尼布楚附近隶属于中方的游牧民族携带少数货物与俄国守城官兵互市，提供俄国守城官兵物资。对当时的俄国队商而言，在边境尚无大型互市市场之时，离俄国最近的市场是北京。而北京是中国京师，并非互市贸易之地，因此俄国队商在北京只能依照使节团贸易的规定进行。《尼布楚条约》签订后九年，俄国对中国贸易改采国营贸易，俄国队商原来一直是官商夹杂的性质，在国营贸易实施后，官方的性质更为强烈。

但对清朝而言，京师并非互市贸易之地，加上中国驿站及官兵护送只该用于政务和军事方面，可以护送负有政务的使节团，却不能老替商人服务。因此康熙年间，中国对俄国声明，俄国队商中具有官方身份的使节、军官、俄皇御用商人等，得以享用中国驿站及官兵护送、馆舍和食粮供应，但其他的商人则不得享有这些待遇。

康熙年间，对俄国队商区分官方与非官方身份的规定，正式刊载在雍正五年（1727）更新的《恰克图条约》之中。又，康熙三十年，中国北方的喀尔喀蒙古归顺清廷，喀尔喀蒙古地区局势稳定，俄国队商于是舍尼布楚的满洲路，改走距离较近的蒙古路（途经喀尔喀蒙古地区）进入北京，因此，喀尔喀地区的库伦等地在康熙中叶以后成为中俄国境的互市市场。《恰克图条约》规定恰克图为中俄国境的互市市场，恰克图正位于库伦北端，因库伦为喀尔喀蒙古地区的政治中心，为免互市通商纷争影响该地区的政治稳定，遂在库伦外的恰克图卡伦新设立互市市场。恰克图互市市场建立后，俄国队商渐渐不来北京。乾隆二十年前后，俄国队商停止到北京贸易，中俄互市遂集中于恰克图。

中俄约定，双方互市不课交易税和商品税，因此恰克图等互市市场完全免税。但俄国在本国设立关卡对俄国队商课十一税；而清朝也利用引票等手续，向前往恰克图的中国商人收取费用。

另外，清朝派理藩院司官驻扎恰克图，监视、管理贸易；中国商人则成立"八行"，八行中选出人品良好的富商为"行首"，行首与其他商人协议，共同决定货物价格。① 恰克图市场是一个封闭市场，互市期间中俄商人分别入住南北两边的恰克图与买卖城，以进行交易。由此看来，恰克图市场的交易方式与宋代榷场有异曲同工之妙。

海舶

清朝在郑氏政权盘踞台湾之际，为了避免沿海居民与郑氏政权勾结，并切断郑氏政权的物资来源，康熙元年在沿海实行迁界与海禁政策。但康熙二十二年平定台湾后，清朝开海，设立四海关以管理海上对外贸易。

海关主要是管理中外商人贸易，包括中国海商出海贸易的出入境手续、外国商船出入境手续、中外商船课税、税则制定、港口设施的设立与维护等，与现代的海关并无太大差别。但清朝官员不直接干涉商业，加上官员与商人地位不对等，不能直接往来，因此对于外国商人在港口和夷馆的一切活动，都是通过中国的行商来管理。行商代替外国商人办理出入关手续、报税、代为缴税、买卖货物、安排住宿、提供生活所需的一切事宜，并替不能直接往来的官员与外商传递消息。虽然英国商人不喜欢行商包办一切，但满意行商提供所有服务，认为广东贸易简直是天堂的外国商人也大有人在。②

除了清朝当局不实际经营海上贸易，清朝对海上贸易抱持的态度，以及对管理海上贸易的原则，跟宋元时代的制度比较接近。从海关制度看来，

---

① 何秋涛：《朔方备乘》卷 37，俄罗斯互市始末，第 5 页。
② 参见 W. C. Hunter, *The "Fan Kwae" at Canton: Before Treaty Days, 1825—1844* (London: Kegan Paul, Trench & Co., 1882).

它更算是中国各王朝最完备的朝代。

朝贡体系论认为，在乾隆二十二年（1757）以后，中国的海路对外贸易限制于广州一港，并且利用"公行"垄断对外贸易，利用公行管理、控制外国商人，他们称这样的贸易制度为"广东体制"。① 但是所谓的广东体制并不符合史实。清朝并未将所有外国商船限制于广州一港。而且之所以限制英国商船，主要是因为英国东印度公司为了争取在宁波等港口贸易，乱闯并非对外贸易的口岸，当时代表东印度公司的洪任辉（James Flint）闯入天津口岸，震撼了清廷。乾隆为了避免再发生类似的事件，遂严格限制英国商船只能在广州贸易。另外，中国不允许英国商人到宁波等港口贸易的主要理由还有两项。一是粤海关的税收定额问题，当时来华外国商船不多，来广州贸易的多半是英国商船，若英国商船到其他港口贸易，则粤海关的税收将难以达到规定的定额。二是除粤海关外，当时其他的海关没有接受英国商船的对口单位（牙行）。当时英国商船早已不到广州以外的开港地，因此宁波等港口没有接纳英国商船的牙行，宁波等海关关于课征外国商船的税率也已荡然无存。洪任辉第一次到宁波时，因地方官的通融，顺利达成贸易。原本乾隆帝也想依照英国的愿望整备宁波，使之拥有同粤海关一样应对英国商船的机能（如牙行、税则等），但最后因考虑到粤海关税收、广州洋行商人生计及港口设施、安全等问题而放弃整备宁波，要求英国商船回到广州贸易："粤省地窄人稠，沿海居民大半借洋船谋生，不独洋行之二十六家而已。且虎门、黄埔在在设有官兵，较之宁波之可以扬帆直至者，形势亦异，自以仍令赴粤贸易为正……明岁赴浙之船，必当严行禁绝……将来只许在广东收泊交易，不得再赴宁波。如或再来，必令原船返棹至广，不准入浙江海口。"② 乾隆帝在此谕旨中提到"明岁赴浙之船，必当严行禁绝"，这完全是针对英国商船而言，因为当时英国商船曾与宁波地方官提及明年再来的打算。朝贡体系论者引用此段谕旨，作为清朝当局禁止所有外国商船到广州以外的港口贸易的证据，但事实上这只是乾隆帝针对英国商船所做的限制，无法成为清朝当局禁止所有外国商船到广州以外港口贸易的证据。

---

① 坂野正高『近代中国政治外交史：ヴァスコ・ダ・ガマから五四運動まで』、129—137 頁。

② 《清高宗实录》卷 550，乾隆二十二年十一月戊戌条。

况且，对于向来在厦门、宁波等地贸易已久，有应对的牙行存在的西班牙（吕宋）、暹罗、爪哇、苏禄等国商船而言，乾隆二十二年以后依然可以到厦门、宁波等地贸易。又，《厦门志》记载乾隆四十七年的法令："奏准，嗣后外夷商船到闽海关，其装载货物照粤海关则例征收。"《厦门志》编纂者（总编纂周凯为道光年间福建兴泉永海防兵备道）在此法令下注记："此条明准外夷商船贸易也。"因此，朝贡体系论所谓清朝在乾隆二十二年以后实行广州一港政策的说法，是不符合历史事实的。

行商是牙行的一种，是古来中国商业中不可缺少的存在。在唐末市制破坏之后，政府多利用牙行、牙人代为收税，渐渐地牙行、牙人成为历代王朝收税及维持商业秩序的手段。尤其是明朝，制定许多法律来管理牙行，利用牙行行使课税、平准物价等原本属于政府的商业管理职能。加上中国各地的度量衡不同，需要拥有丰富商业知识的牙人进行正确估价，因此即使在中国国内商业中，牙行、牙人都是必要存在的环节。[1] 而在对外贸易中，牙行、牙人更是不可或缺的存在。从汉代的驵侩开始，牙行、牙人就在言语不通的中外商人之间从事中介及评定价格等工作。唐代的"互人""互市牙郎"，乃至宋代中外互市的牙行、牙人和清代的行商等，都是中外贸易中必要存在的环节。

清朝没有通过行商或所谓的"公行"垄断对外贸易的想法，基本上清朝不直接参与商业，只要能课征该有的税收，交易过程又能依规定进行，将商业事务委托商人进行，而官方只监督商业秩序即可。公行只是清朝为了确保税收而要求行商中的富商成立的组织，在税收不足或需要赔偿的时候，公行必须负起责任。公行主要存在于乾隆朝到《南京条约》签订期间，不是一直存在的机构，也不是所有的行商都属于公行，因此不能把公行当作行商的代名词。[2]《南京条约》中要求的是废除公行，不是行商。行商是一般商人，且是中外贸易不可缺少的存在，自然是不能废除的。

因此朝贡体系论认为清朝将中国的海路对外贸易限制于广州一港，并且利用公行垄断对外贸易，利用公行管理、控制外国商人的说法也不能成立。

---

[1]　邱澎生：《由市廛律例演变看明清政府对市场的法律规范》，台湾大学文学院编《史学：传承与变迁学术研讨会论文集》，1998；吴少珉：《我国历史上的经纪人及行业组织考略》，《史学月刊》1997 年第 5 期。

[2]　冈本隆司『近代中国と海関』、名古屋大学出版社、1999、19—110、111—144 頁。

　　另外，朝贡体系论认为在《南京条约》后，中国的外交通商从"朝贡体系"转变为"条约体系"的看法也不符合历史事实。

　　在中俄外交通商关系上早已存在条约关系，而且就中俄间的北京贸易或恰克图互市的交易情形来看，都是属于中国固有的互市形态。中俄间的《尼布楚条约》《恰克图条约》所规定的互市通商原则，也都是中国的互市原则。而《南京条约》的条文，基本上还是中国固有的互市原则，例如在开港地才能通商、通过行商买卖货物或报关等交易形态依然存在。虽然条约中规定的租界、片面领事裁判权等问题后来被视为不平等条款，但属人主义的法律概念一直是清朝的坚持。在与英国签订和平条约后，英国从清朝的无约互市国变成与国，两国既有正式外交关系，则不妨给予与国官员裁判权。加上当时中国人不去英国，清朝当然不会认为片面领事裁判权有何不平等。租界也是古来就有的外国人居留地的观念，清朝在新疆伊犁等互市市场早有划给哈萨克等外国商人居留的贸易亭，并不觉得不平等。而且清朝认为外国人不与中国人杂居比较便于管理。

　　在《南京条约》之前，中俄之间早有世界公认的符合西方近代国际法概念的平等的《尼布楚条约》存在，但此条约对两国通商关系的规定，仍是中国固有的互市方式。事实上，不只中俄之间的《尼布楚条约》《恰克图条约》，中国古来与外国进行互市都必须有盟约或其他约定的根据，例如宋辽的澶渊之盟、后金与朝鲜的平壤之盟等；就算是与属国进行互市，也需要互市章程，如前述清朝与安南/越南的互市章程。就通商的角度来看，《南京条约》的通商章程，不管是条约的形式还是内容，都不是创新的东西。它几乎只是将中英原本的通商状态明文化而已。当时清当局认为《南京条约》带来的变化只是败给夷人而不得不与夷官平起平坐等政治外交上的不服气。

　　而关于《天津条约》《北京条约》，因为英法等国以暴力手段向清朝强要了长江内河航行权、公使驻京等权利，清朝开始觉得条约带来了屈辱与不公平。但比起政治、外交上的冲击，在互市通商方面，《天津条约》《北京条约》带来的变化并不是太大。虽然规定了值百抽五的税率、外籍税务司等制度，但中国海关的税率原本平均也不到5%，而外籍税务司则是取代以往行商担任的课税工作，这是清朝官方本来就不担当的工作。此后，外籍税务司作为清朝政府的一分子，为中国海关工作，只要他们能有效收税，就不影响清朝的通商机能。

大约《天津条约》《北京条约》签订后，清朝开始产生修改对自己不利的条约条款的念头。例如19世纪60年代与各国签订的条约中，清朝尽量做一些与《天津条约》《北京条约》不同的规定，或置换一些条文的词句，其中1871年的《中日修好条规》算是清朝这个阶段修改条约的集大成。《中日修好条规》与清朝和西方诸国签订的条约（几乎都是《天津条约》和《南京条约》的复制品）特点不同，条文全由中方制定，它反映了当时清朝理想的条约观。条约本身不叫"条约"而故意叫作"条规"，正表现清朝期待这个条约与先前和西方诸国签订的条约有所不同的意图。《中日修好条规》与《天津条约》《南京条约》等系列条约的主要不同点在于：没有"一体均沾"的片面最惠国条款、没有协定关税（两国各自使用现行关税向对方商人课税）、互惠的领事裁判权、互相派遣领理事官（领事官）等。而全约互惠、对等的基本精神，正是清朝固有互市的原则；互惠领事裁判权的规定，也是清朝固有属人主义的司法概念。除中国认为日本是东洋国家，对日本的态度与西洋国家有所不同外，因为当时日本已经开国，中日之间的外交通商关系是"有往有来"，与中国和其他西洋国家的"有来无往"不同，鉴于现实情况及对追求理想条约的心理，清朝特别为中日间的第一个条约量身定做，打造了清朝条约史上绝无仅有的特别条约。

在馆交易

在馆交易指的是外国使节团来华，在进入中国境内接待使节的馆舍中所进行的贸易。清朝的这个互市形态最接近朝贡体系论所主张的"朝贡贸易"，但仔细探讨在馆交易的情形，发现它还是不能叫作"朝贡贸易"，只能叫使节团贸易。

首先，引用坂野正高的解释，来说明朝贡体系论所主张的"朝贡贸易"（以下简称"朝贡贸易论"）。他主要认为中国的贸易形态有二：其一是贡献/下赐的物物交换贸易；其二是来华使节团利用朝贡行为，将非贡物的货物一起带来，乘便在中国交易贩卖。其中，关于第二个形态，也包括使节团在入境地点的交易行为。而朝贡贸易论所谓的"广东体制"，事实上就是没有贡使，但假想贡使去了北京，而只留下跟贡使来的商人在入境的港口贸易的情形。①

笔者已于上述清朝的海舶互市部分，说明"广东体制"不能成立的理由，而此处对广东互市的解释更是荒谬。清朝设立海关后，再也没有实施海禁，当然不需要像明朝一样利用贡舶贸易来进行互市。况且清朝设立海关的理由之一，正是为商民利益着想，使中外民间商人得以自由贸易，② 因此所有到中国海关进行贸易的商船，原本就不必跟贡使一起前来（当然更不用假想贡使去了北京），随时可以到中国来贸易。因此，朝贡贸易论对于广东贸易的论点与事实不合。

其次，关于贡献/下赐等于物物交换贸易的说法，也令人难以赞同。就中国的立场而言，贡献/下赐本非贸易，贡献是向皇帝表示敬意的方物，是皇帝的私有物品，并非交易的商品；下赐的物品也只限于受赏赐的国王、使节、使节团成员等使用，基本上不会在市场上流通。就算来朝贡的国家是为了贪图皇帝赏赐的珍贵礼物才来，那么下赐的价值必须高于贡献。而以朝贡次数最多的朝鲜为例，全海宗算出来的结果是朝贡的代价高于皇帝的赏赐。③ 全海宗是把朝鲜给清朝的岁币、贡物、旅费、给沿途接待使节团的中国官员的礼物等费用一起计算，而得出来的结果。但岁币是战败赔偿金，清朝皇帝不必对岁币提供相当的赏赐。一般而言，清朝的赏赐不甚丰厚，但基本上赏赐与贡物的价值不会相差太多。更何况清朝还要负担使节团在中国境内的交通工具、宿舍、粮食、各式款待等，在使节团来朝的过程中，中国最终是占不到便宜的。

如果在朝贡的过程中，贡献与下赐的双方都得不到利益的话，贡献/下赐如何算是一种贸易？中国又如何利用赏赐的利益来使朝贡的国家持续来朝？这样的"贸易"如何能当作中国传统的、典型的通商贸易制度？

另外，朝贡贸易论认为中国的属国或周边小国是为了中国的赏赐才甘心向中国朝贡。他们认为向中国朝贡、进行朝贡贸易有辱国家地位，换句话说，也象征朝贡国家的地位是低于"天朝"中国的。

---

① 坂野正高『近代中国政治外交史：ヴァスコ・ダ・ガマから五四運動まで』、80頁。
② 《清圣祖实录》卷115，康熙二十三年六月己亥条。
③ 全海宗：《清代韩中朝贡关系考》，氏著《中韩关系史论集》，全善姬译，中国社会科学出版社，1997。

事实上，来清朝进行在馆交易的国家包括清朝的与国（俄国）、属国（朝鲜、琉球、荷兰、安南/越南、暹罗等），以及虽没有经过正式册封但奉中原王朝为正统来进贡的边疆民族政权，如被清朝征伐以前的噶尔丹政权。总之，在馆交易基本上是与清朝有邦交关系的国家/民族政权派来的使节团，除了向皇帝进呈贡物（非交易商品），为了补贴旅费或为了君主、国家、使节团成员自身利益等原因，乘便顺带货物，使用这些货物在中国境内的使节馆舍进行交易的贸易，并非朝贡贸易论所认为的，只有国家地位比中国低的属国或小国所进行的贸易。

由于在馆交易与朝贡贸易论所认为的"朝贡贸易"的内容相差颇大，所以无法将清朝的在馆交易与其等同视之。

关于在馆交易，清朝与宋代以来各朝采取的态度相同，均免课税："凡市易，各国贡使入境时，其舟车附载货物，许与内地商民交易，或就边省售于商行，或携至京师市于馆舍，所过关津，皆免其征。"这是对使节团的特别优惠。一般外国商人来中国贸易无法享有免税待遇，必须与中国商人一样纳税："若夷商自以货物来内地交易者，朝鲜于盛京边界中江，每岁春秋两市，会宁岁一市，庆源间岁一市，以礼部通官二人，宁古塔笔帖式、骁骑校各一人，监视之，限二十日毕市。海外诸国于广东省城，每夏乘潮至省，及冬，候风归国。均输于有司，与内地商民同。"① 因此，在馆贸易，是使节团独享的贸易，并非一般的通商贸易形态。

互市与东亚传统通商秩序

朝贡体系、朝贡贸易论存在许多与事实不符的错误，无法将之视为中国尤其是清朝的固有通商制度。通过上述实例可知清朝中国与属国、与国、互市国之间的通商状况，不仅呈现多元的对外关系，也证明清朝的通商制度并非朝贡贸易，而是互市制度。

依照《皇朝文献通考》的说法，追溯清朝与宋朝互市制度的关系，可以发现宋代的陆路榷场与清代的关市、宋代的海路市舶与清代的海舶、宋金时代的外国使节团在往返中国首都时所进行的就驿买卖及都亭贸易与清代的在馆交易，的确存在许多相似之处。但毕竟中国每个王朝所处的国际

---

① 《大清会典》（乾隆朝）卷 56，礼部，主客清吏司，宾礼，朝贡，市易。

局势、对通商抱持的态度都不相同，即使同样使用"互市"一词，各个王朝互市制度的内容并不尽相同。不过各个王朝都把通商贸易叫作互市，并沿革前代的互市制度，试图建立最适合本朝的制度，在这样的沿革下，各朝互市制度必定存在一些共通点。

经过研究，对于中国历代互市制度的共通点，笔者归纳出以下几点：①与他者进行的交易；②具有怀柔远人精神的通商制度；③依据某种盟约或规定，设立互市市场，在互市市场所进行的交易；④基本上各个互市市场存在与不同对象贸易的倾向；⑤双方不拘外交上的上下关系、不论外交关系存在与否，都可能进行通商的制度。

再看看《南京条约》后到民国初年中国人对通商贸易的看法，他们一贯把"互市"一词与"通商贸易"互用。除前述 1863 年江苏巡抚李鸿章的奏折外，梁廷枏在《粤海关志》的凡例中明记粤海关掌理夷商互市。咸丰年间任职刑部主事的何秋涛在《朔方备乘》中将清朝与俄罗斯间的通商贸易记述为互市。民国初年，由前清大吏赵尔巽等人编修的《清史稿》，不拘条约缔结前后对外国向清朝请求通商贸易之事的记述，屡屡使用"互市"一词。顾维钧对于 19 世纪以来中国与外国签订条约的内容评论道："我与英、美、法、德、日本及他国次第订约，辟商埠以资外人互市，设租界以便外人居留。"[1]

此外，互市并非只存在于过去的历史，中华人民共和国成立后，除"文化大革命"或与对方国家冲突等时期，曾经短暂关闭边境互市市场外，作为陆地口岸的互市市场一直存在。改革开放后，1984 年 12 月 15 日，中国国务院批准《边境小额贸易暂行管理办法》，并对"边境小额贸易"下了定义："本办法所称边境小额贸易，是指我国边境城镇中，经省、自治区人民政府指定的部门、企业，同对方城镇之间的小额贸易，以及两国边民之间的互市贸易。"直到今天，中国边境还在不断增设"互市贸易区"。这些"互市贸易区"的封闭式市场，市场内的小额贸易免税规定等，都可以从中国固有互市贸易的原则找到渊源。

因此，对中国而言，互市可说是贯通古今的通商制度。

---

[1]　顾维钧：《顾序》，钱泰：《中国不平等条约之缘起及其废除之经过》，"国防研究院"，1961，第 1 页。

三　清代的外政秩序：以通商公文书往来与涉外司法裁判为中心

朝贡体系论所描述的清朝传统对外关系并不止于通商领域，其更重要的目的是诠释清朝的传统"外交"模式。朝贡体系论在假设清朝的发展是停滞不动的前提条件下，认为唯有西洋冲击才能造成传统中国的改变，于是英国挑起的鸦片战争成为清朝中国转变的分水岭；在此之前，中国的传统"外交"模式是所谓的"朝贡体系"，此后则进入了西方列强所强加于中国的"条约体系"，借着西方列强"赐予"的"条约体系"，停滞的中国才终于动了起来，进入了"国际社会家庭"。

对于朝贡体系论描述的清朝传统"外交"，以及在西洋冲击下中国进入"国际社会家庭"等论点，笔者并不同意，因此除了通商领域，笔者认为还必须在"外交"领域上彻底推翻朝贡体系论的说法，才能一举破除其关于清朝对外关系的种种谬论。笔者选取清朝与属国、与国、互市国之间的公文书往来窗口制度，以及围绕通商或越境犯罪的司法审判情形等涉外政治角度，来重新检视清朝对于属国、与国、互市国的不同态度，试图从涉外文书及涉外司法的角度来证实清代的确存在多元对外关系，也试图证明在通商领域之外的清朝对外关系，仍非朝贡体系论所描述的只存在天朝 vs. 朝贡国一种关系。

以下研究以清朝与属国，如朝鲜、安南/越南，清朝与与国俄罗斯及清朝与互市国英国等国之间的公文书往来、越境犯罪司法审判为视角，观察从清朝建立到 19 世纪 90 年代末，清朝传统对外观念（世界观）下的固有外政之样貌，并从中归纳出清朝中国固有对外关系的基本原则。

公文书往来

1. 属国朝鲜

崇德元年十二月，清太宗以朝鲜败盟逆命，亲统大军往征。翌年正月，朝鲜兵败，国王李倧向清太宗称臣，以奏书投降。同年十月，清太宗遣英俄尔岱、马福塔、达云，赐以一品服色，率从官、通事赍敕，往朝鲜封李倧，仍为朝鲜国王，完成了封贡程序，自此决定了清朝与朝鲜之间的君臣名分。双方的文书、使节往来与礼仪关系都转变成宗属关系，朝鲜必须以原先对待上国明朝的态度来臣事清朝。此后，朝鲜国王以"奏书"上书清朝皇帝，清朝皇帝则颁诏"敕谕"朝鲜国王；而朝鲜也经常以"咨"文（平行文书）通过礼部、兵部、户部等代题或转奏来上奏皇帝，或是派遣陪臣直接向兵部或礼部等官厅口陈，并请求转奏皇帝，等等。

在清军入关之后、总理衙门和北洋大臣设置之前，朝鲜国王主要是与六部中的礼部（及盛京礼部）进行对等的咨文往来，再由礼部代为转奏皇帝或报闻其他相关政府部门。见顺治元年（1644）议准：

> 朝鲜一应事宜不许越奏御前，叙功等事申吏部，地亩仓库钱粮等事申户部，朝贺贡献婚娶等事申礼部，军务逃盗等事申兵部，辞讼告首等事申刑部，修理城池边关等事申工部，其应申各部之文，均礼部转发。[①]

可知，从顺治元年开始，朝鲜的公文书主要以礼部为窗口。

关于两国边境事务，在两国边境地方官，如县丞、城尉等之间也存在各个相应层级的交涉移咨窗口。他们必须将交涉情形或事件发生经过，分别各自层层上呈本国地方上司，直到将军、备边司，乃至于中央。在总理衙门和北洋大臣设置后，涉及洋务或围绕朝鲜问题的外国交涉，则由总理衙门请礼部转咨朝鲜，朝鲜国王若是咨行礼部，报告关于外国的事务，皇帝也会下交总理衙门。19 世纪 70 年代中期，亚洲局势因西方列强与日本的兴起而风起云涌。清朝在危急的状况下，采取较为积极的态度来处理与朝鲜之间的宗属关系。担当洋务职责的北洋大臣成为与朝鲜国王对话的主要窗口，并由直隶总督兼北洋大臣的李鸿章等人指导朝鲜与外国订约等对外事务；而向皇帝奏报关于朝鲜洋务等事宜的内容，皇帝也会命令转告总理衙门和礼部。可见虽然上谕指派了北洋大臣主持朝鲜涉外事务，但是基于礼部向来主管转递朝鲜往来文书的体制，以及总理衙门作为洋务情报总汇机关的性质，北洋大臣所主持的朝鲜涉外相关事务还是必须知会礼部与总理衙门。19 世纪 70 年代晚期，朝鲜面对内外交迫的危急状况，以及开国通

---

① 《大清会典事例》卷 511，礼部 222，朝贡 10，禁令 1，顺治元年条。

商的转变，以至于"关涉北洋及总理衙门事件，十居八九"。虽然礼部还是
经常要求必须维持顺治以来由礼部转递朝鲜往来文书的体制，但基于处理
与朝鲜之间宗藩关系的急迫性，清朝还是决定与朝鲜之间的涉外文书转递，
可由北洋大臣与总理衙门直接负责，只是碍于清朝的体制关系，关于封贡
仪礼等一般政务还是归礼部转奏。

2. 属国安南/越南

清朝与安南之间的宗属关系，经过顺治到康熙年间的交涉折冲，其间安
南已经遣使来贡数次，清朝也给了敕谕，但是由于安南迟迟未将清朝要求的
明朝敕印缴回，清朝方面甚至打算若安南再不缴回，即绝其来使。因此直至
安南将明朝敕印缴回为止，清朝认为安南与其并未完成建立宗属关系的手续，
即使来贡数次，两国之间关系并不稳固，随时处在可能断绝的情况。直至康
熙五年五月，安南缴送永历敕命一道、金印一颗，清朝才派遣内国史院侍读
学士程芳朝为册封正使、礼部郎中张易贲为副使，前往册封安南国王，并赐
镀金驼钮银印。通过完整而正式的封贡程序，两国的宗属关系宣告成立。

相较于朝鲜与清朝礼部之间的密切关系，清朝与安南/越南之间进行各
项交涉、往来的主要窗口则是两广与云南督抚，并且因为安南/越南贡道在
广西镇南关，每逢贡期或安南/越南使节因事入华，均由两广总督或广西巡
抚责成地方官员接待、伴送。雍正时期的安南勘界案涉及云南与安南交界
的边界划分，即先后由云贵总督高其倬和云南布政使李卫、云南巡抚（随
后接任云贵总督）鄂尔泰等人与安南国王黎维祹移咨交涉，双方并各自派
遣广南知府潘允敏和安南勘界委员胡丕绩、武公宰等人实地会勘。乾隆年
间关于陆路互市交涉，以及关于边界、防务、海难救助等事宜，也属于总
督、巡抚等疆臣的职责。乾隆三十一年（1766），安南捕盗，窜入小镇安土
司怕怀隘，由中方官兵捕得，当时署两广总督杨廷璋即照会安南处理。随
后，安南复报其国隘口盗发，请遣兵堵截，杨廷璋即遣兵守隘。①

随着法国势力逐步进入越南，加上法国在1844年后为清朝的有约与国，
中法两国有了正式的国交关系，因此自19世纪70年代后，围绕越南问题的
交涉主要先由法国与总理衙门，后来则由法国与当时钦命主持中法越南交
涉事务的李鸿章之间进行。

---

① 《清史稿》卷323，列传110，杨廷璋。

3. 与国俄罗斯

鸦片战争前，与清朝唯一正式缔结了条约的国家是俄罗斯。在对等的《尼布楚条约》缔结后，清朝将俄罗斯视为"与国"，两国之间存在正式的国交关系，因此俄国使节团来到北京时，可以进行清朝特别给予使节团优待的在馆贸易，也可以在两国约定的互市市场进行贸易。咸丰朝之前，两国的互市市场是依据《尼布楚条约》《恰克图条约》及相关互市章程的规定，在尼布楚、库伦、恰克图等地的陆路市场互市。

《尼布楚条约》规定了中俄两国的基本关系，两国商人在尼布楚等地进行互市贸易。不过在康熙四十年后，由于两国之间的国情、边界、收容内属民族等的变化，渐渐形成了与缔结《尼布楚条约》时不同的局面，因此无论公文书往来机制或互市市场改变等，逐渐依据现实情势而形成一定的惯例。而雍正五年缔结的《恰克图条约》，除了新划定的边界是依当时的现实情势而划定，其他不论是公文书往来机制或互市市场及通商规则的重新认定等，基本上不过是延续康熙四十年之后的惯例，只是在条约中加以明文规定罢了。此后，直到咸丰年间，除了乾隆时期曾经因故三度暂停恰克图互市的插曲，可以说康熙四十年之后形成并在雍正五年的《恰克图条约》中被明文化的惯例，规定了中俄两国长达150年的基本外政关系。故唯有详细观察在康熙、雍正年间形成的清朝与俄国关系，才能较为准确地掌握两国的固有外政往来模式。

康熙二十八年（1689）七月二十四日，清朝以领侍卫内大臣索额图为首的代表团与俄罗斯全权大臣费要多罗额礼克谢（Feodor A. Golovin，又译为"费奥多尔·阿列克谢耶维奇·戈洛文"）等人为了议定分界、越界处置、通商等事宜而缔结了《尼布楚条约》。在清朝军力略胜俄方一等的情况下，除允许双方通商的提案为俄方意见外，条约内容几乎完全按照清朝的意思拟定。约文虽然有满文、拉丁文和俄文三种，并以拉丁文为正本，但是三种文本的原始约文为满文，其他两种文本主要是依据满文翻译、润饰而成的。虽说如此，但就约文内容及后世各国学者的评价，咸认此约具有对等的内涵，为当时双方均能接受的内容，并有近代国际法的精神。①

---

① 吉田金一『ロシアの東方進出とネルチンスク条約』、東洋文庫近代中国研究センター、1984、244—272 頁；野見山温『露清外交の研究』、酒井書店、1977、10—14 頁。

关于清俄两国的公文书往来，由于《尼布楚条约》并没有明确规定，因此只好从两国的具体文书往来事例中分析、寻找。

（1）全权名义窗口时期

从《清代中俄关系档案史料选编》第1编收录的档案来看，在《尼布楚条约》缔结之后到索额图退休为止，清朝中央方面主要是以索额图名义作为收发俄国文书的窗口。虽然条约中没有明文规定，不过双方似乎在缔约的讲和会议上互相约定，清朝中央方面是以索额图作为公文收发的窗口。① 例如《尼布楚条约》缔结后，翌年及康熙三十三年，为了条约的执行及相关事项，清朝原缔约全权领侍卫内大臣兼议政大臣索额图与俄国原缔约全权大臣之间曾有公文互相往来。由于俄国方面不肯接受清朝的敕书式国书，也不肯按照清朝要求的表章方式书写本国国书，因此双方不进行皇帝间的国书往来，而以俄皇近臣与清朝皇帝近臣之间的文书往来作为中央层级的文书往来渠道；在国境、通商等事务上，则由俄国与清朝边境大臣之间互相进行文书往来。不过，俄国边境大臣与清朝中央大臣也可以直接以文书交涉两国的边境及通商事务。② 于是，在索额图退休前，清朝中央方面主要是以索额图名义作为收发俄国文书的窗口，俄国方面似乎也是以原缔约全权大臣为中央收发文书的窗口。而关于队商通商及边境问题等公务上的文书往来，清朝中央方面主要以索额图名义，与俄国边境官员如尼布楚长官或西伯利亚伊尔库茨克长官之间互通公文。在地方上，则存在如尼布楚长官与嫩江将军等双方边境大臣之间互通公文的渠道。

必须说明的是，以索额图名义收发公文的不仅是索额图直接执行或参与的涉俄事项，事实上其他政府部门处理涉俄事项时也以索额图名义收发公文。康熙二十九年，清朝兵部为了征讨噶尔丹，希望俄国不要帮助噶尔丹而向尼布楚长官送出公文时，即是使用索额图名义送出的。又，康熙三十年，索额图已不再兼任议政大臣，但是在大学士向皇帝上奏议定行文俄国公文书草稿时，认为事涉外国文书，以索额图名义行文俄国应该还是加上议政大臣较为妥当，于是康熙帝同意在索额图名字上附加议政大臣头衔。由此可知，"索额图"是当时清朝中央部门行文俄国时所使用的公文书名义。

---

① 中国第一历史档案馆编《清代中俄关系档案史料选编》第1编，中华书局，1981，第99件。
② 如《故宫俄文史料：清康乾间俄国来文原档》第2号文件。

康熙四十年九月，索额图以老乞休；四十二年，索额图因罪被拘禁于宗人府，不久死于幽所。因此自康熙四十年后，清朝不便再以索额图名义作为收发俄国公文书的窗口，改以理藩院名义行文尼布楚长官。对此，尼布楚长官回复道，若不以索额图名义行文，则不知该文是来自索额图还是嫩江将军，不知如何回复，今后请仍以索额图名义行文。从尼布楚长官的回文可知，尼布楚长官同时与清朝中央（索额图名义）及与之邻接的清朝地方（嫩江将军等）互通公文。

（2）理藩院名义时期

康熙四十一年，清朝方面要求尼布楚长官此后不要再行文索额图，并由理藩院行文俄国议政大臣，要求俄国来函改行文理藩院。此后，理藩院成为清朝中央收发俄国公文书的窗口，其公文往来对象包括俄国中央的议政大臣及俄国边境地方大臣（如尼布楚长官及西伯利亚诸城长官等）。另外，伊尔库茨克长官与喀尔喀土谢图汗之间也为了队商通商等公务而互通公文。康熙三十年，由于喀尔喀蒙古归顺清廷，清朝北方蒙古地带安静，俄国队商多改从库伦前来中国，并且在康熙四十三年正式取得清朝同意，准许他们从喀尔喀蒙古路前来，从此俄国队商几乎不再绕经东路尼布楚，造成尼布楚互市市场衰落，库伦则取而代之成为中俄贸易兴盛之地。[①] 库伦属于喀尔喀蒙古土谢图汗封地，因此土谢图汗也成为与俄国之间公文书往来的窗口之一。俄国队商来到土谢图汗地方时，由土谢图汗查点人数，并送文至理藩院奏闻皇帝，中国再派员护送至京贸易。

总而言之，康熙四十年后，在清朝中央方面，由理藩院作为中央收发俄国公文书名义的窗口，奠定理藩院作为清朝中央处理俄国事务的枢纽机构之机制，理藩院的对口单位为俄国中央大臣或西伯利亚地方总督衙门；在地方的公文书往来层级方面，形成清朝的嫩江将军、土谢图汗等与俄国的西伯利亚总督衙门等地方官厅之间的往来窗口。

雍正五年缔结的《恰克图条约》第六条规定：在中国方面，以理藩院为收发对俄事务公文书的中央窗口，与俄国中央的萨那特衙门（元老院）及西伯利亚托博斯克地方总督互为应对机构；而关于在边境地方的偷盗、

---

① 《清圣祖实录》卷 151，康熙三十年夏四月丁卯、戊子条；《清代中俄关系档案史料选编》第 1 编，第 111 件。

私自越境或逃亡等事务，清朝以互市市场所在地的土谢图汗之关防作为公文印信，与俄国边境地方的官厅互通文书。如前所述，这些都是康熙四十年之后形成的惯例，《恰克图条约》不过是将行之有年的机制做了明文规定罢了。这样的机制一直延续到中俄《天津条约》重新约定新的机制为止。

咸丰八年（1858）中俄订立《天津条约》。翌年，英、法前来换约之际，又与中国发生冲突，于咸丰十年与中国增订《北京条约》，俄国亦乘机增订《北京条约》。

关于在中央层级的公文书往来，中俄《天津条约》第二条规定："嗣后两国不必由萨那特衙门及理藩院行文；由俄国总理各国事务大臣或径行大清之军机大臣，或特派之大学士，往来照会，俱按平等。设有紧要公文遣使臣亲送到京，交礼部转达军机处。至俄国之全权大臣与大清之大学士及沿海之督抚往来照会，均按平等。"又，中俄《北京条约》第十三条规定："大俄罗斯国总理各外国事条大臣与大清国军机处互相行文，或东悉毕尔总督与军机处及理藩院行文，此项公文照例按站解送。"

由于当时清朝并无专门总理对外事务的中央官厅，因此与清朝同时谈判《天津条约》的美、英、法三国，其条约规定大致上要求清朝指定大学士或督抚与外国的全权大臣以平等照会进行公文往来。如前所述，先前中俄中央之间由萨那特衙门与理藩院彼此行文的模式并非不对等，但在俄国设立了近代西洋式的外交部门后，自然希望由专管外交的部门直接与清朝文书往来。加上俄国系与美、英、法三国共同行动，争取共同利益，四国之间提出相同要求亦属自然，故俄国也提出更改中俄之间固有的中央层级文书往来方式。不过，比起美、英、法三国，与清朝有悠久往来历史的俄国果然比较明白清朝的政治体制，在《北京条约》中，俄国要求由俄国外交部门与清朝的军机大臣（而非大学士）进行中央层级的文书往来，美、英、法三国却欲以大学士作为清朝中央交涉的窗口，说明他们并不理解清朝。众所周知，在清朝中叶以后，军机大臣都是参与军国内外大事的枢臣，是最贴近权力中心的中央大臣；而大学士虽在中央，但是除非在行政部门任职，否则并无实权。另外，由于中俄在边务等外政上的往来，仍然必须与理藩院打交道，于是《北京条约》第十三条还是规定了俄国的东西伯利亚总督得与中国军机处及理藩院行文往来。

又，关于中俄两国地方层级的公文书往来，参考中俄《天津条约》第二条、第五条规定，以及中俄《北京条约》第九条、第十一条规定，等等。其中，由于直到中俄《天津条约》缔结为止，俄国尚未得到在中国沿海通商口岸贸易的权利，因此在中国沿海通商口岸派遣使臣驻扎或派驻领事系属新创，故中俄《天津条约》第二条、第五条规定"均照从前各外国总例办理"，亦即比照欧美缔约诸国在沿海通商口岸的事例。总之，彼此照会往来以"均按平等"为基本立场。另外，由于俄国在《北京条约》中逼迫清朝承认《瑷珲条约》，因此两国的边界有了变化，中俄《北京条约》第九条、第十一条的规定即是围绕东北边务交涉而产生的，约文中虽然规定了几个新的边界交涉对口机构，不过不论在双方地方衙门文书往来上的对等性，乃至双方文书的转递方式，其实都与中俄两国行之有年的固有机制相同。

无论如何，在中俄《天津条约》《北京条约》缔结前，中俄之间已经依据两国的条约关系和往来惯例，发展出一套对等的公文书往来机制；而在中俄《天津条约》《北京条约》缔结后，俄国参加了以英法为首的四大国集团，获得中国给予的一体均沾片面最惠国待遇，此后俄国与中国的往来模式大多与其他列强相同。

4. 互市国英国

在马戛尔尼（George Macartney）来华之前，英国与清朝之间并没有官方往来，只有英国商人前来中国通商口岸贸易，也就是只存在英商来市的互市关系。乾隆五十八年（1793），被清朝视为"贡使"的马戛尔尼来华，他没有行三跪九叩的中华礼仪，使得乾隆帝相当不悦，但是乾隆帝体念英国第一次遣使"来贡"，依然给予英国国王两道敕书。乾隆帝此举与他的曾祖和祖父的做法不同，顺治帝和康熙帝对于未行三跪九叩礼的俄罗斯使节，认为不应该给予敕书。结果，马戛尔尼不仅没有达成英国想要与中国建交并扩张通商权益的目的，从此英国还被清朝视为曾经"来贡"的小国。嘉庆二十一年（1816），英国又派遣阿美士德（W. P. Amherst）来华，还是因为礼仪问题而遭到驱逐。不过，嘉庆帝认为负责接待"贡使"的相关清朝官员瞒上欺下，是造成此次龃龉的重要原因，因此还是仿照其父给予"贡使"赏赐，并颁给英国国王敕书。这两次"贡使"来朝，虽然皇帝都给了敕书，但没有正式的封贡仪式，清朝与英国尚不足以形成宗属关系；而英国也没有达成与中国缔约建交的目的，因此两国依然不存在正式的国交关系。马戛尔尼来华后的英国，在清朝眼中不过是在广州互市、偶尔"来贡"的小国罢了，两国之间不存在常态的官方外政交涉渠道。最后，英国以炮舰政策，强力达成与清朝建立正式国交关系的目的。清朝因为败战，不得不与英国签订《南京条约》及通商章程，从此英国成为清朝的有约国，一切通商往来均以条约为依据。

咸丰年间，英国等有约国不满意于第一次鸦片战争所获得的条约权益，于是趁着太平天国运动等发生，要求修改条约，以期获得更多的权益，但未得到清朝的同意。于是英、法两国故技重施，又以武力逼迫清朝修约，要求获得公使驻京、谒见皇帝、开放更多通商口岸及内河航行等权益。至此，咸丰帝追认《南京条约》以来缔约的英、法、美等国为"与国"，而老早是清朝与国的俄罗斯趁机加入英、法、美修约集团。咸丰帝以中国素无接待与国的礼仪作为借口，婉拒四与国进京谒见皇帝。但咸丰帝的借口抵挡不了炮舰，于是中国又和四与国分别缔结了《天津条约》《北京条约》。四国新修的条约均有一体均沾的条款，使得有约诸国结成一体，对中国享有共同条约权益。此后与中国订约的国家和四与国一样，享有与国地位。

对清朝而言，英国历经了从无约互市国到有约与国的地位变化，而两国的公文书往来机制随着两国关系的变化又有哪些不同？

（1）《南京条约》缔结前的信息传达

① 中国洋行商人与外商（大班）的信息传达窗口

马戛尔尼来华之前，英国与清朝之间只存在英商来市的互市关系，没有官方公文书往来的渠道。由于英商来市的通商口岸位于中国，因此必须遵从中国制定的互市章程，而负有管理通商口岸责任的海关监督及地方督抚等各级官员，在管理中外商人、处理中外商人纠纷或传达官方法令之时，基于清朝官民阶级不同，不得直接往来的情况，均是通过承揽官府代征洋税、照料外国商人、担保外国商人信用、进行中外商品买卖等任务的中国洋行商人（简称洋商或行商）作为中介，传达给包括英国在内的外国商人（尤其是管束外商的头目"大班"）；外国商人如需与中国官府交涉，亦通过中国洋行商人呈禀官府。也就是说，中外商人彼此地位相同，是直接对等对话的窗口。

在英国东印度公司具有特许权期间，来华英商由东印度公司的大班管束，如发生中外通商纠纷或司法案件，英商的问题通过大班（直接或由中国行商间接）"呈禀"中国官府，而中国官府也将处理办法等内容（直接或由中国行商间接）"传谕"大班；中国方面如果需要向英国传达通商等法令或其他官方信息，也是"传谕"大班寄信英国国王。由于英商分不清中国的官府体制，遇事往往直接越级到高层官府（如督抚衙门）投诉，因此清朝官府不得不屡次重申外国商人"呈禀"的程序。如嘉庆十五年（1810）十月，广州知府陈镇在核复英国大班的请求时，规定了英商陈诉事件的程序，寻常贸易事宜应赴粤海关衙门呈递，寻常地方民夷交涉事件应赴澳门同知、香山县及县丞衙门就近呈递，只有紧急重大事件方准通过行商代递总督。总之，具有半官半商身份的大班向中国通商港口的官府，如海关监督、督抚等递交文书时，是以民对官（下对上）的上行文书来"呈禀"；海关监督、督抚等中国官员对大班或外国商人则是以官对民的下行文书，加以"传谕"。

清朝中国与无约互市国的英国之间，以中国洋行商人与外商（大班）作为对等的信息传达窗口，存在商人阶层的常态沟通渠道。

② 敕书与表文：非常态的信息传达

马戛尔尼和阿美士德使华虽然都没有达成英国的目的，但却给了双方直接传递信息的机会。

马戛尔尼在礼仪上的龃龉造成乾隆帝不悦，但乾隆帝还是抱着怀柔远人的态度，颁给英王及马戛尔尼"贡使"团赏赐，并给予英王两道敕书。在两道敕书中，清朝回复了英王的"表文"，详细说明因为英国的请求不符合中国的通商与外政体制，因此不能同意，等等。乾隆帝担心英国复来请求，"而该省又无档案可查，设将来该国复有仍前渎请之事，该督抚等一时办理，不能得有把握"，因此谕令军机大臣等，将颁给英国的敕谕二道"抄录发交长麟（时为两广总督——引者注）等密为存记，并令入于交代，以便日后接任之员遵照妥办"。[①] 亦即将颁给英国国王的两道敕书作为基本政策，要求后任督抚均按照敕书精神，在英国能与中国接触的广东通商口岸

① 《清高宗实录》卷1467，乾隆五十九年十二月下丁丑条。

即行驳斥其"渎请"。

阿美士德一行又发生了礼仪问题，在见到皇帝之前就被驱逐回国，连上呈表文的机会都没有。不过，嘉庆帝还是依礼收下部分贡物并颁给英国国王敕书，敕谕以后毋庸遣使来华。①

由于双方对于英国两次使节来华性质的认知完全不同，因此英国没有达成与中国正式建立国交的目的，两次遣使来华也未能成为建立常态直接文书往来渠道的滥觞。对清朝来说，这不过是双方之间偶尔为之的插曲；对英国来说，两次遣使的失败成为日后其以非常手段强迫清朝与之缔约的有力借口。

（2）《南京条约》缔结后的文书往来机制

鸦片战争后，中英双方缔结《南京条约》及《五口通商章程》，建立了国交关系，自然必须规定彼此官方文书往来的机制，《南京条约》第二、十一条规定，中国承认英国驻扎五口通商口岸的领事、管事官的官方身份，英国领事、管事官得与中国地方官公文往来，并规定各层级官员之间公文往来的机制，同属双方大员者彼此使用"照会"（communication）；英国下级官员使用上行的"申陈"（statement）公文致书中国大臣；中国大臣使用下行的"札行"（declaration）公文回复英国下级官员；同属较下层级的双方官员，互相之间亦使用平行照会；而商贾阶级不属于官府之间公文格式的讨论范围，有事上呈官府仍然使用"禀明"（representation）字样。

条约规定依照官员层级区分公文格式的做法，或许是出自中国方面的考虑，因为在《大清会典事例》中，清朝中国对于各官府层级之间的位阶，以及彼此间的见面礼仪、文书往来格式等都有详细规定。这些规定不仅体现了清朝中国的官场伦理秩序，也维系了政治组织的体制。而且在1840年8月琦善与义律交涉期间，关于公文交往议题，琦善声称所有国家的官员都有等级差别；义律则反驳说，英国驻华官员得到平等待遇和直接的官方交往，与官员级别无关，而与各国之间的平等有关。② 由此可以推知，为中英双方各个层级区分公文格式的规定应该是中国方面的意思。

---

① 《清仁宗实录》卷320，嘉庆二十一年秋七月乙卯条。
② 胡滨译《英国档案有关鸦片战争资料选译》下册，中华书局，1993，第744页。

（3）《天津条约》《北京条约》及文书往来机制

《南京条约》及《五口通商章程》缔结后不久，英国立即不满意所获得的条约权利，其中关于国交往来的不满是：国交虽然平等，但依然有名无实，公使不能与中国中央政府直接交往，总办夷务的广州钦差大臣遇事推诿，照会又常迟迟不回复，甚至欲与相晤亦颇不易，不得已而北走上海、天津，亦不得要领，因此英国认为今后公使必须入驻北京，经常与中央大员接触。于是英国联合法国发动第二次鸦片战争，再度以炮舰政策达到修约目的，与清朝签订了《天津条约》。

在中英《天津条约》中，英国要求两国国交平等，并"可任意交派秉权大员，分诣大清、大英两国京师"。因此，为了应对新的往来方式，"大清皇上特简内阁大学士尚书中一员，与大英钦差大臣文移、会晤各等事务，商办仪式皆照平仪相待"。同时对于《南京条约》中没有详细规定的领事官与相对应的中国官员之间的品阶等问题也做了规定："大英君主酌看通商各口之要，设立领事官，与中国官员于相待诸国领事官最优者，英国亦一律无异。领事官、署领事官与道台同品；副领事官、署副领事官及翻译官与知府同品。视公务应需，衙署相见，会晤文移，均用平礼。"其后，中英两国又因为互换《天津条约》而起了冲突，两国再签订增续条约（一般称为《北京条约》）。约中第二款，英国方面要求英国公使常驻北京，也使得清朝必须立即面对公使驻京的往来、交涉事宜，随后设立总理各国事务衙门，作为与外国驻京公使往来、交涉的主要窗口。

缔结条约后的中英两国，双方的国交及公文书往来均依据双方的条约或章程内容决定。

涉外司法裁判

1. 属国

关于清朝与属国之间的边民通商纠纷交涉或犯罪等司法裁判问题，清朝虽然享有宗主国的优势，可以依照自己的律法审理属国人民。但实际上，除非是聚众强盗、杀人，或是为乱边境等宗属双方都公认的重罪，清朝并不经常使用这样的权力，而往往将该国犯人移交该国处理。如雍正六年（1728），"据朝鲜国王李昑咨礼部文称，本国贼党恐有潜逃，恳饬关口防汛词察等语"。对此，皇帝命令兵部："朝鲜世效恭顺，伊国逆犯，即系朝廷法所应诛之人，倘有逃入边口内地者，自当即为擒捕……着即严拿解京，如有窝留藏匿等情，从重治罪。"① 雍正帝的谕旨明确表示了"上国"清朝可以直接逮捕朝鲜罪犯，并依清朝律法治罪。不过，在嘉庆以后，嘉庆帝主张盘获朝鲜匪徒后，"即发交该国自行办理，以示朕抚辑怀柔至意"。② 对于朝鲜越境罪犯，形成由清朝边境官厅逮捕后，直接解至边界交该国押回，或是咨送盛京礼部转解该国收审，而最后由中央礼部移咨朝鲜国王说明清朝处置原委之惯例。总之，主要是将朝鲜罪犯交由朝鲜自行审理。

而关于安南/越南人民的审判问题，清朝多半也是采取将人犯移交其本国处置的方式。如康熙十年，安南国人阮福禄获罪来投中国之事，清朝以安南为属国为由，不便收留安南罪犯，而将阮福禄交还安南处置。③

另外，虽然清朝曾先后允许朝鲜和安南/越南可以依据其本国法律直接处置越境犯罪的中国人，④ 不过身为清朝中国属国的朝鲜和安南/越南并不经常使用中国给予的这项特权，往往还是将犯罪的中国人送回中国。例如乾隆二十三年（1758），礼部奏，据朝鲜国王报称，内地偷采人参民人刘子成私行越境，特委员送至凤凰城一事，即是如此。对此，乾隆帝谕令，"刘子成偷采人参，且逃至外国，大干法纪，着传谕将军清保，俟解到时，即正法示众，毋致脱逃"，⑤ 将罪犯在边境正法示众，以达到警示作用。又如道光年间，越南屡次通过水路递送中国罪犯来粤，交由两广总督审办，而道光帝要求越南按照定例解交钦州地方，由陆路转解，⑥ 说明越南将中国罪犯押送回中国，交由中国审办的处理模式是两国之间的惯例。

2. 与国俄罗斯

关于清朝与俄罗斯之间处理涉及两国人民的司法审理问题，在两国缔结《尼布楚条约》之后，基本上都是依据两国之间的条约或章程规定，以

① 《清世宗实录》卷 74，雍正六年冬十月庚子条。
② 《清仁宗实录》卷 92，嘉庆六年十二月己巳条。
③ 《清圣祖实录》卷 35，康熙十年四月壬午朔条。
④ 如《清世宗实录》卷 63，雍正五年十一月癸酉条；《清高宗实录》卷 189，乾隆八年四月下甲辰条。
⑤ 《清高宗实录》卷 571，乾隆二十三年九月下癸丑条。
⑥ 《清宣宗实录》卷 272，道光十五年十月丙辰朔条。

对等的方式进行。如《尼布楚条约》提及了中俄两国人民私自越境及偷盗、杀人抢掠等事件的处理办法："一、凡猎户人等断不许越界。如有一二小人，擅自越界捕猎偷盗者，即行擒拿，送各地方该管官照所犯轻重惩处。或十人、或十五人相聚持械捕猎、杀人抢掠者，必奏闻，即行正法。不以小故沮坏大事，仍与中国和好，毋起争端。一、从前一切旧事不议外，中国所有鄂罗斯之人、鄂罗斯所有中国之人，仍留不必遣还。……一、和好会盟之后，有逃亡者不许收留，即行送还。"《恰克图条约》的规定与《尼布楚条约》大致相同，如：定约后两国各自严管所属之人；嗣后逃犯，两边皆不容隐，必须严行查拿，各自送交驻扎疆界之人；持械越境杀人、行窃者正法；等等。从上述规定可知，《尼布楚条约》与《恰克图条约》均体现中俄两国各依本国法律惩处本国所属人民的"属人主义"精神，除重大杀人、劫掠案外，两国互相移送对方罪犯给对方边境官员进行惩处，在涉及两国的司法问题上，显示了尊重对方法律与裁判权的对等性质。如乾隆八年，理藩院奏俄兵谢哩万等二人醉后在恰克图界上殴死商人金成礼、李万兴一事，[①] 可知理藩院是依据《恰克图条约》中的规定来处理涉及两国人民的刑案，只是因为俄兵是醉后杀人，并非蓄意执持军器越境杀人，因此改判绞决，并请旨定为定例。由此案件亦可观察实际处理涉及两国人民的刑案时，是经过两国边境官员的初步交涉后，清朝边境官员报告理藩院（俄国方面的边境官员应该也会转报其中央），再由理藩院提出决议案上奏请旨。

又见道光年间的事例，如道光二十七年（1847）上谕：

> 又谕，瑞元等奏，卡伦侍卫被控受贿请解交库伦审办一折，此案……着库伦办事大臣行知俄啰斯，将此案抢马贼犯哈斯泰等解至交界地方，会同审讯。三等侍卫金齐贤、通事卓盖们都尔，并事主珠布泰及应讯人证，一并解往质审。[②]

可见涉及两国犯罪案件，依然遵循两国约定，由库伦办事大臣与俄罗

---

① 见《清高宗实录》卷 202，乾隆八年冬十月上癸亥条。
② 《清宣宗实录》卷 446，道光二十七年八月下甲子条。

斯官员在交界地方会同审讯。

即使 19 世纪 60 年代中俄《天津条约》《北京条约》缔结生效之后，关于领事裁判权，以及双方围绕处理牲畜逸越边界、逃人问题等的规定，事实上几乎都是依循清俄之间从《尼布楚条约》《恰克图条约》以来行之有年的惯例。可见中俄《天津条约》《北京条约》中依然存在许多承袭两国固有外政秩序惯例的部分。

3. 互市国英国

（1）《南京条约》缔结前对英人的司法裁判

《南京条约》以前，清朝与英国无正式国交关系，也没有官方文书往来，对于英人与华人发生的通商纠纷或刑案应该如何审理，两国自然无从磋商一定的司法审理制度。由于英人在中国通商口岸贸易、犯案，因此涉及中外的司法案件基本上由中国审理、裁判。至于在中国通商口岸发生的外人之间的司法案件，清朝则抱持"外洋夷人，互相争竞，自戕同类，不必以内地律法绳之"的态度，命令将犯人交由该国商船带回本国，并加上了"并将按律应拟绞抵之处，行知该夷酋，令其自行处治"①的上谕。又，《大清律例》名例下卷五"化外人有犯"条规定："凡化外（来降）人犯罪者，并依律拟断"，可见对于在中国土地上犯案的外人，应该是按照清朝法律定罪，但乾隆帝或许是基于怀柔远人的精神，因此"令其自行处治"。从中国固有法制历史来看，皇帝的谕令往往凌驾于法律与惯例之上，当皇帝做出裁决时，负责司法审理的官员只要依从皇帝的指示，不必一定按照律例进行裁判。

看看《南京条约》缔结前英人与华人之间发生纠纷时的司法审理事例。首先，关于通商纠纷，英商与中国行商长久贸易往来，通常双方关系良好，如果发生需要告官要求审理的纠纷，往往是华商积欠太多债款，因故可能无法偿还之时，英商担心亏损，因此上呈中国官府要求处理。以18 世纪 50 年代发生的洪任辉事件为例，洪任辉"以迩年在粤贸易有负屈之处，特赴天津呈诉"，乾隆帝认为"事涉外夷，关系国体，务须彻底根究，以彰天朝宪典"，因此派遣给事中朝铨带同洪任辉驰驿往粤，会同福州

---

① 《清高宗实录》卷 476，乾隆十九年十一月上己丑条。

将军新柱审讯。① 最后，抄没欠债行商家产以赔偿英商。② 至于英商洪任辉具呈评控一案，因洪任辉"勾串"刘亚匾代为列款，犯了华夷之防的禁令，因此必须"绳以国法"，依律应该流徙远方，不过洪任辉"因系夷人，不便他遣"，故乾隆帝谕令"从宽，在澳门圈禁三年，满日逐回本国"，并且不许洪任辉再来中国贸易。可见，乾隆帝认为洪任辉原本应该按照大清国法惩处，最后虽然以怀柔远人的态度从宽处罚，但依旧按照中国的审理结果，在澳门圈禁三年。③

其次，关于涉及中英斗殴伤人或杀人等刑案，由于来华贸易的英人均由大班管束，因此中国官府传讯相关人等进行审理时，还是通过行商通知大班交出英方疑犯。虽然英人不愿服从《大清律例》中拟抵偿命等刑罚，大班也时常采取贿赂或拒不交人等手段影响司法审理，但在司法程序正常运行下，基本上是依照清朝中国的律例进行审判的。

（2）中英《五口通商章程》及《天津条约》《烟台条约》中的规定

1844 年的中美《望厦条约》，美方加入了关于领事裁判权的条款。代表美方缔约的顾盛（Caleb Cushing）认为中国政府对领土、领水内的一切人等都要行使完全排他的管辖权。④ 顾盛此说法证实了鸦片战争前清朝政府对于在中国土地上涉案外人拥有审理、惩处权的固有主张。由于当时的英、美等国不愿意本国人民接受中国的司法审判，因此在与中国所订立的条约中要求加入关于领事裁判权的款项。1843 年中英双方签订作为《南京条约》补充条约的《五口通商章程》，其中第十三款规定："其英人如何科罪，由英国议定章程、法律发给管事官照办。华民如何科罪，应治以中国之法，均应照前在江南原定善后条款办理。"

若从近代西方民族国家的主权概念来看，清朝与外国所签订的领事裁判权会被认为是斫丧国家主权，但如果从当时的历史情境来看，则或许不能对清朝多所苛求。因为以清朝固有的法律精神来说，对于涉外官司的审理，一直以来都是属人主义式的。例如清朝从《尼布楚条约》以来，在与

---

① 《清高宗实录》卷 589，乾隆二十四年六月下戊寅条；卷 590，乾隆二十四年闰六月上壬午条。
② 《史料旬刊》第 4 期，乾隆二十四年英吉利通商案，第 120、121 页。
③ 《清高宗实录》卷 598，乾隆二十四年冬十月上庚辰条。
④ 〔美〕威罗贝：《外人在华特权和利益》，王绍坊译，三联书店，1957，第 343 页。

俄国所签订的对等条约中，都是彼此承认由各该管官员审理本国犯人，对于涉及两国人民的重大案件也经常采取会审方式，在边境审判。甚至1871年的《中日修好条规》，条规内容几乎全由清朝主导拟定，可以说充分反映了清朝意志的理想条约观及对外观念之体现。在这样的条约中，清朝仍然放进了双方适用领事裁判权的规定，可见即使到了19世纪70年代，只要可以跟对方政府达成协议，清朝理想的涉外官司处理还是属人主义式的。除非找不到管辖涉案外国人的官府或官员，像中英在《南京条约》之前没有正式的国交关系，那么英国人在广东犯案则适用于大清法律。

清代中国外政秩序的样貌

根据以上事例，可以归纳出清朝固有外政的特色。

清朝的对外关系基本上是以各双边关系组合而成的，即使同属清朝属国的朝鲜与安南/越南，清朝对于它们的态度和处理模式也各不相同。

如前文提到的公文书往来窗口，朝鲜国王先是与清朝的六部（特别是礼部）进行对等的咨文往来，后来又以北洋大臣作为主要往来窗口；而安南/越南国王则主要与两广督抚、云贵总督进行对等照会往来。另外，这两个国家虽然同样与清朝建立了正式的封贡关系，同样被规定了来贡的贡期、贡道与贡品，但不论在封贡关系建立的过程上，还是在公文书往来窗口，贡期、贡道与贡品的规定内容，使节团往来频度，甚至于最后结束宗属关系的情形都不同。在封贡关系建立的过程上，朝鲜是因武力征服才成为清朝的属国；安南则是袭自明朝的旧有属国。由于风土物产不同，与清朝的亲疏也有别，因此来贡的贡期、贡道与贡品规定也自然不同。不过在清朝接待使节团的中央单位方面，身为清朝最重要属国的朝鲜与清朝其他属国的接待单位也不相同。① 甚至颁发诏书给属国，清朝也仅有遣使前往朝鲜颁发，其他的则只是交由各省督抚转发。② 而关于清朝与朝鲜、越南结束宗属关系的过程，相较于其他属国，清朝为了维系与朝鲜、越南的宗属关系，不惜分别与日本、法国发生了战争，可知清朝还是比较重视这两个国境毗连的属国。虽说如此，清朝对于朝鲜、越南两国的态度还是有所不同。对

---

① 《清高宗实录》卷1369，乾隆五十五年十二月下甲子条。

② 《清仁宗实录》卷37，嘉庆四年正月上丙寅条。

于越南，在光绪九年（1883）中法战争发生之前，中法两国曾有分割越南南北，分任保护之交涉；中法战争后，由于越南彻底成为法国的保护国，清朝仅能在条约中要求法国留给自己文字上的体面："中、越往来，不碍中国威望体面"，① 希冀法国可以不阻止越南进贡中国的礼节性往来。而对于朝鲜，清朝为了防范日、俄两国对朝鲜的野心，首先在光绪七年、八年之际主导了朝鲜与美国等国签订通商条约，试图引进其他国家的力量来制衡日、俄两国，并与朝鲜签订水陆通商章程，以加强宗属关系；甲午战争后，清朝虽然不得不在《马关条约》中承认朝鲜的独立自主地位，被迫放弃与朝鲜的宗属关系，却迟迟不愿与独立之后的大韩帝国签订对等的通商条约，直到光绪帝在戊戌变法期间自行放弃了天朝地位，才同意与大韩帝国签约。显见清朝对于朝鲜的宗属关系特别重视，直到清朝的世界观转变为止，一直努力积极采取各种手段加以维系。可知清朝对于朝鲜的态度还是比较不一样的，在属国之中，尤其重视朝鲜。

依据清朝固有的外政亲疏次序，对清朝来说最重要的国家是清朝比作"内臣"的亲密属国；次于属国的国家是与清朝缔有对等条约、具有国交关系的与国；再次则为没有国交关系、仅有通商关系的互市国。

不管是公文书往来还是涉及各该国人民的司法审理，清朝对于与国俄罗斯和互市国英国的态度完全不同。在通商方面，清朝与俄罗斯是根据两国的对等条约，让两国商民在两国边境的互市市场上贸易；英国则是靠着清朝的开海政策，自行派遣商船前来中国的开放通商港口贸易。《南京条约》签订前，由于清朝与英国没有正式国交关系，因此不存在公文书往来机制，主要由中英商人互相传达政府的信息。在涉及中英商人的通商纠纷交涉或犯罪等司法裁判上，英国人原则上适用中国法律。随着中英《南京条约》的签订，英国成为清朝的新与国，此后两国的关系改以条约为依据。

直到俄罗斯、英国分别与清朝在 1858 年、1860 年签订了一体均沾的《天津条约》《北京条约》，俄、英两国与清朝的关系才大体趋于一致。当时签订《天津条约》《北京条约》的俄、英、法、美四国一起成为清朝的四大与国，从此它们与清朝的关系都有条约依据，理论上都能借着交涉、谈判达成调整与清朝之间关系的目的。

---

① 　《清史稿》卷 155，邦交志 3，法兰西。

又，从本章所举诸例可知，清朝不仅在亲疏远近的阶层原则上对各个国家采取不一样的态度，甚至对每个关系国家的态度也都依据历史情势等变迁而做出不同的应对，可说是具有依时流变、因时因地制宜的外政秩序。因此，或许只有通过累积种种的历史事例与分析，才能窥得其大致的样貌。

本章通过有清一代的通商制度，以及长期、常态的公文书往来和司法审判等涉外制度，来重建清朝与属国、与国、互市国之间固有通商制度与外政秩序的历史面貌，以及在此固有通商与外政制度下所呈现的清朝对外关系与世界观，确认清代的固有通商与外政制度存在多元样态与多层次的交涉渠道，绝非朝贡体系所谓的只有"朝贡贸易"、只有"天朝"与"朝贡国"的国交关系。

在通商制度上，由于列国在中国的通商口岸交易，就注定了在主客观条件上沿用清朝固有制度的命运，中英《南京条约》签订前后的清朝通商制度，在本质上几乎没有重大改变，如在开港地才能通商、通过行商买卖货物或报关等。因此在通商制度上，清朝并未如同朝贡体系论所说的，因中英《南京条约》的签订而划分成旧的朝贡贸易体系和新的条约体系。清朝的通商制度不是朝贡体系，也不是条约体系，而应该是清朝自己说的互市制度。

在外政上，通过本章可知，清朝固有的外政秩序也不像朝贡体系论所说的，因中英《南京条约》的签订而截然划分。中英《南京条约》中的一些规定仍然延续了清朝向来的外政秩序，例如公文书的往来模式必须符合清朝向来的官阶秩序等；而中俄两国的更新条约（《天津条约》《北京条约》）的内容，也承袭了许多固有的往来模式。况且，在朝贡体系论所说的1842年进入条约体系后，清朝与属国之间的宗属关系依然存在，其中与最重要的属国朝鲜之间直到1895年才结束宗属关系，直到1899年才签订对等通商条约。清朝与属国之间的关系并非依据条约，而是分别与各个属国之间固有的、行之有年的封贡关系，双方之间拥有因长久往来而积累出来的权利与义务关系，以及宗属之间的诸多常例、惯例等，这些是清朝所谓与属国之间的"体制"。即使中英《南京条约》签订后，清朝还是经常为了与属国之间的"体制"问题，与西方诸国及日、俄两国发生争执或冲突。如果忽略清朝与属国之间的关系，则无法窥得清朝外政秩序的完整面貌。

第二章

十九世纪前期中西关系的演变

中国与欧洲的交往可以追溯到遥远的古代。明代中叶中西海通之后，这种交往开始对双方产生持久的重大影响。从 16 世纪中期到 18 世纪前期，在商业贸易发展的同时，中欧之间的文化交流呈现较为兴盛的局面，直到清代康熙末年发生"中国礼仪之争"，① 导致天主教的传教活动在中国被禁止，这种局面方告一段落。"礼仪之争"使中西文化交流陷入停滞状态，但中西之间的商业贸易则持续进行，且愈益繁盛。从 18 世纪开始，英国在对华贸易中后来居上，逐渐占据了主导地位。19 世纪初，美国也超越英国以外的欧洲诸国，在这一贸易中扮演了重要角色。中西贸易的快速发展，使中西关系在整体上不可避免地发生了意义深远的演变，进而导致了从鸦片战争开始的一系列具有决定性意义的重要事件，这些事件在很大程度上塑造了近代中国历史的形态。

一　中西贸易及其体制

19 世纪前期，中西贸易持续发展，到 19 世纪 30 年代中期达每年数千万银元规模。在国际经济网络中具有重要地位的中西贸易，却是建立在充

＊　本章由吴义雄撰写。

①　所谓"中国礼仪之争"，是指 17 世纪到 18 世纪，西方天主教传教教士及罗马教廷关于中国礼仪是否违反天主教教义的争论。这一争论在来华天主教传教士当中产生，但影响面日益扩大。罗马教皇克莱门特十一世（Pope Clement Ⅺ）于 1704 年颁谕禁止中国教会采用中国传统礼仪，导致康熙帝下令禁止天主教传教教士在华从事传教活动。

满争议的制度基础上的。在中西双方都很重视这一贸易的背景下，这些争议也曾导致贸易制度的局部调整。

中西商人与广州贸易

清朝前期，曾相继设立粤、闽、浙、江四海关对外通商。但随着来华西方商船日益增多，其袭扰地方、作奸犯科之事时有所闻。各国相互关系复杂，经常发生纠纷。这些都使清政府产生警惕，对外政策渐趋严厉。1757 年，清政府将海路贸易限定在广州进行，并对中外贸易进行更为严密的控制。

广州行商是清政府特许经营对外贸易的商人群体。他们开设洋行，专营进出口贸易。这些洋行一般被称为"十三行"，虽然其数目经常并非恰好为十三家。历史上，行商曾经结为较统一的垄断性公行组织，协调对外贸易，但在外商的反对下最终被取消。19 世纪前期，行商的公共组织是所谓的"公所"，但这个公所只是一个行商松散的议事机构，并不具备垄断性公行的特征。但习惯上，外商还是用"公行"（co-hong）来称呼这个公所。在19 世纪前期，除少数几家外，行商的经营活动大多艰难，作为一个团体经历了数次倒闭风潮。除伍浩官的怡和行和卢茂官的广利行等少数洋行外，大多数小行商经常处于朝不保夕之境。行商不仅从事贸易，还是官府与西人之间的联络媒介，具有代表官府对西方商人群体进行管理和监督的身份。行商由粤海关监督直接管理，但他们也经常听命于两广总督、广东巡抚、广州知府等官员。广东当局通常以高压手段，迫使行商履行其作为官府工具的责任，常因外人违规而对他们施以程度不等的惩罚。

在行商之下，广州贸易还依靠懂得一些英语的通事和为外商日常生活服务的买办。通事地位不高，但作用很关键，是沟通中西的中介。他们使用的语言是一种变种的"英语"（Pidgin English），不讲句法，发音不准，受到广州方言的浓重影响，在中西人士之间勉强可以起到联络的作用。通事不仅从事传译的工作，也承担一些中西贸易方面的事务。通事常代西方商人与官府沟通，处理税务及其他贸易事务，提供有关商业信息，陪同西人在广州附近地区游历，等等。"除了行商以外，在其他中国人当中，和外国侨民联系最密切的就是'通事'。"[1] 买办地位较通事更低。外国人较多地

---

[1] 〔美〕亨特：《广州"番鬼"录》，冯树铁译，广东人民出版社，1993，第 37 页。

使用买办，是从 18 世纪中叶西方对华贸易大规模扩展之时开始的。买办由行商担保，由官府（粤海关监督、番禺知县或澳门同知）颁给执照。买办有商馆买办与商船买办之分。商馆买办的职责是为广州的外国商馆提供生活服务。每家行号都雇用一位买办，为商馆提供全方位的服务，负责为商馆采购、供应生活必需品，管理商馆贸易及所需仆役，甚至管理商馆内部经济、账目乃至银库。买办还要照管外商的私人事务。商船买办主要为到广州黄埔的西方商船提供服务，其中为其采办食物和其他生活用品，以及为外商船只提供仆役是其主要业务。

19 世纪的前 30 年，广州贸易的外方主角无疑是英国东印度公司特选委员会。该委员会通过长期设立于广州西郊的英国商馆，管理其庞大的贸易事业，同时实际上影响中西关系的大局。来华英商甚至部分其他国家商人之间的商业事务，以及外商与中国行商之间发生的商业关系，往往由东印度公司广州特选委员会协调解决。该委员会由几位大班组成，以一位主席为首，与东印度公司在印度的强大势力保持密切联系。他们在对华贸易的前沿地带形成的看法，对英国的对华政策具有重大影响。在名义上，这个委员会要受代表官方的行商的约束，但实际上，在相当长的时间内，这个委员会却经常充当扶植资金薄弱的小行商的角色。他们除预付茶叶、生丝的款项外，还在一些行商遇到危机时给予资金方面的支持。他们这样做的目的，是利用弱小行商来抗衡少数富有行商的影响，"尽可能在中国人之间维持竞争局面，防止公行过于垄断"。①

1834 年，东印度公司对华贸易垄断权结束，让位于早已羽翼丰满的英国散商（private merchants），不过它还以其他方式参与具有重大利益的广州贸易。② 英国散商从 18 世纪 70 年代开始到广州贸易。由于其活动与东印度公司的对华贸易垄断权抵触，故经常被东印度公司广州特选委员会驱赶。但在重利吸引下，他们想尽办法，如以欧洲小国领事的身份待在广州和澳门，开办商行，从事贸易，逐步巩固地盘，不仅使东印度公司的禁令渐成具文，而且骎骎然与之并驾齐驱，最终取而代之。19 世纪 30 年代中后期，

---

① Robert Inglis, *The Chinese Security Merchants in Canton and Their Debts*（Canton, 1838），pp. 18-19.

② 该公司还在广州保留了一个"财务委员会"从事投资活动。参见〔英〕格林堡《鸦片战争前中英通商史》，康成译，商务印书馆，1961，第 172 页。

英国人和印度巴斯（parsee）人的数量约为 200 人。这些商人经营着数十家从事代理贸易的商行，交易的内容包括正常商品和鸦片。

19 世纪二三十年代，英国商人群体中出现了分别以查顿（William Jardine）-马地臣（James Matheson）和颠地（Lancelot Dent）为首的来华英商集团。这两个集团中的主要行号即查顿-马地臣行（Jardine, Matheson & Co.）和颠地行（Dent & Co.）。这两家最大的英国商行的合伙人，同时是两个相互存在矛盾的商人集团的首领。从 19 世纪 20 年代后期开始，广州英商明显分化为两个集团，分别以查顿-马地臣行和颠地行为核心。广州英商在鸦片战争前的动向，与这两个集团之间的纷争有密切的联系。这两个集团的矛盾与经济利益相关，其分歧主要表现在以对华关系为中心的政见之争上。查顿、马地臣和颠地都是 19 世纪 30 年代所谓"自由商人"的代表，他们都是积极鼓吹中国向西方打开大门的英商代言人。故其基本观念并无原则性分歧，只是在对中英关系发展形势的判断和对华策略方面有不同见解。他们也拥有共同的"事业"，在从事正常贸易的同时，都大规模地进行鸦片走私。这种共同点使他们有时也相互合作。①

法国、普鲁士及欧洲其他国家在鸦片战争前也从事对华贸易，不过它们的规模远不能与英人相比。19 世纪早期欧洲发生的战争对法国等国的海外贸易造成较大影响。美国商人在 18 世纪后期开始对华贸易，其开端是 1785 年"中国皇后号"抵达广州。美国商人的势力在 19 世纪超越了众多西方国家，成为广州贸易中仅次于英国商人的群体。1837 年初，在广州的美国商人约 40 人，较英人为少。② 1837—1838 年度，英国商人在广州经营的贸易金额约为 6510 万元（西班牙元，下同），而美国商人的贸易额约为 1170 万元。③ 这组数据反映英美两国商人的势力还存在较大的差距。在其他年份，英商的贸易额也是美国商人的 5 倍以上。这两国商人经营的生意，占了广州口岸中外贸易的绝大部分。

这些商人是鸦片战争前影响中西关系演变最重要的因素。事实上，中

---

① 参见吴义雄《条约口岸体制的酝酿——19 世纪 30 年代中英关系研究》，中华书局，2009，第 17—27 页。

② "Foreign Residents in China," *The Chinese Repository*, vol. 5, no. 9, January 1837, pp. 426-432.

③ *The Canton Press*, October 28th & November 4th, 1837.

西之间一系列交涉事件，都是因为这个群体的利益引起的。中英之间从对抗走向战争的主要背景，就是英商在努力获取利益的过程中与中国官府产生了不可调和的矛盾。从 18 世纪末马戛尔尼（George Macartney）访华开始，英国政府就为其商业利益与中国政府交涉，但在当时情况下难以对中英关系施加持续性影响，直到矛盾最激化时，它才作为主角登场。因此，鸦片战争前中西关系演变的主要线索，是以英国人为首的西方商人与中国官府间关系的变化，而非中、英政府间的对抗。

在英国东印度公司对华贸易时代，其广州商馆特选委员会常常充当外商利益维护者的角色。1834 年后，众多的英美商人也日益感觉到需要有一个自己的组织机构，以便协调贸易事务，并以集体的力量反抗广东当局施加的"迫害"。1834 年 9 月，广州英国商会（The British Chamber of Commercial of Canton）成立，颠地和马地臣等都是这个组织的重要成员。这个商会的工作内容就是与英国商务监督联系，并就有关问题与中国行商交涉。但因为颠地集团和查顿-马地臣集团的矛盾，这个商会未能很好地运转，不久陷入分崩离析之境。1836 年 11 月，一个包括所有广州外商在内的广州外侨总商会（Canton General Chamber of Commerce）成立。在这个商会中起主要作用的是英国商人，但其领导机构"委员会"中也包括美国人、巴斯人、荷兰人、法国人等。[1] 这个商会的宗旨被确定为"纯粹商业的"，其主要活动包括处理外商之间及外商与行商之间的商业关系，协调乃至仲裁他们之间的争端，制定商业性的贸易规则。但当外商与中国官府发生争议时，总商会也代表外商的利益与中国官府交涉。中国官府实际上也将这个商会当作在广州的外人的代表。1839 年春，林则徐到广州禁烟，最初交涉的对象即为广州外侨总商会。因此，在很大程度上，这一组织是外商经济和政治利益的代表者。在中英战争来临之际，英国商人还成立了其他类似的组织。

广州体制的部分调整

在获取丰厚利益的同时，欧美商人希望将这种利益尽可能地扩大。在他们看来，实现目标的主要障碍是清政府的对外体制。1757 年后，清政府推行限制对外交往的政策，其基本内容是将与西方国家之间的海路贸易限

---

[1]　"General Chamber of Commerce," *The Canton Register*, November 29th, 1836.

于广州一口；限制进出口船只数量、大小，贸易物品的种类与数量；设立行商，垄断对外贸易；清朝官府与外人之间不发生直接联系，一切交涉事务均由行商居中联系转达；规定广州外商须在商馆区"夷馆"内生活，对其活动采取诸多限制措施；等等。

中国历史学者一般将这种政策称为"闭关政策"，西方文献则将其概括为"广州体制"（Canton System）。对这种制度的评说可谓众说纷纭，但迄今为止的讨论更多从静态的角度评说清朝的制度安排，而较为忽略这一制度的动态演变。19 世纪早期形成的西文历史文献，多将广州体制描述为一种缺乏公正和平等的制度，它意味着压制和侮辱、掠夺和腐败；总体而言，它是一种由清政府施加压迫而外商遭受冤屈的制度；在这种制度下，清朝政府官员对外商进行苛刻的管制和盘剥，而行商则是代表官员具体实施压迫的群体。在西方商人群体和其他来华人士看来，除少数对他们"友好"的行商外，大多数行商都是生性贪婪、德行败坏的人，他们同时是协助官府对外人进行"压迫"和"榨取"的帮凶。

这种描述在很大程度上具有事实根据，但却没有反映当时的全部状况。依托于这种制度的贸易，在 19 世纪 30 年代发生了很大改变，使制度本身也显示出动态特征。如前所述，东印度公司广州特选委员会对行商的影响，意味着它拥有相对于行商的经济权力。而广州外侨总商会所从事的各种活动表明，较之特选委员会，它在以贸易为主要内容的中西关系中拥有更大的权力。其中，它所制定并得到实施的数十项贸易规则，[①] 说明在 19 世纪 30 年代，甚至更早，广州贸易在相当高的程度上已有一种中西共管的特征。清政府在名义上能够对这一贸易实行绝对的专断，但史实表明，它既没有能力也缺乏意志对广州贸易施行绝对控制。它比较满足于从这一贸易中得到经济上的好处。当它感到有必要对并不驯服的"外夷"震慑一下以彰显它的权威，或是需要通过施加强制性影响以获取更多的好处时，它会动用政治权力来干涉贸易。但大多数情况下，它其实并不十分清楚在广州外商群体内甚至外商与行商之间发生的事情。广州的高级、低级官员都很贪婪，

---

① 这些规则包括关于一般商业问题的规定，关于与行商交易的规定，关于鸦片贸易问题的规定，以及其他一些外商公共事务的规定。详见吴义雄《条约口岸体制的酝酿——19 世纪30 年代中英关系研究》，第 40—45 页。

他们利用权力对外商进行榨取，正如他们也对行商进行榨取。但除了发生明显冲突的时期，他们对贸易活动较少进行干预。

19世纪30年代后，广州体制较以往更多地被外商侵蚀。外商无法突破基本的通商格局，但在具体层面达到了一些目的。1829年，英商集体就行商倒闭问题和税收问题向广东官方抗议，结果是广东当局采取措施恢复了行商的数量，而清廷在1830年批准了粤海关监督中祥的一个减税方案，将来粤洋船照例上缴的一种名为"规银"的征收费用减少了1/5。此后数年，外商的减税要求几次得到清朝当局的批准。这说明，由一系列"旧规"组成的广州口岸的税费体系，在西方商人群体的压力下，被迫因适应形势而改变，而这种减税的措施对行商来说是很不利的。

广州体制的一个重要环节是由行商充当外国来粤商船的保商，并代理外商的纳税事务。但1834年后，行商悄然退出了代收关税的事务。经过中西商人的某种安排，粤海关税进口的缴纳方式已由行商代纳变为进口商（外商）自行缴纳。这无疑悄悄地然而是非法地改变了原有的制度安排，实际上也部分地关闭了行商对外商进行管制的一个途径。[①]

以上情况说明，作为广州体制重要内容的行商相对于外商的权势地位，在不断遭到削弱。在东印度公司对华贸易时代，不少行商在资金上产生问题时，已需要仰仗特选委员会。1834年后，行商在贸易上也要受到外商的左右。万源行商人李应桂在1834年给粤海关监督的禀帖中说，当时行商经营大多艰难，相互之间形成恶性竞争，结果被外商玩弄于股掌之上。茶叶贸易是当时行商获利的一个主要途径，但行商是否能多销茶叶，总看平日对外商"趋奉如何"，是否"能得夷人之欢心"。[②] 在大多数时候，行商为了经营下去，均以较为不利的条件向外商借债。一旦债务积欠，行商信用破产，就演成所谓"商欠"案。由于行商之间相互联保，即具有相互赔付债务的义务，大的商欠案几乎可以将所有行商卷入，外商就成为行商集体的债权人。这种经常发生的经济灾难，使得行商实际上在外商面前处于弱势地位。在此情况下，广州体制及其所代表的国家权威不免打了很大折扣。

---

① 关于这一问题的资料，见《广州周报》（*The Canton Press*）1838年11月3日编者评论。

② 《行商李应桂禀帖》，佐佐木正哉编《鸦片战争前中英交涉文书》，文海出版社，1967，第37页。

商欠与行商体制问题

广州体制的核心是行商制度。这一制度运行了百余年，但从 18 世纪后期开始，这个制度越来越暴露出其重大缺陷。这个缺陷在商欠问题上得到集中的体现。所谓商欠，主要指行商所欠外商债务，又称"行欠"。商欠问题从 18 世纪后期开始发生过多次，在数十年的时间内是影响中西贸易乃至整个贸易制度的顽疾。进入 19 世纪后，这一问题仍然存在，而且在鸦片战争前夕逐渐演变成影响中英关系的重大事件。

1837 年，发生了兴泰行商欠案，涉及的债务达到 200 多万元。成立于 1830 年的兴泰行，在 1836 年底即停止向其外国债主偿还债务。次年 4 月，颠地等外国债主向两广总督邓廷桢递交禀帖，要求邓责令其他未破产的行商为该行偿债。邓廷桢对兴泰行商欠进行了调查，经中外商人与官府一起核实债务数目，最后确定了由所有未破产的行商分八年半摊还的赔偿方案。直到鸦片战争爆发，赔偿尚未完成。其后，兴泰行剩余的债款和其他的商欠款一起，成为《南京条约》规定的中国对英赔款的一部分。

兴泰行在短短 6 年的时间内积累了如此巨额的债务，成为经营彻底失败的案例。其他倒闭的行号虽然没有亏欠到这样的地步，但也经历了相似的失败过程。19 世纪前期，行商群体在 1813—1814 年、1823—1829 年先后经历了两次大的商欠危机。19 世纪 30 年代的行商倒闭潮虽然并不剧烈，但却出现了兴泰行的商欠大案。这些情况清楚地显示了行商体制存在无法克服的弊端。

导致行商体制不断发生重大危机的主要原因有三。其一，行商的经营模式存在先天性的缺陷。除少数者外，行商一般资金不足，要想盈利，需要将贸易维持在一个较大的规模。但除自筹资金外，其他资金的来源渠道非常有限，只有举贷，而贷款往往来自索要高额利息的外商。在大多数情况下，外商一般要收取 12%—20% 的年利。这就对行商的盈利能力提出了很高要求。外商贷款又常常以实物的形式付予，即将进口货作为贷款交行商售卖，回款再以茶叶等出口货抵还。这就需要行商在内销进口货和外销出口货的环节能够赚钱，才能维持经营。但从实际状况看，进口货以棉花或匹头货（纺织品）为大宗，长期滞销，很难获利，行商的主要盈利来源实际上是茶叶贸易。一旦茶叶出口无法带来足够利润，就意味着危机的到来。兴泰行正是在这种进出口贸易中都无法获利而无力支付巨额债务的情况下破产的。

其二，行商体制中的连带责任制，使行商经常面临集体风险。这一制度是行商贸易体制很有特色的部分，也构成中英双方在兴泰行债务处理过程中争论的一个焦点。所谓连带责任制度，即每一个新行商获准设立洋行时，都由其他行商共同提供信用担保。这样，所有的行商之间在债务方面形成了连带责任。当一个行商破产后，外商便会根据这种制度，要求广东当局负责处理其债务问题，以行政权力代外商追赔，将债务分摊到未破产的行商头上，分期偿还。这就使未破产的行商需在自己的利润中拿出相当的部分，为破产行商偿债。其中有些行商就会因为这种额外负担发生信用问题，最后也陷于破产，连锁波及，形成行商成批破产的现象。连保制度起先只是要求少数几家行商互相担保，但在嘉庆年间被扩大到所有行商互保。由于这一制度显然对放贷的外商具有保护作用，故当 1829 年广东当局根据东印度公司特选委员会的建议决定废除这一制度时，英国散商强烈抵制。

特选委员会当时向两广总督李鸿宾建议：将来新开之行不对破产行商所欠外人债务或中国人债务负责，老行也不对他们将来的债务负责。[①] 提出这一建议是鉴于当时行商在这一制度下接连破产，以致出现几乎无人与外商交易的严重局面。他们希望通过这种制度变更避免将来再出现行商破产的多米诺骨牌效应。李鸿宾等广东官员对此表示赞同。道光帝根据广东官员的建议，于 1829 年 5 月谕令"即照旧例一、二商取保着充，其总、散各商联名保结之例，着即停止"。[②] 饱受连带责任拖累的行商们也欢迎这一制度变更。然而，当伍浩官将这一决定通知英商马格尼亚克行（Magniac & Co.，后来该行更名为查顿-马地臣行）等行号时，立即遭到英国散商的严重抗议。他们认为，行商垄断了对外贸易，使外商无法与其他商人交易，因此作为一个团体有义务偿还在贸易中形成的债务；而且行商额外征收的行用，本来就是为了偿还商欠。但在做出按照旧例清偿原有债务的承诺后，广东当局决定，嗣后再发生商欠，即照新规处置。不过兴泰行商欠案发生

① "Extract of a Letter from the Select Committee to the Viceroy of Canton, dated 3rd October, 1829," *The Canton Register*, December 22nd, 1829.

② 《道光九年四月初五日上谕》，蒋廷黻编《筹办夷务始末补遗》（道光朝）第 1 册，北京大学出版社，1988，第 551 页。

后，外商债主要求根据旧例，由所有行商摊赔。当时他们对广东当局是否答应他们的要求，承认本已废除的所有行商之间连带责任制颇无把握。但对上述制度变化显然并不了解的邓廷桢对外商的要求全无异议，从而免去了惴惴不安的外商债主的担心，旧制度因此而复活。如果没有鸦片战争导致行商制度的废除，那种商欠导致行商集体倒闭的戏码还会一再上演。

其三，官府榨取。官员们各种名目的需索也是行商的沉重负担。尽管行商代收关税的制度在 19 世纪 30 年代遭到了破坏，但他们在大部分时间里尚须承担这一义务。除完纳规定的"饷磅"外，行商每年必须上缴固定数目的捐款，作为给皇帝和宫廷的贡品的代价。他们也需要为清朝的军事行动和名义上的浩大工程（如黄河治理）提供银两。他们还要向海关监督及其他官员"报效"。各级官员不仅向行商收取成为定规的银两，而且以各种名义对他们进行额外勒索。这使行商经常陷于困苦的境地，加剧了经营的困难。

此外，很多行商生活奢华，开支浩大，挥霍了大量资金，也是其经济状况欠佳的一个重要因素。

以上几方面原因都是众行商长期面对的困难，也可以说是体制性的缺陷造成的。19 世纪 30 年代发生的一些特殊情况，使行商体制在鸦片战争前夕面临更大的考验。东印度公司结束在广州的直接贸易活动后，资金较为薄弱的小行商失去了过去曾经享有的来自特选委员会的支持乃至保护。当兴泰行面临沉重债务时，它的背后已无可能出手相助的特选委员会，只有心怀叵测、窥伺在侧的英国散商。查顿等英国巨商反而"同茶商本身发生直接的关系。这个办法的确为英国保证了茶叶的正常供应，然而却使行商的地位更为低落了"。此时茶商又抬高供应茶叶的价格，使"每一个行商都因茶商的举动而陷入风雨飘摇之境"。① 不仅如此，东印度公司在结束其贸易之前，花费巨额资金，囤积了大量据信有利可图的茶叶，导致广州市场茶叶价格高企，中国内地茶商抬高了供货的价格。同时，该公司在广州的代理人又将在印度获得的利润作为投资，在广州大量放款，资金供应的增加导致茶叶投机进一步狂热。但到 1836 年，东印度公司原来囤积的茶叶投向英国市场；而散商们获得以前被禁止涉足的茶叶贸易后，也向英国运送了大量茶叶。这就造成其国内市场对茶叶需求的放缓，价格下跌。英国政

① 〔英〕格林堡：《鸦片战争前中英通商史》，第 174 页。

府却在这一年突然大幅上调茶叶进口税，使从事茶叶贸易的英商获利困难。这一切都使得英商从广州出口茶叶的热情下降，开始下压价格。在英商和中国茶商之间的行商于是面临两面夹击，原来的盈利预期化为泡影，经营不善的行商赔累不堪，兴泰行则是其中最为倒霉的一个。

鸦片贸易对正常贸易的影响及不必缴纳各种税费的行外商人对行商生意的冲击等因素，都使得行商作为一个群体陷入前所未有的困境。以上所述表明，在东印度公司广州商馆解散后，延续了百余年之久、长期与东印度公司相伴生的行商体制已弊窦丛生，陷入危机。体制性的缺陷和时势的变化是兴泰行等相继破产的原因，而清政府尝试废除连带责任制的努力最终也未能巩固成果。故即使没有鸦片战争后英国人逼迫清政府停止实行行商垄断贸易的制度，这一体制的崩解也难以避免。

二　经济、法律与道德的冲突

中英冲突既表现为国家间的重大政治事件，也表现为一连串较小的经济、法律和道德事件，但前者只是后者导致的演变过程的结果。这些意义深远的小事件，是由在华西方商人的利益与中国的制度及执行这些制度的官员之间的冲突所引起的。

税费与勒索

西方商人对清政府及其官员最经常的指控，就是他们遭受后者在金钱上的苛索。这个问题是中西之间长期争拗的焦点之一，也是鸦片战争后条约着重解决的问题。

17 世纪末，英国商船初到广州之时，就"立即开始了一个由来已久但永远滋长不息的争执，那就是决定在官定税额之外必须缴付多少的问题"，而中国官吏的受贿与勒索的问题也由此成为外商恒久的谴责对象。[①] 在中西贸易中占据主要地位的广州口岸关税征收中的规费问题所引起的中外双方争端，贯穿于此后一个多世纪的中西贸易史。在中西贸易的早期，各种规

---

① 〔美〕马士：《中华帝国对外关系史》第 1 卷，张汇文等译，上海书店出版社，2000，第 58 页。

费就已成为一种经常性的征收，而且被外商视为难以接受的负担。他们的反抗有时能短时间地奏效，但问题不久即故态复萌。1793 年，马戛尔尼出使中国，英国政府赋予他的使命之一就是"摆脱广州官吏强加于该口岸贸易的限制和勒索"。① 1816 年，英使阿美士德（W. P. Amherst）访华，其使命也包括这一条。这两位使节都没能达成英商寄望于他们的目标。

东印度公司广州特选委员会直至 1834 年终止对华贸易之前，多次就税收问题进行交涉。19 世纪 20 年代后，在中英贸易中占据越来越大份额的英国散商，也开始加入抗议粤海关税收体制的行列，并逐渐成为主力。1829 年 9 月 29 日，颠地等英商向英国商馆特选委员会主席部楼顿（William Ploden）递交了一份包括 10 个要点的申诉书，对广州口岸的贸易体制进行了全面抨击，要求部楼顿转达广东当局。他们抱怨的主要问题之一就是税费征收。与此同时，英国散商又屡次向英国政府上书，将这一问题作为他们在广州所受的主要"冤苦"之一，要求予以解决。特选委员会根据上述申诉书，在 10 月 3 日致函两广总督李鸿宾，提出了 8 项要求，其中包括改变税收体制问题。1831 年，在与广东当局经过一系列争执后，特选委员会又在 10 月 28 日呈送包括 16 点要求的长篇禀帖，涉及税收问题的共有 5 点，希望"不需缴付海关监督的巨额规费"，"向买办和通事索取的巨额规费应予停止"，"降低我国船只所负担的异常繁重的口岸税"，英商直接缴纳关税，"同时由阁下将这种税率表公布"，等等。② 查顿和因义士（James Innes）等巨商，以及来自英属印度的巴斯商人，还以个人或集体名义就关税等问题直接向广东官方提出申诉。这些减税要求后来数次得到部分的满足。但外商关于税费问题的抱怨一直未能止息，甚至延续到五口通商后的相当长时期。

粤海关税费问题的真相值得加以探讨。大体说来，向外商征收的税费包括以下几类。（1）船钞，即外商缴纳的船舶税。这种税收清朝规定了固定的标准，按照船只的大小确定三个等级的收费标准，自数百两至一千余两不等，也被外商承认为"合法"的税收。但在实际征收过程中，这个数

---

① 〔美〕马士：《东印度公司对华贸易编年史》第 1、2 卷，区宗华译，中山大学出版社，1991，第 533 页。
② 〔美〕马士：《东印度公司对华贸易编年史》第 4、5 卷，区宗华译，中山大学出版社，1991，第 331—334 页。

字被扩大了数倍。多出的部分显然便是外商抱怨的"勒索"。(2) 港钞,即洋船的停泊税,其中包括多项细目。其中,"进口规礼""出口规礼""粮道捐"三种被外商接受,其他多种费用则被认为是勒索。(3) 杂钞,即以进出口货物为对象的各种收费,其中包括清政府规定的"正税",即钦定货物进出口关税;还有一些原来是广东地方官员和差役等擅自加收的费用,在雍正四年 (1726) 被清政府"裁正归公",上缴国库。这两部分税费都是国家征收的关税,被外商认为是合理的。但在雍正四年后,官员和差役等又在原有基础上加征各种名目的杂费,而且其种类日益庞大。资料显示,这类杂费有时达到近百种之多,加在一起,数量达到正税的数倍乃至十倍以上。这些应该说都是被强加于贸易之上的勒索。

在外商抗议的粤海关费用征收中,有一种是由行商征收的"行用"。行用是行商向部分进出口商品从量征收的一种附加税。行用征取后由行商支配,不必直接上缴。早期的行用名义上是供应公共开支、由行商公所统一管理使用的基金,故被西人称为"公所基金"。这项收费起源于帮助行商摊还 1780 年前后的商欠款,但后来实际上成为行商用于支付包括商欠款在内的各种公共开销的额外收入。这项开始于 1780 年的征收,早期的比例是对部分进出口货物征收 3% 的金额,用作清偿行商因拖欠、罚款、亏折等形成的债务,到 19 世纪超出了 3% 这个比例。行商们一度在行商公所设立了一个"公柜"对行用进行统一管理,但后来则由各行商自行支配。除上述用途外,行用还被用于向清朝当局及其官员报效。这些情形令外商感到遭受了无端的盘剥。

粤海关及广东官方如同清朝其他类似衙门,官员及其仆从在利用权势榨取好处方面是不遗余力的,他们从中西贸易中得到的金钱要远远多于清政府所收取的税费。粤海关的各类税费征收都存在种种弊端,以致引起中西之间的长期冲突和摩擦。当然,被西人当作"勒索"的一些收费项目,有些是有其合理性的。清廷的关税体制有其缺陷,一些不见于钦定税则的项目其实是对它的必要补充。不过,即使考虑到这种情况,粤海关税费征收过程中的营私舞弊、贪污勒索也是显而易见的。

其实,若以 19 世纪 30 年代后期的价格为参照,则粤海关出口货实征税费率平均在 10% 左右,进口货实征税费率平均在 12% 左右。相对于英国等国的关税，粤海关的整体税费并非太高。美国历史学家马士（H. B. Morse）在谈到这一问题时也说："事实上，税并不特别重，而且都被巧妙地掩蔽起来，因此也不显著；但是人们对政府官吏的勒索总是斤斤较量的，不知数额的勒索总觉得特别重，所以那些经久不变的露骨的勒索，就成了激起愤懑的许多芒刺。"① 当时英国驻华商务监督中文秘书郭士立（Charles Gutzlaff）认为："外国人展开斗争，并不是针对合法的收费，而是为了反对非法的勒索。"②

虽然清廷从粤海关合理的和不合理的税费中得利，但其察觉到，如果税费问题引起的怨恨太深，贸易也因为税费问题受到影响，则其收益将会减少，而且其"天朝"形象会受损害。故在历史上，它也曾下决心对粤海关进行整顿。19世纪30年代道光帝同意进行减税，也是出于这种考虑。他在一份上谕中甚至对外商表示出一种同情的态度，认为外商"不堪其扰，无怪事激生变"。③ 但这些只是枝节的调整，并未满足外商的两项主要要求：停止国家税收和地方官府某些合理收费之外的其他不合理税费征收；公开各种合理税费的税率，严格按照税则征收。清廷曾一再命令地方官公开税率，这种简单的政令却从未得到认真执行，因为模糊不清的状况有利于官员与差役人等上下其手。粤海关的税费问题于是成为经久不息的冲突根源。

英国及其他西方国家商人的对策，一是进行明目张胆的走私以规避税费的收取。这种走私，却又为官员、胥吏所默许、纵容，以得到外商和中国商人的贿赂。二是向其政府呼吁，采取政治乃至军事手段来解决问题。故鸦片战争后《南京条约》及其附约将通商口岸的税率确定与公布列为主要条款。

法律冲突

在英国商人向英国政府的历次申诉中，他们都声称受到清政府在司法方面的迫害，要求得到英国的法律保护。这个要求后来演变成西方列强在

---

① 〔美〕马士：《中华帝国对外关系史》第1卷，第98页。

② 《郭士立给英国外交部的备忘录》，Great Britain, Foreign Office（以下简称 FO），General Correspondence before 1906, China, 17/15, pp. 27-28.

③ 中国第一历史档案馆编《鸦片战争档案史料》第1册，天津古籍出版社，1992，第171—172页。

近代中国实施的司法特权，即不平等的治外法权。

中西之间关于司法问题的争端同样由来已久。大规模的贸易必然带来西方商人、水手与中国民众之间的各种摩擦和冲突，产生一些司法案件。中国政府（包括广东地方政府）对于一般的民事纠纷往往不予理会。[①] 但对引起命案的刑事案件，基本上坚持司法管辖权，直至《五口通商章程》订立。清政府的这种司法管辖招致西方人尤其是英国人将近一个世纪的、持续不断的抨击。"英国东印度公司在华代理商将反抗中国司法权当作理所当然的事，因为他们已在印度和日本采取完全类似的政策。这种政策来自一种被接受的观点，即英国臣民无论在远东何处均受英国的保护。"[②]

18世纪末19世纪初，先后有数件外人在华犯下命案而被清政府判处死刑后处决的案子，其中既有外人杀死华人的案件，也有外人之间发生的命案。对于这种结果，在华西人越来越感到难以接受。英国东印度公司在广州的大班早在18世纪末就屡次向伦敦的董事部表示，中国人采取的"以命抵命"的判案方式是西人所不能接受的。英国在派遣马戛尔尼访华时，给后者的训令就包括了"英国臣民犯法，不受中国司法处罚；同时，任何逃犯，经英中双方官员会同搜索后，英国及其下属长官不负连带责任"之内容。[③] 其后，中西之间，特别是中英之间，多次产生司法问题的争拗。其根源在于，英人在东方运用英国法律保护自己的一贯要求和做法，而这种做法意味着对包括中国在内的东方国家司法管辖权习惯性的蔑视与规避。这是殖民主义时代英国的强权在法律问题上的反映。

为了促使英国政府采取措施，实现在华英人及其他西人"不受中国司法处罚"的目标，东印度公司的大班们早在19世纪30年代之前就开始制造舆论。英国散商因为普遍从事鸦片走私，更急切地在其经营的报纸、出版

---

① 斯当东认为："似乎从一开始，外国人作为个人，如非涉及命案，即可免除帝国律例之处置。"1808年，上谕中说，除命案之外，"所有其他案例，依律属情节较轻，故不必抵命者，罪犯应遭送回国，由其国治罪"。见 George Thomas Staunton, *Miscellaneous Notices Relating to China*（London: John Murray, 1822），p. 132. 马士曾说："外国人同外国人之间的商务纠纷，一向不告诉中国人，而这点也正符合于中国人的办法。"见氏著《中华帝国对外关系史》第1卷，第109页。

② G. W. Keaton, *The Development of Extraterritoriality in China*, vol. Ⅰ（New York: Howard Fertig, 1969），p. 78.

③ 〔美〕马士：《东印度公司对华贸易编年史》第1、2卷，第554页。

的书籍中宣扬寻求在中国实施英国法律的理由。

鸦片战争前清政府一项长期执行并一再强调的原则是，将适用于本国人的律例应用在对外国人的审判中。乾隆八年（1743），两广总督策楞奏准："嗣后民、番有谋、故、斗、殴等案，若夷人罪应斩绞者，该县于相验时讯明确切，通报督抚，详加复核。如案情允当，即批饬地方官，同该夷目将该犯依法办理。其情有可原、罪不至死者，发回该国自行惩办。"① 此后，清政府一再重申这一原则。所谓"依法办理"，即按清朝律例拟判。1800年发生了英国兵船"天佑号"水兵枪杀华民案，两广总督吉庆等曾摘录6条相关法律条文，送交东印度公司广州商馆特选委员会，供其约束商人水手之参考，内容是："疑窃杀人，即照斗杀论，拟绞"；"鸟枪施放杀人者，以故杀论，斩；伤人者充军"；"罪人已就拘执，及不拘捕而杀之，以照斗杀论，绞"；"诬良为窃，除实犯死罪外，其余不分首从充军"；"误伤人者，以斗殴伤论，验伤之轻重坐罪"；"酗酒生事，犯该发遣者，俱发烟瘴地方为奴"。吉庆声明："以上各条，皆天朝国法，有犯悉照问拟，无可宽贷。"②

对照当时的刑律条款，可知中国当时的法律并非严苛，但英人认为中国刑律和实际司法过程均有重大弊端，主要表现在：中国法律过于强调"以命抵命"之原则，要求命案必须有人抵命，而拒绝区分谋杀与过失杀人之别；中国司法过程过于残忍，充满腐败；中国政府在司法实践中对外人歧视。他们认为这都是极不公正的制度。此外，中方追索凶犯的连带责任制度也为其所诟病。这种规定要求在发生命案时，东印度公司特选委员会或其他国家的领事，承担协助调查乃至交出凶犯的责任；如后者拒绝合作，则采取停止该国所有贸易的做法，使其付出沉重的经济代价。在西人看来，这是一种难以接受的压迫。他们认为从以上几方面看，拒绝在中国接受中国法律的管辖是正当的。这个观点实际上违背了西方人制定的国际法原则。对此，他们辩解说，欧洲国家之间通行的准则在中国不适用，因为国际法是"只存在于文明国家之间"的相互认可的准则，但"适用于文明国家的

① 《粤海关监督常显谕外洋行商人等》（嘉庆十三年二月初七日），FO 233/189/121, Embassy and consular archives, China: miscellanea.

② 该件原无日期，约在1800年春，FO 233/189/35.

规则不能应用于中国"，中国只能算"半文明国"或"半野蛮"国家,① 中国须按西方的形象改变自身，"必须首先改造成和这些法学家一样的人，即成为基督徒，成为自由政府的臣民"，② 才能作为一个民族享有国际法规定的权利。而且清政府不承认这些准则，一贯采取严格措施限制对外交往，"故外国也没有道德义务遵守历史悠久的国际法"。③

　　清朝司法的一般性弊端，如刑讯逼供、司法腐败等，是实际存在的。同时应看到，由于不同时期广东官员执法的决心不一，他们所面临的政治形势不同，故对于具体案件的态度互异，从而给外人以中国政府在执法方面宽严参差之感。但从清朝涉外司法史来看，清政府对外人的执法并非特别严酷，判决外国罪犯死刑也屈指可数。除了 1773 年"斯科特案"、1784 年"休斯夫人号事件"和 1821 年"特兰诺瓦案"等少数几次判决，清政府对更多的民夷凶杀事件并未要求"以命抵命"。自 1784 年"休斯夫人号"事件后，再无一例英人因凶杀罪行被中国政府处决。从实际结果来看，广东当局的相关司法行政总体上以失败居多。当地居民与外国人语言不通，对于金发碧眼的西洋水手往往难以具体辨认，生事的水手经常是集体行动，事发后凶犯一般匿于船上，而航行于东西洋之间的西洋商船往往有能力抗拒缉捕，更不必说船坚炮利的英国皇家战船。在相当多的情况下，事件的结果是中国的司法权无法实施，遭受侵害。1822 年英国皇家战船"土巴资号"的水兵枪杀中国民众，最终在东印度公司的掩护下扬长而去，即为典型事例。

　　在英商的推动下，英国政府从 19 世纪 30 年代起酝酿在中国的所有英人中实施治外法权。④ 1833 年，曾长期服务于东印度公司广州商馆的斯当东（George Thomas Staunton）在英国议会提出一项关于对华关系的议案，建议建立一个英国海事法庭，赋予其足够权限审判英人在华犯下的凶杀案。1833年 8 月 28 日，英国政府正式公布了《中国与印度贸易法案》。该法案第 6 条

① "War with China," *The Chinese Courier and Canton Gazette*, September 8th, 1831.
② "The Future," *The Canton Register*, February 13th, 1838.
③ "On the Recent Discussion, No. 2," *The Canton Register*, November 4th, 1834.
④ 所谓"治外法权"（英文 extraterritoriality 或 exterritoriality）本是指国家之间相互授予、有特定身份的外国人享有的、不受所在国法律管辖的特权或豁免权。但在近代中国，这个名词意味着外国人根据不平等条约享有的司法特权。

规定，英王有权向其驻华商务监督发出指令或授权，"赋予其管束在中国任何地方进行贸易的英国臣民之权；制定和公布涉及该项贸易，及从事贸易的英国臣民的命令和规章之权；依照具体规定对违反这些命令和规章之人进行罚款、没收、监禁之权；设立一个刑事与海事法庭，以审判由英国人在中国之口岸、港口和距离海岸一百海里以内的公海犯下的罪行之权"；英王还有权"任命商务监督之一掌管该法庭，并任命其他执行法律程序之官员"。① 1833 年 12 月 9 日，英王发布训令，明确规定："在广州或在广州港附近的任何英国船上设立一个具有刑事和海事管辖权的法庭"，由首席商务监督负责管理；该法庭的基本审判原则应与英国巡回刑事审判法庭（Courts of Oyer and Terminer and Goal Delivery）规定的方法和程序相一致，但可根据当地的具体情况加以适当更改；法庭应由首席商务监督和 12 人陪审团组成；由首席商务监督制定该法庭的执法规则与具体程序，拟订必要的规则。②

1834 年英国首任首席商务监督律劳卑（John Napier）来华时，英政府给他的指示是，此事不可操之过急。但相关的准备一直在进行。英国外交部从 1835 年起，就在广州建立英国法庭的问题上采取新的立法行动。1837年 7 月，形成了正式、详细的议案，交给议会讨论。该法案规定，在中国设立一个或多个具有刑事、海事和民事管辖权力的法庭管辖在华英人，对其所犯下的一切罪行进行审判，对与贸易或商业相关的民事案件进行判决。法案特别增加了有关对在华英人管辖权的规定。③

这个法案因为各种原因未获得通过。原本极为期待这个法案的英国在华商人对该法案也不欢迎，因为他们觉得其中关于对其进行民事管辖的部分将有损他们的利益。在法案中增加英国驻华商务监督机构的民事管辖权，是由商务监督罗便臣（George Robinson）提出来的，他的继任者义律（Charles Elliot）也赞同这个想法，因为他们认识到，对英国来华船只、水手等进行管束是非常重要的，否则他们将无法无天。

担任英国驻华商务监督的义律未待英国政府的正式命令，即在广州采取

---

① "Royal High Majesty's Instruction to the Superintendent of British Trade in China," January 25, 1834, attachment, "An Act to Regulate the Trade to China and India," FO 17/ 5, pp. 52-53.

② 这三道发布于 1833 年 12 月 9 日的训令见 FO 17/4, pp. 66-71, 74-75.

③ "A Bill Instituted an Act to Authorize the Establishing a Courts or Courts with Criminal and Admiralty and Civil Jurisdiction in China," FO 17/23, pp. 211-212.

了相关措施。1837 年 7 月，义律向英国外交大臣巴麦尊（H. J. T. Palmerston）建议，在广州的英国水手中组成一支包括"1 位指挥官和 10 名可靠的欧洲海员"的队伍，"令其宣誓执行维持治安职能"，"作为英国在华水上警察力量"。[1] 这是一个在中国领土组织由外国人组成和指挥的警察力量的正式建议。次年，他又拟订了具体的维持治安条例。他认为采取措施维持在中国的英人中的秩序是很重要的。1837 年底，义律在广州黄埔组建了一支从事执法使命的水上治安力量。他的建议则在 1838 年 6 月得到英国外交部的批准，后者就"组成一支海事警察力量"对他进行了正式授权。在往来函件中，义律向巴麦尊保证，在设立在华法庭方面得到广东当局的合作没有问题。这成为后者在 1838 年向英国议会提交前述法案的一个根据。

义律进一步的行动是在 1839 年 8 月，为了对抗钦差大臣林则徐，声称根据 1833 年的《中国与印度贸易法案》组织了一个法庭，审判在尖沙咀造成中国村民林维喜命案的英国水兵。他还公布了一份由 9 个部分组成的"英国在华刑事与海事法庭规则与程序"。[2] 这个法庭对 5 名英国士兵进行了轻微的判决。由于这个法庭的设立是未经英国政府正式授权的，故其判决结果后被英国政府撤销。

尽管如此，这个法庭可以看作是中西长期法律冲突的一个结果。英国政府撤销的是这个擅自设立的法庭及其判决，而未否决在华建立法庭的理念。《五口通商章程》订立后，他们便迅速实现了这一理念。

鸦片问题

直接导致中英关系走向决裂的是鸦片问题。鸦片原产于西南欧和小亚细亚，后传入中亚、印度、东南亚等地。鸦片输入中国的历史可以追溯到唐代。明代以后，域外鸦片作为药物输入中国。明末，吸食鸦片之风自南洋传入。到清代前期，鸦片吸食之风渐广，成为社会风气败坏的一个源头。雍正七年（1729），清廷首次颁布禁烟上谕。至嘉庆元年（1796），清廷以停止征收鸦片进口税为代价，正式下令禁止海外鸦片输入。嘉庆五年（1800），清

---

[1]　Charles Elliot to Viscount Palmerston, July 4th, 1837, FO 17/21, p. 2.

[2]　义律向英国政府做了报告，见 "Rules of Practice and Proceeding," and Appendix, FO 17/33, pp. 307-321. 向在华英人正式公布于 *The Canton Press*, July 27th & August 3rd, 1839; *The Canton Register*, July 30th & August 6th, 1839.

廷再次重申禁令，一并禁止内地种植罂粟。①

　　西方商人向中国贩运鸦片，自葡萄牙人开始。1773 年，英国东印度公司获得印度鸦片销售垄断权，英商开始向广州运销鸦片。随后，英印政府将印度鸦片制造权和贸易权全部掌握在自己手里。清廷禁止鸦片进口后，东印度公司为维持其在广州正常贸易的合法性，做出停止向广州贩卖鸦片的决定。此后，从事鸦片走私的主角变成英国私商（包括印度巴斯商人），即所谓"港脚商人"。但东印度公司完全掌握印度鸦片市场。他们向印度的农民放贷，引诱乃至强迫农民种植罂粟；在将其收购后制成鸦片，在印度市场拍卖，由鸦片商人向中国走私。除英国商人外，当时参与鸦片走私的还有美国等国商人。美国商人从事的一项鸦片贸易是向中国贩运土耳其鸦片。

　　鸦片战争前，除极少数行号外，几乎所有在华英美商行都参与了鸦片贸易，其中多数扮演代理经销商的角色。东印度公司及其操控下的英印政府则从鸦片专营和拍卖中得到巨大利益。1837 年，其鸦片收入达到 150 多万英镑。更重要的是，鸦片贸易支撑了中国—印度—英国三角贸易。英国从中国大量进口茶叶、生丝等货物。自 18 世纪开始，茶叶在英国和欧美国家的消费量迅速上升。但西方能向中国出口的货物不多，主要是棉花、棉织品和毛织品，这些物品在中国销路不广。故西方商人只得运来大量白银以购买中国货，对华贸易长期存在逆差。于是，他们寻找到了一种"既可为中国方面接受，又能支付茶价，而且本身还可以赚钱"的商品，② 即鸦片，来平衡对华贸易。他们将英国在印度得到的利润换成鸦片，再用鸦片换取白银，购买茶叶等商品后运回英国。这样就将从印度得到的财富通过鸦片贸易和茶叶贸易送回了英国。

　　在鸦片贸易的早期，澳门是交易的中心。清廷严令禁止鸦片输入后，鸦片贸易成为非法。英国等国商人便将鸦片以走私的方式运到广州，再由中国鸦片贩子向内地运销。尽管清政府一再重申禁令，但由于官吏和缉私军队贪污受贿，对鸦片走私放任纵容，广州成为鸦片贸易的中心，广州省河充斥着从事鸦片走私的中西船只。这种情形令清廷备感焦虑，道光帝登

---

①　李圭：《鸦片事略》，中国史学会主编《中国近代史资料丛刊·鸦片战争》（本章以下简称《鸦片战争》）第 6 册，上海人民出版社、上海书店出版社，2000，第 206 页。

②　〔英〕格林堡：《鸦片战争前中英通商史》，第 7—8 页。

基不久即严令广东官员认真查拿。1821 年，两广总督阮元采取前所未有的严厉措施，对广州的鸦片走私进行了沉重打击。其结果是外国鸦片贩子退出广州附近的珠江水域，而在珠江口的伶仃洋一带建立了鸦片走私的新基地。他们将一些船只用作囤积、贮存鸦片的趸船，长期在伶仃洋一带碇泊、游弋，接收来自印度的鸦片，中国鸦片贩子则用快蟹、扒龙等小型走私船只将鸦片运到岸上销售。伶仃洋水域在此后十几年里都是集聚和输送毒品的中心。

由于广州的鸦片走私经常面临官府的查缉，鸦片商设法开拓其他的销售途径。19 世纪 30 年代初，查顿等鸦片商派遣船只到广东以北的沿海地区兜售。1836—1837 年，两广总督邓廷桢在道光帝严令之下，采取较为有力的措施打击伶仃洋鸦片走私，效果较为显著。但中西鸦片贩子在重利诱惑下拒绝放弃这门生意。结果是广州内河鸦片走私死灰复燃，珠江口至广州商馆一带重新成为鸦片贸易的通道。同时，鸦片商较以往更重视北方沿海的鸦片销售，派遣大量鸦片船北上售卖这种违禁品。在 19 世纪 30 年代中后期，以这种方式销售的鸦片每年有数千箱。

鸦片吸食在中国传播很快，鸦片市场日益庞大。尽管清廷不断颁布查缉走私的谕令，但由于广东官员和军队收受贿赂，对这种走私活动予以纵容包庇，鸦片输入逐年增加的势头无法遏制。1800—1801 年度，鸦片输入量为 4570 箱。1820—1821 年度，印度鸦片在华销售 4628 箱，与 1800—1801 年度基本持平。但伶仃洋鸦片走私基地形成后，鸦片贸易反而获得更稳定的条件，输入数量呈现逐年增加的势头。1821—1822 年度为 5090 箱，1825—1826 年度为 10475 箱，1830—1831 年度突破 2 万箱大关，1830 年代后期在 3 万箱以上。在巨大利益刺激下，印度鸦片种植面积也持续扩大。1828 年比 1818 年增加了两倍，1838 年又比 1828 年增加了 1 倍。[①]

大规模的鸦片贸易带来的结果是白银大量流出中国，从而打破了中西贸易原有的格局。18 世纪到 1830 年的 130 年间，经由广州口岸进口的白银净数在 3.6 亿元到 4 亿元之间。但到 1817 年后，英国船逐渐停止带进大量银币前来购买货物的做法，随后美国商人也渐渐不再向中国输入银币以购

---

① Tan Chung, *China and the Brave New World: A Study of the Origins of the Opium War, 1840-1842* (Durham: Carolina Academic Press, 1978), pp. 91, 84.

买出口货，"因为英国在广州的贸易可以用供给他们伦敦汇票的方法以代替抽调西方国家白银储备这种不经济的方法"。① 英国学者格林堡（Michael Greenberg）在描述这一过程时指出："1804 年以后，（东印度）公司必须从欧洲运往中国的现银数量就很少，甚至全不需要。相反，印度向广州输入的迅速增加很快就使金银倒流。在 1806—1809 年这三年中，约有七百万元的银块和银元从中国运往印度，以弥补收支差额；自 1818 年至 1833 年，现金银在中国全部出口中整整占五分之一。"② 总体而言，在 1825 年之前，中国尚为白银净流入国。但此后流出的白银开始超过进口的银元，中国成为白银净流出国家。在白银流失高峰期的 1837—1838 年度，中国的白银净流出 1000 万元左右。19 世纪 30 年代白银净流出总计约为 6500 万元。在这之前的 10 余年，流出和流入大致相抵。③

鸦片问题在中西双方都引起了激烈争论。鸦片战争前 30 余年间，从广州口岸流出的白银约 1 亿元；加上中国沿海其他地区流出的白银，数量更为庞大。这就恶化了中国货币市场，出现"银贵钱贱"即中国流通货币铜钱价格不断下跌的局面。1790 年，银、钱比价突破每两 1000 文，道光年间则在每两 1500 文以上。嘉庆年间，已有官员对此表示担忧。19 世纪 30 年代，随着白银的加速外流，清朝官员对银漏的前景愈加不安。对"银贵钱贱"及其社会后果的恐惧，使清政府官员将白银外流的规模越发夸大。如 1837 年，御史朱成烈说每年广东海口出银 3000 多万两，沿海其他省份出银尚有数千万两。打动道光帝施行严禁鸦片政策的黄爵滋也说："道光三年至十一年，岁漏银一千七八百万两。自十一年至十四年，岁漏银二千余万两。自十四年至今，渐漏至三千万两之多。"④

鸦片造成的社会问题和道德后果亦令政府官员忧心。嘉道年间，吸食鸦片者日众，官吏、绅士、商人、兵丁、差役，乃至少数普通劳动者，纷纷加入吸食者行列，受其毒害。鸦片价格昂贵，所费不菲，吸食者往往因之贫困乃至破产。军队官兵吸食鸦片，战斗力低下。

在久禁无效的背景下，清朝内部出现了放弃鸦片禁令、实行弛禁政策

---

① 〔美〕马士：《中华帝国对外关系史》第 1 卷，第 230—231 页。
② 〔英〕格林堡：《鸦片战争前中英通商史》，第 9 页。
③ 吴义雄：《条约口岸体制的酝酿——19 世纪 30 年代中英关系研究》，第 371 页。
④ 黄爵滋：《请严塞漏卮以培国本折》，《鸦片战争档案史料》第 1 册，第 254—255 页。

的意见。正式向清廷提出这种建议的是太常寺卿许乃济。他在 1836 年 6 月上《鸦片烟例禁愈严流弊愈大应亟请变通办理折》，提出弛鸦片之禁，允许外国鸦片纳税合法进口，只准以货易货，不得用银购买，这样不仅可以阻止银漏，还可增加财政收入；宽内地种植罂粟之禁，以抵制外国鸦片进口；禁止文武官员、兵丁吸食，普通百姓"一概勿论"。① 这个建议被道光帝发给邓廷桢等广东官员讨论，邓廷桢等认为其建议可行。但这种主张引起不少清廷官员的反对。是年 9 月，内阁学士兼礼部侍郎朱嶟和兵科给事中许球等先后上折，② 驳斥许乃济的主张。朱嶟等反对弛禁鸦片以换取财政收入，认为这种政策不仅有伤国体，而且不切实际。他们指出应严禁走私，驱逐趸船，严惩贩卖，禁绝吸食。清廷命内外大臣就此展开讨论，结果是主张严禁者占多数。这促使道光帝的态度转趋严禁。自 1836 年底到 1837 年初，他多次令邓廷桢在广东严查鸦片走私，杜绝银漏。这样就促使邓廷桢严厉打击金星门、伶仃洋鸦片趸船。1838 年，黄爵滋的奏折引起另一次关于禁烟问题的讨论。这份奏折在强调严防走私的同时，着重阐述"重治吸食"的主张，建议以死刑来遏制吸食鸦片之风。在道光帝将此奏折下发内外大臣讨论后，黄的观点得到官员们比较广泛的支持。道光帝此后更加倾向于严禁，而林则徐作为钦差大臣赴广东查禁鸦片，则是此次禁烟讨论的一个结果。

在西方人士内部也发生了一场关于鸦片贸易的讨论。在广州，这场辩论的主角分别是基督教传教士和鸦片商。美国传教士裨治文（E. C. Bridgman）在广州创办发行的英文月刊《中国丛报》（*The Chinese Repository*），从 1837 年到 1840 年发表了多篇反对鸦片的论文，同时刊载了不少有关鸦片问题的原始文献。裨治文在文章中强调，造成这场危机的首要原因是英印政府"低下的道德状态"，使英国这样一个"主要的基督教国家"，处于"与她的责任和荣誉如此不相称的地位"。鸦片走私是"罪恶的源泉，毁灭生命、财产和道德"。他认为要改变这一切，西方人就必须以中国的禁烟运动为契机，

---

① 《鸦片战争档案史料》第 1 册，第 200—202 页。
② 朱嶟：《申严例禁以彰国法而除民害折》、许球：《洋夷牟利愈奸内地财源日耗敬陈管见折》，田汝康、李华兴：《禁烟运动的思想前驱：评介新发现的朱嶟、许球奏折》《复旦学报》1978 年第 1 期。

"与中国维持一种正确的和有尊严的关系"。① 为了公开辩论鸦片贸易问题，从 1837 年到 1838 年，《中国丛报》接连发表了两组观点针锋相对的文章，就鸦片贸易问题展开辩论。鸦片商人强调鸦片不是毒品，"食用鸦片在本质上是清白无辜的"，② 声称这种贸易符合用西方文明战胜中国排外政策的需要，辩称只要在中国进行的鸦片走私不触犯英国法律，英国人自己就不必在意。反对者则认为鸦片贸易违背了基督教道德原则，在中国造成了无数罪孽。当时坚持不从事鸦片贸易的美国奥立芬商行（Olyphant & Co.）的查尔斯·金（Charles W. King）发表公开信，指出鸦片对中国人的危害，呼吁停止这项贸易，"通过正当手段阻止这一邪恶与基督徒之名之联系"。③ 其他批评者也认为，中国政府严禁鸦片完全合理，也有利于合法的贸易。而进行鸦片贸易，却会使外国人在中国人眼里成为坏人的典型。当时在英美都出现了反对鸦片的宣传。1840 年 2 月 13 日，伦敦的一批反鸦片人士成立了一个反鸦片协会，在英国进行反鸦片活动。④ 印度的报刊也加入了这场辩论。英国反鸦片运动的代表性人物地尔洼（Algernon Sydney Thelwall）出版《对华鸦片贸易论》，详细阐述鸦片贸易的危害，呼吁英国基督徒团结起来，反对这一罪恶贸易。⑤

三 从对抗走向战争

从中西贸易中产生的各种体制性问题和利益冲突，使中英关系在数十年的时间里发生了无数次摩擦。当东印度公司结束对华垄断贸易后，成为贸易主角的英国散商使这些摩擦迅速升级，最终导致两国从对抗走向战争。

---

① E. C. Bridgman, "Remarks on the Present Crisis in the Opium Traffic," *The Chinese Repository*, vol. 8, no. 1, May 1839, pp. 2-8.

② James Innes, "Remarks on the Opium Trade, being a Reply to the Papers of Choo Tsun, Heu Kew, Another Reader, and V. P. M. ," *The Chinese Repository*, vol. 5, no. 11, March 1837, p. 526.

③ Charles King, "Premium for an Essay on the Opium Trade," *The Chinese Repository*, vol. 5, no. 9, January 1837, pp. 413-418.

④ "Opium," *The Canton Register*, June 9th, 1840.

⑤ A. S. Thelwall, *The Inquinities of the Opium Trade with China* (Wm. H. Allen & Co. , 1839).

东印度公司的遗产

要求中国政府改变对外政策，曾经是东印度公司长期追求的目标。马戛尔尼使团和阿美士德使团相继来华，都是在东印度公司支持下由英国政府派遣的，为了诱使中国政府对英国的政策做出重大调整。但这两个英国使团均以失败告终。1816 年阿美士德使团失败后，东印度公司似乎接受了这一现实。东印度公司董事部在 1817 年致广州特选委员会的信函中，不赞成后者在使团失败后对中国政府采取的对抗性态度，要求他们"在与中国这样的政府进行的一切讨论中采取最为谦恭和克制的态度"。① 1818 年，在听取了阿美士德使团的报告后，董事部告诫特选委员会，鉴于英国法律与中国法律在很多方面极为不同，"你们必须学会谨言慎行，以在任何情况下避免与中国政府发生会引起敌意的争执"。② 他们警告该委员会不要对广东当局进行挑衅，"要使贸易持续下去，就要忍受广州那些讨厌的限制"。③ 然而，当其利益受到威胁时，东印度公司就会放弃这种"忍让""谦恭"的温和策略。而特选委员会也往往无视这种原则，采取强硬行动。

1823—1828 年广州行商破产案连续发生后，特选委员会和英国散商做出强烈反应，要求增加行商。在十三行中尚未正式破产的东生行，事实上又面临破产倒闭命运之际，特选委员会联合英国散商，企图迫使当局设法维持东生行，迅速恢复行商数目。包括巴斯商人在内的英国私商积极参加了这场对抗。特选委员会的大班盼师（William Baynes）等人，以商船拒绝进口、商馆成员离开广州甚至组织武装船员炫耀武力为手段，向广东当局施加压力。虽然这次发难最后并未实现全部目的，但散商们对该委员会的行径一致喝彩。

1830 年 9 月，3 个印度巴斯人在广州杀死荷兰船长美坚治（Captain Machenzie），李鸿宾令南海县查究。特选委员会为了让这 3 名巴斯人逃脱中国法律的审判，在荷兰领事番巴臣（J. S. van Basel）的同意下将 3 名罪犯送到孟买，从而引起了中英双方的争执。10 月 4 日，时任特选委员会主席的盼

---

① Herbert John Wood, Prologue to War, The Anglo-Chinese Conflict 1800–1834, Ph. D. dissertation, University of Wisconsin, 1938, p. 368.

② Herbert John Wood, Prologue to War, The Anglo-Chinese Conflict 1800–1834, p. 347.

③ Herbert John Wood, Prologue to War, The Anglo-Chinese Conflict 1800–1834, p. 373.

师违背广东当局的一贯禁令，将其妻子带到广州商馆居住，引起长时间交涉。11月，在发现英国商馆有人乘坐轿子从而违反了长期以来的另一项禁令后，广东当局又向英人提出措辞严厉的警告。与此同时，为了对英人施加压力，广东当局又令人在商馆围墙上张贴总督谕示，英国人认为其中含有"侮辱性"的言辞而大为不满。11月底，东裕行司事"五爷"（谢治安）因与英人勾结、为英人代理购买轿子一事被捕，并经受严刑，最后死在狱中。此事在英国人当中激起强烈反应，认为这是对他们的折辱。[①] 1831年5月12日，鉴于英国人擅自在商馆广场添加围墙、码头等建筑物，广东巡抚朱桂桢偕同粤海关监督带领军队将违规建筑强行拆毁。这一切后来都被英国人当作严重挑衅。朱桂桢还命令随从"将（英国）前国王画像的遮布拿开，并坐在它的前面"。[②] 这一举动后来被英国人斥为对英国已故国王乔治四世的侮辱，从而也是对整个英国的侮辱。同时，李鸿宾颁布了经修订的"约束外人八项规条"，对有关来华外国人的管理问题做了较为严格的规定。这次商馆事件和管束外人规条成为中英冲突走向新阶段的导因。在此过程中，特选委员会和英国散商都以强硬的态度与广东当局对抗。他们一面向广东当局提出抗议，一面多次向英印政府求援，企图请求后者到广州来展示英国的武力，以使中国屈服。

从律劳卑到罗便臣

1834年7月，英国首任驻华首席商务监督律劳卑（John Napier）抵达中国。他希望能够立即建立与广东当局的直接官方关系，但遭到后者的拒绝，由此引起了中英双方的冲突。

与1796年和1816年英国两次遣使来华不同，此次律劳卑来粤事先并未向清政府或广东当局正式通报以便磋商。他到澳门后才向两广总督卢坤通报，要赴广州上任。卢坤认为，律劳卑等人乃是"夷目"，这种史无前例的"夷目"进省非以往的大班可比，因事属创始，必须先行奏明请旨，在皇帝旨准之前不能进省。但律劳卑在7月25日径赴广州，次日又一改由行商居中传递信件的旧规，派人手持其函件到广州城门递交而未果。卢坤表示不能接受律

---

① 〔美〕马士：《东印度公司对华贸易编年史》第4、5卷，第89页。
② 〔美〕马士：《东印度公司对华贸易编年史》第4、5卷，第291页。

劳卑擅自赴省的行为，要他回到澳门；同时重申，清政府行政架构中没有管理贸易之专门机构或职官，与律劳卑这种"总管本国贸易"的"夷目"地位相应，贸易问题须通过商人商讨。律劳卑希望通过自己赴广州上任这一行为改变中英之间的交往惯例，因广东当局的坚决拒绝而遭受挫折。

卢坤表示天朝规矩不容逾越，但指的是这种规矩在改变之前不容挑战，并没有说它不可改变。事实上清廷也曾"另立章程"，以适应东印度公司退出广州贸易之新局面。卢坤所争者，是律劳卑在清廷做出决定之前应遵守现有规章；所拒绝者，乃是管理商务的英人与两广总督立即进行直接交往的制度性安排。但他并未拒绝因英人的要求而在制度上做出改变的可能性。

然而，律劳卑却要求卢坤立即接受英方改变交往方式的意志。他拒绝退回澳门，在8月26日发布告示，对中方进行指责。在此情况下，卢坤感到无法以商议的方式让律劳卑放弃自己的立场，当然他自己也绝不会做出更多的让步，遂于9月2日下令停止英人贸易，封闭英国商馆，断绝供应，以使律劳卑就范。在此期间，律劳卑为坚持自己的强硬立场，一度召两艘英国兵船强入省河，企图以炫耀武力的方式来达到目的。但卢坤未为所动，调集水师与其对垒。不少英商也无法承受在正常的贸易季节中断交易带来的损失，对律劳卑的态度提出异议。律劳卑在内外压力下心力交瘁，于9月21日与英兵船一同退出广州，后前往澳门，10月11日病死。

在这一冲突过程中，律劳卑不仅不接受两广总督—行商—英国驻华商务监督这种公文往来方式，而且拒绝两广总督—行商—英商—英国驻华商务监督这一方式，将两广总督、英国驻华商务监督间的直接联系当作唯一可以接受的中英交往模式，拒绝从这一立场做出任何让步。他还坚持英国驻华商务监督之地位与两广总督相当，故其致后者的函件用平行的"书"的形式，拒绝使用东印度公司时代大班们上书时所用的、在他看来代表卑下地位的"禀"字。在这一点上，中英双方也发生了争执。[①]卢坤的言行中所表现出来的固然是文化傲慢心态和固守旧章的僵硬态度，而律劳卑表现的则是难以抑制的超级强权"日不落帝国"不可一世的嚣张和傲慢。卢坤

---

① 即使在后来不平等条约实行后，清政府仍然规定英国领事与道台"同品"，而与督抚地位悬殊，相互文书往来"未便概用文移二字"。见《中外往来仪式节略》（1880年11月13日），《总理衙门致英国公使照会节录》，王铁崖编《中外旧约章汇编》第1册，三联书店，1957，第377页。

坚持英人必须遵循中方"体制"，但指出体制的变更亦有可能，更改中英交往体制的权力在清政府。而律劳卑的主张则是，中方须按英方立场，抛弃以往"不合理"的做法，刻不容缓地接受英国官员驻粤、双方文书直接往来的主张，并按他的要求立即采用新的交往体制。他蔑视卢坤的要求，擅赴广州，又让广东当局接受其旧有体制必须立即改变、不容谈判的意志。因此，1834 年的中英冲突可以看作两国对于交往方式决定权的争夺，而两种相持不下的"体制"不过是被双方官员利用的工具。在这场争斗中，律劳卑才是进攻的一方，卢坤采取的其实是守势。

律劳卑在 1834 年 8 月致函英国政府，要求对华采取强硬政策。在辉格党内阁下台后短暂担任托利党内阁外交大臣的威灵顿公爵（Duke of Wellington）对律劳卑所持的态度颇为不满，表示当时英国政府并不想采取武力行动，而是打算以和解的方法来建立英中商业关系。继律劳卑任首席商务监督的是原东印度公司广州特选委员会成员德庇时（J. F. Davis）。德庇时向英国政府报告，自律劳卑退出广州后，黄埔的贸易已恢复正常。他认为商务监督的职责是谨慎地避免采取任何行动，以免妨碍中英贸易。他进而明确表示："在中国人未采取进一步动作前，我们保持绝对的沉默和静止的状态似乎是最适宜的方针。"① 11 月 10 日，德庇时等将这一政策向在华英商做了更具体的宣示，强调"鉴于事情的实际状况，他们认为自己应该保持绝对的沉默以等待国王的最终决定"。② 这种"沉默政策"的含义是，在英国政府制定、律劳卑执行的对华政策失败后，英国驻华商务监督机构和在华英商都暂时接受现状，维持对华贸易，等待英国政府的进一步决策。

德庇时认为他的"沉默政策"很有效。在他之后的第三任首席商务监督罗便臣也基本上维持"沉默政策"，不做与中国官方建立联系的任何努力。他甚至认为，与中国官府的联系越少，就越可以避免困难与危险。1835年 11 月 25 日，罗便臣将其办公地点从澳门移到停泊在伶仃洋上的"路易莎号"（Louisa）上面，以便绕开在澳门遇到的限制，并切实为鸦片贩子的事业服务。但复任英国外交大臣的巴麦尊不同意这一做法，在收到他的报告

---

① John Davis to Palmerston, October 12th, 1834, FO 17/6, p. 105.

② Charles Elliot, "Official Notice to British Subjects in China," November 10th, 1834, FO 17/6, pp. 148-149. 此公告刊登于 *The Canton Register*, November 18th, 1834；中译件（不完整）见佐佐木正哉编《鸦片战争前中英交涉文书》，第 42—43 页。

后不久就将他免职，接替他的是义律。

突破体制的努力：义律和邓廷桢

与罗便臣对中英关系的理解不同，义律认为应与中国官方接触，英国驻华商务监督应该面对现实，英国政府亦应调整政策。他要求对行商这一交往渠道进行认真评估，接受东印度公司对华贸易时代的中英交往方式，按照旧有的惯例，通过行商与广东当局进行交往，放弃无所作为的"沉默政策"。他认为英国驻华商务监督并非英国政府真正的代表，其职能与东印度公司特选委员会相似，故采取与特选委员会同样的方式与中国交往不会有辱国格。为此，他与罗便臣之间产生了公开的矛盾。

接任首席商务监督后，义律试图马上着手与两广总督邓廷桢联络，但他的上述意见遭到英国外交部的否决。巴麦尊在回信中还告诫他，不得在给广东当局的文书上写"禀"字。不过，在收到外交部的这项回复之前，义律已决定按他的主张起草了致两广总督邓廷桢的禀帖，并在1836年12月底正式递交。这意味着他想放弃坚持了两年多的"沉默政策"。他在禀帖中要求邓廷桢允许他赴广州任职，发展两国关系。邓廷桢同样希望抓住这次由义律主动创造的机会来打破双方关系的僵局。在对义律的情况进行调查后，他奏报清廷，建议按照从前对待东印度公司大班的规格，让义律作为英人代表住在广州，得到道光帝的许可。义律在1837年3月底领到粤海关核发的赴省红牌，即于4月12日作为英国驻华商务正监督赴广州履任，给广东当局的禀帖中自称"英吉利国领事"。[①] 当时在粤其他各国领事均由商人充任。义律自称"领事"，便与中国官方仍倾向于将其当作大班对待的心理相符合。不过他也采取了一些措施，试图为自己争取更大的活动空间，以便在实际上与从前的大班有所区别。

但是，义律是在没有英国政府授权的情况下采取上述行动的。他陈述的所有理由都没有使英国外交部在不得通过行商与中国官方交往这一原则上让步。巴麦尊收到义律的报告后，在1837年6月给后者的训令中措辞严厉表示不批准其已经采取的行动，并对义律在没有得到授权的情况下采取如此行动进行斥责，指示他立即将此决定通知行商和两广总督，明确规定

---

① 佐佐木正哉编《鸦片战争前中英交涉文书》，第89、95、98页。

义律只能与两广总督直接进行公文往来，且不再使用禀帖形式。① 义律对此命令只得服从，向邓廷桢要求双方进行直接的公文往来，并停止在公文上书写"禀"字，为邓廷桢所拒绝。在此情况下，义律于 12 月 2 日从广州退往澳门，结束了自 4 月以来与广东官方的直接交往。

义律与鸦片问题

在前述义律努力与广东当局建立联系的同时，清政府内部因许乃济的奏折而引起的讨论正在进行。义律意识到，鸦片问题日趋复杂，而清廷对鸦片问题也越来越重视，这是他可以利用的一种局面。故他一方面极为耐心地推动与广东当局之间的官方往来，一方面又在策划将当时还未进入外交层面的鸦片问题升格成中英两国之间的问题。他认为，对英人普遍从事的这种非法生意要予以保护，当许乃济的建议被否定后，义律写信给英印总督和英国舰队司令，要他们派战船到珠江口展示武力，试图将英国政府和英国军队卷入鸦片问题。在邓廷桢等奉命严禁鸦片后，他又积极活动，准备以英国政府的名义进行干预。

邓廷桢在 1837 年打击伶仃洋鸦片基地时，曾希望利用他与义律之间建立起来的关系，让后者对英国鸦片商施加压力。但令他失望的是，义律对伶仃洋的鸦片趸船"袖手不顾"，反而趁邓廷桢要他向英王转交关于鸦片问题的信件之机，要求建立官方之间的直接关系。邓廷桢做了一些让步，但不久义律就在巴麦尊的严令之下离开了广州，双方的正式关系断绝。不过，义律却不甘心就此失去他费尽心血开创的局面。在广州内河鸦片贸易复活导致中英关系趋于紧张的背景下，1838 年 3 月，义律向邓廷桢递交了一份非正式呈文，表示他从广州退出后，对广州英人无法管束，要求恢复交往。是年 7 月英国东印度海军司令马他仑（Frederick Maitland）率领的舰队抵达珠江口时，义律再次进行了试探。但均因双方执着于体制问题而未果。

义律对鸦片贸易并无好感。他的兴趣在于利用鸦片问题加强自身的地位，并为打破中英关系的僵局服务。故他在 1838 年底改变以往的策略，希望通过配合广东当局的禁烟行动重开中英交往之门。是年 12 月 3 日，英国

---

① 　Palmerston to Captain Elliot, June 12th, 1837, FO 17/18, pp. 22-25.

鸦片商因义士向广州商馆区偷运鸦片被清军缉获，广东当局随即对他进行驱赶。因义士嚣张地抗拒中方的执法行动，并希望得到义律的支持。英商的抗拒使广东当局停止其贸易。义律趁机介入此次鸦片问题引起的危机，试图在中英关系上有所作为。他对因义士的行为表达了不满，认为后者应该受到道德上的指控。12 月 12 日，义律从澳门到广州，决心对从事鸦片贸易的英商进行整顿。17 日，义律召集广州所有外商开会，表示鸦片贸易"已经引起中国政府和人民的义愤"，使所有国家的对华贸易面临终结之危险，要求英商停止在广州内河走私鸦片。次日，义律发布了一份致全体英人的正式告示，要求"所有属于英国人的，曾在虎门口内经常或偶尔从事非法鸦片贸易的帆船、快船和其他各类小型帆装船只，自即日起限 3 日内退出虎门，并不得返回再次从事这一非法贸易"。义律警告说，任何在此类船只上从事鸦片贸易之人杀死或重伤中国人，将面临死刑的严惩；如果此类船只被中国政府捕获并没收，英国政府将不予干预；这类船只上的英国人如果武力反抗中国政府的巡查和缉拿，则是非法行为，将自行承担其后果。① 这等于宣布了继续从事内河鸦片走私的英国人将失去英国政府的保护。

在采取上述措施后，义律着手重建与广东当局的关系。23 日，他向邓廷桢递禀，谴责因义士的贩烟行径，通报他已令英人鸦片船退出省河，但请邓廷桢与他进行直接公文往来，将驱逐鸦片船的告示给他，以便他的命令更有效，对英人的管束更有保障。② 为了换取邓廷桢的同意，他表示愿意之后以禀帖的形式向广东当局行文。从以上所述情况来看，义律表现出一定的诚意。邓廷桢也在 26 日做出积极回应，允许广州府、广州协照其所请，"权宜给汝即谕"，同时强调"嗣后事有交涉，仍由总商传谕，不得援此为例"。③ 为了巩固已取得的进展，义律在 28 日的第二份禀帖中强调："将来有要事，仍求府、协转行教遵，方能办得动。"④ 对此，邓廷桢表示有条件地同意。

① Charles Elliot, "Public Notice," Charles Elliot to Palmerston, January 2nd, 1839, inclosure no. 9, FO 17/30, p. 31. 此告示刊载于 *Supplement to The Canton Register*, December 18th, 1838; *The Canton Press*, December 22nd, 1838. 二者略有区别，详后。

② 《义律致邓廷桢》，佐佐木正哉编《鸦片战争前中英交涉文书》，第 157—158 页。

③ 《广州府、协致义律》，佐佐木正哉编《鸦片战争前中英交涉文书》，第 159 页。

④ 《义律致邓廷桢》，佐佐木正哉编《鸦片战争前中英交涉文书》，第 159 页。

这样，1838 年 12 月 30 日，在退居澳门整整一年后，义律在原东印度公司商馆前再次升起英国国旗。这似乎标志着中英关系回到了 1837 年的轨道。31 日，义律要伍浩官报告邓廷桢，他已令所有鸦片船退出了黄埔。于是，广东当局在当天就下令恢复正常贸易。[①] 同日，英国驻华商务监督发布致全体在华英人通告，宣布重开与中国的官方关系，表明义律的地位获得了中国官方的认可，再次强调商务监督具有结束内河鸦片走私局面的责任。[②] 义律通过这些措施在来华英商中建立其实际管辖权的企图也是很明显的。

义律禁止英商从事内河鸦片走私的命令，在当时被后者所遵守，即便这些鸦片商的喉舌对义律进行了猛烈的抨击。巴麦尊在 1839 年 6 月收到义律关于此次行动的报告，表示"完全批准"义律在贸易停止后"采取的步骤"，包括"重新建立与中国当局的官方关系"，但要求义律"不失时机地施加压力"，要中方同意将来在呈递文书时"用不那么令人不快的字来取代'禀'字"。[③] 这表明，作为英方的原则，他希望中方最终接受英国对不用"禀"字的要求。同时说明，巴麦尊在交往体制上的立场暂时出现了某种松动。这是义律久已盼望的许可。这样，在 1839 年初，似乎出现了中英关系能够超越双方的体制和观念障碍而有所发展的可能性。但这种局面很快被当时迅速发展的形势所打破。

武力侵华局面的形成

义律寻求以正常交往的方式与广东当局发展关系，遭到英国政府的诸多限制，这是因为英国政界和军界在 19 世纪 30 年代逐渐形成了以武力强迫中国改变对外政策的主张。在 30 年代早期，英国政府在对华关系方面还抱着谨慎态度。1832 年，英国政府指示新任印度海军司令约翰·戈尔（John Gore），"永远不要采取任何导致卷入与中国敌对状态的政策"。1834 年 7 月，英国海军部要求戈尔，必须令其麾下军官保证不在珠江停泊，绝对不

---

① Charles Elliot to Palmerston, January 2nd, 1839, FO 17/30, p. 4.

② Charles Elliot to Palmerston, January 2nd, 1839, inclosure no. 14, Edward Elmslie, "Official Notice to British Subject," December 31st, 1838, FO 228/9, pp. 41–43. 该通告刊载于 *The Canton Register*, January 1st, 1839.

③ Palmerston to Charles Elliot, June 13th, 1839, FO 228/11, p. 29.

可以进入虎门。① 但戈尔通过对中英关系的观察,在 1834 年 2 月建议海军部,派一艘军舰常驻新加坡,并"在合适的季节定期访问伶仃洋",从而"增进商业上的信心,并使居心不良者感到畏惧"。英国海军部在收到报告后批准了这一建议,但指示他仍须谨慎从事。② 这就确立了英国海军在必要时武力干预对华关系的原则。律劳卑就是乘坐海军战舰"安卓玛治号"(Amdromache)闯入虎门的,后来还得到了战舰"伊莫金号"(Imogene)的增援。他认为应该让中国遭受"彻底的军事失败"。8 月 14 日,他还建议英国派一支小型军队"占领香港岛"。③ 到 1835 年,新任英国驻印度海军司令卡佩尔(Thomas Balden Capel)建议派一艘有 16 门炮的小型战舰到澳门,以"显示国家利益,并支持消沉的商人精神",④ 进一步将英国对华关系与其海上武力联系到一起。

1834 年 10 月,德庇时致函英印总督本廷克(William C. Bentinck),说除非"陛下政府认为应当采取强制手段",中国政府将不会改变对外政策。⑤ 1835 年 3 月,英国外交大臣威灵顿也提出,在中国水域"保持一艘大型驱逐舰和一艘较小战舰"。⑥ 英国驻华商务监督秘书郭士立在 1835 年写给英国外交部的专题文章《论我们对华关系的现状》中建议,如果广州的贸易再遭停顿,或英国商人再次遭到"侮辱",即采取"强烈的报复行动","为此目的所使用的武力须足以给中国人的傲慢以致命打击"。⑦ 复任外交大臣的巴麦尊在 1836 年 3 月采纳了郭士立等人的建议,认为"从保护英国商船和财产免遭劫掠和令英商、海员服从命令的必要性起见,应派一艘战船长时

① Gerald S. Graham, *The China Station*, *War and Diplomacy 1830 - 1860* (Oxford: Clarendon Press, 1978), p. 49.

② Gerald S. Graham, *The China Station*, *War and Diplomacy 1830-1860*, pp. 49-50.

③ Susanna Hoe and Derek Roebuck, *The Taking of Hong Kong* (Surrey: Curzon Press, 1999), p. 33.

④ Gerald S. Graham, *The China Station*, *War and Diplomacy 1830-1860*, p. 68.

⑤ Anonymous, *Review of the Management of Our Affairs in China, since the Opening of the Trade in 1834* (London: Smith, Elder and Co. , 1840), p. 203.

⑥ "Memorandum by the Duke of Wellington, March 24th, 1835," in Anonymous, *A Digest of the Despatches on China, with a Connecting Narrative and Comments*, p. 11.

⑦ Charles Gutzlaff, *Present State of Our Relations with China*, George Robinson to Palmerston, March 26th, 1835, inclosure, FO 17/9, pp. 126-158.

间驻扎在中国基地，并应指挥该战船司令官与英国政府在华机构保持联系"。① 而1838年英国驻印度海军司令马他仑来华，即是海军部在巴麦尊的要求下落实这一决策的结果。

巴麦尊指示马他仑与义律保持联系。义律在邓廷桢发起的禁烟行动走向深入之际，希望将鸦片问题更深地卷入中英关系。他建议英国政府派遣特使，在由驱逐舰、轻型战船和汽船组成的舰队的护送下，到中国海岸战略要地舟山群岛碇泊盘踞，以海军力量的展示来威慑中国政府，使后者实行已经讨论过的将鸦片贸易合法化的政策。同时，英国还应在中国海岸保持一支海军力量，以"保护从事合法生意的英国和平臣民的事业不会遭到阻碍或中断"。② 巴麦尊在1838年6月给义律的指示却是，英国政府不打算承担保护鸦片走私的义务，英国鸦片商必须自己承担风险。③ 这对义律的态度产生很大影响，故1838年底因义士内河贩烟事发导致贸易停顿事件发生后，义律暂时放弃了武力保护鸦片贸易的主张，转而与广东当局合作以控制和影响局势。在这种背景下，才出现了以上所述义律与邓廷桢之间在广州内河禁烟问题上的短暂合作。

但广州内河禁烟协议的效果尚未显现，中国国内政治形势的发展已容不得鸦片问题的继续迁延。道光帝在白银外流问题的沉重压力下，禁烟政策骤趋严厉。同时，邓廷桢对伶仃洋鸦片贸易的打击导致了鸦片走私重回广州内河，并向靠近清朝统治腹心地带的北方海岸快速蔓延，也使清政府感到问题愈益严重。在邓廷桢与义律尚在沟通协商之际，道光帝已决心重用一向主张严禁鸦片的林则徐，派他为主持禁烟的钦差大臣，南下掌控大局，以收河清海晏之效。

在林则徐到达广州前后，义律正在努力落实他与邓廷桢达成的在广州内河肃清英人鸦片走私的协议，从而维护英国在华的贸易利益。同时他与

---

① Gerald S. Graham, *The China Station*, *War and Diplomacy 1830-1860*, p. 71. 见 John Backhouse to Charles Wood, November 17th, 1836, FO 17/17, pp. 175-176.

② Charles Elliot, "Memorandum," November 19th, 1837, FO 17/22, pp. 37-46.

③ Palmerston to Charles Elliot, June 15th, 1838, FO 228/8, pp. 18-19. 后来代表鸦片商利益的一位作者评论说："一位中国大臣也不会写出比此信对英国利益更有敌意的信件了。"见 Anonymous, *Review of the Management of Our Affairs in China*, *since the Opening of the Trade in 1834*, p. 172.

珠江口外的英国战舰联系，为即将到来的危机做准备。

林则徐3月10日到广州后，迅速采取了禁烟措施，在3月18日包围了广州商馆区，迫使鸦片贩子缴出鸦片。这就使义律维持相安之局的计划破产，他转而采取强硬立场。当时在澳门的义律向英人发布了措辞激烈的告示，并在3月下旬赶赴广州商馆。3月27日，他以英国政府的名义令英人缴交鸦片，表示英国政府将为此负责。这就让英国政府彻底卷入了鸦片问题。在其后的日子里，义律极力说服英国政府对华采取军事行动。他的建议被巴麦尊接受，中英关系终于走到了战争的关头。

第三章

近代的开端：鸦片战争

1840 年的鸦片战争是近代中西碰撞过程中的首次国际战争，是陷中国社会于半殖民地半封建深渊的战争，中国的社会状况和性质较前有了很大改变。此战对中国来说是划时代的事件，古代历史和近代历史由此区划，中国社会开始步入近代。这场影响深远的战争爆发的原因究竟是什么？

一 战争的酝酿：茶叶、白银、鸦片

1840 年 4 月 4 日，英国政府将对华战争议案提交国会，遭反对党质询。9 日下午，在辩论无果的情况下就反战质询案表决，赞成 262 人，反对 271 人。"托利党的反战决议案只以五票之差被否决。"① 一个相当微弱的多数，却在某种程度上决定了对世界上人口最众国家的战争动议得到通过。

从鸦片战争爆发的原因谈起

1841 年 12 月，战事正酣，美国众议院外交委员会主席亚当斯（J. Q. Adams）发表演说："一般的看法都以为争执不过是为了英国商人输入几箱鸦片，中国政府因其违法输入而予以查抄，但是我却认为这完全是错误的看法。这只不过是争端中的一个偶然事故，而并不是战争的原因……战争

* 本章由郭卫东撰写。

① 〔美〕费正清编《剑桥中国晚清史》上卷，中国社会科学院历史研究所编译室译，中国社会科学出版社，1993，第 213 页。

的原因是磕头！"① 此言何来？指 1793 年马戛尔尼（George Macartney）率英国使团的来华经历。当时清朝没有近代外交理念，只有宗藩观念。马氏抵华后，清廷一如既往地视他为"贡使"，朝见中国皇帝依例当行三跪九叩大礼。马戛尔尼抗不遵从，认定他只向上帝和女性下跪，清帝不属此列。经反复磋商，清廷同意屈一膝以为礼，并拒绝马氏提出的交涉要求。1816 年，英王侍从官阿美士德（W. P. Amherst）率使团再度来华，因拒绝叩首，连嘉庆帝都未见到就被遣送回国。这个使团只是为囚禁在圣赫勒拿岛上的拿破仑（Napoléon Bonaparte）提供了一点借中国人来发泄其刻意嘲弄英国人的材料。亚当斯的解释是，通过正常的外交途径无法构建平等的国家关系，只有诉诸战争。

因此之故，西方学界十分流行"文化价值冲突论"，认为鸦片战争的爆发主要是文化观念不一，古代中国人不以磕头为耻，但西人难以接受。看法有些道理，却不全面，可以说没有把握战争最主要的根源。鸦片战争的发生是综合因素所致，但其中最重要的不是文化因素，而是经济原因，在于茶叶、白银、鸦片等。

"古"丝绸与"新"茶叶

古代中外贸易以丝绸为开端。公元前 5 世纪，中国丝绸已越过帕米尔高原到印度、波斯，渐至欧洲。"丝绸之路"也成为古代中西交通的代名词。但从 18 世纪初叶开始，茶叶取代丝绸成为中国出口商品的第一大宗，从而结束了丝绸在中外贸易中长达两千余年的霸主地位。茶在中国的培植饮用可上溯至商代，但到 16 世纪中叶才为西人所知，与同为中国远古产品的丝绸相比，何其"新"也！

茶叶在外贸中的崛起突然而急速。1550 年，欧洲人第一次听说"茶"，知道有这种奇妙物品的存在。1559 年，威尼斯商人拉莫修（G. Ramusio）将"茶"的字眼载入其著，形诸欧洲文字。1606 年，荷兰人从万丹将第一箱茶叶运抵阿姆斯特丹，茶首抵欧洲。1635 年，这种新饮料在法国露面。1657 年，荷兰人把少量红茶转运英国，茶叶登陆英伦。1662 年，英王迎娶葡萄

---

① 〔美〕泰勒·丹涅特：《美国人在东亚》，姚曾廙译，商务印书馆，1963，第 94 页。

牙公主凯瑟琳（Catherine），茶饮带入宫廷，凯瑟琳被称"饮茶王后"。英国东印度公司不失时机地迎合王室嗜好。1664 年，该公司购 2 磅 2 盎司茶叶"作为一种珍奇的礼品"赠送英王，据称"香味隽永，作用柔和"，"每磅获奖五十先令"。① 茶叶最初在欧洲还另有功能，就是被当作药物，甚至"被释义为救命之物"。② 1667 年，伦敦街头广告称茶能"舒筋活血……治疗头痛、眩晕忧伤，消除脾胃不适"。③ 经销茶叶已具有看得见的商业价值。1668 年，东印度公司抢先在政府注册，获运茶入英国的特许。18 世纪初，茶叶开始向大众饮品过渡。1766 年，茶叶在英国每磅平均售价约 5 先令，④几乎每个英国人的钱包都负担得起，"从公爵到最卑微的挤奶女工都要饮茶……连洗衣妇也认为早餐她不能没有合适的茶"。⑤ 茶叶给英国人的生活带来变化，"中午稍晚一些时候，人们要停下来喝茶，午茶在 18 世纪演变成一顿分开的饭点"。⑥ 中国茶叶竟然能使外国民族的作息习惯发生变化！茶叶的流行还造就了一批依靠茶叶为生的经销商。1765 年，英格兰有大约 5 万家小酒馆和小食店出售茶水。同时，英格兰和威尔士有 32234 名有执照的茶商，这些都是合法茶商，如果加上没有执照的茶商，数量可能翻番。⑦ 茶叶还成为英国政府税收的重要来源，1723 年开征茶叶税，"在 7 年中，税额每年上涨 12 万镑"。茶税不断提高，在 18 世纪中叶保持在 100% 或更高的税率水平上。⑧ 高关税带来走私猖獗，造假也应时而生，曾发现"有数百万磅计的野山梨叶、桦树叶和其他树叶被掺杂在茶叶中出售"。⑨ 茶叶的普及也引发担忧。

---

① David Macpherson, *The History of the European Commerce with India* (London, 1812), p. 131.

② Simpson Helen, *The London Ritz Book of Afternoon Tea: The Art and Pleasures of Taking Tea* (New York: Arbor House, 1986), p. 13.

③ 王沪摘译自《史密斯学会学报》，《世界博览》1984 年第 2 期。

④ Jonas Hanway, *An Essay on Tea* (London, 1756), p. 268.

⑤ Dorothy Marshall, *English People in the Eighteenth Century* (London and New York: Longmans, 1956), p. 172.

⑥ Porter Roy, *English Society in the 18th Century* (New York: Penguin Books, 1990), p. 273.

⑦ Hoh-Cheung Mui, and H. Lorna Mui, *Shops and Shopkeeping in Eighteenth Century England* (Montreal: McGrill-Queen's University Press, 1989), pp. 167, 268-269.

⑧ Georgiana Hill, *History of English Dress from the Saxon Period to the Present Day* (New York, 1893), p. 148.

⑨ J. Hanway, *Letters on the Importance of the Rising Generation of the Labouring Part of Our Fellow-Subjects*, vol. 2 (London, 1767), pp. 180-181.

克莱顿（J. Clayton）宣称："饮茶嗜好可耻地吞没了人们的时间和金钱。"[1]
诗人摩尔（H. More）将茶叶的提神作用同骚乱联系在一起予以痛斥。[2] 旅
行家海崴（J. Hanway）声称喝茶对女性的损害特别大："有多少你的甜蜜的
性奴隶，由于喝茶使得她们的消化能力萎缩、精神低迷、无精打采、郁郁
寡欢、神志恍惚，尽管本能还存在，但通常已是提不起多少兴致。"[3] 但民
众的消费才不管文人的诅咒，到 18 世纪末，作家又留下这样的文字："除
非有人断言：谈论茶叶是在谈论流言蜚语，那么，联合王国的每个人都在
谈论流言蜚语，因为他们都喝茶。"[4] 华茶征服英伦不可阻挡。

　　18 世纪 20 年代前后是丝绸和茶叶贸易地位互换的转折点。1717 年，在
英国对华贸易中，"茶叶已开始代替丝成为贸易的主要货品"。1722 年，在
垄断英国对华贸易的东印度公司从中国进口的总货值中，茶叶占 56% 的比
例，1761 年更达 92%。18 世纪末，该公司索性把丝绸、瓷器等留给私人
"优待吨位"（privilege tonnage）去经营，而集中经营茶叶。在 1834 年公司解
散前的最后几年，茶叶干脆成了该公司 "从中国输出的唯一的东西，……以
至国会的法令要限定公司必须保持一年供应量的存货。在垄断的最后几年中，
茶叶带给英国国库的税收平均每年三百三十万镑，从中国来的茶叶提供了英
国国库总收入的十分之一左右和东印度公司的全部利润"。[5] 荷兰的转折也
大致同时。1729 年，茶叶在荷兰输出华货总额中的比例已占 85.1%。[6] 美国
也出人意料的一致，"在 18 世纪 20 年代，这种饮料（茶）已成为新英格兰
日常伙食的一部分"。[7] 但北美十三州的茶叶贸易由英国东印度公司控制，
利用垄断抬高价格。英国政府也借机剥夺殖民地，1769 年 5 月，英国决定
废除《托时德法案》（Townshend's Revenue Act）其他物品的关税，茶税除

[1]　E. P. Thompson, *Customs in Common: Studies in Traditional Popular Culture* (New York: New Press, 1993), p. 386.

[2]　Guy Williams, *The Age of Agony: The Art of Healing, 1700-1800* (Chicago: Academy Chicago Publishers, 1996), pp. 51, 57-58, 61-65.

[3]　Kirstin Olsen, *Daily Life in 18th Century England* (London: Greenwood Press, 1999), pp. 208, 213, 218, 220, 222-223.

[4]　Anon, *A Modern Sabbath or a Sunday Ramble in and about the Cities of London and Westminister* (London, 1807), p. 72.

[5]　〔英〕格林堡：《鸦片战争前中英通商史》，康成译，商务印书馆，1961，第 3 页。

[6]　庄国土：《鸦片战争前 100 年的广州中西贸易》，《南洋问题研究》1995 年第 2 期。

[7]　〔美〕韩德：《中美特殊关系的形成》，项立岭、林勇军译，复旦大学出版社，1993，第 7 页。

外，使得北美茶叶价格居然高出英国本土 1 倍。[①] 他国的低价走私茶也大批量进入。1769—1772 年，英国输入该地区茶叶 10619900 磅，法国、瑞典、荷兰、丹麦四国输入茶叶 19902000 磅。英国因此颁布《茶叶法案》（Tea Act of 1773），旋引发波士顿骚动，愤怒的民众把 297 箱英国茶叶倒入海湾，进而成为独立战争的导火线。这段历史人所共知。茶这片小叶子的威力直可洞见，居然在北美引发了一场大革命！缘此，美国独立后，1784 年 "中国皇后号" 首航带回的货值中茶叶占 92%。到 1796 年，美国在中国收购的茶叶数量已比除英国外的其他欧洲国家的总和还要多。[②] 因茶叶的关系，太平洋上 "最年轻与最古老的两个帝国" 建立起了直接联系。

茶叶成为 18 世纪国际贸易的最重要货品，无怪乎人们要将此世纪称为欧亚贸易的 "茶叶世纪"。丝茶贸易地位的互换不能单纯视为两个出口货品的消长，内中包含深巨的 "历史意义"。从为高等人提供华贵锦缎到为大众提供日常饮料，转折的确是历史性的。由于生产水平的落后，交通的不发达，高昂价格使得古代国际贸易主要是为皇家贵族服务。近代国际贸易最重要的变化是服务对象由上流社会转向民间大众，丝茶贸易地位的升降典型地反映了这一时代的重大转变。

茶叶在近代西方的流行有着特定的时代背景。随着地理大发现，几乎在同一时期，非洲的咖啡、美洲的巧克力和亚洲的茶这三种 "异国嗜好" 不约而同进入欧洲。巧克力入欧是 1520 年，咖啡 1615 年由阿拉伯人传入威尼斯。这些 "提神醒脑" 的新饮料几乎同时在欧洲流行，从人群嗜好的角度折射出社会业已出现或正在酝酿重大变化：人们比以前有闲了，城市生活更丰富了，公众活动更多了，品茗喝咖啡都有人聚才好，咖啡馆等应运而生，并屡屡成为近代欧洲重大革命和风潮的策源点。巧克力、茶叶、咖啡都属 "兴奋剂"，在欧洲各国革命的前夜流行起来，中世纪毫无生气少有交往的黑暗封闭时代已经或即将结束，旧时宁静的心态不再平静，躁动的人群需要 "兴奋剂" 来温润和发酵。另外，茶叶普及又与英国等的清教运动有关。18 世纪早期在牛津大学任教的韦斯廉（J. Wesley）就主张圣公会徒

---

① J. Steven Watson, *The Reign of George Ⅲ 1760-1815* (Oxford：Oxford University Press, 1960), p. 198.

② 〔美〕泰勒·丹涅特：《美国人在东亚》，根据第 41 页列表统计。

以茶代酒，"茶叶对那些严守教义、墨守成规的人是一种很好的饮品"。[1] 还有价格因素，"酒的价格对于平民来说还是略为昂贵，茶叶却较便宜"。[2] 有大宗消费才可能有大宗生产，而大宗消费必有特定的环境，中国古已有之的茶叶偏偏在18世纪后的欧洲获得广泛市场绝非偶然。东西方的联系前所未有的紧密，主要不是通过某些政治制度，而是通过经济，通过与普通人群日常生活相关的一件件物品。

茶叶引出的问题：白银、人参、棉花和鸦片

西方需要茶叶，拿什么来和中国人交换呢？当时的中国生产力发展水平在西方之上，[3] 又加以自给自足的自然经济支配，和时紧时松的海禁闭关政策的作祟，使海外商品在中国的市场十分狭窄。所以，中西贸易呈单向流态，西方人需要中国的东西，却拿不出相应的交换物品，形成贸易一边倒的格局。中国并不需要西方的一般产品，但有例外，就是银子。自五代开始，白银作为货币的使用酝酿数百年，到明朝成不可遏制之势。

> 凡贸易，金太贵而不便小用；米与钱贱而不大用；钱近实而易伪易杂，米不能久；钞太虚亦复有溢滥。是以白金之为币，长也。[4]

1436年改行以银为主的币制，而银的产量比之需求在中国更显匮乏。[5] 外商所能做的就是以白银来购华货。据统计，只是英国人，1721—1740年用来偿付中国货物的94.9%是金银币，只有5.1%是用货物来冲抵的。[6] 入华白银的主要来源地是当时世界上银的最大产出地——美洲。作为西班牙殖民地的秘鲁和墨西哥的银产量在16世纪时占世界银产量的73%，17世纪

---

[1]　J. Carswell, *From Revolution to Revolution*：*England 1688 - 1776* (London：Routledge & Kegan Paul, 1973), pp. 101-102.

[2]　David Macpherson, *The History of the European Commerce with India*, p. 132.

[3]　〔德〕贡德·弗兰克：《白银资本》，刘北成译，中央编译出版社，2000，第240—243页。

[4]　王世贞：《弇州史料后集》卷37《钞法》，第6页。

[5]　自13世纪以来，云南是中国银矿的最大产区，但在明代中叶，云南年产银不过34万余两；到清中叶，云南银矿的年产量也不过46万余两。参见全汉昇《明清时代云南的银课与银产额》，《新亚学报》1967年第9期。

[6]　〔美〕张馨保：《林钦差与鸦片战争》，徐梅芬等译，福建人民出版社，1989，第43页。

占 87.1%，18 世纪占 89.5%。[①] 无怪乎，魏源对当时中国流通白银的来源做出让人惊心的估计："银之出于开采者十之三四，而来自番舶者十之六七。"[②]问题随之而来，长期的恶性开采使美洲银矿枯竭，并让世界银产量下挫，世界银产量在 1781—1800 年是 28261779 盎司，到 1811—1820 年降至 17885755盎司，1821—1830 年更跌到 14807004 盎司。[③] 而工业革命的开展和殖民者的称霸战争使得银的用度剧增，再是美洲殖民地独立运动爆发，不再向欧洲宗主国提供白银；还有 1779 年后，西班牙参加美国独立战争，其银元市场被封闭，所以从 1779 年至 1785 年"没有一块银元从英国运到中国"。[④] 几相夹击，欧洲白银的缺口变大。

在严峻形势下，除英美外，大多数原先对华贸易的西方国家只有淡出中国市场。以欧美各海上贸易国对华出口来说，1764 年总值 1908704 银两，其中英国为 1207784 银两，占比 63.3%，其他欧陆国家总合为 700920 银两，占比 36.7%。此时的美国尚未形成独立国家。英国虽占大头，其他国家的份额也不小。到 1795—1799 年度，情况显著变化，欧美各海上贸易国年均对华出口总值为 5908937 银两，其中英国占 90.9% 的份额，美国占 6.3%，而其他欧美海上贸易国总共只占 2.8%。到 1825—1829 年，欧美各海上贸易国年均对华出口总值为 9161314 银两，其中英国 7591390 两，占 82.9；美国 1534711 两，占 16.7%；而其他欧美海上贸易国总共只有 35213 两，占0.4%，连 1% 的份额都不到。再看欧美各海上贸易国从中国进口，1764 年总值为 3637143 银两，其中英国 1697913 银两，占 46.7%；其他欧陆国家合起来为 1939230 银两，占 53.3%。到 1795—1799 年，欧美各海上贸易国年均从中国进口总值为 7937254 银两，其中英国占 72.1%，美国占 17.6%，而其他欧美海上贸易国只占 10.3%。到 1825—1829 年，欧美各海上贸易国年均总值为 14390108 银两，其中英国 10215565 两，约占 71%；美国 4116182两，占 28.6%；而其他欧美海上贸易国只有 58361 两，所占份额与出口值同

---

①　〔英〕莱斯利·贝瑟尔主编《剑桥拉丁美洲史》第 1 卷，胡毓鼎等译，经济管理出版社，1995，第 353—376 页。

②　《圣武记》卷 14《军储篇一》，《魏源全集》第 3 册，岳麓书社，2004，第 569 页。

③　〔美〕张馨保：《林钦差与鸦片战争》，第 47 页。

④　〔英〕格林堡：《鸦片战争前中英通商史》，第 7 页。

样为 0.4%，同样到可以忽略不计的地步。①

　　唯有少数国家还能维持并发展对华贸易的不坠。一是美国，依靠的是几种特殊货品。人参，据说这种人形草根植物在当时的新英格兰等山林中有成片野生，运至广州后以每担 170 两售出（上好洋参可售 188 两），"花旗参"此后在中国名声大噪。皮毛约从 18 世纪 90 年代成为输华商品的大宗，以海獭皮、海豹皮为主。此外还有来自土耳其等地的转手鸦片。同时，美国人依靠同西属美洲殖民地的传统友谊及与当地革命者的密切关系，还能从美洲弄到若干输往中国的白银。②

　　二是英国，鸦片战争前，在中英贸易中能够改变对华贸易入超局面的不是来自西方的货品，而是来自东方印度殖民地的货物，先是棉花，后是鸦片。中国的植棉史可上溯至商周，后渐成最重要的经济作物。棉花在中国有着极广阔的市场需求。1704 年 7 月 21 日，东印度公司船"凯瑟琳号"（Catherine）在厦门运入 1116 担原棉，③ 是输入印度棉的开始。不过，印棉在中西贸易中取得决定性地位还是 70 年以后的事。18 世纪 70 年代，中国发生饥馑，政府鼓励种植粮食，导致对进口棉的需求加大。1775—1779 年，在广州贸易的主要输入品中，印棉的金额是年均 288334 银两，首次超过英国毛织品的输入金额（年均 277671 银两），成为英国输华第一大货品。④ 此局面延续到 1819 年。从事印棉输华的多是"散商"。东印度公司垄断最赚钱的茶叶贸易，在其他货物上对散商开些口子，以"许可证制度"等从中获利，并通过散商盈利部分改变中英贸易英方逆差的局面。1774—1797 年，印棉交易额占散商贸易总额的 95% 以上。⑤

　　但情况并不总是顺利，印棉输华同时受到中国和英国市场的制约。在中国，印棉只是补缺，没有也不可能替代中国的棉花生产，受中国国内棉市的影响很大。1805 年，"麦尼克商号"运一批棉花至广州，到港后，"行商都不

①　姚贤镐编《中国近代对外贸易史资料》第 1 册，中华书局，1962，第 266—267、272 页。
②　〔美〕赖德烈：《早期中美关系史》，陈郁译，商务印书馆，1963，第 26、37 页。
③　H. B. Morse, *The Chronicles of the East India Company Trading to China 1635-1834*, vol. 1（Oxford: Clarendon Press, 1926-1929）, pp. 130-131.
④　〔日〕田中正俊等：《外国学者论鸦片战争与林则徐》（上），福建人民出版社，1989，第 19 页。
⑤　E. H. Pritchard, *The Crucial Years of the Anglo-Chinese Relations 1750-1800*, vol. 4（Research Studies of the State College of Washington, 1936）, p. 142.

肯碰一碰棉花包"。末了，由"浩官"降价收购，为此亏了一万多元。翌年，因为中国棉花歉收，印棉转成俏货，这年输入了大约 14 万包（31 万担），正常年景约输入 6 万包，价格也好得惊人，过去不太好销的孟加拉棉创每担十四两五钱银的新高。这只是广州的价格，在南京可以卖到 32 两。但随后，"广州市场上的棉花又几乎等于死货"。[①] 印棉入华还形成与英国本土棉纺业的原料竞争。兰开夏的温湿气候极宜于棉纱的纺织，棉织业因此成为近代大工业的历史起点。1785 年，机械织机诞生，纺织业通过蒸汽机率先实现由小手工业向近代工厂的过渡，工业革命大步前进。棉纺业的迅猛发展又带出"棉荒"，英国不产棉，原料依靠进口，殖民当局鼓励印度植棉。18 世纪下半叶，引进中长纤维的陆地棉，从此印度成为世界棉花的最大出口国之一。1701 年输入英国的原棉不过 100 万磅，1802 年达到 6050 万磅。[②] 既然英国本身的棉花都不够用，又岂能坐视印棉大量流入中国？

故，造成 19 世纪初叶中国与西方贸易全局变动的不是棉品，而是鸦片。16 世纪中期，葡萄牙人、荷兰人将印度麻洼（Malwa）、果阿（Coa）等地出产的鸦片和枪管灼火吸食法传入中国。1773 年，英国驻孟加拉总督哈斯廷（W. Hastings）提出由东印度公司承揽鸦片，建立"收购承包人制"，英国的鸦片贸易以政府同大公司联手实现垄断专营和规模体系，迅即成为对华鸦片输出的最大商家。而前此的普拉西之战使英国征服了孟加拉，当时世界上几个最大的鸦片产地——麻洼、比哈尔（Behar）、八达拿（Patna）等均在英国的控制下。1820 年，英国输华棉花和鸦片的份额逆转，鸦片输出值首超棉花。[③]

输华鸦片在毒害中国人身心的同时榨取其财富，西人几百年追求未得的白银由中国转流欧洲的企望经鸦片贸易得以实现，改变了英国对华贸易长期逆差的局面。究竟有多少白银通过鸦片流出中国，统计很不一致。有研究表明，1807—1829 年，中国有 4000 余万银元被英国人运出广州口岸；

---

① H. B. Morse, *The Chronicles of the East India Company Trading to China, 1635-1834*, vol. 4, p. 186. 因交易量巨大，印度棉花成为此间广州行商亏本的重要导因。此事甚至让乾隆帝过问了几次。参见郭德焱《清代广州的巴斯商人》，中华书局，2005，第 81 页。

② 〔法〕保尔·芒图：《十八世纪产业革命》，杨人楩等译，商务印书馆，1983，第 200 页。

③ 郭卫东：《转折——以早期中英关系和〈南京条约〉为考察中心》，河北人民出版社，2003，第 124—126 页。

而 1829—1839 年，中国的白银净流出量约为 6500 万银元。① 结果是"纹银
为内地之至宝，今外夷烟土不以货物与我易，必以纹银向之买"。1836 年
后，清朝有关方面展开鸦片弛禁的讨论，观点两立，却又殊途同归，立足
点都是日趋严峻的白银危机，反对弛禁的想以严禁鸦片来防止白银外流；
赞同弛禁的则主张以高关税来实行鸦片贸易合法化，杜绝走私，以货易货，
不让银子出现在鸦片交易渠道。时人把"一年数千万之纹银不为外洋席卷"
看作是那个时期最大的社会问题之一，若能解决，"从此民财日盛，催税日
盈"。② 情势到了不得不采取断然措施的地步，终于促使道光帝在 1838 年下
了严禁鸦片、固塞白银外流的决心。

在 1835 年之前的 10 年中，鸦片使印度的"土地价值提高了四倍"，使
印度对英国制造品的消费量增加了 10 倍；鸦片收入占英印政府全部财政收
入的 1/7。③ 鸦片堪称 18 世纪晚期到 19 世纪中期中英印三角贸易的基石。
于是乎，在 1838 年清政府实行严厉禁烟政策后，英国政府要做出如此强烈
反应——为邪恶的毒品贸易不惜打一场国际战争，因为这个基石在英国殖
民者看来是万万不能抽动的。战争不可避免。这就是 19 世纪 40 年代之前中
国和西方交往的主要历史线索。

二　战争的进程：占领土地及其他

1840 年 6 月 21 日，英国远征军抵达珠江口外，鸦片战争爆发，对中国
领土的夺取、易手、霸占成为牵引战事的重要线索。

从多个目标到倾向舟山

英国政府策划战争时，就将获取中国土地作为首要目标。1839 年 10 月
18 日，外交大臣巴麦尊（H. J. T. Palmerston）向驻华代表义律（Charles El-
liot）传达内阁意见，要求秘密做好战争准备（抛售货物、撤退侨民等），

---

① 吴义雄：《条约口岸体制的酝酿——19 世纪 30 年代中英关系研究》，中华书局，2009，第
　　367—371 页。

② Public Record Office, British Foreign Office Records（FO），233/181/35, 233/180/45.

③ 姚贤镐编《中国近代对外贸易史资料》第 1 册，第 271、281 页；〔英〕格林堡：《鸦片战
　　争前中英通商史》，第 96—97 页。

拟夺取中国"一个岛屿地方，它可以作为远征部队的一个集结地点和军事行动的根据地，而且以后作为贸易机构的牢固基地，因为我们对这样的某个地方想要保持永久占领"。1840年2月，英国在制定对华条约草案时，割让岛屿为最关键内容，设想如中国不同意，则以片面最惠国待遇、领事裁判权等特权来替换。① 不难看出，侵占中国领土是英国侵华目标中最重要的部分。为此，英国不惜放弃其他重要特权。

但在攫取哪块中国土地上，英国政府内部各持己见。开始时提出台湾、海南、福州、厦门、舟山等候选目标，后逐步排除。海军部次长巴罗（J. Barrow）觉得台湾太大，靠英国舰队的兵力封锁包括海南岛在内的中国海岸是不可能的。英印总督奥克兰（L. Auckland）认为福州、厦门距中国首都遥远，威慑力量不够。② 在众多选择中，舟山日渐突出。义律很早就鼓动武力占领舟山，称"舟山群岛良港众多，靠近也许是世界上最富裕的地区，当然还拥有一条最宏伟的河流和最广阔的内陆航行网"，腹地是出口商品丝茶的主产区，如把舟山辟为自由港，将成为"大不列颠的商业中心"，该中心"也许是世界上最重要的商业基地之一"。义律的建议得到普遍认同。巴麦尊说："舟山位于广州与北京的中段，接近几条通航的大河河口，从许多方面来看，能给远征军设立司令部提供一个合适的据点"。③ 1840年2月20日，英政府下达作战部署，先封锁珠江口，然后以主力占领舟山，在岛上建立屯兵转运基地，再向白河河口发展。舟山成为英国欲图在华攫取占领地的首选。

1840年7月6日，英军攻占舟山，是役为鸦片战争时期中英双方军队首次大规模交战。《泰晤士报》立即以兴奋语调发表消息："英国国旗第一次在中华帝国的一部分土地上飘扬。"④ 至此，舟山成为战时中英争夺最重要的地区之一，战后又一度成为中英两国外交的症结。英国在舟山成立了殖民当局——巡理府，宣布岛上的民政、财政和司法管理均由英方执行，并把舟山划为自由贸易港。

---

① 胡滨译《英国档案有关鸦片战争资料选译》下册，中华书局，1993，第522、547—553页。
② 中国第一历史档案馆等编《鸦片战争在舟山史料选编》，浙江人民出版社，1992，第480页。
③ 胡滨译《英国档案有关鸦片战争资料选译》下册，第607—615、526页。
④ 〔美〕张馨保：《林钦差与鸦片战争》，第204页。

从舟山到香港的转换

1841 年 2 月 25 日，英军撤出舟山，这让浙省官员松了一口气。次日，清军葛云飞部"收复"失地。而在此前，英军占领香港，完成英国霸占中国岛屿从舟山到香港的战略目标转移。英方何以"莫名其妙地撤出"（巴麦尊语）图谋已久的舟山？有学者认为主要是占领舟山后英军水土不服导致大批病亡所迫。依据是参加占领舟山的英国海军上尉奥塞隆尼（J. Ouchterlony）的统计：1840 年 7 月 13 日到 12 月 31 日英军的生病人数为 5329 人，病死 448 人。[①] 此病死人数是整个鸦片战争中英军战死人数的 5 倍，舟山英军约 3000 人，人均得病近两次。[②] 情况确实严重，但这绝不是英军撤军的主要原因。

因为，在英方代表提出归还舟山的时候，英军病亡远没有发展到如此严重的程度。懿律（G. Elliot）和义律 7 月 30 日就离开舟山北上天津白河口，之后再没有得到来自舟山的具体消息。8 月 30 日同直隶总督琦善会谈，鉴于琦善对英军占领舟山的特别抵触，英方表示如果中方能满足条件，"退还舟山便没有不可克服的障碍"。[③] 英方代表这时还没有得到英军病亡趋于严重的情报，他们得知这一情况是在白河口交涉结束后重返舟山时。这在 9 月 29 日义律给巴麦尊的汇报中有确凿证明。

> 我们关切地告知阁下，昨天，我们回到舟山的时候，听到了有关军队士兵健康的坏消息。[④]

是的，后来义律得知英军大批病亡的消息，这更加促使他舍舟山另图。在前引义律的汇报中，他向英国政府提出"在广州附近得到一个岛屿"来替换舟山的建议。这是一个值得注意的征兆，说明义律已经把霸占中国领土的目光调换到广州附近。还因为白河交涉时已经达成协议，双方将回广东谈判，就近占领毕竟更方便。既然不能把英方放弃舟山归因于英军的大

---

① 《鸦片战争在舟山史料选编》，第 558 页。
② 奥塞隆尼的统计似有夸大，据义律向英国政府的报告，从 1840 年 7 月至次年 2 月，除病死者外，另共有约 700 人染病。见 FO 17/61.
③ 胡滨译《英国档案有关鸦片战争资料选译》下册，第 745 页。
④ 《鸦片战争在舟山史料选编》，第 496 页。

量病亡，那么是什么导致英军的撤出呢？

第一，与中方的态度有关。会谈伊始，琦善就指责英军占领舟山是"非常错误的"，"皇上不可能割让"，并把归还舟山作为接受英方某些条件的最主要前提。① 中方立场使英方代表明白永久占领舟山的计划势必遭到清政府的强烈反对，这不能不使身处前线的义律等人修改原来的战略意图。第二，驻华英商对义律等的影响也不可小觑。这些商人是发动战争的有力鼓动者，但战争又给他们带来巨大损失。据估算，因为战争，英国有 2 万吨船舶被封锁于中国港口外，有 3000 万磅茶叶停运，使英国减少关税收入300 万镑。② 1840 年 11 月 25 日，几个在对华贸易中占重要份额的公司联合致函驻华代表，抱怨英军封锁广州后贸易停止，要求重开广州贸易。③ 这对长期担任商务监督的义律不能不形成大的压力。12 月 13 日，义律致信奥克兰，为"避免无限期中断贸易的麻烦"，"我将会在远远没有实现本国政府要求的情况下停止下来"。两天后，他又致函巴麦尊，表示所做停战决定"将不考虑个人的得失"。④ 驻华英商还对义律形成另一方面的推力。1839年 11 月中英贸易断绝，英商被逐出广州转赴澳门等地，遭澳葡当局阻拦，英人只有往来于香港等地。还有，1840 年 11 月，舟山的部分英军病员曾试图转移去马尼拉，被西班牙殖民当局拒绝，这部分人也被送到香港。所以，这一时期的香港已然成为英商的货物存放和转运基地及英军的医疗和休整处所，行情看涨。

1840 年 12 月，广东会谈开始。这时懿律因病回国，由义律负全责。11日，琦善照会要求交还舟山，"一日占据彼土，即一日不得谓之恭顺，即一日不能奏请通商"，口气强硬，"大皇帝抚有万邦，人稠地广，添船添炮，事有何难，岂有因定海一县，遽肯受人挟制之理"。12 日，义律照会，声称只要满足赔款、开埠、公文往来平等、交还俘房四项，就可在协议批准后的一个月内撤出舟山，但撤出的军队要在"香港岛"暂驻。⑤ 这是英方代表在正式场合首次提到香港，表明已将目光从舟山移至香港。英人屯兵香港

①　佐々木正哉編『鴉片戦争の研究』〈資料編〉、東京日本近代中国研究会、1964、14 頁。
②　〔美〕马士：《中华帝国对外关系史》第 1 卷，张汇文等译，商务印书馆，1963，第 309 页。
③　*Chinese Repository*，vol. 9，no. 7，Nov.，1840.
④　胡滨译《英国档案有关鸦片战争资料选译》下册，第 824—826 页。
⑤　胡滨译《英国档案有关鸦片战争资料选译》下册，第 803 页。

的打算当即遭到中方反对。琦善向朝廷报告：

> 即香港亦宽至七八十里，环处众山之中，可避风涛，如或给予，必致屯兵聚粮，建台设炮，久之必觊觎广东，流弊不可胜言。

以为香港不能让，但增开一处口岸"似为得体"。① 急于看到交涉成果的义律却不愿等待下去，恫吓"此地有大批部队集结，拖延时日必定会在他们中间引起焦躁不安的情绪"。又发最后通牒，要求中方接受条件，否则将"采取军事手段"。② 英方的要求理所当然地被中方驳回。侵略者图穷匕首见，1841 年 1 月 7 日英军向大角、沙角炮台发动进攻，使广州完全暴露在英军的炮口之下。这场战役在鸦片战争史上规模不算大，但在中英交涉史上具转折意义。此役造成的态势对英方是个鼓舞，义律从此向中国索取领地不再游移，而首次亲见英军炮火威力的琦善等人被极大震慑，特别是所用的"空心飞炮"更造成很强的恐怖感，"该夷现在所用飞炮子内藏放火药，所至炸裂焚烧，不独为我军所无，亦该夷兵械中向所未见。经此次猖獗之后，我师势必益形气馁"。③ 据琦善奏，广东巡抚、水师提督、广州将军，以及前总督林则徐、邓廷桢同琦善举行了会议，得出的结论是："金称藩篱难持，交锋实无把握。"④ 琦善等对清军的防守能力也通过此役有了更痛切的了解。虎门炮台的炮眼，"其大如门，几足以容人出入，若彼轰击，竟致无可遮蔽"。最令人担心的是清军的表现，防兵在战斗打响后，乘机向指挥将领"讹索银钱，否则欲纷纷四散"，"兵心已大可概见"。⑤ 广东大员的态度有所软化。

8 日，义律提出将穿鼻（中译本为沙角）出让英国，限三日内答复。11 日，琦善回复称沙角为清朝官兵阵亡地，忠义灵魂的聚所，英人"在该处寄寓，亦甚不祥"，答应代为奏请在"外洋"另择一处让英人"寄居"。⑥

---

① 中国第一历史档案馆编《鸦片战争档案史料》第 2 册，天津古籍出版社，1992，第 633 页。
② 胡滨译《英国档案有关鸦片战争资料选译》下册，第 817 页。
③ 《鸦片战争档案史料》第 2 册，第 771 页。
④ 《鸦片战争档案史料》第 3 册，第 41 页。
⑤ FO 931/16.
⑥ 佐々木正哉编『鸦片战争の研究』〈资料编〉、56、61 页。

英方同日复照声称，"同意接受香港海岸和港湾以代替沙角"，并表示只要中方允其所请，即不再要求增开口岸而归还舟山。义律舍舟山取香港的战略意图完全明朗（据认为，义律对香港的兴趣还由于其有利的地理条件：港口开阔水深，有东、西两个进出口，全天候可用；而舟山港深度有限，入港要经过许多曲折水道）。请注意，义律这份照会的中英文本略有不同，英文原件词句的准确直译应该为"香港海岸和港湾"，但在中译本中除香港岛外，还多出一个尖沙咀的地名。[①] 尖沙咀是九龙半岛的岬角，与香港岛的中环隔 1.5 公里的海面相望，构成今维多利亚湾。英文照会大略提出港湾，并不能认定就是尖沙咀，译成中文时却转成尖沙咀。鸦片战争时代中英文书往来均以中文本为准，双方交涉多在此基础上进行。核查档案，英文原件中没有的尖沙咀（Chien-sha-tsui）字样在英方中文秘书（Chinese secretary，亦称"汉文正使"）的存档中已出现，当是中文秘书马儒翰（J. R. Morrison）在译成中文时改动添加，其文句是这样的："今拟以尖沙咀、红坎即香港，代换沙角予给尚可行，若除此外，别处则断不能收领。"[②] 马儒翰的改动是汉语水平不高造成的笔误还是有意为之，不得而知（此间，译才奇缺及不胜任，导致一系列重要文件上出现翻译歧异，并带来严重后果）。

其改动最初大概不为全权代表义律知晓，因为在 14 日义律又发照会，英文原件仍只要中方将"香港海岸和港口割让"，还是没有尖沙咀字样，尖沙咀也只是在中译本中出现。[③] 马儒翰这一有意无意的改动造成的结果却十分要紧，原本只提香港，现突兀出现了两地，加重了中方的疑惑和震惊，因在此前日，琦善曾派鲍鹏前往交涉，义律曾与鲍鹏当面商议，仅只要求中方割让一个地方，突然价码增加使中方不知所措。更严重的是，尖沙咀

---

① 佐々木正哉编『鸦片戦争の研究』〈资料编〉、62 頁。有必要强调，译文地名的差异前已由胡滨教授等揭出，见胡滨译《英国档案有关鸦片战争资料选译》下册，第 832—833、872 页。

② 该存档文目为 FO 682/1974/12. 另请注意，在 J. Y. Wong, *Anglo-Chinese Relations 1839 - 1860: A Calendar of Chinese Documents in the British Foreign Office Records*（Oxford: Oxford University Press, 1983）一书所列 11 日照会将尖沙咀改为"Kowloon"（九龙），九龙又是比尖沙咀大得多的地域名称。据笔者向 J. Y. Wong 教授当面请教得知，因尖沙咀一般不为西人所知，九龙知名度较高，该书主要面向西方学者，故有此改动。见该书第 51—52 页。佐々木正哉编『鸦片戦争の研究』〈资料编〉、62、69 頁。

③ FO 682/1974/19.

所处的位置非同小可，香港"面临背山，殊非泊船要澳"，如果尖沙咀在中方控制下，英方对维多利亚湾就不便利用，"查尖沙咀与香港对峙，中阻一海，该处藏风聚气，可以停泊"。① 所以，琦善特别在意。15 日，琦善申明"尖沙咀与香港系属两处"，要求英人履行"前日与鲍鹏面定之言，只择一处地方寄寓泊船"。接此照会，英人当十分高兴，英人原本意在香港，尖沙咀只是一随意译的地方，反使英人由而轻取香港，于英人是再便宜不过了。次日，义律复照，说不再"坚持"尖沙咀，只"以香港一岛接收，为英国寄居贸易之所"。② 英方向中方做出并不存在的让步。17 日，义律通知中方将舟山即行交还，以诱使琦善尽快定约。18 日，琦善以"现在诸事既经说定"的复照含糊作答。20 日，义律发布"给女王陛下臣民的通知"，声称与中国钦差达成了包括"把香港岛和港口割让给英国"的"初步协议"（请注意，义律此时仍沿用"香港岛和港口"的名目，佐证两地名仅指香港岛，并不包括尖沙咀。稍后，义律曾向英国外交部详细汇报中英交涉经过，也未谈及曾向中方索要过尖沙咀一事）。③

26 日，英军强占香港，完成从舟山到香港的目标转换。义律似乎从中发现了尖沙咀的"价值"，又一再加以利用。30 日，义律声称中方应从尖沙咀撤除炮台和军队。2 月 5 日，琦善复照中国军队撤出尖沙咀。英军随即开进拆除炮台。24 日，当中方调兵准备再战时，义律又以长期"据守"尖沙咀相恫吓。④

香港问题的一波三折

琦善为英人代奏寄居香港，遭清廷断然否定。1841 年 2 月 15 日，道光收到琦善奏报后表态：香港"岂容逆夷泊舟寄住"，又严责"琦善身膺重任，不能申明大义，拒绝妄求，甘受逆夷欺侮……著革去大学士，拔去花翎，仍交部严加议处"。命奕山为"靖逆将军"，"调集各路精兵声罪致讨"，准备发动广州战役。⑤

---

① FO 931/58.
② 佐々木正哉編『鴉片戦争の研究』〈資料編〉、70—71 頁。
③ 胡滨译《英国档案有关鸦片战争资料选译》下册，第 894—897 页。
④ 佐々木正哉『鴉片戦争の研究』〈資料編〉、76、78、86 頁。
⑤ FO 931/58.

英国政府也对义律的索港予以否决。1841年2月中旬，奥克兰率先得到消息，急函义律，对此举表示不满。4月，消息传到英国，反响更大，伦敦39家公司的商人致函巴麦尊，谴责义律把"这次远征的目标全部牺牲"。利物浦50个厂商联名致函呼吁政府干预中国事态。英国外交部提交义律对政府规定目标的执行情况，有关舟山的内容占了很大篇幅，结论是义律有辱使命。英政府最感恼火的是义律竟然轻率地放弃舟山而自作决定地去占领香港这个"几乎没有人烟的荒岛"。巴麦尊致信义律，对交还舟山大加指责，并对香港发表了带有情绪化色彩的轻视言论，认为无论在政治还是经贸上，香港都几乎毫无价值可言，并通知义律被免职。5月3日，巴麦尊咨文英国海军部，为确保攻占舟山的兵力，可以从香港撤出任何部队，表明为舟山不惜放弃香港的决心；并照会中国，宣布英军将"再占舟山"。[①]8月22日，新任驻华全权代表璞鼎查（H. Pottinger）率兵北上。10月1日，舟山再陷。

璞鼎查抵华后，对港岛转而表露出特别兴趣，鼓励建设，"约一年时间，街道开始出现，集市和居住区、码头和栈桥次第修建"。[②]清政府也在积极谋求收复香港，为此道光帝多次下谕。这时，正好出现台风，香港左近受重创。道光帝认为此乃天助，应乘机一举收回香港，朝廷决心很大，以六百里急谕"勿再失机宜，致干重咎"。奕山等根本不想发动什么收复香港之战，推说"须谋定后动"，还声称英军主力离港，但"狼贪不遂巢穴，晋兵船十余只，在广东香港等处洋面，聚集汉奸数千人飘忽出入，拦截善后"，提出保广州比克香港更重要。[③]清廷设计的收复香港计划未及发动便胎死腹中。

1841年8月，英国政局更迭。辉格党的迈尔本（W. Melbourne）内阁让位于托利党的皮尔（R. Peel）内阁，阿伯丁（G. H. G. Aberdeen）入主外交部。在对华政策上，辉格党更富进攻性，托利党略显缓进。11月4日，阿伯丁致信璞鼎查，宣布对巴麦尊的政策"作一些重要修改"，其中最重要的修改内容是以通商贸易政策取代占领领土政策，即注重在中国开放四至五

---

①　胡滨译《英国档案有关鸦片战争资料选译》下册，第837—839、845—850页。

②　Gerald S. Graham, *The China Station: War and Diplomacy, 1830-1836*（Oxford: Clarendon Press, 1978），p. 231.

③　FO 931/58.

个口岸而放弃对中国领土的“永久征服”。不仅香港，而且舟山，均不主张长期占领。原因是：

> 长期占有这些领土的关系必定会带来很大的费用，而占领这些领土使我们能够无视中国政府而进行贸易的范围却似乎有些令人怀疑。它还将倾向于对我们在政治上同中国人保持比我们所希望的更多的接触，而且也许不可避免地最后导致我们参与在不久的将来可能在这个奇特的民族和该帝国政府中发生的争夺和变动。①

新任殖民部大臣斯坦利（L. Stanley）则将璞鼎查所称“富有创造力”的新居香港者视为一群投机商和小偷小摸，还有躲避中国法律追究的逃犯，这些人“流窜聚集在港岛，导致香港最终的命运是只能被放弃”，并表达了内阁的新想法，“不再追求中国领土，除了对英国人在华所受的伤害和屈辱能有满意的偿还，英方不再要求更多的东西，早先的占领地计划被建立在对华友好和安全商业交往基础上的新计划取代”。1842 年 1 月，外交部正式通知璞鼎查，在香港一切非军事用途的建筑物停建。殖民部也命令：“停建港岛上所有正在建造的永久性建筑。”② 英国政府似乎想放弃在华建立殖民地的政策。

迈尔本内阁时，驻华代表想收缩，内阁急于扩大，皮尔内阁时却反了过来。在驻华代表的自行其是下，1842 年 2 月 16 日，香港自由贸易港地位被重申。25 日，商务监督公署从澳门迁港，各类殖民机构建立，民用建设大规模展开。3 月，璞鼎查致函阿伯丁，“希望能够推迟放弃香港岛”。5 月，他又两次致信阿伯丁，明确反对在华“无索取政策”。璞氏语带夸张地指出：“中国的富商现在都从广东和澳门聚集香港。”他还从国际战略的角度立意，认为拥有香港，“将使英国在同欧洲各国和美国的在华竞争中占有先着”。③

英军还对中国发动了更大规模的军事打击，迫使其屈服。1842 年 7 月 15日，道光帝谕：“将香港一处赏给尔国堆积货物。”26 日，说辞略变，“将香

---

① 胡滨译《英国档案有关鸦片战争资料选译》下册，第 1019—1021 页。
② Gerald S. Graham, *The China Station：War and Diplomacy, 1830-1836*, pp. 231-232, 200.
③ W. C. Costin, *Great Britain and China, 1833-1860*（Oxford：Clarendon Press, 1937），p. 99.

港地方暂行赏借"（两谕十分重要，前一年琦善因香港等问题受惩后，清官员无人再敢提香港，现转由皇帝提出）。① 8 月 29 日，《南京条约》签订。关于舟山，璞鼎查按令行事，当清朝开放五口并于 1846 年 1 月付清"赔款"时，英军将予交还。关于香港，璞鼎查却未遵英国政府的指令，条约第三款完成了对香港岛的法权割让。当天，璞鼎查向阿伯丁报告缔约经过，承认"保留香港是其唯一超越政府训令之处"，但强调"在中国的日日夜夜都愈益使他确信，拥有这块殖民地对大英帝国在华商贸和其他重要目标的实现都是不可或缺的"。其后，璞鼎查的做法得到内阁的多数赞同。皮尔首相写道："无庸置疑，这份条约对结束我们在中国的困局提供了完全令人满意的内容。"② 阿伯丁、斯坦利等虽持异议，也不得不表示让步。斯坦利对璞鼎查先斩后奏造成香港既成事实的做法不无恼怒。

　　反复争论已没有多大意义，因为在璞鼎查的计划中，香港已然成为英国的了。在条约签订前，璞鼎查已经在岛上建立了管理机构。③

义律、璞鼎查两任驻华代表关于香港的安排得到内阁的认可，英国政府与驻华代表间的意见趋于一致。可见，英国在华攫取领地是一个随势而定的过程，既有"蓄谋已久"的一面（国外多有学者认为英国发动鸦片战争只是"因为垂涎中国的金银，并非觊觎领土"，④ 对此我们不能认同），更有随机调整的一面；既有英国政府的旨意，但驻华代表的意志似乎起了更大的作用。早在 1840 年 2 月，英政府就赋予驻华代表对中国岛屿实施占领的决定权。比较起来，鸦片战争前夕和初期英国政府的对华殖民战略，更注重长江流域和东南沿海，表露出更大的侵略胃口，其一度准备长期占据的舟山为中国第四大岛。鸦片战争只是近代中外相逢的初次交手，很难想

① 《鸦片战争档案史料》第 5 册，第 622—624、676—678 页。
② W. C. Costin, *Great Britain and China, 1833-1860*, pp. 101-102.
③ Gerald S. Graham, *The China Station: War and Diplomacy, 1830-1836*, p. 234.
④ Ashok Mitra 教授认为，鸦片战争中英国的战略"表明，英国并不想同中国打一场战争，而只是采取讹诈这个怯弱的、装备不良的中央王国的手段"。谭中教授也认为，"英国作出'打'这场鸦片战争的决定，并非觊觎领土，而是因为垂涎中国的金银"。见《外国学者论鸦片战争与林则徐》（下），第 290 页。

象清政府会将如此重要的地区出让。而当时仍为僻远小岛的香港得手则相对容易。无疑，身在战区的义律、璞鼎查的方案更切实"可行"，英国政府侵略中国领土战略的随之调整也势在必行，此乃英国对华地缘战略的重大变化，其后影响中国 150 余年。

三 战争的结果：从外到内的变化

从广义上来说，鸦片战争是农业文明社会与工业文明社会的交会，是中古封建社会与近世资本社会的冲撞。西方列强对华进攻的总目标是，拆除先前屏障，将"华夷之辨"改为西方"规范"，将中国纳入西方世界的"总秩序"。为实现这些目标，战争与条约是两个交互使用的手段。从 1840 年 6 月到 1842 年 8 月，历时两年有余的鸦片战争不能说短暂。但战争结果一经用所谓条约的形式法律化，非法的战争结果便成了一种貌似"合法"的内容，成了一种相对固定的制度，其影响比战争本身远为长久深巨。英国人魏尔特（S. F. Wright）把《南京条约》称作"外国对华贸易的大宪章"。[①] 这又不局限于贸易领域，鸦片战争是中西关系质变的临界点，整个中外关系至此逆转，旧格局随条约缔结而俱逝，中国被不情愿地拉入国际资本主义的世界体系，带有外部世界强力植入中国内部的表征，变化也从与外人接触最密切的领域开始。

敲开大门

用暴力撞开中国门户，强行占领土地，迫使开放口岸，拓宽进入孔道，都带有尽可能拓展在华空间的意味，步步实现人流、物流随心所欲入华。

（1）口岸门户。如果说占领香港是建立外来势力便捷入华的据点，那么口岸开放则给列强打开了进入中国的多个渠道。清朝的口岸政策多有变迁。1757 年，清廷下令关闭江、浙、闽关，外商只准在广州贸易。这便是被后来史家称为"闭关政策"的主要措置。此后 85 年间清朝实行广州独口外贸政策，鸦片战争后有了改变，转为五口通商。1842 年 8 月 12 日，英方开列《所要各条款》，其中大部分与口岸关联：①准许英人在广州、福州、

---

① 〔英〕魏尔特：《赫德与中国海关》上册，陆琢成等译，厦门大学出版社，1993，第 71 页。

厦门、宁波、上海"五处通商"并驻扎领事；②英国货在五口一次性纳税后，"可遍运天下"，不再加税；③英国以占领的镇海招宝山、厦门鼓浪屿及舟山作为监督中国开埠的抵押，只有等五口开放后，才将三地归还中国。因为"形势万分危急，呼吸即成事端，冒死允夷所请以拯民"，中方代表接受英人索求，①却没有得到朝廷完全同意。17 日有旨，同意增开上海、厦门、宁波三口，"但只许来往通商，不许久住据为巢穴"；至于福州，必须"撤去"，万不得已，以泉州替代。22 日，再旨"福州地方万不可予"。清廷对福州格外看重，无外乎其系福建省会和闽浙总督驻地，再因为临近武夷茶区。耆英等只好遵旨将福州不开放等再行交涉。英方"坚执不从"。②其间，议和大臣们还策划了一出民众代表出面的戏码，由"老民张宗睦"及"绅士阮训、郑瑞檀、邵涛等"向英国代表吁请"不准福州一处"。③这类冤民倾诉的中国传统把戏对凶悍的侵略者不起任何作用。29 日，《南京条约》签字。31 日，上谕批准，五口开放得到最高当局认可。此举对后来的历史影响甚大，外向型城市的崛起、口岸及租界等制度的形成，均以此为起点。

（2）外国妇女进入口岸。《南京条约》第二条开头一句是："自今以后，大皇帝恩准英国人民带同所属家眷，寄居大清沿海之广州、福州、厦门、宁波、上海等五处港口。"其中"带同所属家眷"多不被现代人所理解，认为这并不成为问题。然而在那个年代，却是一个每每将中英两国引至战争边缘的问题。

清朝早期，实行来华外国妇女留居船上的政策。随着来华外人增多，1746 年，两广总督下令禁止西方妇女进入广州，只准停留澳门。④ 这是清朝当局明文禁止外国妇女进入口岸的开始。时有描述：

> 我们这些可怜的广州（外国）人，都是身不由己的修道士。就连女人的声音，即使你不爱听也罢，都是一种奢侈品，广州政府的官员

---

① 佐々木正哉編『鴉片戰争の研究』〈資料編〉、199—201 頁。
② 《鸦片战争档案史料》第 6 册，第 85、114、137 页。
③ FO 233/182/504.
④ 〔葡〕施白蒂：《澳门编年史》，小雨译，澳门基金会，1995，第 135 页。

是不允许他们的外国同性们享有的。①

禁令行之，遭来华外人的反对。终于在 1830 年发生了"盼师案"。盼师（William Baynes），时任英国东印度公司驻华大班，是年 10 月 4 日公开带着妻子和葡萄牙籍婢女从澳门进入广州，并违反规定乘坐轿子，引起中方强烈反应，两广总督李鸿宾转饬总行商伍受昌令其退回澳门。英方认为此举是极大侮辱，向两广总督、广东巡抚、将军和粤海关四衙门提交抗议："根据英伦法令，每个男人只能娶一个妻子，因此在谕令上所称的所谓外国妇女就是外商的婚配妻子。公司工作人员每年需要六个月或更长的时间留在广州"，如不许携带夫人，实在不合情理。广东官宪对抗议书"严行驳斥"，令将"番妇"遣去，否则派兵入馆驱逐。英方遂从停泊于黄埔的外船上召集武装水手百余人进入商馆。局势一触即发。31 日，英国武装人员撤回黄埔。11 月 30 日，盼师夫人回澳，危机暂时过去。②

盼师案加剧了对峙。中方因此加强了对外商的管理，英方则有更强烈的愿望要求突破束缚。1839 年 11 月 2 日，一批从事对华贸易的商人联名向英国政府递交建议书："用足够的武力"强迫中国政府接受"家庭关系上自由采行欧洲习惯……自由携带妻子家属……不受侮辱，不遭迫害"。③ 1840年 2 月 20 日，英国政府提出"对华条约草案"，内中标示此内容，民间呼吁变成政府行为。1842 年 8 月，中英举行缔约交涉，亲身参与谈判的张喜记录："十四日（8 月 19 日），微雨，黄（代理江宁布政使黄恩彤）、咸（四等侍卫咸龄）两大人出城与夷人会议，不许夷人携带家眷。"④ 中方代表搁置诸多今天看来远更重要的问题，而就"番妇"问题专门交涉，反映时人的看重。耆英的另道奏折称："举凡设领事、立夷馆、住家眷，势不能遏其所请。"⑤ 这些都是英方势在必夺的特权。条约签字前夕，英方警告："英

① 〔美〕亨特：《旧中国杂记》，沈正邦译，广东人民出版社，2000，第 26 页。
② H. B. Morse, *The Chronicles of the East India Company Trading to China*，1635-1834，vol. 4，p. 237. 另见《清代外交史料》，道光朝三，故宫博物院编印，1932，第 39 页。
③ 严中平辑译《英国鸦片贩子策划鸦片战争的幕后活动》，《近代史资料》1958 年第 4 期。
④ 中国史学会主编《鸦片战争》第 5 册，上海人民出版社，1957，第 382 页。
⑤ 上海社会科学院历史研究所编《鸦片战争末期英军在长江下游的侵略罪行》，上海人民出版社，1962，第 295 页。

国人的眷属在各通商口岸及其附近的居住问题"等项"都是极关重要的"，
"如中国方面加以拒绝或抱拖延态度，必至严重影响两国方在开始的和
平"。① 中方无力抗衡，对外国妇女的禁令在英军炮口下废除。这在国人中
引起复杂反应。条约签订当天，耆英奏报：

> 　　至向来夷船进口，携带家眷，止准留住夷船，不许寄居会馆，立
> 法本属严益加严。窃思夷船之所以难制者，诚以飘忽往来于洪涛巨浪
> 之中，朝东暮西，瞬息千里，是以能为遥患。今若有室庐以居其货，
> 有妻孥以系其心，既挟重资，又携室家，顾恋滋多，控制较易。况英
> 夷重女轻男，夫制于妇，是俯顺其情，即以暗柔其性，似更不必遇事
> 防闲。②

耆英等人稍许变化的西洋观不能说被那个时代官绅阶层的大多数认同。
江苏布政使李星沅看到《南京条约》的第一反应是，"夷妇与大皇帝并书……
公然大书特书，千秋万世何以善后"。③ 痛感英国女王在条约中居然与清朝大
皇帝名号并列，难以向后人交代。当时以留意"夷事"著称的夏燮更记道：
"通商约内，先将挈眷一层叙入"将导致"城乡眷属，与女夷亦通往来，是
则祭野起辛有之叹，徙戎贻江统之忧。夷人出幽谷而迁乔木，华民服左衽
而言侏离，毋亦地气之循环，感应于人事者与？"④ 对夷夏大防演化成夷夏
混同，感愤更为深沉激越！外国妇女进入口岸，不能说是很复杂的事，却
被提升到传统中断、道德失落乃至人民叛离、用夷变夏的层面，后果可谓
至大至深了！

（3）香港与口岸贸易问题。《南京条约》及附件的中英文本在字句上有
若干差异，其中区别较大的有《虎门条约》第十三条。众所周知，在中外
立约初始年代，译才极缺且不胜任，文本字句的非诈欺性区别本不足怪，
对此，原为侵略者的西方却向受侵略的中国不依不饶地追究了百余年。

英国占领香港后，宣布其为自由贸易港，港岛贸易陡增。1842 年，停

---

① 《鸦片战争》第 5 册，第 514 页。
② 《鸦片战争档案史料》第 6 册，第 158—159 页。
③ 《李星沅日记》上册，中华书局，1987，第 428 页。
④ 《鸦片战争》第 5 册，第 524 页。

泊香港的船舶总吨位为 136336 吨，翌年增至 180572 吨。但好景不长，1844
年后增速急剧减缓，1847 年甚至下降。① 一时间，香港财政减收，职员、士
兵扣薪，房地产抛售，投机家破产。时任港府汉文正使的郭士立称："香港地
方贸易出现的状况，比最感失望的商人所做的估计还要糟得多。"② 对港岛贸
易出现的大幅起落，西方学界一个颇为流行的观点是，将此归咎于中方在
《虎门条约》第十三条中玩了猫腻，以此阻止中国的非通商口岸地区与香港发
生经贸往来，进而"窒息"香港"合法的贸易"。③ 费正清甚至将此冠以
"著名的（famous）第十三条"。④

对照条约文本，确有不同，歧义在：中文本限定华民在香港置货须用
华船载回，英文本对此规定含混；更重要的是中文本最后一段话，即除五
口外，"其余各省及粤、闽、江、浙四省内，如乍浦等处，均非互市之处，
不准华商擅请牌照往来香港，仍责成九龙巡检会同英官，随时稽查通报"。
为英文本所无。⑤

长期以来，西方每每以此责难中方："这一句话之所以不见于英文本，明
白表示出，那时中国政府的本意，是连中国船舶也不准在香港与未辟埠通商
各口岸间享有往来贸易的权益"。1847 年 8 月 11 日，港督德庇时（J. F. Davis）
宣称这"无异是中国交涉人员的一种欺骗行为"。⑥ 1849 年，曼彻斯特企业主
向英国政府递交备忘录，称此举是"对华商务发展不振的真正原因"。⑦ 这
些言论还影响到西方学者的评判。某些研究香港史的作者提出：清政府对
这项背信弃义条款的利用，使得 1844 年后的香港除走私鸦片外，"其他的

---

① *British Parliamentary Papers*, *China*, vol. 31（Shannon: Irish University Press, 1971），p. 297.

② 转引自余绳武、刘存宽主编《十九世纪的香港》，中华书局，1994，第 255—256 页。

③ 〔美〕费正清编《剑桥中国晚清史》上卷，第 244 页。

④ J. K. Fairbank, *Trade and Diplomacy on the China Coast: the Opening of the Treaty Ports*, *1842-1854*（Stanford: Stanford University Press, 1969），p. 125.

⑤ 差异请比照参见 The Inspectorate General of Customs, *Treaties*, *Conventions*, *etc*, *between China and Foreign State*（Shanghai: The Inspectorate General of Customs, 1908），vol. 1, pp. 390-397.

⑥ 〔英〕莱特：《中国关税沿革史》，姚曾廙译，商务印书馆，1963，第 27、74 页。

⑦ *Annual Report of the Board of Director of Chamber of Commerce and Manufactures*（Manchester, 1849），pp. 18-20.

货物交易全部停滞"。① 马士也以讥讽口气评论道："中国人虽不习惯于条约，但在谈判中倒是能手，因为管理香港贸易的章程，使他们能够有效地扼止住这个初生殖民地的兴盛。"② 中国人作假似成定论。对此污指，有必要澄清。

英国获取香港之初，港岛经贸呈战时繁荣，香港贸易未引起英方注意。1842 年 9 月，中、英善后交涉，英方提出："严禁华民，除议明五港口外，不准在他处与英人交易。"③ 值得注意，这是战后对华人外贸区域试图限制的首次提议，证明率先提出限制五口以外的中国人与英人贸易的并不是中方，而恰是英方自己。英人做此议部分原因是顾虑到这一时期中国沿海海盗走私贸易的猖獗及中英民人间的冲突。英方建议得到中方认可，成为协定。④

1843 年 1 月，虎门谈判启动，香港与内地贸易也在议题中。璞鼎查首先要求中国对港贸易自由化。这无异于推翻几个月前才订立的《南京条约》对英开放以五口为限的规定。中方断然拒绝，要求遵守上年所定的协议。英方答："允遵照旧章，泊船黄埔，不敢胶执在香港交易之请。"⑤ 由此看来，中方态度明确而坚定，英方态度游移而松动。6 月 23 日，耆英赴港与璞鼎查面议。英方继续要求对香港开放全部中国海岸，中方反唇相讥：如果确认香港是英国的一部分，那它只能同五口通商；如果英国允许中国在港设置海关与巡检，则中方同意对此做出安排。英国人当然不会同意放弃刚刚到手的香港。中方发布告示称：

> 若内地商民情愿赴该岛买卖，即就近报明各海关，应照新例完纳货税，请领牌照，乃方准出口营生。若不请牌照辄往买卖者，查出以私贩及违禁下海论罪。⑥

① E. J. Eitel, *Europe in China, the History of Hong Kong from the Beginning to the Year 1882* (Hong Kong, 1895), p. 197.
② 〔美〕马士：《中华帝国对外关系史》第 1 卷，第 376—377 页。
③ 佐々木正哉编『鸦片戦争の研究』〈资料编〉，217、220—221 页。
④ 《道光年间夷务和约条款奏稿》，北京大学图书馆藏手抄本。
⑤ 《鸦片战争档案史料》第 7 册，第 177 页。
⑥ 佐々木正哉『鸦片戦争の研究』〈资料编〉，247 页。

此规定尽管在几个月后才见诸条约，实际从当年 7 月就在广州等地实行。可见，清朝君臣始终把限定五口和香港贸易看得至关重要，根本不会让步。《虎门条约》很大程度上也是为此而定，以条约第四条、第十四条为证，[①] 与第十三条联配，精神完全一致。如果认为没有第十三条的多出，英国就能享有香港与内地的自由贸易权，反倒与条约的相关条文凿枘不入了。退一步讲，即便没有第十三条，仅只上面几条已足以构成约束，多出内容不过是将中方立场表述得更准确具体。

费正清认为，文本歧义"部分原因是英方译员小马礼逊（马儒翰）死后无恰当的接替人所致"。[②] 马儒翰的死固然对条约翻译产生了一些影响，但不大，他死前"要约各条皆已定议"。[③] 特别与第十三条的多出内容无关。因为在该约制定时，英国人已经知道这点。多出部分何时添加？未见中方材料记述。据英方材料称，条约初稿的内容一致。但在定稿时，英方代表罗伯聃（Robert Thom）发现中文本有多出。众所周知，对初稿进行修改实属正常，问题关键在是否欺瞒对方。对此，罗伯聃明确指认：不但他本人，而且英方首席代表璞鼎查均完全知情。璞认为这无关紧要，因此英文本中"没有这一段插入"，最后形成文本有别。[④]

显见，璞鼎查对多出内容不但知晓，而且认可。对文本差异，英国政府也是完全清楚的。1848 年 12 月 18 日，后来担任英国驻华公使和港督的包令（J. Bowring）曾同外交大臣巴麦尊有过一番谈话。巴麦尊说，璞鼎查在谈判时"犯了两个重大的错误：第一是没有坚持要是条约发生任何疑义时，作为条约依据的应该是英文本而不是中文本；第二是他没有要求被允许同香港进行贸易，应该包括所有口岸的船只，而不只限于五个通商口岸"。[⑤] 既然是英国全权代表做出的决定，既然条约又以中文本为准，1848 年时英国政要都很清楚并认账这件事，第十三条还有什么可争议的呢？除

---

①　王铁崖编《中外旧约章汇编》第 1 册，三联书店，1982，第 35、37 页。

②　费正清编《剑桥中国晚清史》上卷，第 243 页。马儒翰死于 1843 年 8 月 29 日。

③　《鸦片战争档案史料》第 7 册，第 272 页。

④　J. K. Fairbank, *Trade and Diplomacy on the China Coast*, p. 500. 有学者认为璞鼎查对多出条文"一无所知"（严中平主编《中国近代经济史（1840—1894）》上册，人民出版社，2001，第 251 页），似不确。

⑤　Lewin B. Bowring, *Autobiographical Recollection of Sir John Bowring, with a Brief Memoir by Lewin B. Bowring*（London，1877），p. 290.

了别有用心或不明真相，还有什么？《虎门条约》缔结时和之后的一段时间，第十三条不是问题。直到1844年10月，英国外交部才向罗伯聃质讯。罗的答复是：这"既不是私自暗中增加的，也不是忽略不载"。[①] 确认其中并不存在中方玩弄手脚的问题。

百年公案应予澄清！无论是在《南京条约》还是在《虎门条约》的交涉中，也无论是中国政府还是议约代表都从未答允过香港与内地的自由贸易权。条款的多出内容是中方一贯立场的表述，多出内容在条约谈判时就已为英方知晓。以国际法来看，根本不存在"诈欺"。外人对中国的指责是站不住脚的。实在说来，要弄清上面的问题不能说困难。耐人寻味的是，在近代中外条约史上，武力恫吓、威逼利诱、利用语言障碍擅自添加内容、玩弄文字伎俩，正是侵略者的惯行手法。为什么有些人对此视而不见，却抓住一项条款大做文章？时至今日，类似种种对中国的诬指仍在西方流布，追溯根源，无非是对曾被奴役者持不公平心态的作祟。殖民主义已是过去之事，但对这种心态的彻底清算仍有待时日。

纳入"秩序"

敲开门户之时，还须尽力将中国纳入"西方秩序"。在体制上解决中外之间阻隔流动的禁限，嵌入并不断扩大列强在华特权，对外人在华居住权、传教权、话语权等做出制度性安排。

（1）官文秩序。"官文"即官方文书。道光朝中期以前奉行的中西文书基本体制为：在书写格式和用语上，中方居上、居尊，外方居下、居卑；在传递方式上，插入行商中介，中国官府不直接与西人发生文移关系。翻阅鸦片战争前几年间英国外交档案，可以惊异地发现，此间英国政府对驻华代表做出最大量指示的既不是商贸，也不是司法和军事，甚至不是鸦片问题，而是与中国官府文件交往的方式。战争爆发后，文书关系逆转。转变迹象最早出现在1840年7月上中旬，英国全权大臣懿律、义律和浙江巡抚乌尔恭额、提督祝廷彪间有几通文书往来。英方试图转递巴麦尊《致大清皇帝钦命宰相书》。浙江官员顾虑人臣无外交的成例，将原书退还。此前

---

① J. K. Fairbank, *Trade and Diplomacy on the China Coast: the Opening of the Treaty Ports*, *1842–1854*, p. 126.

英方曾在厦门投书未成，在浙江投书又未成。战争已经爆发了相当时日，因文书体制关系，中国官府竟因自己的原因而不能了解战争因何而至，不能通过现成便捷的途径知彼，不能不说是作茧自缚！

修改体制势在必行。8月9日，道光帝谕令直隶总督琦善"倘有投递禀帖情事，无论夷字汉字，即将原禀进呈"；稍后，江、浙、鲁等地督抚也获收转权力。① 道光帝的权宜改动为收受"夷书"做了合法铺垫。果然，11日，英方在白河口投书，直隶当局痛快接收。英方投书引人注目地不再用"禀帖"格式，而用"咨会"字眼。② 英国长期追求的文书平行往来在炮口下得以部分实现。但这只是英方的行动，关键看中方如何回应。15日，琦善复函，放弃"谕""批"等回复夷书定例，改用"照会"样式，③ 此式旋被仿效，成为中国外交文书的重要范式。

从源流衍变看，清代"照会"的形式凡有三变：先前是致藩属国（特别是越南、缅甸、南掌等）的文书格式，收文对象一般是藩属国君，发文人是清朝大臣。文式固定为：以"为照会事"起首，以"须致照会者"结束。④ 1839 年，宗藩"照会"范式变化，由宗藩国扩及西方国家。起因是林则徐将这种文式转用英国，为禁绝鸦片起草了致英国国王的"照会"。道光批准了照会。1840 年 1 月 18 日，林则徐将照会交"担麻斯葛号"（Thomas Coutts）船长弯剌（Warner）转送英国。⑤ 弯剌到英国后，写信给巴麦尊求见，转交这封不寻常的信，不料英国外交部拒绝和弯剌接触。到琦善的运用，"照会"范式有了三变。琦善的最大"新意"是把前此用于藩属国君的文式转用于

---

① 《鸦片战争档案史料》第 2 册，第 253—254、276—278 页。
② 巴麦尊致清朝宰相书有两种中译本，一为英人自译本，是英方代表向中方提交的本子；另一是根据英人提交的英文本，中方另找在华俄国教士的翻译本。前者见佐佐木正哉编《鸦片战争的研究》〈资料编〉、3—7 页；后者见《鸦片战争》第 3 册，第 527—531 页。值得注意的是，前者有"照会"字样，后译本无，反映了身在广东的英译者和身在北京的俄教士的不同语境带来的对文书格式的不同理解。
③ 佐々木正哉编『鸦片战争の研究』〈资料编〉、8—10 页。另按：琦善使用照会文式也有一逐步"规范"的过程，1840 年 8 月 15 日琦善复函中虽有"照会"字样，但名目还用"札复"，直到同月 28 日琦善才完全仿行"正规"的照会文式，名目亦明确冠以"照会"。佐々木正哉编『鸦片战争の研究』〈资料编〉、12—13 页。
④ 《清代外交史料》，嘉庆朝一，第 42 页；嘉庆朝四，第 2—3 页；道光朝一，第 24、27—29 页。按：以清帝名义向外国国君发出的公文则称"敕谕"等，与"照会"不能混淆。
⑤ 中山大学历史系编《林则徐集·公牍》，中华书局，1985，第 128 页。

英国全权大臣，从国王下移臣僚，不能不说是降格迎合。它为中英文书往来别开一途，解决了在英方力求公文平行的压力下，中方被迫屈尊又要保有面子的矛盾，使中英文移找到了一个双方都能接受的样式。琦善的最初几封照会在形式上与宗藩旧文式没有区别，开头同样开列"天朝大学士直隶总督部堂一等侯爵琦"字样。但从 1840 年 12 月 3 日的照会开始，"天朝"两字被悄悄取消，仅留官衔，自后成为定例。① 至此，照会已脱出传统的以夏凌夷的非对等文式，而转变成至少是在形式上略具平等蕴义的外交公文，所折射出的恰是中世纪的宗藩观念向近代国家观念转步的初阶，即使这一步是在强敌凌侵的困境下迈出的。稍后，琦善曾将英方文书和自己的复照一并具奏，道光帝并无他言，并谕令将"琦原折照会英夷底稿及该夷回文俱著照抄给伊（里布）阅看"，② 认可了琦善的做法。

鸦片战争前后中英官方文书交往形式的变化，绝不只是一种简单的外交文移关系的变化。它折射出国家地位的升降，反映了天朝体制在西方殖民者的步步进逼下开始崩塌。从形式着眼，战后有关外交文移的一系列规定大多在表面上力求一种"平等"关系。但在深层实质上，它所代表的是西方外交和文书体制对中国的强制性替代，代表了列强在华话语霸权的谋求，以表面的平等掩盖实质的不平等。对这，时人已有体认。1843 年，在广东做官的李棠阶指出："许其平行，将何以遏其横肆之状。"③ 问题当然不是出在"平行"上，"平行"的背后是侵略者的"横肆"。还要补充的是，不平等条约体系是一个"整体"，各种特权纠缠相连。但条约各款也不能等量齐观，其中文移规定也使中国的外交文书体制更契合近代国际规范，并至少在某个侧面使中国传统的并不可取的夷夏观受到近代国家平等理念的冲击。换言之，天朝体制被近代体制所取代，或许并不纯然是坏事。诸如平等意义上的"照会"之类的字眼我们今天仍在通用，④ 即为例证。

（2）外交秩序。最惠国待遇是主权国家之间互相给予和本国给第三国

---

① 佐々木正哉編『鴉片戦争の研究』〈資料編〉、28—29 頁。

② FO 233/181/39.

③ 《鸦片战争》第 5 册，第 527 页。

④ "照会"对应的英文词有"note"等多种，《南京条约》英文本的用词是"communication"，在官方文件中通用的还有"despatch"。见 J. Y. Wong, *Angio-Chinese Relations, 1839-1860: A Calendar of Chinese Documents in the British Foreign Office*, pp. 17-18.

的某些优惠，主要用于关贸，而不适用于其他涉及国家主权的敏感领域。但近代中国存在的最惠国待遇则反是，将经贸互惠引入国家间的全部交往领域，成为近代中国畸形外交的重要基础。故有西方学者将此视为"在条约中具有最深远的后果并成为外国人在华享有一切让与权的主要根据的条款"。[①] 这一基础的形成源于1843年缔结的《虎门条约》。

> 向来各外国商人止准在广州一港口贸易，上年在江南曾经议明，如蒙大皇帝恩准西洋各外国商人一体赴福州、厦门、宁波、上海四港口贸易，英国毫无靳惜，但各国既与英人无异，设将来大皇帝有新恩施及各国，亦应准英人一体均沾，用示平允。[②]

此条有两点值得注意，一是嗣后各国在华特权，"英人一体均沾"。此内容在最初的条约稿本未见，是在条约拟定后送交璞鼎查"复核"的最后关头由其添加，耆英曾就此派黄恩彤等"诘询"。英方答复，税则和开埠已定，英国"断不敢另有所求"。清朝代表略感放心，索性将英人的保证加上，"但英人及各国均不得借有此条，任意妄有请求"字样。[③] 再是所谓"新恩"的模糊用词，有将最惠国不局限于通商，而引入其他领域的嫌疑。但此条仍旧列在《海关税则》的章目下。到1844年的中法《黄埔条约》，特权较前逾出，规定"惟中国将来如有特恩、旷典、优免保佑，别国得之，佛兰西亦与焉"，已不局限于贸易。到1858年的中美《天津条约》又有新发展，该约第三十条规定："现经两国议定，嗣后大清朝有何惠政、恩典、利益施及他国或其商民，无论关涉船只海面、通商贸易、政事交往等事情，为该国并其商民从来未沾，抑为此条约所无者，亦当立准大合众国官民一体均沾。"[④] 明确将最惠国待遇引入"政事交往"方面。显见，该项特权在中国的确立完全违背了国际法和外交准则。结果，片面最惠国特权之于列强形成一种"神圣同盟"，一国征服了中国，也就是众多国家征服了中国，

---

① 〔英〕菲利浦·约瑟夫：《列强对华外交》，胡滨译，商务印书馆，1962，第8页。
② 王铁崖编《中外旧约章汇编》第1册，第36页。
③ 《鸦片战争档案史料》第7册，第325—326页。茅海建先生对此有精彩描述，见氏著《天朝的崩溃：鸦片战争再研究》，三联书店，1995，第515—516页。
④ 王铁崖编《中外旧约章汇编》第1册，第64、95页。

于是便出现八国联合进攻中国、十一国联手强逼中国签约的局面；片面最惠国特权之于中国，使中国在国际社会孤立无援，对一国的让步必然带来对多国的连串让步，贫弱中国面临的对手却是如此的众多和强大！

（3）"清偿"秩序。以侵略者的逻辑来看，强逼战败国赔款乃天经地义，也是规范清偿秩序内必须完成的事。清偿不仅是经济"秩序"，还是政治外交"秩序"。鸦片战争赔款是中国近代史上对外赔款的"首笔"，具"示范"意义。其赔款类别如下。

第一，商欠。指兴泰等行商负欠外商的款项。兴泰行的贸易额一度占广州外贸总额的1/5，但在1836年底突然倒闭。外商提出该行欠账2738768元。查实欠资2261438.79元。[①] 清查时，天宝行也被查出欠外资100万元。[②] 最后敲定兴泰债务八年半偿完，不计息；天宝债务十年还清，年息6%。[③] 两行债务按期偿付，若不是战争爆发，当由行商自己了断。但英商欲借武装力量迫使提前偿付。1840年2月4日，巴麦尊召见鸦片商人查顿，查顿提醒"注意"商欠。旋英国推出条约草案，商欠被郑重列入。《南京条约》列项的商欠300万元，中方于1843年7月付出。英国政府支付有关商人2543226元（包括兴泰、天宝、广利的债务），尚余456774元。未见余额的分配记录，有理由怀疑被英国政府悄悄独吞。[④]

第二，烟价。也就是赔偿虎门销毁的鸦片金额，《南京条约》的规定是600万元。1839年3月28日，义律通知林则徐，交出鸦片20283箱，后在澳门由澳葡当局发现英国鸦片8箱，增到20291箱。临交烟时，却发现两家"港脚公司"重复申报了523箱。因已向中国官府申报了确数，正好颠地公司的一艘鸦片船进口，于是用英国政府的名义以每箱500元价格购入523箱以补足申报数。5月18日，林则徐上奏朝廷，接收鸦片共计19187箱又2119袋，声称比义律保证的呈交数要多1000箱。虎门销烟共销毁鸦片2376524斤。对上缴鸦片进行"估价"困难，鸦片为非法走私，价格变动剧烈，这里集中讨论"交烟"前后的价格指数。1838年5月，"公班土"在

---

①　*British Parliamentary Papers*，*China*，vol. 30，pp. 526，508，522，307.

②　天宝行后人梁嘉彬在研究中对此欠款予以否定。见梁嘉彬《广东十三行考》，国立编译馆，1937，第211页。但揆诸中英正式档案，仍应认定。

③　*British Parliamentary Papers*，*China*，vol. 30，pp. 524，513，522.

④　〔美〕马士：《中华帝国对外关系史》第1卷，第187、343页。

两周内由每箱 390 元哄抬到 580 元。但随着禁烟日紧一日，年底，在进口鸦片的最大基地广州居然看不到"一个鸦片零售商"，烟价跌至 200 元一箱。1839 年 6 月销烟之后，由于鸦片断档，消费仍暗中继续，价格复跳升至 800—1500 元不等。战争爆发后，公开交易鸦片，到 1842 年又跌落到 400 元以下。再有，鸦片的地区差价很大，仅在广州城内外差价就有一倍以上，如 1839 年 4 月下旬，广州城外每箱鸦片约 600 元，而运入查禁严厉的广州城价格就翻至 1200 元以上。正是考虑到价格不一，前此义律在要求英国鸦片贩子交烟时即申明："鸦片的价值，将由女王陛下政府予以确定。"①

　　义律在交烟时玩弄的花招是，以政府名义要求鸦片商把货交给他，再转交中方，这样就使英国政府对这批鸦片担负了直接责任。中国销烟后，怎样给鸦片商以交代便成了英国政府势必要考虑的问题。1839 年 10 月 1 日，英国内阁进行讨论，贸易大臣拉保契尔（H. Labourchere）认为东印度公司应该付这笔钱；迈尔本首相坚持英国政府不能付；殖民大臣霍布浩斯（J. C. Hobhouse）提出由鸦片商自作自受；陆军大臣麦考莱（T. B. Macaulay）和巴麦尊力主攫夺中国人的财产来给付。最后决议是派舰队到中国海去。在义律以政府名义收受鸦片的那一刻起，战争之箭就已在弦上，英国不会同意支付烟款，只有转向中方索取，中国也不会同意支付，冲突势在必发。烟价与战争之间如此这般地有了一种因果的逻辑联系，"鸦片战争"得名绝非偶然。"烟价"的估算出入很大。1841 年 5 月，巴麦尊对"烟价"的计算有说明，除了颠地洋行提供的 523 箱补充鸦片按协议价每箱 500 元支付，其余 19760 箱按每箱 300 元计算，总估价为 6189500 元。由于某些产于旁遮普邦的"麻洼鸦片"价格较低，"这个款额也许可以作某些减少"。此数目就是《南京条约》谈判时英方索取"烟价"的指导参数。② 并以这个数目分配给交烟收据持有人，计每箱"麻洼鸦片"作价 295 元，"八达拿鸦片" 303 元，"默拿鸦片"（Benares）274 元。这与印度市场上所购鸦片的成本价相比，不能说是亏本。但与鸦片贩子的期望值和在中国市场的利润比较，应该说有差距。③

　　①　*British Parliamentary Papers*，*China*，vol. 30，pp. 620、654、630、614.
　　②　《英国档案有关鸦片战争资料选译》下册，第 90、1020 页。
　　③　〔美〕马士：《中华帝国对外关系史》第 1 卷，第 345—346 页。

第三，战费。1843 年 5 月 16 日，为答复议会质询，英国财政部提交军费开支清单。列支付款单位四个。东印度公司：开销 2879373 英镑。考东印度公司提交的报告，款子似有浮报。香港：修筑工事等项费用为 3000 镑。新南威尔士：提供军需品等 16000 镑。政府：支出有海军部的 1286040 镑和军械部的 31000 镑。上列总计 4215413 镑。中方战费赔款 1200 万元，英国政府以 1 元 = 4 先令 4 便士兑换，为 3307144 镑，收支相抵，缺口 908269 镑。① 一些西方学者就此提出："英人所要求并已得到的军费赔款不致超过实际用费是可以假定的。"② 由此"假定"生发，将得出一个十分荒谬的结论：侵略者发动的是一场入不敷出的"亏本"战争。"假定"自然不是事实。我们可以从以下方面得出更接近事实的补充。

第一，2100 万元的赔款绝不是英国通过战争在华强取的唯一款额，除条约勒索外，还有战争掠夺。早在战争爆发前四个月，英国政府就赋予侵华军公开抢掠的"权力"："舰队司令官应当在附近地区或在印度善价出卖那些船只和货物，无论它们是属于中国政府或其臣民所有。"③ 1843 年 7 月 20 日，英国财政部官员克拉科（G. Clerk）签发《在华获取战利品和战争赎金》（Return of the Value of all Prize and Ransom Money）的报告，④ 下院责成付印该文件。这是英国政府正式提交的英军在华抢掠活动的"官府供状"。但报告书的列项又很不完整，至少有两项重大"遗漏"。一是仅开列 1841 年 8 月 25 日至 1842 年 8 月 29 日的清单，而战争早在 1840 年 6 月就已开始，英军的掠财活动也几乎与战争的爆发同步进行，并不以战争的结束而敛迹，那么报告书至少有一年多的时间未包括进去。二是报告书有若干"隐瞒"。故以报告书为主要参考，补以其他材料。报告书的统计是总额 543459.12 元，而我们得出的总计约有 740 万元之谱。⑤ 两者相去甚远。《南京条约》2100 万元的赔款和这 740 万元相加，共为 2840 万元。即便如此，我们也只是进行了一个很不完全的统计。即我们的统计只包括了英军掠财后正式上交的部分，有很多财物没有上交。于此，来自英军本身的记录也并不讳

---

① *British Parliamentary Papers*，*China*，vol. 27，pp. 21-23.
② 〔美〕马士：《中华帝国对外关系史》第 1 卷，第 344 页。
③ 胡滨译《英国档案有关鸦片战争资料选编》下册，第 539 页。
④ *British Parliamentary Papers*，*China*，vol. 27，pp. 26-27.
⑤ 详见郭卫东《鸦片战争赔款研究》，《近代史研究》1998 年第 4 期。

言：在上海的"掠夺只限于古玩而已"，而在其他地区的抢掠就没有那么多"限制"，如在镇江凡是中国人"携带财物出城而被视为是虏获品的，都由我们（英军）扣留下来"。出售这批财物所得使英军"战利品基金大为可观"。① 中方的记载更多，如 1842 年 7 月仅在江苏丹徒被英军抢掠的旗营兵米就有 13794 石。② 至于英军官兵藏入私囊的财物，更是无法胜计。

第二，汇率。鸦片战争的赔款不以中国的银两而以所谓"洋银"为基本折算单位。这在近代中国对外条约赔款中是个案，其后的对外赔款大多以银两为基本计量单位。此时流行"洋银"种类繁多，以"西班牙银元"（中国俗称"本洋"）为最大宗，时常作为中外贸易的结算货币。《南京条约》规定的"洋银"即指西班牙银元。由此带来银两、本洋、英镑间的折换。鸦片战争前后，本洋与英镑的一般兑换率是 1 元＝5 先令左右，最低也"是 4 先令 6 便士以上不定"。③ 但英国政府对赔款均以 1 元＝4 先令 4 便士的低价位作兑，最后 2100 万元被折换成 455 万英镑；广州"赎城费"600万元被折换成 1237504 英镑（甚至连 1 元＝4 先令 4 便士的换率也不到）；两项加起来共 5787504 英镑，这便是英国政府向下院提交的中国赔款总额。④ 若以兑换率 1 元＝4 先令 6 便士来换算，得出的数额就会很不一样，条约赔款加上广州"赎城费"共 2700 万元则可换算成 6075000 英镑。而在那一时期的广州贸易中，兑换率往往达到 1 元＝4 先令 10 便士至 6 先令或更高。⑤ 若按此兑换率，英国的"获益"还可再有更高估算。

与汇率有关的还有货币单位。1842 年 8 月 6 日和 12 日，英方先后两次向中方递交内容基本一致的条约草案，值得注意的是赔款项目开列的货币名称为"银两"，但货币单位又用"元"，这是外币（所谓"洋银"）的计量单位。由于银两与银元间有兑换率，当时的折算率是约"洋银"1 元＝

①　《鸦片战争末期英军在长江下游的侵略罪行》，第 60、101 页。

②　《鸦片战争档案史料》第 6 册，第 229 页。

③　见〔美〕马士《中华帝国对外关系史》第 1 卷，第 13 页。再据张馨保开列的广州时价是，1 两＝6 先令 8 便士＝1.388 西班牙银元。见《林钦差与鸦片战争》，《关于货币及重量单位的说明》。

④　*British Parliamentary Papers*，*China*，vol. 27，p. 23.

⑤　H. B. Morse，*The Chronicles of the East India Company Trading to China 1635 − 1834*，vol. 3，附录"常规兑换率"。又如 1839 年义律从颠地洋行购买的 523 箱上缴鸦片便是按时价 1 元＝4 先令 10 便士折合。胡滨译《英国档案有关鸦片战争资料选译》下册，第 902 页。

"银两" 7 钱。[①] 此一来，若以 "银两" 计，中国要实赔银 2100 万两；若以 "洋银" 2100 万元计，折算后的赔款额相当于银约 1470 万两 ［后来中国实际对英支付条约赔款是 1476 万两，大致以 "每百万（元）折银七十一万两"］。[②] 英方草案中的这一不明晰将使实赔额增加近 1/3，如不加界定，将给未来的赔款留下大漏洞和双方重启争议的引线。14 日，中方复照，将 "银两" 明确改称 "洋银"，[③] 英方对改动无异词。"洋银" 即确定为《南京条约》的赔款标准货币。英国政府对华勒索赔款的目标至此可以说是完全甚至是超额实现。此后，对外赔款成为近代中国的 "常例"。

（4）司法秩序。一个无可辩驳的基本事实是，近代中国种种利权的沦丧，肇因于列强对中国的野蛮侵略，但在具体考察各项条约特权的形成过程时，一些过去不太注意的情况又不能不让我们遗憾。实在说来，若干利权的丧失除了外人的勒逼，昏聩无知的中国统治者的主动出让也是不应忽略的原因。领事裁判权（下简称 "领判权"）在华的最初确立就提供了典型个案。

领判权将 "属人优越权"（personal supremacy）推向极致，而绝对排斥 "属地优越权"（territorial supremacy），从而对被施行国构成严重侵损。早在鸦片战争前，中外司法纠纷就已严重存在。1833 年 8 月 28 日，英国议会通过 "整理中国及印度商务案"，饬在广州或附近设置具有刑事和海事法权的机构，该法庭有权对在中国领土和海岸 30 英里内 "公海" 犯罪的英国人予以英国法律的审判。这是英国在华建立领判权的最早法令性文件。12 月，英王为议会法案的执行签发敕令。命令下达后，英国政府未敢贸然行动，训令驻华商务监督 "不得即行根据枢密院令组织法庭"。[④]

但鸦片战争爆发后，领判权在英国对华总战略中并未列入最首要的解决目标。理由很简单，英国发动首场对华战争的第一目标是打开中国大门，

---

① 早在嘉庆十九年，两广总督蒋攸铦即谓："番银每元以七钱二分结算。" 见梁嘉彬《广东十三行考》，第 174 页。曾在中国海关长期工作的马士甚至认为这个兑换率在 "整个 19 世纪" 均被沿袭。见 H. B. Morse, *The Chronicles of the East India Company Trading to China, 1635-1834*, vol. 2, p. 41.

② FO 1080/14.

③ 佐々木正哉編『鴉片戦争の研究』〈資料編〉、199、201、206—207 頁。

④ 〔美〕马士、宓亨利：《远东国际关系史》（上），姚曾廙等译，商务印书馆，1975，第 76 页。

开埠、割让领土等无疑具有这方面的意思，而有些内容则是打开大门之后才有实施的可能，领判权即如此。这并不表明领判权等项在侵略者看来不重要，更不是不想获取，而只是出于策略需要做出的暂时取舍。据此，领判权不载于《南京条约》。事情本可止于此，但在英方暂时放弃的情况下，涉外司法权却由清朝官员率先提出。1842 年 9 月 1 日，也就是《南京条约》签字后的第三天，耆英等向璞鼎查开列希望就未尽事宜继续善后交涉的 12 项内容，其中第八条谓：

> 此后英国商民如有与内地民人交涉事件，应即明定章程，英商由英国办理，内民由内地惩办。

照会后面还单附言词，对此条做进一步解释。

> 曲在内地商民，由地方官究治；曲在英人，由领事官究治。

耆英等人的这段表示利害关系实在太重大了！要命处在将中国完整的司法主权肢解为二，将涉外审判权从中国的司法体系中分出；再将英人在华审判权主动让渡，也就是"拱手相让"。若认为耆英等在提领判权时就已经意识到是在出让国家主权，那也是冤枉。他们仅只认为"此系为杜绝衅端，永远息争结好起见"。[1] 耆英的建议令英方喜出望外。9 月 5 日，璞鼎查复照，完全同意由英方接管在华英人的司法审判权，称此"甚属妥协"。又添加倘若中英民人"遇有相讼"，由中国"地方官"与英国"管事官会同查办"，中外混合案是涉外司法实践的争执焦点，璞氏答复主要集中在此。中外会审制是领判权的又一重要内容，过去认为是在 1858 年的《天津条约》中首次提出。由此看来，早在 16 年前就已经由英国全权代表在正式文件中提出。中英还派出代表进行面议，商议结果即形成《江南善后章程》。20日，耆英将章程奏报。24 日，道光帝在收到奏报的当天即下旨同意所议各款。[2] 领判权的出让得到最高层的认定。章程关于领判权的规定在第七条。

---

[1] 佐々木正哉編『鴉片戦争の研究』〈資料編〉、218—219 頁。
[2] 《清宣宗实录》（6），中华书局，1986 年影印本，第 2530—2531 页。

英国商民既在各口通商，难保无与内地居民人（等）交涉狱讼之事，应即明定章程，英商归英国治理，华民由中国讯究，俾免衅端。他国夷商，仍不得援以为例。①

英国在华领判权由此初步确立。1843年1月，英国女王维多利亚下令将十年前决定成立的刑事和海事法院设在香港，管辖范围不限香港，连带负责审理中国内地及其沿海一百英里内英国臣民的刑事案件，为领判权的实施提供必备条件。1843年7月的中英《五口通商章程》使其规定更具可操作性。

由于锁国造成人们眼光的缺损，对外部世界的茫然，对国际知识的无知，不独耆英者辈，而是相当普遍。对重大国权的丧失，时人时论似乎处在浑然不觉的状态。1843年8月18日，军机处审定《五口通商章程》，对某些条款表示不同意见，对领判权却认为"通商之务，贵在息争"，如此可"免致小事酿成大案"。② 以中世纪的头脑去搏近代的敌人，确乎是十分不适应了！老辈外交家顾维钧在《外人在华之地位》一书中得出的研究结论是，直到19世纪60年代后，清朝统治者才意识到领判权的危害。③ 惜时光已流逝二十多年！再有，领判权在中世纪的欧洲有广泛实践，但17世纪以降，伴随近代国家观念的勃兴，在西方各国被视为严重侵害国家主权而遭废弃。19世纪，这种在西方久已废除的制度却随着殖民者的东来而在东方推行开来。从此来看，领判权、片面最惠国待遇、协定关税、军舰进入口岸等项并非西方的"秩序"，而是殖民东方的"秩序"。殖民者力图将中国纳入不仅是西方资本主义的所谓"秩序"，而且要将中国纳入西方在东方营造的殖民地半殖民地"秩序"。

---

① 《道光年间夷务和约条款奏稿》，北京大学图书馆藏手抄本。
② 《筹办夷务始末》（道光朝）第5册，中华书局，1964，第2690页。
③ 据认为，文祥是最早向外人要求约束领判权的官员，他在1868年与英国驻华公使阿礼国讨论了这个问题。见王家俭《文祥对于时局的认识及其自强思想》，《台湾师范大学历史学报》第1期，1973年。

第四章

条约制度的建立及其影响

鸦片战争后，中外关系开始发生根本的变化，列强在中国建立了对华实施"准统治权"的条约制度。自从产生具有近代意义的国际法之后，条约成为国际法的一项重要制度。然而近代中国的条约制度，是列强用侵略战争损害中国独立、平等主权的基础上建立起来的，其内容明显地、大量地体现为在相当程度上取代中国的管辖权，以及限制中国的自保权，从而成为近代中国政治、社会制度的一个基本组成部分。清政府对新的条约关系的认识和应对，经历了一个由朦胧到清醒的复杂过程，在遭受一系列挫败后，逐渐走向近代外交。以列强在华特权制度为核心的中外条约关系产生了巨大而深远的影响。它改变了中国传统的社会形态，在将中国变成一个半殖民地的同时，又带来了先进的西方文明，刺激和促使中国通过各种方式走向近代、走向世界。

一　条约制度的形成和发展

近代中国的条约制度是西方列强与中国建立不平等关系的产物。它不是正常的国际交往制度，是列强用暴力手段强行建立起来的，体现了列强对中国主权的侵夺。

鸦片战争以前，在处理与其他国家关系的问题上，清帝国实行的是一种被称为"华夷秩序"的模式。这是封建时代所特有的一种国际关系模式。

---

* 本章由李育民撰写。

在这种模式中，中国以自己为中心，中国皇帝至尊无上，并以这一态度对待其他国家，因而形成了缺乏近代准则的不对等关系。不过从世界范围来看，在国家主权观念尚未形成之时，建立以某帝国为中心的国际秩序，是一种普遍现象。如欧洲，不仅有罗马帝国和神圣罗马帝国所主宰的国际秩序，而且其统治世界的观念与天朝的一统天下意识如出一辙。罗马帝国时期，"一切民族的界限逐渐融合于共同帝国的观念之中了"。这一帝国赖以生存的观念之一，便是"这样一种信念，即因为罗马的统治是世界性的，因而也必是永恒的"。①

华夷秩序在唐代已形成，至明代达到鼎盛。明代实行"贡市一体"，不允许其他国家有单纯的贸易关系存在。清代实行"贡市分流"，将与中国发生关系的国家分为两类，包括有朝贡义务的"属国"和只有通商往来的"外国"，即互市国，远隔重洋的西方国家均属此类。尽管做了这种区分，清帝国也未放弃华夷秩序的观念，仍然将互市国纳入这一体系，没有给予它们平等国家的地位。它与互市国的关系，主要限于所谓"怀之以柔"的通商范围。清朝对互市国在广州通商制定了严格的管理制度。两广总督李侍尧于1760年拟定了《防范外夷规条》，翌年初经军机大臣等议复、道光帝批准，成为第一个钦定的防夷章程。其后又"酌量变通"，至1831年，两广总督李鸿宾与海关监督中祥重新修订，会同核议章程八条，为道光帝批准。② 这些经清朝皇帝谕准的章程，是广东地方官处理与互市国关系的法定依据和准则。在清朝君臣看来，中国与这些互市国的关系仅是通商关系，这些章程都是建立在这一理念和原则基础之上的。其中心思想是在"怀柔远人"的恩施中"稽查管束夷人"，即所谓"于柔远恤商之中，寓防微杜渐之道，而中外体统亦觉崇严"。③ 要"严内地之成规，杜外夷之滋事"，"于抚驭绥来之中不失天朝体制"。显然，章程所构建的中外体制不是国家之间的官方关系，而是清朝以"天下共主"的身份居高临下的单方面安排。在这种体制中，清朝官员不屑与"外夷"直接打交道，而规定"夷人"到广东后由行商管束稽查。

---

① 〔英〕詹姆斯·布赖斯：《神圣罗马帝国》，孙秉莹等译，商务印书馆，1998，第5、18页。
② 《清代外交史料》，道光朝四，故宫博物院编印，1932，第46页。
③ 故宫博物院编《史料旬刊》第1册，国家图书馆出版社，2008，第655页。

华夷秩序维持了相当长的时间，随着欧洲国家秩序的出现，以及资本主义的产生和发展，它遇到了前所未有的危机。17 世纪中叶，在欧洲出现了一种新的国际关系模式。这一模式改变了中世纪的帝国观念，代之以主权平等的观念及其相应的国际秩序。1625 年，荷兰的格劳秀斯（Grotius）出版了《战争与和平法》，对"国际关系主体主权一律平等""国际合作和人道主义"的国际法原则做了"极其深刻而鲜明的理论论证"，从而建立了"作为一门科学的国际法的体系"。[①] 这一国际法理论体系对新的国际关系秩序的形成产生了重大作用。随后 1648 年订立的结束欧洲三十年战争的《威斯特伐利亚和约》（Westphalia Peace）给神圣罗马帝国以"重大打击"，"它不再是一个帝国，而只是一个松散的联合体"。[②] 根据这一和约，神圣罗马帝国一统天下之"世界帝国"荡然无存，代之而起的是享有主权的独立国家。这样便否定了"世界主权"，以法律形式开创了欧洲国家的新型国家关系秩序。然而，这一新的国家秩序仅在它们之间适用，在殖民主义和资本主义的驱动下，它又成了向外扩张的"世界国家秩序"。

资本主义的"世界国家秩序"与中国的华夷秩序代表了两个不同时代的国际关系。后者以自己为中心，把其他国家视为藩属，在形式上是不平等的；但它对藩属国采取不治主义，本质上是一种保守的、自我封闭的体制。前者体现了近代国际关系，提出了国家主权、平等等观念，在形式上是平等的；但它是一个"不断向外膨胀"的体制，本质上是一种弱肉强食的不平等条约关系，对资本主义世界之外的国家连形式上的平等也不存在。它的出现必然要与华夷秩序发生激烈冲撞，清帝国仍然执迷于"臣服中外"的天朝体制，不可避免地会面临严重危机。西方国家将暴力强权贯注到条约形式之中，用有悖于国家主权原则的条约制度与这些国家建立了不平等的关系，将它们纳入"世界国家秩序"。

18 世纪中叶，英国发生工业革命，推动了社会生产力和经济的飞速发展，引起了思想观念和相关理论的一系列变化，并促使西方国家更强烈要求改变传统的中外关系。在这一背景下产生的自由经济理论，与新生的国

---

① 〔苏〕Д. 费尔德曼、Ю. 巴斯金：《国际法史》，黄道秀等译，法律出版社，1992，第 100—101 页。

② 〔英〕詹姆斯·布赖斯：《神圣罗马帝国》，第 8—9 页。

际法理论相互交融，对英国的对华条约要求产生了重要影响。被誉为"现代经济学之父"的英国经济学家亚当·斯密（Adam Smith）1776 年出版的《国富论》，首先提出了这一产生了巨大影响的自由经济理论。国际法学家瓦特尔（Emerich de Vattel）撰写的《国际法》也认为，"一切国家必须相互建立通商关系的一般义务"。① 英国商人从这些新的思想学说中找到了理论武器，尤其是第二代"自由商人"，即散商，"他们被亚丹·斯密和他的门人的理论知识所武装，认为有限制的商业制度是不合理的，是人为的"。② 在自由贸易精神和生产膨胀的刺激下，英国商人和政府开始谋划与中国建立条约关系，将对华贸易置于"永久和体面的基础"之上。

其时，清帝国的闭关政策和严格的对外贸易管理制度，与英国方兴未艾的自由贸易精神格格不入，不能适应其扩大市场的需要。由于这一原因，东印度公司及英国政府"企图将上述贸易制度废除，而使中英关系立于条约基础之上"，决定于 1787 年派一使团来华，以"获得商业特权"。③ 由于所派特使卡斯卡特（Charles Cathcart）意外死亡，计划才中断。18 世纪 90 年代初，英散商乔治·密尔斯（George Mills）在其出版的著作中提出，只要派遣使团前往中国，与之签订必要的条约，扩大对华贸易的可能性就可以变成现实。随着工业尤其是棉纺织业和钢铁工业的迅猛发展，英国政府为了扩大市场，对海外市场进行了广泛的调查。有关中国的报告得出结论："除非达成一项有利的条约，（英国）毛织品、金属和其他商品（对华）的出口不可能增长。"④ 英国政府对于"缔结一项伦敦与北京之间的商业联盟条约作为国家的重要目的这问题是未尝忽视的"，⑤ 再次筹备向中国派出使团，由前任驻俄大使和玛德拉斯省长马戛尔尼（George Macartney）勋爵担任特使。英政府向马戛尔尼提出，试探商谈建立条约关系，"尽可能通过签

---

①　Monsieur de Vattel, *The Law of Nations, or, Principles of the Law of Nature* (London: Printed for G. G. and J. Robissok, Paternoster-Row, 1797), pp. 143–144.

②　〔英〕格林堡：《鸦片战争前中英通商史》，康成译，商务印书馆，1961，第 67 页。

③　《中外关系史译丛》第 1 辑，朱杰勤译，海洋出版社，1984，第 191—192 页。

④　Earl H. Pritchard, "The Crucial Years of Early Anglo-Chinese Relations, 1750–1800," *Britain and the China Trade, 1635–1842*, vol. Ⅵ (London: Cambridge University Press, 2000), p. 269.

⑤　〔英〕爱尼斯·安德逊：《英使访华录》，费振东译，商务印书馆，1963，"原书初版序言"，第 4 页。

订一项商业条约来扩大英国的对华贸易"。① 但是，1793 年费尽千辛万苦来到北京的马戛尔尼除了见到乾隆帝，一无所获。接着，英国政府又派阿美士德（W. P. Amherst）使华，"将公司贸易建立于安全、稳固和平等的基础上"。② 阿美士德 1816 年来到北京，却连嘉庆帝的面都没有见到便被送回。

1833 年，英国废除东印度公司的专利权，在远东实行自由贸易政策，使现存的中外关系格局面临危机。翌年，第一任驻华商务监督律劳卑（John Napier）来到中国，试图强行打破天朝体制，改变清帝国的对外交往方式，遭到挫败。清帝国仍固守传统的天朝体制，而英政府和律劳卑在处理这一重大转折时采取了简单、粗暴的方式，这就使得矛盾和冲突趋向激化。经此事件后，两种体制内在的深刻矛盾更加凸现出来，自认为是第一等强国的英帝国开始放弃长期实行的和平协商方式，逐渐转向武力威胁或战争手段。从官员到商人和媒体，普遍要求用暴力与中国订立通商条约。律劳卑致函巴麦尊，建议英国政府"逼迫中国政府签订一项条约"。③ 至战争前夕，"英国民族的普遍情绪支持战争，大臣们支持，几乎所有小册子的作者们都支持战争"。在战争狂热中，他们以决定者的口吻断言，今后的中英关系，必定是建立在英国允准的条约基础之上。伦敦出版的《布莱克伍德杂志》载文说：如果今后商业得以继续，交往得以维持，"它必须是，而且只能是"建立在新制定和缔结，最后由英国批准的契约基础之上。④《中国丛报》的编者在评论一篇文章时提出，"这个条约必须是在刺刀尖下，依照我们的命令写下来"。⑤ 鸦片战争爆发前，用武力与中国建立条约关系的舆论已普遍形成。

暴力手段无疑与主权平等的国际法原则相违背，为此他们做了种种辩解。律劳卑提出，清政府"在思想上极为愚蠢而且在道德上极为堕落，梦想他们自己是世界上唯一的民族，完全不了解国际法的原理和实践，所以

① Earl H. Pritchard, "The Crucial Years of Early Anglo-Chinese Relations, 1750–1800," *Britain and the China Trade, 1635–1842*, vol. Ⅵ, p. 307.

② 〔美〕马士：《东印度公司对华贸易编年史》第 3 卷，区宗华译，中山大学出版社，1991，第 280 页。

③ 胡滨译《英国档案有关鸦片战争资料选译》上册，中华书局，1993，第 22 页。

④ 广东省文史研究馆译《鸦片战争与林则徐史料选译》，广东人民出版社，1986，第 207、208 页。

⑤ 广东省文史研究馆译《鸦片战争史料选译》，中华书局，1983，第 48 页。

该政府不能够由文明国家按照它们中间所公认的和实行的那些规则加以处理或对待"。① 鸦片贩子林赛（H. H. Lindsay）也提出，按照一般原则，外国人应服从和遵守所在国家的法律和规则，但"这是以与一个文明国家交往为前提"，而在中国则不是这种情况，它的法规"野蛮"，又拒绝让步，因此在这里需要的是使用"武力"。② 这样，英国以越来越严重的鸦片问题为切入口，发动了一场罪恶的战争，强行在中国建立条约制度。

战后于1842年、1843年订立的中英《南京条约》及其附约，标志着条约制度的产生。随后于1844年又订立了中美《望厦条约》和中法《黄埔条约》，1847年订立中瑞挪《五口通商章程》，1851年订立中俄《伊犁塔尔巴哈台通商章程》。第一批不平等条约的产生，使中外关系开始出现一个根本性的变化。以前是中国处于命令的地位决定国际关系，现在这一格局被打破，列强用不平等条约的形式确立了新的关系。对列强来说，这些条约揭开了对华事务的"新纪元"，同时宣告中国"闭关自守"政策的破产。

然而，新建立的条约制度是脆弱的和不完全的，以"天下共主"自居的清帝国并未真正接受这一关系，议和大臣遭到人们的"痛恨"，几乎每一个有权位的中国人都反对履行条约。虽然清帝国认可了强加于它的"种种屈辱条件"，却并不表明它"必须屈膝"，帝国各地仍然认为有权"像受命于天一样，去破除那些不公正条约里的人为的限制"。新的条约关系尚未真正取代天朝体制，还隐伏着种种危机。另外，这一关系本身还不完善，还未充分地"赋予"列强所需要的特权，其适用范围仍有种种局限。在清政府看来，《南京条约》是永保和平的"万年和约"，不愿再行修约。而列强对第一批条约并不满足，需要从各个方面进一步调整关系，于是第二次鸦片战争不可避免。

列强各国再次用暴力调整了条约关系，额尔金（J. B. Elgin）谈到《天津条约》时形象地说，这些条约是"用手枪抵在咽喉上逼勒而成的"。第二次鸦片战争后，不平等条约制度基本形成，基本上打破了华夷秩序，取代了天朝体制，逐渐获得了稳固的地位。从清政府的态度来看，在新的形势

---

① 胡滨译《英国档案有关鸦片战争资料选译》上册，第22—23页。
② H. Hamilton Lindsay, *Letter to the Right Honorable Viscount Palmerston, on British Relations with China* (London: Saunders and Otley, 1836), pp. 6-7.

下发生了重要的变化，它不得不接受战争的结局，屈从于不平等的条约关系。一次又一次的战争，在武力的胁迫之下，终于使清政府屈服。以前处于主导地位决定对外关系的清政府渐渐看到，现在是"西方各国强把他们的意图加在中国身上的时候了"。随后在同治初年，清政府确立了自己信守条约的方针，不仅朝廷的态度明确起来，一些地位显要的地方督抚也都强调取信于洋人，在清政府内部逐渐形成了重视履行条约义务的主体意识。如马士（H. B. Morse）所言，"直至 1839 年为止，使西方国家听从条件方可允许双方关系存在的是中国；自从 1860 年以后，把和中国共同来往的条件强加于中国的却是西方国家"。①

而且，随着中外条约关系的发展，不平等条约制度的适应范围也迅速扩大。1858 年 6 月，俄、美、英、法先后与中国订立《天津条约》，其中英、法、美又于 11 月订立附约《通商章程善后条约：海关税则》。1860 年 10—11 月，英、法、俄又与清政府订立《北京条约》。1861 年 9 月，德国订立《通商条约》和《通商章程善后条约：海关税则》；1863 年 7 月，丹麦订立《天津条约》和《通商章程：海关税则》，10 月，荷兰订立《天津条约》；1864 年 10 月，西班牙订立《和好贸易条约》；1865 年 11 月，比利时订立《通商条约》和《通商章程：海关税则》；1866 年 3 月，意大利订立《通商条约》和《通商章程：海关税则》；1869 年 9 月，奥地利订立《通商条约》和《通商章程：海关税则》；1874 年 6 月，秘鲁订立《会议专条》和《通商条约》。19 世纪 80 年代，又有一批国家与中国建立不平等条约关系。1881 年 8 月，巴西订立《和好通商条约》；1887 年 12 月，葡萄牙订立《和好通商条约》。用条约制度束缚中国的国家扩展到整个资本主义世界。与此同时，其内容及对中国的约束也趋于完全，列强的在华权益进一步扩大，基本上包括了它们的主要特权，尤其是经济特权。如英人伯尔考维茨（N. A. Pelcovits）所说，"它包括了商人们所要求的特权"，是"整个时期英国和中国外交及商务关系的根本基础"。②对中国的约束也从东南五口扩展到中国的首都、长江腹地和北方，中国开始受到条约制度的全面制约。

---

① 〔美〕马士：《中华帝国对外关系史》第 1 卷，张汇文等译，商务印书馆，1963，第 602、696、337 页。

② 〔英〕伯尔考维茨：《中国通与英国外交部》，江载华等译，商务印书馆，1959，第 22、21 页。

甲午战争后，不平等条约关系又有新的扩展。日本通过战争废弃了1871年订立的《修好条规》，强行改变已经建立的平等条约关系，也跻入这一行列。1895年4月中日订立《马关条约》，翌年7月又订立《通商行船条约》，10月订立《公立文凭》。1899年12月，墨西哥与中国订立《通商条约》。另外，1898年7月，刚果与中国订立《天津专章》，在中国获得领事裁判权等特权。该国号称"自由邦"，实际上并非一个主权独立的国家，而是比利时殖民地的一种特殊形式。在甲午战争的冲击下，传统的中外关系体系已完全崩溃。继越南之后，朝鲜也与中国脱离了宗藩关系，成为日本的被保护国。另外，条约制度的内容也有新的变化，增加了列强在华争夺和资本输出的特权，体现了资本主义已向帝国主义过渡时期的特点。

不平等条约关系的变化加剧了中外冲突，民族矛盾空前尖锐，终于激起了一场剧烈的反帝斗争，这一关系遭遇了前所未有的危机。义和团运动被镇压后，11个国家与中国订立了包括19个附件在内的《辛丑条约》，通过攫取新的条约特权和实施各种惩罚和限制，进一步巩固和强化了这一不平等的关系。该约不仅是西方国家集体与中国所订，而且"条款之酷，赔偿之巨，为亘古所未有"，[①]是一个极其严重的片面条约，中国在政治、军事、外交、经济、思想等方面被列强紧紧缚住了手脚。如荣禄所说，中国成了一个"不能行动之大痨病鬼"。[②] 不平等条约制度更加扩展，中国的国家地位沦落到非常低的阶段，其独立主权的属性亦寥寥无几。民国时期，日本乘第一次世界大战之机，于1915年向中国提出"二十一条"，迫使袁世凯政府与之订立"民四条约"。该约反映了日本对中国的特殊要求，并形成了与他国不同的特殊关系，这一关系为它以后发动侵华战争埋下了伏笔。1918年，瑞士与北京政府签约，成为最后一个与中国建立不平等关系的国家。

不言而喻，中外不平等条约制度的形成和发展是列强用暴力推行强权政治的结果。除了这一基本原因，不平等条约制度的发展与清政府缺乏国

---

① 中国社会科学院近代史研究所《近代史资料》编辑组编《义和团史料》上册，中国社会科学出版社，1980，第693页。
② 北京大学历史系中国近现代史教研室编《义和团运动史料丛编》第1辑，中华书局，1964，第142页。

际知识，对外国人实行怀柔持平政策亦不无关系。道光帝谓："国家抚驭外夷，一视同仁，断不使彼此稍分厚薄，致启争端。"① 耆英致顾盛（Caleb Cushing）函谓："中国之待各国商人，不能有所偏，偏则各国人心不服，是以上年本大臣议定贸易章程如裁撤行商、革除规费、减船钞、定税则、开五口，及其余一切有益远商之事，大皇帝不待各国请求，即通行一体照办，此即一无所偏之明证，非专为英国贸易通商所定也。"② 在外国人看来，"几世纪来，中国人在贸易方面，对所有外国人向来都是一视同仁的，自然没有理由臆测他们只是因为和英国签订了一项条约，便改变了他们对其他国家的态度"。③ 清政府的这一传统政策，无疑是不平等条约得以泛滥的一个重要因素。

二　条约制度的主要内容：行使"准统治权"的特权制度

通过一系列不平等条约，列强攫取的各种特权成了对中国实施"准统治权"的制度，即如费正清所说，"依靠条约法规使各种权利成为制度"。这一损害中国主权的特权制度，在近代中外条约关系中居于主导地位，反映了这一关系最本质的特征，是国际关系史上的一种畸形制度。

就内容来看，近代中外条约包括两大类别：一是常规性的规则和制度，即在中国所属领土上持续实施的条约规定；二是交割性的条约权益，与经常性的行为规则不同，系一次性的交付行为。在国际法中，这一问题涉及条约的分类。德国国际法学者特里派尔（H. Triepel）将条约分为"契约性条约"和"立法性条约"两类，前者"只是在于解决当前的一个具体问题，而不在于为将来制定共同行为规则"，如割让领土；后者则"有着创立此后相互间必须遵守的行为规则的共同目的，即创立法律的目的"。这一分类虽然有失严谨和确切，为不少学者所反对，却是一个"虽不严格但却很有用的区分"。借助这种区分或概念，我们可以了解各种条约的不同性质。中国学者李浩培提出，就国际法的观点来看，"凡是条约从某种意义上说都是立

---

① 《清实录》第 39 册，中华书局，1986，第 110 页。
② 朱士嘉编《十九世纪美国侵华档案史料选辑》上册，中华书局，1959，第 30 页。
③ 〔英〕莱特：《中国关税沿革史》，姚曾廙译，三联书店，1958，第 65 页。

法性的"，主张分为"一般规则和个别规则"的立法性条约。① 运用这一概念区分不同类别，可以从内容上将近代中外条约分为"一般规则"和"个别规则"。前者即在中国所属领土上持续实施的规则，包括各种特权制度和国际通行的近代交往制度等；后者即某种权益的交割性规定，包括割地、赔款等通过战争或武力威胁所获得的条约权益。

就"一般规则"来看，列强对华实施"准统治权"的特权制度，构筑了中外间的不平等地位，是中国沦为半殖民地的基本标志。从广义的角度来看，这一特权制度的实体并不仅仅限于中外间所订立的正式条约，而是一个以条约为主干的体系，主要包括两类。一类是中外间订立的各种形式的协议，包括中国政府与各国政府签订的正式条约，以及正式条约之外的各种合同、章程、协定等。前者是条约制度的依据，每一项具体的特权制度都是基于条约规定，离开这些正式条约，整个条约制度就无由存在。后者被国际法学者称为"准条约"，其中有些是根据条约权利订立的，虽不是正式的国际条约，但对中国仍有约束力。在某种意义上，它们"几乎不下于被它（指中国）和其他国家政府所订立的正式条约所决定和规定"。② 另一类是因条约规定而产生的，包括中国政府为履行条约规定及办理相关事务而颁行的谕旨、法令、章程等，外国方面根据条约特权在华建立的机构，以及实行的各种制度。根据国际习惯，条约必须信守，"如果违反条约必须信守原则而违反条约，就构成国际不法行为，应负国际责任"。③ 显然，以正式条约为基本规则构建的条约制度，是列强约束中国的法律形式，成为中国社会政治制度的一部分。具体来说，这一特权制度体现在司法法律、政治、经济、文化教育等方面。

司法法律方面，列强在中国攫取了领事裁判权。这是一种由其领事或官员按照他们本国法律对其本国侨民行使司法管辖权的片面特权，损害了中国的属地管辖权。列强公然声称中国不能享有这一属地管辖权，顾盛提出："按照欧美奉行的国际法，每一外国人居住或暂留在任何基督教国家内都应服从该国家的法律。"而在与伊斯兰国家的交往中，采用了一个不同的

---

① 李浩培：《国际法的概念和渊源》，贵州人民出版社，1994，第 66、339 页。
② 〔美〕威罗贝：《外人在华特权和利益》，王绍坊译，三联书店，1957，第 600 页。
③ 李浩培：《条约法概论》，法律出版社，1987，第 330 页。

原则，即"信奉基督教的外国人不受当地官员的管辖，他只服从（这是自然结果）本国政府所派公使或其他官员的管辖"。美国在华侨民，"应当适用"这一"在亚洲回教国家中取得的那种有利于欧美人的规则"，"美国人应享有本国政府官员保护的权利，并服从他们的管辖"。^① 他将这一"有利于欧美人的规则"视为国际法原则，谓："美国政府应为美国人民要求在中国的治外法权权利，这不是要中国让与的问题，而是公认的国际法原则——就是说，像当时中国那样一个国家是没有资格主张一般的属地主权原则，以保持其对国境内外人的管辖权的。"^② 正是基于这种无视国际法的强权逻辑，列强通过不平等条约将领事裁判权制度强加给中国。1843 年 7月签订的中英《五口通商章程》最早对此做了规定："其英人如何科罪，由英国议定章程、法律发给管事官照办。"^③ 随后于 1844 年 7 月订立的中美《望厦条约》在此基础上又加以扩大，并使得领事裁判权具有了完整的意义，成为这一特权在中国起源的一个重要环节。第二次鸦片战争后至第一次世界大战结束，列强在华领事裁判权进一步拓展。不仅这一特权本身愈益扩充，而且各国相率效尤，与中国订立不平等条约的其他国家先后攫取了这一特权。在实际中，列强又将这一特权扩展至对中国人实行某种程度的司法管辖，如《烟台条约》规定的观审制度，以及租界中的会审公廨和东省铁路的公审机关等。

在不平等的条约制度中，领事裁判权居于中心地位，成为其他条约特权的基础。如赫德（Robert Hart）所言，"治外法权是包含在一系列条约中的中心思想"，它"构成每一条约的基础，贯穿于每一条约的条款中"，是"造成一切损害的根源"。这是"一种无价的特权"，是"最最重要的"，"也是最本质的一项条约中的条款"。^④ 也就是说，这一特权是列强向中国进行政治、经济、文化侵略，行使其他特权的重要保障。丹麦驻华公使欧哀深曾把领事裁判权、租界、协定关税，列为破坏中国主权完整的三大魔鬼。

① 〔美〕马士：《中华帝国对外关系史》第 1 卷，第 369—370 页。
② 〔美〕威罗贝：《外人在华特权和利益》，第 343 页。
③ 王铁崖编《中外旧约章汇编》第 1 册，三联书店，1957，第 42 页。
④ 〔英〕赫德：《这些从秦国来——中国问题论集》，叶凤美译，天津古籍出版社，2005，第 87、92、124、104 页。

政治方面，种种条约特权，"使中国的国权受妨害，行政不能统一"，[①]即中国的领土主权和行政主权及自保权受到严重限制，主要包括以下几种情况。

第一种情况，列强在中国的某些区域直接行使行政管辖权，如租界、租借地、使馆区、铁路附属地等。

租界是由通商口岸发展而来的一种特殊制度，这是列强在某些通商口岸的外人居留、贸易区域中，起初通过非法手段，继而由不平等条约确定下来，侵夺了中国的行政权和司法权，并建立独立于中国政权体系之外的行政管理机关，以致形成"国中之国"的特殊制度。《南京条约》规定外人可以在五口居住、贸易，1843 年 10 月签订的《五口通商附粘善后条款》又确定由中国地方官与英国领事会同商定英人租地建屋的区域，这一规定可以说是租界得以建立的原始条约根据。1843 年 11 月，英国领事巴富尔（George Balfour）与上海道宫慕久商定《上海租地章程》，是第一个有关租界制度的章程。1854 年 7 月，英、美、法三国领事擅自修改 1845 年章程，制定了《上海英法美租界租地章程》。通过该章程，上海外人租地出现了拥有征税权，拥有武装警察，类似西方自治政府，并成立了完全摆脱中国的行政管辖的市政机关，租界制度基本形成。第二次鸦片战争后，列强通过条约又增开新的口岸，同时又以新的形式将租界制度推向这些口岸。甲午战争和八国联军之役后，列强又借机谋取这一特权，增开了不少租界。

租界特权是在形成之后的发展过程中取得条约依据的。最初所订条约中并无由外人自己管理其居住区域的规定，只是确定由地方官与领事商议划分居住区域的原则。1864 年，英国公使致各领事书，谓："租界地与英国政府，并不容许其（指领事）管辖该地，该地仍属于中国之主权。于该地之英国侨民所能施行之管辖范围，只与其他未有租界之口岸之侨民等。盖英国政府所得施行之权力，系由于中国政府所订条约中来，初不以租界地面稍受影响。"[②] 可见，无论是上海的公共租界还是各处的专管租界，外人所实行的制度皆不是条约权利。由于中国积弱不振，租界制度才在没有条约依据，而是清政府予以"默认"的情况下长期施行。最早在正式条约中

①　周鲠生：《不平等条约十讲》，太平洋书店，1928，第 38 页。
②　赵炳坤：《中国外事警察》，商务印书馆，1937，第 37 页。

肯定租界行政权的，是甲午战后中日所订《公立文凭》。该约第一条规定：
"添设通商口岸，专为日本商民妥定租界，其管理道路及稽查地面之权，专
属该国领事。"① 日本既开条约允许之先例，其他各国依最惠国之条款，亦
要求享有同等待遇，于是租界行政权成为条约权利。从法律上讲，租界还
是中国领土的一部分，但租界形成之后，成了中国领土范围内的特殊区域。
列强通过合法或非法手段，在租界行使了某种程度的属地管辖权，如管辖权、
自卫权等，俨然一个与中国并立的独立国家。正因如此，它们被人们称为
"国中之国"，成了中国半殖民地社会的一个重要标志。

租借地是列强通过条约从中国"租借"某部分领土，于一定期限内行
使属地管辖权，作为在华侵略的基地。1887 年，葡萄牙迫使清政府与之订
约，取得"永驻、管理澳门"② 的条约特权，澳门成了近乎割让的永久租借
地。其后在 19 世纪 90 年代的瓜分狂潮中，各国纷纷抢占租借地，掀起了一
个浪潮。通过条约，俄国攫取旅大，德国攫取胶州湾，法国攫取广州湾，
英国则攫取了威海卫和九龙两块租借地。租借地对中国主权的限制比租界
更为严厉，各租借国把租借地视为自己的领土，在这里建立政府机构、驻
扎军队、设置警察、征收税饷、经营各种事业，实行殖民统治。在租借区
域，租借国具有如同统治本国领土一样的各种权利。各租借条约均规定，
在租借期限内，租借区域归租借国"管辖"或"治理"，并可派驻军队，建
造军事设施，以资"护卫""保卫""保护"等。③

使馆区是列强通过条约迫使中国在京师划一地段作为使馆区域，在此
行使统治权的特权。外交代表享有"馆舍豁免权"，即使馆馆舍不可侵犯，
而使馆所在的整个区域豁免的特权则不为国际法所认可。这一特权是通过
《辛丑条约》攫取的，其中规定："大清国家允定，各使馆境界，以为专与住
用之处，并独由使馆管理，中国民人概不准在界内居住，亦可自行防卫。"④
在使馆区域里，列强具有驻军权和自卫权，以及包括警察、司法、土地、
征税等在内的行政管辖权。这些均与租借地类似，即中国的统治权不能及
于此区域。不同的是，条约未规定使馆区的期限，也未规定其主权仍属中

---

① 王铁崖编《中外旧约章汇编》第 1 册，第 686 页。
② 王铁崖编《中外旧约章汇编》第 1 册，第 505 页。
③ 王铁崖编《中外旧约章汇编》第 1 册，第 738、741、742、769、782、929、930 页。
④ 王铁崖编《中外旧约章汇编》第 1 册，第 1006 页。

国，可见列强试图使这一特权制度具有永久的性质。这些使得使馆区成为一个极为特殊的区域，其对中国领土的剥夺和限制更为苛严，如同一个各国共管的袖珍小国。

铁路附属地，即所谓"特殊势力圈"，这是俄、日两国在铁路附属地区建立行政管理机构，对铁路沿线的中外居民进行行政管辖的特权。俄国是始作俑者，它在非法行使这一特权后迫使清政府订约，使之披上合法的外衣。1906年，沙俄决定将东省铁路附属地的民政权委托给东省铁路公司行使，制定了《东省铁路附属地民政组织大纲》。翌年3月，沙俄又批准了东省铁路公司董事会拟定的《东省铁路管理局组织大纲》。根据这两个组织大纲，东省铁路公司设立了管辖路区的行政机构。清外务部对这一非法行为提出了抗议，沙俄根据中俄《合办东省铁路公司合同章程》第六条"由该公司一手经理"之规定进行狡辩，说并不违背原约。清政府做了妥协，于1909年与沙俄订立了《东省铁路公议会大纲》，这一非法攫取的行政权由此成了条约特权。根据大纲，中国多少挽回了一点主权，将铁路附属地变成了中俄的共管地区。由于日本在南满铁路附属地也非法行使管辖权，沙俄借词拒绝按上述大纲实行，仍依照俄国颁布之自治制办理，继续控制铁路附属地的行政权。日俄战争后，日本通过《朴次茅斯条约》和清政府的认可，接受了沙俄在中国东北南部的铁路，也以此为依据要求"对铁路附属地区的绝对的和排他的行政权"。[①] 继而又非法在东北南部其他铁路支线如安奉路也擅自行使管辖权，并将这种非法的行政权推行到东北南部的矿山附近，称矿山附属地。

第二种情况，列强在中国某些区域派驻军事力量，限制中国的自保权，包括外国军舰在中国某些领水驻泊游弋，外国陆军驻扎中国某些区域，以及禁止中国某些地域设防等。关于外国军舰，1843年中英《五口通商附粘善后条款》最早对此做了规定："凡通商五港口，必有英国官船一只在彼湾泊。"通过这一规定，英国获得了在中国派驻军舰的条约特权。紧接着，美、法、瑞、挪相继获得同样的特权。第二次鸦片战争后，这一特权被扩大，不仅所有有约国"一体均沾"此特权，而且从沿海扩展至内河。除了秘、巴、墨、朝、瑞（典）等5国给予中国兵舰在彼国以同等权利，其他

① 〔美〕威罗贝：《外人在华特权和利益》，第106页。

均是单方面享有这一特权。外国陆军"合法"进驻中国领土的特权最早是通过租借地条约获得的。根据这类条约，租借国的海、陆军均可屯驻租借地。通过《辛丑条约》，列强又获得了在京师、内地屯兵的条约特权。此外还禁止中国某些地域设防。这些条约规定限制了中国的自保权，为列强对中国的武装侵犯和干涉提供了最直接的途径。

第三种情况，在中国某些部门行使行政管辖权，如与协定关税相关的海关行政。《南京条约》取消公行制度后，与此相关的海关制度发生变化，在中英条约中规定了领事担保制。1854 年 6 月，上海海关监督吴健彰与英、美、法三国领事签订了改组上海海关的协定，建立了外籍税务监督制，上海海关行政由此为外人所控制。随后在第二次鸦片战争中，中英于 1858 年签订《通商章程善后条约》，规定海关事务"各口划一办理"，"任凭总理大臣邀请英人帮办税务"。[①] 外国人管理中国海关由此取得了条约依据。美、法两国在同年与中国订立了同样的条约，德、奥也分别于 1861 年和 1869 年获得这一条约权利。两江总督何桂清在执行这一条约时，任命英人李泰国（Horatia Nelson Lay）"总司其事"，名曰总税务司，又发展了这一制度，后经总理衙门确认。这样，外人控制上海海关行政的制度扩展到全国所有海关，并由总税务司负责。中国的海关行政权由此为列强所侵夺，海关成了一个典型的半殖民地机构。整个海关部门由外人控制，总税务司有着至高无上的权力，他对各海关所具有的权威不仅清政府中央行政部门首长不可比拟，而且"为他国无比之独裁的行政长官"。外人控制的海关成了所谓"imperium in imperio"，[②] 即"主权中的主权"，或"政府中的政府"。这与国家的主权完整是完全不相容的。如同租界是中国领土上的"国中之国"一样，海关是中国行政系统中的独立王国。

第四种情况，在某些区域限制中国的行政管辖权，即势力范围。势力范围是列强各国通过条约，取得在中国领土某范围内经济事项的优先权和独占地位的特权。这种优先权和独占地位限制了中国独立自主发展某项事业的经济主权。通过这一特权，相关列强独占中国某些区域的权益，而排除他国染指。在甲午战争后的瓜分狂潮中，列强通过条约或照会攫取独占

---

① 王铁崖编《中外旧约章汇编》第 1 册，第 118 页。
② 〔日〕高柳松一郎：《中国关税制度论》第 3 编，李达译，商务印书馆，1927，第 19、4 页。

权益成为一个普遍现象。总理衙门先后向英、法、日等国承诺，保证不将长江流域各省、越南邻省和福建等地让与或租借他国。① 又通过其他条约，清政府给予相关国家以筑路、开矿等经济权益。这样，东北成了俄国的势力范围，山东成了德国的势力范围，两广和云南成了法国的势力范围，长江流域成了英国的势力范围，福建成了日本的势力范围。中国给予各国势力范围的权益虽限于经济范围，但却有着重要的政治性质。势力范围与租借地特权是紧密相连的，同样破坏了中国的领土完整，损害了中国的主权，对中国造成了极大的危害。在某种意义上，划定势力范围又是瓜分之准备，是列强瓜分中国浪潮中的重要组成部分及前奏，具有"半政治的意义或附带的政治意义"。② 其后，日本将它的"势力范围"推向极端，扩展为侵占东北、独霸中国的国策，发动了侵华战争。

经济方面，由于不平等条约的束缚，中国的经济主权受到列强的种种限制，不能掌控自己的各项事业，严重影响了国民经济的发展，主要包括片面协定关税、沿海和内河航行、在华设厂及路矿投资、片面最惠国待遇等。

片面协定关税是列强剥夺中国关税自主权的条约特权，中国单方面受协定税则的约束，只能履行义务，不能享受相应的权利；而各国则可以享受权利，不必尽相应的义务。《南京条约》规定，英商"应纳进口、出口货税、饷费，均宜秉公议定则例"，③ 确立了由中英双方协议订立税率的基本原则，标志着侵夺中国关税自主权的开始。翌年，中英双方议定了进出口货物税则和船钞标准，签订了《五口通商附粘善后条款》和《五口通商章程：海关税则》。1844 年 7 月签订的中美《望厦条约》规定，如中国欲变更税则，须经美国"议允"，中国的关税主权受到更严厉的限制。第二次鸦片战争后，通过《天津条约》等一系列条约，协定关税制度的原则和体系已基本确立，中国被全面地置于协定关税制度的约束之下。自中日甲午战争及八国联军之役后，协定关税制度又有新的内容。这一片面协定关税包括进口税、出口税、子口税、吨税、沿岸贸易税、陆路贸易税、鸦片税厘，

---

① 王铁崖编《中外旧约章汇编》第 1 册，第 732、743、751 页。
② 〔美〕威罗贝：《外人在华特权和利益》，第 81 页。
③ 王铁崖编《中外旧约章汇编》第 1 册，第 32 页。

以及有关违禁品和免税品的协定等，此外还有由海关征收的特别关税机器制造货税等。除这是一个片面的、并非互惠的关税制度外，还具有种种损害中国权益的特点，充分反映了近代中国关税自主权的丧失。

　　沿海和内河航行是指各国在中国沿海和内河从事航运的特权。沿海和内河是国家领土的一部分，根据国际法，"没有规定给予外国以要求准许其公私船舶在国内河流上航行的权利"，沿海国可以"禁止外国船舶从事沿海岸的航行和贸易"，而"专为其本国船舶保留"。① 中美《望厦条约》最早对外国船只在沿海转销洋货做了规定，接着中法《黄埔条约》亦做了类似规定，此后中英、中美和中法《天津条约》又确认了这一权利。与此同时，外国船只非法在沿海贩运土货并很快发展起来。到 1863 年所订中丹《天津条约》，明确地把外国船只的这种沿岸贸易合法化，使之成为一项条约权利。内河航行权，最早中英《天津条约》规定英商船只可在"长江一带各口"通商，其后中丹《天津条约》又肯定了外国船只在长江各口贩运土货的权利。除长江外，列强还攫取了吴淞江、大运河、珠江等河流的航行权。在 19 世纪 90 年代的瓜分狂潮中，列强又攫取了"内港"，即非通商口岸内地的航行权。中国的内河，无论巨川、支流，凡可以通航者，均对外国轮船开放。1902 年、1903 年，英、日与清政府分别订立通商行船续约，又使之成为一项条约权利。由沿海到长江，再到内港，中国领水完全对外开放，航权丧失殆尽。

　　在华设厂及路矿投资，不同于主权国家之间正常的经济来往，亦是列强通过条约强迫清政府给予的特权。《马关条约》规定："日本臣民，得在中国通商口岸城邑，任便从事各项工艺制造。"由此，在华设厂成了一项条约特权，此后在中英、中美通商行船续约中亦做了规定。铁路投资最早是由 1885 年中法《越南条款》规定："日后若中国酌议创造铁路时，中国自向法国业此之人商办。"这样，列强多年希望的铁路权益成为一项条约权利。矿业投资是列强或外商通过直接投资控制中国矿权的特权。法国以干涉还辽向清政府索取报偿，通过 1895 年 6 月订立的《续议商务专条附章》首先取得了这一条约特权。该约规定："议定中国将来在云南、广西、广东

---

① 〔英〕劳特派特修订《奥本海国际法》上卷第 2 分册，石蒂、陈健译，商务印书馆，1972，第 11、30 页。

开矿时，可先向法国厂商及矿师人员商办。"路矿利权是势力范围的具体内容，在甲午战后的瓜分狂潮中，列强掀起了争夺高潮。在这个意义上，势力范围除政治方面的意义外，又更体现为经济的性质，可视为"利益范围"。它还包括其他经济事业的优先权，如"开办各项事务"，需要"用外国人，或用外国资本，或用外国料物"，等等。① 诸如此类的外人在华投资不仅仅是吸收外资的简单问题，而涉及国家经济主权。近代中国的外人对华投资是强权政治下的投资。它以中外约章为依据，以其他条约特权为护符，脱离了中国政府和中国法律的管辖，与今日的吸收外资不可同日而语，"是一种殖民主义的投资"。②

片面最惠国待遇，即与中国订约国家可以享有中国给予第三国的特惠，而中国却不能享有这种权利。1843 年 10 月订立的中英《五口通商附粘善后条款》最早对此做了规定："设将来大皇帝有新恩施及各国，亦应准英人一体均沾，用示平允。"③ 随后，美国、法国和瑞典、挪威分别于 1844 年、1847 年也取得了这一特权。第二次鸦片战争后，更多的国家与中国订约，同时亦取得这一特权。这一片面最惠国待遇制度是一项列强损害中国利益、均沾中国权益的专利制度。除了片面的而非互惠的这一最基本的特质，它又是无条件的，在运用上没有必要的限制，并具有概括的和滥用的特质。由于这些特质，"使每一国家今后都能借以为它本国取得他国以巧取豪夺的方法劫自中国的一切特权"。④ 严格地说，最惠国待遇只限于经济事项，但列强往往将这一特权扩展到政治、司法领域。因此在某种意义上，它又具有政治的性质。

文化教育方面，列强违背国际法，用条约迫使中国接受它们的相关特权，损害了中国的文化主权，主要包括传教和教育特权。

传教权方面，列强先是通过《望厦条约》和《黄埔条约》迫使清政府放弃禁教政策，并取得了洋人的习教权；接着又迫使道光帝颁发谕旨，取得了华人的习教权和在通商口岸的传教权。第二次鸦片战争中，俄、美、英、法四国所订《天津条约》又攫取了在内地的传教权。其中中法《天津

---

① 王铁崖编《中外旧约章汇编》第 1 册，第 616、468、740 页。
② 许涤新、吴承明主编《中国资本主义发展史》第 2 卷，人民出版社，2003，第 745 页。
③ 王铁崖编《中外旧约章汇编》第 1 册，第 36 页。
④ 〔美〕泰勒·丹涅特：《美国人在东亚》，姚曾廙译，商务印书馆，1959，第 96 页。

条约》规定，外国传教士到内地传教，"地方官务必厚待保护"。其后，又有德、丹、荷、西、比、意、葡等国取得传教的条约特权。获得内地传教权后，法国又通过欺诈手段，为传教士攫取了在内地置买房地产的特权。教育权的攫取也是在鸦片战争后开始的。最早《黄埔条约》规定：法兰西人可以在五口建造"学房"，"教习中国人"，"发卖佛兰西书籍"，等等。第二次鸦片战争后，这一条约特权进一步扩大，除中法《天津条约》重申上述规定外，其他国家如德、比、奥、美等也与清政府订立了类似条款。1868年中美订立《续增条约》，进而提高了在华兴办教育的规格，"美国人可以在中国按约指准外国人居住地方设立学堂"。①

用条约的形式强迫中国允许别国在自己国家传教是违背国际法的。"国际公法承认，一个国家永远不能要求另一个国家同意在其国内给予任何一个教会——比如本国教会——好处和特惠；它无权要求另一个国家接受传播这种或那种信仰的传教士。"② 传教属于国内法范畴，却"以应规定于国内法之事而羼入国际公法"，③ 无异侵夺了中国国内立法方面的主权。而且各国支持传教士来华，主要目的在于从精神领域控制中国，超出了宗教信仰领域。在华教育特权与传教权有异曲同工之处，极大地损害了中国的教育主权。教会学校，"其目的亦并不在教育人才以促进教育之进步，乃欲以学校为一种补助之物，以助其宣传福音事业"。④ 其宗旨是以"基督教主义教育中国青年，俾皆被基督教之泽"，⑤ 将中国造成一基督教民族。

除上述所列外，列强还享有其他种种特权，尤其是在经济领域，如鸦片贸易、自雇引水特权，以及某些方面的片面国民待遇特权，等等。总之，如西方学者所言，条约制度"已逐渐成了中国国家权力结构的一个基本组成部分"。⑥ 这是"中国政体的一个特殊部分，中国的主权在这里不是被消

① 王铁崖编《中外旧约章汇编》第1册，第107、62、263页。
② 〔法〕卫青心：《法国对华传教政策》上卷，黄庆华译，中国社会科学出版社，1991，第215页。
③ 《关于传教条约之研究》，《东方杂志》第5年第2期，1908年。
④ 李楚材编著《帝国主义侵华教育史资料——教会教育》，教育科学出版社，1987，第5页。
⑤ 舒新城编《中国近代教育史资料》下册，人民教育出版社，1961，第1102页。
⑥ 陶文钊编选《费正清集》，林海等译，天津人民出版社，1992，第56页。

灭，而是被订约列强的主权所掩盖或取代"。① 列强由此"对中国担当起准统治权的责任"，② 中外之间形成了一种极不平等的畸形关系。中国形式上仍是一个独立国家，但它的一部分主权已通过条约制度被列强所行使，并与中国国家体制结为一体，这正是中国近代半殖民地半封建制度的内涵之一。

三　清政府的认识与应对

条约制度改变了传统的中外关系，它既让中国的主权受到侵害，蒙受了不平等的耻辱，又随之带来了近代国际关系的新模式和部分体现平等原则的内容。这是一段艰难曲折、充满屈辱的历程，清政府不可避免地要经历一个痛苦的适应过程，既要承受加在自己身上的不平等的特权制度，又要舍弃对他人不对等的天朝体制，在阵痛中剥离传统的对外关系体制，接受近代国际关系模式。

从鸦片战争开始，毫无近代条约知识的清政府对这一新的关系处于朦胧的状态，缺乏必要的认识。它所面对的已不是传统的周边"夷狄"，而是有着更高文明的海外征服者。长期封闭的清朝大吏们颟顸无知，对国家主权、国际法，以及近代国家交往的原则和方式等一无所知，仍然用封建时代的帝国观念和手段认识和处理对外关系。对于条约的谈判和签订，清政府采取了漫不经心的态度。伊里布向黄恩彤传授经验说："洋务只可粗枝大叶去画，不必细针密缕去缝。"英国人利洛（Granville G. Loch）在《缔约日记》中对这些谈判大员做了这样的描述："在欧洲，外交家们极为重视条约的字句与语法。中国代表们并不细加审查，一览即了。很容易看出他们所焦虑的只是一个问题，就是我们赶紧离开。因此等他承认条约以后，就要求大臣将运河中的船只转移到江中。"③ 清朝君臣不知道和约与商约的区别，将结束鸦片战争订立的条约视为一揽子解决争端、一成不变的万年和约。

① 〔美〕费正清编《剑桥中国晚清史》上卷，中国社会科学院历史研究所编译室译，中国社会科学出版社，1993，第282页。

② 〔英〕伯尔考维茨：《中国通与英国外交部》，第2页。

③ 中国史学会主编《鸦片战争》第5册，神州国光社，1954，第419、514页。

道光帝说，"不得不勉允所请，借作一劳永逸之计"，"从此通商，永相和好"。耆英也认为，"惟一切善后事宜，尚须明晰妥议，立定章程，尽一办理，方可期一劳永逸，永杜兵端"。① 中英战争结束不久，美国便要求订约，而仅将条约视为解决两国争端和约的清政府，根本没有建立条约关系的打算，也没有这一观念。护理两广总督、广东巡抚程矞采对美也要求订约很不理解，答复说："英咭利与中国构兵连年，始议和好，彼此未免猜疑，故立条约以坚其信。若贵国自与中国通商二百年来，凡商人之来粤省者，无不循分守法，中国亦无不待之以礼，毫无不相和好之处，本属和好，何待条约？"②

　　清朝官员们也不懂得，条约是规定双方权利义务的法律文件。在他们看来，与外国订约就是给予对方权益，是单方面的让予，如果再行修约，意味着还得继续给予对方新的权益。清政府将已订条约视为一成不变，担心失去更多的权益，其基本原因便在于此。美国全权公使顾盛在《望厦条约》中塞进了 12 年后修约的条款，从条约关系的角度上看，这是无可非议的，因为任何条约都不可能也不应该是固定不变的。清朝大员们只希望维持现状，谈不上通过这一条款提出自己的条约要求。当列强提出修约时，清朝君臣无不以"万年和约"为辞，极力反对，谓："前立和约，既称万年，何得妄议更张"；"既系万年和约，似不应另有异议"；"均应遵照旧约，断难随意更改"。咸丰旨称："既称万年和约，便当永远信守。"③ 条约"虽有十二年后公平酌办之说，原恐日久情形不一，不过稍有变通，其大段断无更改"。如果彼坚执 12 年修约，亦只可择其事近情理无伤大体者允其变通一二条，"以示羁縻"。④ 后来薛焕更明确地说："臣思外国条约，经一次更改，即多一次要求，议令立约后永远遵守，暗中消去十二年为度一层。"⑤

　　在被迫接受条约之后，清政府采取了信守条约的方针。这一方针包括自己守约和要求对方守约，如耆英所言，"如约者即为应允"，"违约者概行

----

①　齐思和等整理《筹办夷务始末》（道光朝）第 5 册，中华书局，1964，第 2277—2278、2335 页。

②　《筹办夷务始末》（道光朝）第 6 册，第 2808—2809 页。

③　贾桢等纂《筹办夷务始末》（咸丰朝）第 1 册，中华书局，1979，第 324、354、326 页。

④　《筹办事务始末》（咸丰朝）第 2 册，第 465 页。

⑤　宝鋆纂修《筹办夷务始末》（同治朝）卷 7，故宫博物院，1930 年影印本，第 40 页。

驳斥"。① 从总的趋向来看，鸦片战争后的守约方针主要是针对对方的，而且还有着暗地摆脱条约约束的意图。清帝国的君臣将接受条约视为羁縻外夷的权宜之计。开始，它也是施以兵威，待征剿受挫，道光帝只得"聊为羁縻外夷之术"。订约中它给予列强的某些条约权利，包括一些重要特权，与传统的羁縻之道相吻合。例如，开放五口及给予其他相关的通商权利，便符合施之以恩惠的羁縻之道。"譬如桀犬狂吠，本不足以论是非，及投以肉食，未尝不摇尾而帖服。"② 他们担心列强纠缠不休，认为"所赖通商为该夷养命之源，税例之增减多寡，即关夷情之向肯从违，若过为搜剔，则恐致反复"。③ 最惠国待遇和领事裁判权这两项重要的条约特权，也与羁縻之道存在某种内在的联系。

经过第二次鸦片战争，清王朝的官员们开始有所醒悟，对新的条约关系有了一定的认识，并做了某些调适。

由于列强更加苛刻地要求清政府严格履行条约，锱铢必较，清政府的守约方针也发生了重要变化。列强对各省官员忽视条约极为不满，1862 年 1 月，英国公使卜鲁斯（F. W. A. Bruce）即向奕䜣呈递数千言的照会，谓："两国始终不和之缘，总由各省督抚于外国交涉事件，并无尽心守约之理。""各大吏向不存秉公尽约之意，转以条约准行之处，多方推卸，设法阻挠。""外省大吏任便自行，或不谨守约条，或敢私为改易，殊非内外友谊之道，实易开嫌隙之源。"照会列举了地方官不遵条约的种种事例，要求"大皇帝明降谕旨，示以各国条约，原为慎重之文"，"外官只须尽约照办，锱铢勿许增减"，"敢有相违者，立予重处"。在指责清政府未能守约的同时，列强又施以威胁手段。在照会中，卜鲁斯声称，"此种背约阻滞，无非致令贵国临险之虞……毕至酿成称戈之祸"。④ 各国"总以将来中国不能守信为虑"，其后又屡屡指斥清政府处心积虑"欲使中国家喻户晓"。如 1863 年，英、美、俄等国在法国的支持下，分别向奕䜣递交一项声明，对各省执行条约的状况表示不满，并向清政府提出警告。

---

① 《筹办夷务始末》（道光朝）第 6 册，第 2942 页。
② 《筹办夷务始末》（道光朝）第 4 册，第 2054—2055、2040 页。
③ 《筹办夷务始末》（道光朝）第 5 册，第 2647 页。
④ 《筹办夷务始末》（同治朝）卷 3，第 28、32—33、30 页。

同治初年，由于潮州进城和田兴恕两案，列强怀疑中国不肯按约办理。加上此时发生追偿欠款案，英国更以此"为发端辩难之据"，态度极为强硬。照会谓："深虑终使外国忍耐不堪，徒向地方官屡屡照会，置若罔闻，必致自出妥速之法。"照会以"自出妥速之法"相威胁，表明英国是势在必得，甚至不惜用暴力手段来强迫清政府恪守条约。奕䜣等甚感问题严重，主张迅速解决。根据奕䜣的意见，朝廷即刻谕令两广总督瑞麟亲自办理此事，同时又颁发一道严厉的谕旨，斥责该省督抚不按条约办事，强调遵守条约的重要性，指出：不遵守条约"致口实愈多"，不能"使人心服"，后果严重，"设令肇衅，则广州之前鉴不远"；"万一该国不能忍耐，恃强入城，与国体更有关系"。只有按约办理，"俾该领事得以按约进城，用符定约，方可以示诚信"。鉴于事情的严重性和急迫性，上谕口气极为强硬，不容商量，谓此事"势在必行，如或延阁，惟瑞麟是问"。① 经此事件，清政府遵守条约的观念发生了重大转变，不仅朝廷的态度明确起来，而且一些地位显要的地方督抚也都强调取信于洋人，在清政府内部逐渐形成了重视履行条约义务的主体意识。

与此同时，随着中外交往的建立和扩大，西方的国际法和近代国际关系的准则等从各种渠道传入中国，清朝大员们逐渐产生了近代国家主权意识。1864 年，清政府刊印了丁韪良（W. A. P. Martin）翻译的《万国公法》，奕䜣上奏说："该外国律例一书，衡以中国制度，原不尽合，但其中亦间有可采之处。"② 一方面，他们对条约制度及其性质的理解具有了一定的国际法意识。奕䜣谓："昔日允之为条约，今日行之为章程。"③ 署湖广总督、江苏巡抚李瀚章更确切地说："今日之约章，即异日之法守。"④ 1867 年，在讨论修约问题时，李鸿章指出，此"系条约而非议和"。修约是双方的权利，"有一勉强，即难更改"，"其有互相争较，不能允从之处，尽可从容辩论，逐细商酌，不能以一言不合，而遽责其违约"。各国"均有保护其民、自理财赋之权"，对其"上侵国家利权，下夺商民生计"的种种非分要求，

---

① 《筹办夷务始末》（同治朝）卷 35，第 41、37、38 页。
② 《筹办夷务始末》（同治朝）卷 27，第 26 页。
③ 《筹办夷务始末》（同治朝）卷 50，第 25 页。
④ 《筹办夷务始末》（同治朝）卷 52，第 31 页。

"皆可引万国公法直言斥之"。① 另一方面，他们从国际法的角度看到现存的条约制度对中国主权的损害。清政府明确表示："查中外时势，有难有易，且亦各有国体及自主之权。如时势可行，及无碍国体政权者，中国原有自主变通之法。其窒碍难行者，无论不能勉强，就令勉强试办，终必无成。"② 也就是说，如无碍国家主权，可以变通，相反，即使勉强试办，也终必无成。其后到光绪年间，他们更明确从国际法的角度来检索此前所订条约的失误。如李鸿章奏言："从前中国与各国立约，多仓猝定义，又未谙西洋通例，受损颇多。"③

对条约本身的认识及对西方列强"修约"要求的应对，又进一步发展为主动修约的思想主张。例如，曾纪泽在担任驻外公使期间认为，通过不断改订不平等条约，就可以使中国收回权利。他看到，西洋定约之例有二，"一则长守不渝，一可随时修改"。前者是指"分界"条约，后者是指"通商"条约。中国也要利用通商条约的这种性质，不能独为对方所用。"其实彼所施于我者，我固可还而施之于彼，诚能深通商务之利弊，酌量公法之平颇，则条约不善，正赖此修约之文得以挽回于异日夫，固非彼族所得专其利也。"④ 曾纪泽认为，改约宜从弱小之国办起，年年有修约之国，即年年有更正之条。至英、德、法、俄、美诸大国修约之年，彼迫于公论，不能夺我自主之权利，这样中国可以不着痕迹地收复权利。按照西洋通例，"虽蕞尔小邦欲向大国改约，大国均须依从，断无恃强要挟久占便利之理"。1881 年，曾纪泽曾赴英国外交部"谈商改条约之事"，"争辩良久"。⑤ 与此同时，其他一些官员亦有类似的认识。1884 年，总理衙门还向各国明确表达了修约的期望，表示："惟我中国办事，均系十分遵约，一本万国公法而行。即如前与各西国所立各约，其中原有中国未尽出于情愿，勉为允许者，谅各国大臣亦所素悉。中国则于明知各约内之有损于国，无益于民者，初未尝或有不行照办，不过期望各西国渐渐可以改为和平。"⑥ 其后，清政府

①　《筹办夷务始末》（同治朝）卷 55，第 7—9 页。

②　《筹办夷务始末》（同治朝）卷 68，第 20 页。

③　王彦威辑，王亮编《清季外交史料》卷 26，外交史料编纂处，1935，第 1 页。

④　《清季外交史料》卷 21，第 20、21 页。

⑤　刘志惠点校辑注《曾纪泽日记》（中），岳麓书社，1998，第 866、1049 页。

⑥　《清季外交史料》卷 44，第 14—15 页。

虽未明确提出修改不平等条约的要求，但注意运用国际法维护国家的权益，并有意识地在新订条约中消削或限制此前已被列强所攫取的特权。

经过甲午战争，伴随着中国藩属体系的崩溃，清政府摒弃了宗藩观念，并更注重守约，进一步加强防范，以"见信于洋人"。① 另外，列强侵略的加深又使得清政府更为愤恨。他们感到，"事事退让之路已经走得太远了，从今往后，抵拒外国的侵扰应该成为它的政策的主旨"。② 清政府尤其是其内部的顽固势力，长期以来试图"驱逐洋人"，摧毁条约关系，但对外战争屡屡失败，不得不"暂事羁縻"。他们一直在等待机会。声势浩大，又有种种"神术"的义和团的兴起，对他们是一个极大的鼓励，认为这是上天赐予的千载良机。载勋等谓："我看他们正是上天打发下来灭洋者，缘庚子至庚子，渠等在中国搅扰已一甲子，此时正天收时也。"③ 这种"天之所使，以助吾华"的论调，附和者又"神奇其说"，造成了清廷的主导倾向，"盈庭聚论，众口一词"，"以受外人欺凌至于极处，今既出此义团，皆以天之所使为词"。④ 于是，清政府利用义和团实施了前所未有的排外，显示了不愿接受现存条约关系的倾向。

然而，列强以前所未有的暴力手段迫使清政府签订了《辛丑条约》，将"惩前"与"毖后"相结合，从政治、军事、外交、经济、思想等方面，全方位地巩固和强化了中外不平等的条约制度。经此创巨痛深，清政府受到前所未有的震击，对条约关系的认识更推进了一步，并做了更大力度的调适，更为全面地接受了这一新的关系。除强化守约意识外，清政府的对外理念发生了重要变化，更为主动地"以夷变夏"，传统的羁縻之道转向近代性质的条约外交。1901 年 1 月，光绪帝和慈禧还在西安，便下诏维新，要学"西学之本源"，"取外国之长"，"去中国之短"，还要"浑融中外之迹"，举凡"朝章国政"等等，进行全面改革。⑤ 清政府终于迈出了一大步，以更为积极主动的姿态自行"以夷变夏"。

各级官员研习国际法和条约，讲求外交之道，亦渐成风气。如 1902 年，

① 朱寿朋编《光绪朝东华录》第 4 册，中华书局，1958，总第 3785 页。
② 〔英〕赫德：《这些从秦国来——中国问题论集》，第 4 页。
③ 《义和团运动史料丛编》第 1 辑，第 139 页。
④ 杜春和等编《荣禄存札》，齐鲁书社，1986，第 422、464 页。
⑤ 《光绪朝东华录》第 4 册，总第 4601—4602 页。

直隶州知州曹廷杰将《万国公法》"逐条注释"，名为《万国公法释义》，请吉林将军长顺"咨呈外务部核阅"，并"请旨饬部删定"，"颁发学堂"，"为诸生肄习公法触类引伸之助"。① 驻意公使钱恂提出仿各国通例，"组成一研究会"，研究海牙公约；又主张将条约之译文，国家之成见，编订成书，颁行国内，作军事学校的教科书。② 其他官员提出了类似的建议，或主张将各国律例条约"详加编译，分类成书"，"以备研究"，③ 或主张汇刻中西成案，"发给内外各衙门办事人员，悉心研讨"。④ 张荫棠奏称，对外之方，"其要在于毋忽略国际公法"。⑤ 还有的提出"设外交学"和"专门外交学堂"，等等。外交、公法等还被纳入科举考试范围。严修提出改革科举，设经济特科，"约以六事"，其二为外交，"考求各国政事、条约、公法、律例、章程者"，获得允准。⑥ 1903 年殿试，清廷将外交、公法等作为策试内容。

　　不少大员更进而从国际公法的角度反省传统的对外观念，认真探究条约关系，各省愈益重视条约的编纂刊印。北洋大臣袁世凯在其所组织编辑的《约章成案汇览》序中说："凡一国之法律，必有立法者以裁制之，惟国与国交际之法律，则无人能擅立法之权，故居今日国际法之主位者，莫如条约。"方今环球大通，世变日亟，"前车已逝，来轸方遒，杜渐防微，阳开阴阖，讵复有常辙之可循"。山东巡抚杨士骧认为传统的对外之道是外交失败的重要原因，主张正确认识和对待条约关系，谓："古今天下之趋势何归乎？一归于法治而已矣。""吾国开关之始，士大夫狃于闻见，其视梯航而至者，莫非纳款贡献之列，交接之仪辄不屑以平等相待。外人以公法为辞，谢不肯应，其后屡经惩艾，不得已曲徇其请，割弃利益，欲返求公法以自全而已，无及矣。故国际共享之利，我独不得与，而中外交涉之历史，大抵失败之迹焉。"他提出，要如日本一样"壹意维新"，"修政经武"，对条约须"谨而持之，以谋其便，化而裁之，以会其通，异日国运之振兴，必

① 丛佩远、赵鸣岐编《曹廷杰集》下册，中华书局，1985，第 411 页。
② 《清实录》第 60 册，中华书局，1987，第 421—423 页。
③ 《清季外交史料》卷 152，第 6 页。
④ 《清季外交史料》卷 149，第 10 页。
⑤ 《清实录》第 60 册，第 1134 页。
⑥ 《清实录》第 57 册，第 411 页。

有赖于是者"。① 驻美公使张荫棠批评传统的驭夷之道,谓:"窃维吾国向来一统自治,闭关日久,士大夫多昧于五洲大势,遇事习为虚骄。"他认为,清政府外交失败,列强之"威胁强逼,智算术取者半",当局"不解国际法律自误者亦半";提出对外之方,"其要在于勿忽视国际公法,勿放失土地主权,勿懵昧于列国情势而已"。并指出,外交条约"外以持国际之平衡,内以保国民之权利,正宜得多数才智,各竭其心思之所长,经历之所得,以资裨补"。他进而提出,"宜先准资政院议员行协赞结约之权,又于院中设专科委员会,予以审量外交事务之权,引起国民关心大局,造成健全之舆论,以为外交之后盾"。② 这些说明,清朝大员们对条约关系有了更深入的认识。

修约要求被更明确地提了出来。驻俄公使杨儒提出效法日本,改革内政,以修改约章,"保权域中"。安徽巡抚王之春主张"将考究条约一事,列为司员考成,及内外情形了然于中,得以预筹修约"。③ 端方以"西人商改条约,向以十年届满之日为紧要关键"为由,提出修改《辛丑条约》有关驻兵和禁止华兵在天津二十华里屯扎的条款。④ 在修订商约交涉中,中方代表突破《辛丑条约》仅规定对方有权提出修约的限制,提出了自己的要求,谓:"既有商议二字,便是彼此可以商改。"⑤ 他们在诸多方面维护了中国的权益,尤其是促使英国等允诺在条件成熟时放弃领事裁判权。

传统的驭夷之道逐渐退出历史舞台,走向了"以夷变夏",羁縻越来越成了一个不合时宜的用词。在道光、咸丰、同治三朝,这个词可说是俯拾皆是,充斥于君臣的上谕和奏折中;而在光绪朝后,这个词便不多见了,尤其是庚子之后更为罕闻。"不屑与交涉""不屑与交际"的旧习逐渐消退,朝野"竞起而讲交际之道",甚至"上自宫廷,下至地方官吏,其所以与外人交际者,宴会馈遗,无不竭力奉迎,以求得其欢心"。⑥ 中国外交发生了

---

① 北洋洋务局纂辑《约章成案汇览》甲编,上海点石斋光绪三十一年承印,"袁世凯序""杨士骧序"。

② 《清宣统朝外交史料》卷 23,北平,1933,第 16—19 页。

③ 《清季外交史料》卷 149,第 6、15 页。

④ 《清宣统朝外交史料》卷 21,第 19—20 页。

⑤ 《清季外交史料》卷 152,第 2 页。

⑥ 《论交际与交涉之界限》,《外交报》第 107 期,1905 年。

根本的转折，传统的观念和制度逐渐被以条约为内核的近代外交所取代。不过，清末的变化仅仅是这一全面变革的开端，羁縻意识仍然未被彻底抛弃。"今以中国现象言之，国际观念最为幼稚，较其程度，尚在排斥主义之终期，与相互主义之初期"，拒外、畏外和媚外心理并存。大多数人对条约公法和国家主权的认识，仍然是一知半解，"此皆平等观念尚未萌芽之故也"。① 尽管如此，中国外交已出现了新的趋向，传统的驭夷走向了近代的外交。

四　条约制度与中国传统社会的变形

条约制度对近代中国产生了巨大而复杂的影响。从它产生之日起，中国的传统社会便开始发生变化，逐渐演变为一种新的形态。传统的封建社会开始融入了新的因素，除了体现半殖民地性质的内容，还出现了近代性质的变化。

马克思在谈到"征服"时认为，所有的征服有三种可能，其中之一就是"发生一种相互作用，产生一种新的、综合的生产方式"，即征服民族与被征服民族"混合形成的"生产方式。② 在另一处，马克思称之为"重新形成另一种社会结构"。③ 这些论述为我们分析近代中国的社会结构提供了有益的启示。诚然，近代中国所蒙受的还不是那种"灭亡"意义上的"征服"，它是另一种类型的"征服"，即用条约制度行使"准统治权"的"征服"。这种"征服"同样造成了近代中国混合形态的结构。列宁曾明确指出，半殖民地国家"是自然界和社会各方面常见的过渡形式的例子"。④ 这种"过渡形式"在某种意义上说，就是其社会结构的混合形式。

这是一个具有封建性质、半殖民地性质和近代性质的混合结构。条约制度的建立没有完全取代封建制度，而是与之结合起来。恩格斯曾说，在波斯，欧洲式的军事组织像接木那样接在亚洲式的野蛮制度上。那么在中国，列强同样需要这种嫁接，来保证取代中国一部分主权的条约制度的履

---

①　王伟：《论外国人之私权与平等主义》，《外交报》第 269 期，1910 年。

②　《马克思恩格斯选集》第 2 卷，人民出版社，1972，第 100 页。

③　《马克思恩格斯全集》第 3 卷，人民出版社，1960，第 26 页。

④　《列宁论国际政治与国际法》，世界知识出版社，1959，第 207 页。

行。如英国贸易部强调，英国政府"不但不去压迫中国政府使其放松所制订的规章"，而且"将要对中国政府在抵抗对它的政权和行政的不法侵犯方面给予道义上的支持"。① 可见，保存清政府统治体制并与之紧密结合，是列强推行条约制度所实施的一项重要政策。这样也使封建制度伴随旧政权得以延续下来。

如前所述，条约制度是列强行使"准统治权"的特权制度。这正是中国半殖民地制度的主要标志，体现在近代中国社会的各个方面，包括政治、经济、文化等方面，极大地改变了中国传统社会的格局。尤值得指出的是，传统的国家权力结构发生了重要变化，通过条约制度，来华外人尤其是外国资产阶级成了中国统治阶级的一部分。条约制度"象征着外国统治的新阶段"，"逐渐成了中国国家权力结构的一个基本组成部分"，而西方人则是"对中国进行中西共同统治的合作者"。费正清（J. K. Fairbank）将这一格局称为"两头政治"或中西"共治"（synarchy），并认为后者更为妥当，指的是"由两方或多方共同统治或治理"。在费正清看来，"共治"是中国的传统，如"满汉共治"一样，现在的中外共治只是承袭了这一传统。他认为，朝贡思想与儒家君主制度有一种令人惊异的特性，"即夷狄入侵者常常可以接过这种制度并成为中国的统治者"。当外来入侵者占优势的时候，"两头政治便成为中国国内的治理方式"，直至朝贡已经终止的晚清，"两头政治的原则却继续存在"。而"把朝贡制度颠倒过来的西方人"，只是"根据这一事实接受了两头政治"，"他们不过是在这个儒教国家扩展了自己的作用，从外围移到了中心"。或者说，中国"普天一统的秩序通常在某种借口下包括了周边的夷狄"，而条约体制取代朝贡制度"是把外国人纳入儒教君主政体统辖的一统天下"。中西共治绝不是西方的创造，"条约最后做出的安排实际上是符合中国的传统的"。② 条约制度是"具有'共同统治'特征的主要政治机制"，一开始，"共治的传统让中国人没有察觉到任何痛苦便欣然接受"。③

也就是说，列强没有打破中国的传统，条约制度所体现的中西"共治"

---

① 〔英〕伯尔考维茨：《中国通与英国外交部》，第35页。

② 陶文钊编选《费正清集》，第54、56、59、28、55页。

③ 〔美〕费正清编《中国的思想与制度》，郭晓兵、王琼等译，世界知识出版社，2008，第207、245页。

不是它们强加的，而是清政府自愿的、合理的自然现象。这一说法无疑有悖于历史事实，有意无意地粉饰了列强侵害中国主权的强权政治。中国历史上因少数民族入主中原而形成的政权架构，与近代西方列强用条约制度约束中国的"共治"风马牛不相及，不可同日而语。这是两种不同性质的政治格局，前者是一个多民族国家形成发展过程中的自然现象，而后者则是两个国家之间的主权关系。至于各种条约特权，虽然与中国传统驭夷的羁縻之道有某种吻合之处，但性质迥异。正由于存在根本差异，费正清又不得不指出，洋人享受治外法权和其他许多特权，"这是征服者传统特权的新版本"；条约制度"作为共治传统的一种变形，以其不慌不忙、步步紧逼、执着不懈、坚忍不拔的风格成为'分裂和削弱中国'的根本原因"。① 耆英在谈到以传统的羁縻之道应对条约关系时亦说："其所以抚绥羁縻之法，亦不得不移步换形。"② 不论是费正清的所谓"新版本"和"变形"，还是耆英的"移步换形"，无不形象地道出了条约制度与中国传统的性质区别。在条约制度强加给中国的过程中，清帝国的君臣们在无可奈何中又无不痛心疾首，也正说明这一特权制度与传统的格格不入。正由于这一特权制度损害的是国家最为宝贵的主权，中国出现了前所未有的改变，由此沦为半殖民地，国际地位一落千丈。如美国政要布热津斯基（Z. K. Brzezinski）指出："19 世纪强加给中国的一系列条约、协定和治外法权条款，使人们清清楚楚地看到：不仅中国作为一个国家地位低下，而且中国人作为一个民族同样地位低下。"③

除了改变中国传统的国家地位，在这个混合结构中还产生了具有近代性质的制度。马克思阐述了这样一种观点：西方列强要在亚洲完成双重使命，即破坏性使命和建设性使命。④ 破坏性使命，即侵略战争给了中国以致命的打击，"旧有的小农经济制度（在这种制度下，农户自己也制造自己使用的工业品），以及可以容纳比较稠密的人口的整个陈旧的社会制度也都在

---

① 〔美〕费正清编《中国的思想与制度》，第 229—230、244 页。

② 《筹办夷务始末》（道光朝）第 6 册，第 2891 页。

③ 〔美〕兹·布热津斯基：《大失败：20 世纪共产主义的兴亡》，军事科学院外国军事研究部译，军事科学出版社，1989，第 179 页。

④ 《马克思恩格斯关于殖民地及民族问题的论著》，中央民族学院研究部，1956，第 165 页。

逐渐瓦解"。① 建设性使命的一个重要内容，即《共产党宣言》中所说的，"迫使它们在自己那里推行所谓的文明"和"采用资产阶级的生产方式"。这里所说的"文明"，无疑是优于中世纪的近代文明。近代中国也在条约制度的刺激和影响下推行了这种近代文明，随之产生了某种具有进步性质的近代制度。

中外交往制度逐渐舍弃了传统的驭夷之道，以新的方式建立与世界的联系，融入国际社会。伴随着条约制度的建立，传统的宗藩体系和天朝体制逐渐被打破，中外交往方式也出现了近代性质的变化。在中外条约中，对这一新的交往方式做了规定，主要包括公文和官员来往及礼仪，以及驻外外交机关的设置，等等。如《南京条约》规定，中英两国大臣及属员文书往来俱用平行照会。《望厦条约》等亦做了类似规定。较之鸦片战争前，此类规定打破了传统的不对等规则，初步建立了中外官员平等交往的制度。经过第二次鸦片战争，又通过《天津条约》和其他条约，交往体制得以继续改进和完善，并进而规定了常驻公使和领事制度，中外之间由此建立了近代外交关系。如中英《天津条约》明确规定：两国"约定照各大邦和好常规，亦可任意交派秉权大员，分诣大清、大英两国京师"。并对驻外公使待遇、来往礼节等做了规定，如可以"长行居"，② 等等。这些规定符合近代交往的国际惯例，中国也由此进一步摒弃了天朝体制，以新的姿态走向世界。

第二次鸦片战争后建立的总理衙门，是适应条约关系的需要产生的。该机构虽然有着半殖民地的性质，其筹设亦充斥着"羁縻"外夷的传统理念，但与过去办理对外交往的礼部和理藩院大不相同。奕䜣提出，"各国使臣驻京后，往来接晤，及一切奏咨事件，无公所以为汇总之地，不足以示羁縻"。甚至在司员官役设置以及经费等方面，"一切规模，因陋就简，较之各衙门旧制格外裁减，暗寓不得比于旧有各衙门，以存轩轾中外之意"。③ 在机构设置上的这种考虑，无疑反映了"贵中华，轻夷狄"的传统羁縻观念。但另一方面，总理衙门又越出了传统，是一个具有近代外交性质的机

① 《马克思恩格斯选集》第4卷，第511页。
② 王铁崖编《中外旧约章汇编》第1册，第96—97页。
③ 《筹办夷务始末》（咸丰朝）第8册，第2715页。

构。其设置本身便打破了华夷秩序下的宗藩体制；交往形式也在条约的约
制下，不再是天朝大吏与藩属贡使的不对等关系，而体现了近代的平等关
系。随着条约制度的不断强化，总理衙门羁縻外夷的传统色彩不断被削弱，
终在列强的压力之下进一步转型。辛丑议和之初，列强便在议和大纲中强
硬提出："总理各国事务衙门必须革改更新。"清廷降旨，将总理衙门改为
外务部，《辛丑条约》第十二条对此做了规定，清帝谕旨也作为该约附件。
这一改革使外交体制基本上从传统转向了近代，具有重要意义。上谕谓：
"从前设立总理各国事务衙门，办理交涉，虽历有年所，惟所派王大臣等，
多系兼差，未能殚心职守，自应特设员缺，以专责成。"[1] 显然，与由"兼
差"大臣主持的总理衙门不同，外务部系专人专责，是一个专门的外交机
构。用美专使柔克义（W. W. Rockhill）的话说，"按照世界上所有其他国家
所采用的类似方式组织起来"。[2]

　　总理衙门改为外务部，尽管发自列强之议，却亦为清政府所愿，得到
了李鸿章、奕劻等人的积极响应。奕劻看到议和大纲后，致函荣禄谓："译
署鼎新，彼如不言，中国亦宜自加整顿。"[3] 李鸿章更做了全面的考虑，认
为设立逾四十年的总理衙门未发挥作用，沦为不合理及不负责任的机构，
招致公使馆被围攻，外国人被害，因此必须废除，成立新的外交负责机构。
他主张将这一机构改称"外务部"，给该机构的大臣以高薪待遇，并要求由
北京公使会议明确提出。[4] 清廷按照李鸿章的方案进行改制，将总理衙门改
为外务部，"班列六部之前"，"优给俸糈"。外交机构的改革颇具象征意义，
它完成了条约关系的体制衔接，为履行条约提供了制度上的保障，同时又
表明清政府在外交体制上舍弃了羁縻之道，更趋向近代化。

　　清末某些具有资产阶级性质的制度改革，与条约制度有着直接或间接
的关系。清末的司法法律制度的改革，便是在领事裁判权的刺激下进行的。
戊戌维新运动进入热潮之际，出使美、日、秘鲁大臣伍廷芳奏请"变通成

① 王铁崖编《中外旧约章汇编》第 1 册，第 981、1023 页。
② 天津社会科学院历史研究所编《1901 年美国对华外交档案》，刘心显等译，齐鲁书社，
　　1984，第 6—7 页。
③ 杜春和等编《荣禄存札》，第 10 页。
④ 转引自〔日〕川岛真《外务部的成立过程》，第三届中外关系史国际学术讨论会会议论
　　文，中国广州，2010 年 8 月。

法"，较为明确地提出了收回领事裁判权的方案。其中之一便是修订法律，"采各国通行之律，折中定议，勒为通商律例一书，明降谕旨，布告各国。所有交涉词讼，彼此有犯，皆从此为准"。此律制定之后，"教民教士知所警，而不敢妄为。治内治外有所遵，而较为画一"。① 八国联军之役后，清政府下诏维新，各地封疆大吏纷纷响应。张之洞认为，不能仅仅"整顿中法"，在传统体制中讨出路，主张"酌改律例"，并与刘坤一联衔提出编纂"矿律路律商律交涉刑律"。② 清廷接受了这一建议，下诏纂修矿律、路律、通商律等。根据他们的推荐，令沈家本、伍廷芳参酌各国法律，将所有现行律例，"悉心考订，妥为拟议，务期中外通行，有裨治理"。③ 清廷虽没有明确提出收回领事裁判权，但其"中外通行"原则无疑含有这一意图。1902 年中英签订《续议通商行船条约》，英国承诺："一俟查悉中国律例情形及其审判办法及一切相关事宜皆臻妥善，英国即允弃其治外法权。"④ 美、日等国也签订了类似条款。这一条款对清政府是一个极大的鼓舞，法律改革的目标开始明确起来。此前，从清廷发布的修律谕令到刘坤一、张之洞等人的变法奏议，均对收回领事裁判权的要求闪烁其词，未能彰显出改革的最重要诉求。现在，朝臣疆吏无不以此为论说之主旨，这一诉求成了改革的主调。主持修律的沈家本、伍廷芳等人多次表示，修订法律"以收回治外法权为宗旨"。⑤ 他们认为，按照西方资产阶级法律原则，对封建旧律进行根本的、彻底的改革才能达到这一目标。奕劻更从国家存亡的角度说明其重要性，视此为"撤去领事裁判权之本"。日本、暹罗即为例证，而"土耳其等国不能改者，则各国名曰半权之国，韩越印度西域诸回之用旧律者则尽亡矣"。⑥

　　由此，清末进行了全方位的改革，包括采用西法、革新旧律、区别体用、建立体制等。他们组织翻译了西方各国尤其是日本的司法法律著作。在此基础上，全面革新旧律，将法律区分为实体法和程序法，制定了《大

---

① 丁贤俊等编《伍廷芳集》上册，中华书局，1993，第 50 页。
② 《张文襄公全集》卷 54，中国书店，1990 年影印本，第 21 页。
③ 《光绪朝东华录》第 5 册，总第 4864 页。
④ 王铁崖编《中外旧约章汇编》第 2 册，第 109 页。
⑤ 《光绪朝东华录》第 5 册，总第 5413 页。
⑥ 刘锦藻撰《清朝续文献通考》第 3 册卷 245《刑考四》，商务印书馆，1936，第 9893—9894 页。

清新刑律》《大清民律草案》《刑事诉讼律草案》《民事诉讼律草案》，以及《法院编制法》《各级审判厅试办章程》等，建立了近代通行的法律司法体系，包括完备的法律系统和健全的审判、检查机构等。从刑法来看，完全采用西方资产阶级刑法的体例和名称，打破了中国传统的诸法合体形式。其内容以"模范列强为宗旨"，[①] 仿效西方资产阶级的法律原理和原则，剔除了不少封建旧律。审判诉讼制度也引进了四级三审、审判独立、审判公开、检查官公诉、合议制等原则和方式。这些改革改变了中国传统的司法法律制度，虽然还有着封建色彩，但从形式和内容上基本纳入了资本主义法律体系。

为了抵制列强在华经济特权，挽回利权，清政府打破传统的重农轻商观念，开始建立具有近代性质的经济制度。戊戌维新期间，光绪帝降谕，令各省"振兴商务"，"设厂兴工"，以"暗塞漏卮，不致利权外溢"。[②] 20世纪初年又成立商部，全面推行近代化改革，制定和颁行一系列经济法规。这些法规涉及各个方面，既有综合性的法规，如《商人通例》《公司律》《破产律》，又有某具体行业的章程，如《大清国矿务止章》《重订铁路简明章程》等。此外还有经济社团、奖励华商，以及金融、商标等方面的章程，如《商会简明章程》《奖励华商公司章程》《奖给商勋章程》等。

这些法规的产生有着各种原因，其中条约制度的刺激是一个基本的因素。端方在任湖南巡抚时曾奏请"自开商埠以保主权"，又奏请"改用西法"，自行开采矿产，"以保利权而杜隐患"。[③] 商部也奏请"厘清矿产，以保利权"。清廷降谕，谓："中国地大物博，矿产之富甲于全球"，"亟应澈底清厘，认真整顿"，"总期权自我操，利不外溢，是为至要"。其后制定的矿章，"尤注意于中国主权，华民生计，地方治理"。商部制定奖励章程，其指导思想也是出于挽回利权，奏称："有创制新法、新器以及仿制各项工艺，确能挽回利权，足资民用者，自应分别酌予奖励。"劝办商会，也是因为"各国群趋争利，而华商势涣力微，相形见绌，坐使利权旁落，浸成绝大漏卮"，需要商会"议设公司，借图抵制"。[④]

---

① 故宫博物院明清档案部编《清末筹备立宪档案史料》下册，中华书局，1979，第852页。
② 《清实录》第57册，第517页。
③ 《清实录》第59册，第263页。
④ 《大清法规大全》第6册，考正出版社，1972，第3950—3951、3072、2979、2991页。

经济是社会的基础，这些经济法规和章程的颁行和实施极大地改变了中国社会的传统形态。尽管它们还不完善，存在着半殖民地和半封建性等种种局限和不足，但它们开创了具有近代性质的新的经济形态，为这一形态在民国时期的逐步完善奠立了基础。通过这些法规和章程，"重农抑商"的传统格局被打破。商部成立后，"力惩""贱视农工商"的"旧习"，"国人耳目，崭然一新，凡朝野上下之所以视农工商，与农工商之所以自视，位置较重"。[①] 其时，"官吏提倡于上，绅商响应于下，收回权利之声洋溢国内，风起云涌，朝野咸有振作之精神"。经营工商，不仅有利，且可获得"百战功臣"可望而不可即的子、男等爵位，"一扫数千年贱商之陋习，斯诚稀世之创举"。[②]

随着新制度的推行，传统的政权体制也发生了深刻的变化。封建社会已经定型的中央行政构架被完全打破，中央六部及各种院、寺等或被取消，或被更名，其内涵也大不相同。体现近代文明的新机构逐渐取代了不合时宜的传统官衙。除了清政府在条约制度的刺激下进行的改革，列强还在实施条约特权的过程中直接推行它们带来的近代文明。例如，外人在租界所实行的城市管理制度，以及近代化的海关管理制度，这些均给中国的近代化提供了借鉴。条约制度造成的通商口岸和租界则成了传播西方近代文明的基地，客观上打破了中国社会长期封闭的状态，加强了同世界的交往，并且刺激了中国资本主义的发展和近代文明的扩散。[③] 文化教育和思想学术也在条约制度的直接和间接影响下，逐渐向近代转型。诚然，中国社会所出现的近代化有着多种因素，但条约制度的影响和刺激无疑是其中一个重要的因素。这些近代性质制度的出现，在一定程度上促进了中国社会的发展。当然，这并非列强的本来愿望，它们只不过"充当了历史的不自觉的工具"。

诸如此类的新事物虽然改变了传统的封建的形态，具有先进性和进步性，但它们是以损害中国的主权为代价的，它使中国丧失了独立、平等的主权国家地位，蒙受了巨大的屈辱。而且，这种损害使得这一近代化的变

---

①　高劳：《实业篇》，《东方杂志》第 9 卷第 7 号，1912 年，第 87 页。

②　《最近之五十年——申报馆五十周年纪念》，申报馆编印，1923，第 3 页。

③　参见陈振江《通商口岸与近代文明的传播》，《近代史研究》1991 年第 1 期。

革受到严重的限制，又极大地抑制了中国的进步和发展。中国的近代化与条约制度之间存在着极大的矛盾，要使近代化获得广阔的前途，就必须清除条约制度。正唯如此，中国社会内部出现与条约制度不相容的反抗力量，不断进行各种方式的废约反帝斗争，以废弃这一列强在华行使"准统治权"的制度。中国人民和各届政府为此做出了不同程度的努力，最终摆脱了它的束缚，以平等的姿态融入国际社会。

第五章

中华宗藩体系的挫败与转型

不同的国际体系各有其不同的文化价值，基于不同的文化价值而形成各自不同的国际秩序原理，以规范其国际秩序，诠释其国际体系的国家行为。因此，将西方的国际秩序原理强加于东方，必造成东方国际体系的文化价值错乱，导致国际秩序无所适从。反之，将东方的国际秩序原理强加于西方，也会产生相同的效果。

根据"中华世界帝国"概念，"中华世界帝国"就是东方的国际体系，规范这个国际体系的国际秩序原理就是"中华世界秩序原理"。根据"中华世界秩序原理"的"华夷分治论"，"中华世界帝国"虽然统辖华、夷两部分，但对华、夷的统治方式截然不同。"华"为帝国直辖领土，划归郡县统治；"夷"为帝国周边领地，实行民族自治、王国自治、地方自治。在国际秩序原理上，对"华"实行"实效管辖领有论"，对"夷"则普施"以不治治之论"的治道。"夷"又分礼部辖下的属藩与理藩院辖下的属土等两部分，其治道二者略有不同。进一步分析的话，清朝对"夷狄"的统治又分亲疏。蒙藏与皇室较亲，设库伦大臣、西宁大臣、驻藏大臣，划归理藩院管辖；朝鲜、琉球、越南等王国与皇室较疏，文化略同汉地，划归礼部管辖。亲者法治，疏者礼治；愈亲愈治，愈疏愈不治；半亲半疏者，则行"不完全实效管辖"（="不完全以不治治之"）的治道。

近代以降，欧美列强先恃其工业革命后的强大武力屡败中国，再挟国际法以为利器，利用条约体制痛宰清朝，从此西方国际秩序原理逐渐取代

---

* 本章由张启雄撰写。

"中华世界秩序原理"，成为规范中国对外交涉的国际秩序原理。根据国际法的"实效管辖领有论"，一般而言，对外主张领土主权的归属必须合乎"领其地、设其官、征其税"的原则。清朝因而提出针锋相对的主张，发扬屡败屡战的精神。李鸿章认为，"所属邦土，土字指中国各直省，此是内地，为内属，征钱粮、管政事；邦字指高丽属国，此是外藩，为外属，钱粮政事向归本国经理"。[①] 这就是根据"华夷分治论"下的"以不治治之论"，与西方"实效管辖领有论"的国际法法理完全不能兼容。故东西方国际秩序原理之冲突就成为本章的焦点。其后，清朝因力不如人，属藩逐一沦亡，遂不得不转而借用西方法理施政，以收以夷制夷之效，进谋说服列强以主张领土之归属，借以保护藩属土之安全。这就是清末外交转型的根本原因，其目的就是希望借此使列强承认中国对其藩属土拥有固有的宗主权或主权。

从国际法的角度来看，领土主权的拥有与否，在内政上主要根据"统治实效的有无"，而有无的判断基准则在于对该领域是否"领其地、设其官、理其政、征其税、驻其军"（＝"实效管辖领有论"）；在外政上，则须"掌其外交权"，且在一国之内必须"不分华夷"，适用同一法理。这是深知"中华世界秩序原理"的日本在明治维新后，利用西方国际法以谋中国藩属土的主张。相对于单一民族国家的日本，中国乃是多民族国家，基于"因地制宜、因时制宜、因人制宜、因俗制宜，因教制宜"（＝"华夷有别"）的统治观念，而对"藩属土"（＝"藩土＋属土"）采取不同的观念与做法。因此，对直接管辖的领土（＝本部十八省），乃采取与西方相同的统治原则。根据李鸿章的讲法，就是采取"征钱粮、管政事"（＝"实效管辖领有论"）的治道。

但是对于藩属土的"属藩"（＝外藩＝外臣），其"征钱粮、管政事"等王国内政事务，因不派驻扎大臣或监国监督，故一向归属藩自理，属于"以不治治之论"的管辖范畴。相对的，对于藩属土的"属土"（＝内藩＝内臣），根据《钦定理藩院则例》"设官""征赋"的规定，其"征钱粮、管政事"等内政事务虽由盟旗制度下的旗长掌理，但其体制仍归清廷辖下

---

① 《清季中日韩关系史料》卷2，"中央研究院"近代史研究所编印，1972，229号文件，附件1。

的理藩院规定与管辖，并由朝廷派任的库伦大臣、西宁大臣等驻扎官员就近监督，属于"不完全以不治治之论"或"不完全实效管辖领有论"的管辖范畴。[①]

中国对藩属土在内政上虽主张"以不治治之论"，但对其外交关系与安全保障则在"人臣无外交"原则下，允许行"体制内聘交"。西力东渐后，清廷所坚持的"以不治治之论"或"不完全以不治治之论"之治道和国际秩序原理，开始受到西方之炮舰政策与国际法的挑战。此时，清廷虽然因失去坚船利炮的依托而在国际秩序原理的法理主张上败下阵来，但是仍坚持其在外交关系与安全保障上对藩属土具有义务与责任。李鸿章声称："中国之于朝鲜，固不强预其政事，不能不切望其安全。"[②] 又强调："纾其难，解其纷，期其安全，中国之于朝鲜，自任之事也，此待属邦之实也。"[③] 因此，在牡丹社事件、中法战争及甲午战争上，就事论事的话，清朝在藩属土的外交关系与安全保障上颇具担当。中国对属藩在内政上虽采"以不治治之论"（＝民族自治、王国自治或地方自治），但并未因政教禁令自主而见死不救。因为这就是中国式的传统历史文化价值，也是中华世界秩序原理的法理主张。

再进一步将中国式领土主权的归属主张加以归纳、整理的话，可以条列得出三项连续概念：①中国王朝＝直辖领域＋周边领域＝华朝＋夷邦＝宗主国＋朝贡国；②直辖领域＝设其官、理其政、征其税；③周边领域＝礼部管辖地方＋理藩院管辖地方。若再将中国王朝对"周边领域"的统治方式做进一步分析的话，又可区分为二：①礼部管辖的统治原理＝以不治治之论；②理藩院管辖蒙藏地方的统治原理＝"不完全以不治治之论"或"不完全实效管辖领有论"。理藩院的管辖方式乃介于"以不治治之论"和"实效管辖领有论"之间。换句话说，就是行政上"以监代治"、征税上"以饷代税"。在行政上，清朝虽然委由任命的旗长管辖，但是在征税上，因体制与内地不

① 《钦定理藩院则例》卷6《设官》，海南出版社，2000，第10页；《钦定理藩院则例》卷12《征赋》，第18页；张启雄：《外蒙主权归属交涉，1911—1916》，"中央研究院"近代史研究所，1995，第60—61页；张启雄：《中国国际秩序原理的转型——从"以不治治之"到"实效管辖"的清末满蒙疆藏筹边论述》，"蒙藏委员会"，2015，第29页。

② 《清季中日韩关系史料》卷2，208号文件。

③ 外务省编『大日本外交文書』第9卷、日本外交文書頒布会、1955、四七号文書、付記一。

同，故不收税银，可是仍征粮饷或畜产。这就是"以监代治""以饷代税"的道理所在。

本章拟从东西方国际体系的不同，分析在西力东渐后，东西双方发生国际秩序原理的冲突，并以台湾、琉球、朝鲜、越南、西藏、蒙古为例，对西方列强断然否认中国所辖之藩属土的归属论争，进行针锋相对的微观分析与宏观论述。

一　西方国际法秩序原理的论述

欧美的国际法秩序原理基本上是以基督教文明为中心的价值体系，主要在于建立近代以降以国际法人（国家）为国际法主体的概念，用以规范西方世界的国际秩序。国家是一群人民在一定领域内组织具有主权的政治团体。因此，国家必须包含人民、领土、政府主权等四大要素，对内它在领（属）土内对人（属）民拥有最高的统辖权，对外则表现出至高无上的独立权。总而言之，国际法上的国家是主权国家。它是完全的国际法人，具有享受国际权利、负担国际义务的资格与能力。随着西欧国家向全球扩张，民族国家的概念开始传播至全世界。情势发展至此，只有合乎西欧国际体系"民族国家"（nation state）定义的才算主权国家。[1] 因此，"民族国家"的定义就成为列强对外扩张、侵略的利器。

从此，与西欧界定之民族国家要素不一致者都不是国家，而是无主地，兼并之，占有之，列为殖民地，可也。此即国际法的"无主地先占"原则。19世纪的西欧国家因资本主义经济日益蓬勃发展，急需生产资源、劳动力和市场，于是不断向海外扩张以掠夺资源，强占殖民地以获取劳动力，独占市场以累积财富，达到富国强兵的目的。结果，贪得无厌的资本主义经济因不断膨胀，乃逐渐朝向资本主义发展的最高阶段迈进，西欧国际体系遂伴随着资本主义，最终发展成为帝国主义，利用殖民侵略扩张成为全球体系。

此后，先发的帝国主义以先进的科技力量，到亚、非、澳、拉美等全球各工业后进地区，一面寻求"通商"，一面开拓"殖民地"，并以西方近

---

[1]　国際法学会编『国際法辞典』、鹿島出版会、1975、330—331頁。

代国家为标准，凡是不符合西欧"人民、领土、政府、主权"定义的国家都被列为侵略目标，尽皆名之为"无主地"，先后通过国际法的"发现"继而"占领"的原则，挟其"坚船利炮"，迫订城下之盟。赢得武斗之后，又通过"万国公法"签订不平等条约的"法律"程序占领土地，设置总督，管辖殖民地，征收人头税，奴役土人，征调兵丁，收夺利权，榨取资源，夺占市场，号称"实效管辖领有论"。若归纳其在殖民地所实行之"实效管辖领有论"的各种特征，不外"领其地，理其政，征其税"而已。

至于后发帝国主义，如德、俄、日，待其强大之时，已无"无主地"可供"合法"占领，但它们仍然在文明西化之后东施效颦，以"实效管辖领有论"为名，向其四邻侵略拓展，因而产生国际秩序原理的冲突。就以中国为中心的国际体系而论，它形成了东方式"以不治治之论"与西方式"实效管辖领有论"间的法理纠葛和摩擦，也就是"中华世界秩序原理"与"西洋近代国际法秩序原理"间的冲突。

事实上，当时一个国家即使具备人民、领土、政府、主权等四大要素，也不一定就能受到承认而成为西方国际社会的成员。在国际法的发展过程中，原始成员早即因交涉往来而相互承认，但是新成员则须先经由旧成员承认始能取得西方国际体系的国际法人地位。结果造成原在西欧国际法体系以外的既存国家，如中国、朝鲜和从殖民地独立的各新生国家，都得先经欧美国家承认，才能被纳入现行国际法体系，成为国际社会的一员。[①] 新国家能否加入此一以欧美国家为主体的国际体系，端看既存国家是否给予承认。承认与否的检验标准，名义上在于它是否具备西方核心价值的四大国家构成要素；实际上，西方国家无不将其承认与否的标准设定在是否合乎其国家利益的基础之上。因此，非西方国家在列强的承认关卡之前，往往尚须再经一层剥皮手续，始能真正成为西方式的近代国家。

主权的意义在于它对内表现出对领土与人民的管辖最高权，对外则呈现出独立权，认为不具领土属性者不是主权，不具最高管辖权力者（如省县等行政辖区的领域性自治权力）不是主权，强调主权在国际法上须具有独立与非从属性的意义。其中，最高权指的是国家对领土、人民的统治权。独立权指的是国家在处理其对内对外事务的国际关系中，有独立自主的权

---

①　雷崧生：《国际法原理》上册，正中书局，1953，第37—55页。

力。因此，本国内政既不容他国干涉，也不干涉他国内政。据此，主权国家可通过条约、国际惯例等国际性法律关系或惯例来设定其国际法关系，以取得权利，负担义务。[①]

一般而言，根据近代国际法的基本原则，国家在国际法上具有平等权，此即国家地位的平等原则。国际法上，在"主权对等"（sovereign equality）的前提下，国家虽然有大小、强弱之分，也有强凌弱、众暴寡的侵略之实，但是在形式上其国际地位对等，权利、义务也相等。如果从主权的完整与否来对国家进行分类的话，可以分为完全主权国与部分主权国。完全主权国是完整的国际法人，可以享受国际法上的任何权利，也得负担国际法上的任何义务。相对的，部分主权国是不完整的国际法人，它们无法像完全主权国那样可以享受国际法上的任何权利，可以负担国际法上的任何义务。所以，西方国家虽然高唱主权平等，但是实际上通过国际法的"完全主权"与"部分主权"的分类，对不被西方承认的国家，或对受其侵略殖民的国家，施行"不平等"的国际待遇。

同样的，根据东方的历史文化价值，在规范"中华世界帝国"之国际体系的"中华世界秩序原理"之下，其国际关系就是"事大交邻论"的邦（国）际关系。为什么"中华世界帝国"之邦（国）际关系是"事大交邻"的邦（国）际关系或礼仪的国际秩序原理呢？后述的"五伦国际关系论"将对此阶层性伦理关系进一步加以剖析论述。

至于国际法上规定的部分主权国，主要约可分为属国（vassal state）与被保护国（protected state）两种。[②]

属国为隶属宗主国（suzerain state）的部分主权国，两者间的宗属关系常因个案的具体情况而有所不同，因此宗属间所订的条约仍须视其内容，才能决定属藩是否具有不完整之国际法人地位。归纳言之，宗主权具有下列特点。①宗主国所签订的条约在属国当然发生效力。②宗主国原则上管理属国的外交事务。宗主国对于其他国家，负责其属国的行为。③宗主国对于属国的司法、财政、教育、交通等负有监督的责任。④宗主国参与国际战争时，

---

①　『国際法辞典』、331 页。

②　雷崧生：《国际法原理》上册，第 46 页。

属国也当然被牵入战争。⑤宗主国有令属国进贡的权利。① 以易懂的东方法理概括言之，属国对外具有"人臣无外交"，对内具有"政教禁令不能自主"的义务。

被保护国是接受他国保护的部分主权国。两国间的保护关系根据一个国际条约而成立，较弱的缔约国自愿或被迫将其主权的一部分交给较强的缔约国行使。国际法称前者为被保护国，后者为保护国（protecting state）。被保护国原来是一个完整的国际法人，自从签订保护条约后，降为不完整的国际法人。保护国与被保护国间的保护关系，和宗主国与属国间的宗属关系一样，因具体情况而各有不同，唯其保护关系的共同特点大致如下。

（1）保护国负有保障被保护国的安全与独立的责任。

（2）保护国根据保护条约的规定，管理被保护国的外交事务。因此，保护关系往往须由保护国取得第三国的承认。

（3）被保护国既然仍是一个不完整的国际法人，它的元首享有一般国家元首的荣誉。它的元首与政府得豁免保护国与第三国法院的管辖。

（4）被保护国的人民，并不就是保护国的人民。被保护国不必一定参加保护国的战争。保护国所签订的条约，也不当然地在被保护国内生效。②

因此，我们可以借用上述国际法对完全主权国与部分主权国间的权利义务关系、宗主国与藩属土间的宗属关系，以及保护国与被保护国间的保护关系之法理规定，重新思考、诠释中国在力不如人的情况下，为何仍极力对其属藩加以护持；中国如何通过"万国公法"的条约来保护属藩；中国虽处于弱势，又如何假借公法以维护其宗藩关系，避免其被东西列强所蚕食鲸吞。这些均有待于今后更深入的思考与诠释。

唯有如此，消极上，我们才能使用国际法诠释中国近代史之宗藩双方与欧美诸国的立约，并借此观察祖先前贤的用心所在。故东西国家间虽有形态之不同，但借用公法的法理以护持天下国家之理则一。在积极上，尚

---

① 雷崧生：《国际法原理》上册，第46—47页。

② 雷崧生：《国际法原理》上册，第48页。

须发展传统中国通过历史文化价值所创造、运用的"中华世界秩序原理"（＝天下秩序原理），以补西方国际法之不足，进而赋予其新的时代意义，以创造、发扬东方传统的国际秩序原理，完成历史传统兼顾今日国际关系，以为"天下共同体"之万世开太平。

一般而言，国家与国家间订立条约，究竟怎样做才算合法有效？国际法对此并无方法上的规定，但是在条约的实际形成过程中，可归纳出其基本要件如下：一是缔约国必须具有"缔约权"；二是必须基于缔约者的同意；三是必须不抵触国际法；四是必须具备形式上的一些条件，如签字与批准。[①]

又，因国际法认为缔结国际条约的能力乃是国家主权的一种属性，故近代帝国主义既挟武力优势，复特意通过"缔约权"与中国及其属藩签订不平等条约，借以干涉中国之宗藩关系。最后，中国在力不如人的劣势下不得不签订种种城下之盟，"中华世界秩序原理"在不平等条约下只能被束之高阁，因日久而逐渐隐晦不明以致销声匿迹。

二　东方国际法秩序原理的论述

"中华世界帝国"概念

从过去的历史来看，"中华世界帝国"的邦（国）际关系属于阶层体制，中国和周边王国间看不到对等关系，中国总是以主国或上国的地位和周边诸王国维持主权不对等的宗藩、主属关系。中国的国际关系为什么是不对等的关系？若先以图式扼要表示的话，就更易于理解。

天下≒中华世界＝中心＋周边＝我族＋他族＝华＋夷＝王畿＋属藩＝中国＋诸王国＝皇帝＋国王＝宗主国＋藩属国＝宗藩共同体≒中央政府＋地方自治政府＝"中华世界帝国"＝"环中国共同体"＝天下共同体≒"亚洲共同体"＞"东亚共同体"

---

① 杜蘅之：《国际法大纲》上册，台湾商务印书馆，1986，第418页。

精要来讲，"中华世界帝国"就是"宗主国＋藩属国"＝"天下"的概念。扼要分析的话，"天下"的具体化就是"中华世界"，"天子"的具体化就是"中华世界皇帝"。"中华世界"乃"中华世界帝国"势力所及之处，是典型的"中心＋周边"概念。它可分为华、夷二部。华就是王畿，王畿就是中国；夷就是属藩，即中国周边的诸王国。因此，华＋夷＝王畿＋属藩＝中国＋诸王国＝皇帝＋国王＝"中华世界帝国"。据此，华＋夷＝"中华世界帝国"的人民概念，王畿＋属藩＝中国＋诸王国＝"中华世界帝国"的领域概念，皇帝＋国王＝"中华世界帝国"的主属权力运作概念。至此，"中华世界帝国"的概念乃告形成。

据此概念，可知与周边诸王国缔结宗藩关系者实际上并非中国，而是作为其整体概念的"中华世界帝国"。理由是，它源于"天子统治天下"的天朝概念。所以，中国乃是"中华世界帝国"皇帝的直辖领域，居"上国"或"主国"的地位统治周边诸王国；周边诸王国乃是受"中华世界帝国"皇帝册封，并向"中华世界帝国"朝贡的"自治领域"，是向中国朝贡、接受中国册封的属藩或属土。以今日政治学的概念来表达的话，扼要言之，将人民概念、领域概念及主属概念结合起来，则"中华世界帝国"等同于今日的"国家"概念。再加上权力运作概念的话，那么中国就是中央政府，周边诸王国则相当于自治性地方政府或政权，地方政府归中央政府统辖。所以，皇帝大于国王，帝国大于王国。

根据传统的中华世界秩序观来分析的话，在"天子"基于"天命"统治"天下"的前提下，"中华世界帝国"皇帝统治"中华世界帝国"。它依据"华夷分治"理念推行"郡国并行制"，于是在其直辖领域的中国设置郡县实行直接统治，其余则封为藩国。郡县实行"实效管辖"的直接统治，藩国在"以不治治之论"下实行间接统治，即实行民族自治、王国自治或地方自治。据此，中央颁订天朝体制，明定上国与属藩间的君臣关系。由于"中华世界帝国"皇帝即中国和周边诸王国的共同皇帝（＝天子），在"帝权天授论""王权帝授论"下，宗藩间实行册封朝贡体制。因此，皇帝命令礼部或理藩院等属藩统治机关管辖属藩事务，执行册封朝贡体制，树立事大交邻的邦交关系，进而将五伦观念融入国际体系，形成"君臣之邦、父子之邦、夫妇之邦、兄弟之邦、朋友之邦"之"五伦国际关系论"的阶层体系，并责成属藩奉正朔以示臣从，使属藩遵守"名分秩序论"以示帝国之体制伦理，更以"兴灭（国）继绝（祀）论"的理念维系宗藩体制，以王道思想护持中华世界秩序。要言之，"中华世界帝国"以"中华世界秩序原理"维系了中华世界的阶层秩序。① 在这种意义下，宗藩关系就可被视为中央＋地方＝帝国政府＋王国政府＝宗主国＋朝贡国之政权间的上下主从关系。

中华世界秩序原理

根据上述"中华世界帝国"概念，我们可以归纳出规范"中华世界帝国"的"中华世界秩序原理"，约有如下次级原理：①天朝定制论；②王权帝授论；③名分秩序论；④事大交邻论；⑤封贡体制论；⑥奉正朔论；⑦兴灭继绝论；⑧重层政体论；⑨重层认同论；⑩华夷分治论；⑪王化论；⑫华夷可变论；⑬争天下论；⑭大一统论；⑮正统论；⑯王道政治论；⑰德治论；⑱义利之辨论；⑲以不治治之论；⑳五伦国际关系论；㉑内圣外王论；㉒世界大同论。②

本章首先将以东方"中华世界秩序原理"之次级理论"以不治治之论"作为考察西力东渐后，尤其是清朝中国因屡战屡败而被迫签订城下之盟迄今，西方国际法的"实效管辖领有论"如何取代"中华世界秩序原理"，变成规范东方国际体系、解释东方国际秩序的唯一原理。并进一步指出其不合理之处，借资证明"以不治治之论"仍是今日多民族国家实行"民族自治""王国自治"或"地方自治"的先行先觉者，虽古犹新。它既存在于古代，也适用于今日。又以"五伦国际关系论"证明东方国际秩序原理为何具有阶层性与伦理的规范力，并借以突破西方国际法秩序原理在历史诠释上的独占性，避免"以西非东"的不合理性。

总而言之，不同的国际体系各有其不同的文化价值，形成其各自不同的国际秩序原理，执行其国家行为，规范其国际秩序。所以，挖掘"中华世界秩序原理"有助于诠释东亚国际秩序。既可澄清西力东渐后东西国际

---

① 张启雄：《海峡两岸在亚洲开发银行的中国代表权之争——名分秩序论观点的分析》，"中央研究院"东北亚区域研究所，2001，第 3—6 页。

② 张启雄：《中国国际秩序原理的转型——从"以不治治之"到"实效管辖"的清末满蒙疆藏筹边论述》，第 26 页。

法秩序原理之冲突，也能清楚辨识殖民体系与宗藩体系在适用国际法秩序原理上所具有的差异，借以驳斥西方近代国际法优于"中华世界秩序原理"的刻板论断。所以，东方无须一味奉承西方价值中心主义，相反的，应该"脱西入东""脱美入亚"，重整"中华世界秩序原理"，再兴东亚国际秩序，以便让东方的国际秩序回归东方国际秩序原理的运用、规范及诠释，让东方的历史文化价值重新回归它应有的定位。

"以不治治之论"的缘起

由于"宗藩关系≒中央政府+地方政府"，而这个地方政府则是地方自治或民族自治的地方政府。至于中央政府规范地方政府的原理，本章称之为"以不治治之论"。简单来讲，它是国际法上之"实效管辖领有论"的相对概念，主要的规范精神则是"因人制宜、因时制宜、因地制宜、因俗制宜、因教制宜"的统治方式。总括来讲，这就是中国历代所行、清朝经常所言的"属邦自主"＝"政教禁令，听其自为"＝"以不治治之论"。为什么根据"以不治治之"的原理以治天下？盖因"五伦国际关系论"以"义、亲、别、序、信"等五项典范作为规范国际秩序的原理，实施以五伦治理天下，形成包容华夷的"天下一家"概念所致。

详细言之，"以不治治之论"源自"五服"体制。《国语·周语上》称："夫先王之制，邦内甸服，邦外侯服，侯卫宾服，蛮夷要服，戎狄荒服。"所知："服，服事天子也。"[1] 归纳言之，天子统治天下，因"服制"的远近不同，致"臣事"天子的服属程度有所差别。反过来说，天子因地理的远近定下不同的"服制"，又因"服制"的区分，统治者所采用的统治方式也有所不同。此即古典所谓的服事体制。

从"服制"的区别，可以看出天子的统治领域由"化内"朝向"化外"扩大；由统治方式的不同也可以看出，因"由近及远"而产生的统治力"由强而弱"递减，因此管辖力道也有"由'治'而逐渐走向'不治'"的观念扩大。由"治"走向"不治"，与其直接说是"统治力道"的递减，不如间接说是因"统治领域"的不断扩大而造成鞭长莫及的现象，以致"统治力道"相对递减。不过，不论是"化内"还是"化外"，"治"

---

① 《周语上》，《国语》，艺文印书馆，1966。

与"不治"都是因人制宜、因时制宜、因地制宜、因俗制宜与因教制宜的权宜措施。何况在理论上，它们全都被安置在天子所统治的天下里头。此即在"王者无外"的前提下"王者不治夷狄"的意义。

因此，"不治"的意思就是由消极的"不直接统治"，而逐渐转变成积极的"民族自治""王国自治"之意。总之，在政治关系上，距王畿越近则越亲，越远则越疏；越亲则越"治"，越疏则越"不治"；半亲半疏则"半治"。若以"亲疏、远近"的距离概念来呈现"礼法"与"臣从"的适用程度，并以图式扼要表现宗藩间之关系的话，亲近＝法治＝内臣，疏远＝礼治＝外臣，极疏远＝礼治＝客臣，完全疏远＝不治＝不臣。归纳言之，这就是"以不治治之论"的根源。

换句话说，"天子"所统治的"天下"在理论上是没有边界的。管辖力道的强弱也随着远近、亲疏的向外扩散关系采用差别方式，由强渐弱，甚至转无。"中华世界秩序原理"的"以不治治之论"，就是在这种由"有"转"弱"变"无"的过程中所产生的由"统治"（郡县）经"半治"（理藩院）到"不治"（礼部）的现象。反之，省县体制因直接由朝廷派官治理，所以是"实效管辖"；理藩院也派库伦大臣、驻藏大臣、西宁大臣监控外蒙古、西藏、青海的行政体系，所以既是"不完全实效管辖"，又是"不完全以不治治之"。至于礼部，也因不派大臣驻扎诸王国进行监控，所以是"以不治治之"。这种现象结合"华夷分治"思想，就衍生成"中华世界秩序原理"之"以不治治之论"的理论根源。所以说，"以不治治之论"并不是国家不统治之意，而是中央采用"以不（直接）统治的方式来统治"地方。反之，它是积极实行"地方自治""民族自治"或"王国自治"等间接统治的"地方自治"理论。

"以不治治之论"文化价值在东亚的普世化

1. 清朝直辖领域的"以不治治之论"

清朝定鼎后，由于幅员不断扩大，因此各服之王化程度不一。有时候，"化外"要荒远处的蛮夷，较之于"化外"要荒近处的戎狄，甚至较诸九州之内的"化内"夷狄，王化得更早、更快、更彻底，因而摇身一变成为"小中华"，甚至晋身为"中华"。相对的，清代曾经将南方各省所属之苗、番、蛮视为"化外"之地，属于文化未开的领域，与"中华"、"小华"（小中华）的文化层次不同，因而实行因人制宜、因时制宜、因地制宜、因俗制宜、因教制宜等"以夷治夷"之制，即为历史显例。

清初，朝廷在统治理论上基于"以不治治之论"，对境内少数民族和境外属藩的统治政策仍因袭前朝之旧制而未改。因此，关于苗人争讼，仍依照苗人旧例处理。魏源在《雍正西南夷改流记下》中记载："诏尽豁新〔苗〕疆钱粮，永不征收，以杜官胥之扰。其苗讼仍从苗俗处分，不拘律例。……夫修其教不易其俗，齐其政不易其宜，此因土之事，非改土归流之事。"①此即清代在滇黔针对苗民实行的"因俗制宜"之策。

乾隆元年（1736），拟改土归流，乃于七月二十日首定"苗例"。乾隆帝为尊重苗民旧俗，乃对贵州流官下达谕旨，表示："苗民风俗，与内地百姓迥别，嗣后苗众一切自相争讼之事，俱照苗例完结，不必绳以官法。"②又在乾隆二年闰九月，于谕旨中再次强调："苗地风俗，与内地百姓迥别，谕令苗众一切自相争讼之事，俱照苗例完结，不治以官法。"③换句话说，清朝在不同的时代，针对不同的地方、不同的民族、不同的风俗习惯、不同的宗教信仰，制定特殊法律，所以在苗地对苗民行苗例，避免实行全国一体适用的中央法律，以保持统治的弹性。这种因时制宜、因地制宜、因人制宜、因俗制宜、因教制宜的权宜措施，就是在幅员辽阔、族群众多的国家，实行"以不治治之论"之统辖政策的精神所在。

乾隆十四年三月，湖南巡抚开泰奏请在苗疆建学延师，因势利导，"于羁縻之中寓化导之意……凡词讼等事，或用内地之例，或用苗例，务须分别妥办"。④对此，乾隆帝颇不以为然，六月在奏折上批道："各省苗民、番、蛮均属化外，当因其俗，以不治治之……盖番苗宜令自安番苗之地，内地之民宜令自安内地，各不相蒙，可永宁谧……着一并传谕湖广、川陕、两广、云贵、福建各督抚，共知之。"⑤云贵总督张允随承旨，奏陈"遵奉因俗而治谕旨办理缘由"，称："查臣所属滇黔两省……新辟苗疆，虽经向

---

① 魏源：《雍正西南夷改流记下》，《圣武记》，中华书局，1984，第295—296页。
② 《清实录》卷22，中华书局，1985，第528页。
③ 《清实录》卷52，第885页。
④ 中国第一历史档案馆编《清代档案史料丛编》第14辑，中华书局，1990，第177—178页。
⑤ 《清代档案史料丛编》第14辑，第178—180页。

化，野性未驯，言语多不相通，嗜好亦复各别，向交该管土司头目等稽查约束，遇有犯案，轻者夷例完结，重者按律究治，地方官随时斟酌办理。凡属内地人民，概不许其擅入夷寨，即有拘提人犯，催纳钱粮等事，亦皆责成土司头目，不使差役得以借端滋扰。"[①] 由上述引文可知，"以不治治之"乃"中华世界秩序原理"的历史文化价值传承，[②] 也是清朝君臣治理四夷的共识。因此，本章拟根据上述引文，就中西国际秩序原理之差异展开论述。

首先，清代针对南方各少数民族，允许各族适用合乎自身的律令。根据研究，苗民、番、蛮都是对南方少数民族的称呼。所谓"番"者，主要是指台湾世居族群和四川凉山及四川西北的彝族、藏族等。[③] 其中，台湾世居族群在刘铭传上奏独立建省之前，均隶福建督抚辖下之台湾府管辖。其次，"苗民、番、蛮均属化外"的"化外"用语，原指远方"教化"所不及处之王臣与王土，或因偏远致"王化"所不逮之藩属土或人民，此处乃指风俗习惯、文化礼仪与中国本部不同的属民或属夷。因之，有"化内"与"化外"之别。化内指中国，化外指四夷。因此，"华夷之辨"不在境内或境外之别，其要在于"化内"与"化外"之差异。最后，"因其俗"乃指在政令管辖上，采取因时制宜、因地制宜、因人制宜、因俗制宜、因教制宜的权宜措施，属于民族自治、地方自治或王国自治的范畴。至于"以不治治之"，乃指中国历代王朝对各地少数民族的统治方式。在不同时空下，对种族、宗教、文化、习俗不同的民族不采全国律令同一的统治方式来加以管辖，甚至根本就是采取以不直接管辖的"以不治治之"或"不完全以不治治之"的治道，即民族自治、地方自治、王国自治。从法令完备的今日来看，或许可以"以今非古"，也可以"以西非东"，但是在近代以前的天下，即中华世界，我们不能不承认它是维续中国与藩土、属土或土司间之宗藩关系的重要"国际秩序原理"。不但中国向来认为"不统治"正是"统治"的办法之一，即使东亚各国亦持相同看法。"以不治治之论"看似相互矛盾，但在东方历史上，无论是就其文化价值而言，还是就其历史事实而

① 《清代档案史料丛编》第 14 辑，第 178—180 页。
② 张启雄：《中华世界秩序原理的源起：近代中国外交纷争中的古典文化价值》，吴志攀等编《东亚的价值》，北京大学出版社，2010，第 120—125 页。
③ 胡兴东：《清代民族法中"苗例"之考释》，《思想战线》2004 年第 6 期。

言，不论我们赞同与否，其真实存在于历史上，则为不容否认之事实。

本章对"以不治治之论"不厌其烦地再三加以解析、论述，乃因它就是中国统治境内化外之"苗、番、蛮"，进而延伸到九州境外之属藩的统治原理，原即东方国家之王道文化的精髓。然近代以后，只要中国提及对"化外"实行"以不治治之"的论述或做法，反而变成列强侵占中国属藩、属土的最佳借口。列强的理由是，由于中国并未对藩属土加以"实效管辖"，所以中国的宗藩关系并没有主权上的隶属关系，若非空谈，则顶多只是一套礼仪的仪式而已。殊不知，"不同的国际体系，基于不同的历史文化价值，各自形成不同的国际秩序原理，以规范其国际秩序"。据此，我们对始于近代迄于今日的西方价值中心主义感到忧心，痛感仍有进一步矫枉、阐释及强调之必要。

由上可知，中国对周边少数民族的统治方式，历代大都奉行"以不治治之论"的原理，这也是根源于《礼记·王制》"修其教不易其俗，齐其政不易其宜"的文化价值。至于它在历史上的演变，则依"华夷可变论"的原则，观察"夷狄进于中国"的程度，然后再决定是否给予"则中国之"的待遇。一旦"中国之"，则统治方式将由间接统治走向直接管辖。因此，"因俗而治"就是在属藩、属土或少数民族承认以中国为共主（主国、上国）的统治前提下，对其采取与统治中国不同的治理方法，特别是不实行全国一致之政治、法律、经济、社会的制度。虽然允许他们实行高度民族自治、王国自治或地方自治，但基于"王化论"的文化价值，中国仍然会采取消极渐进的"用夏变夷"之文化性的教化措施。

这样的统治方式到近代西力东渐后，因西方帝国主义假借"万国公法"的"实效管辖领有论"为谈判利器，以坚船利炮为侵略手段，压制清廷。中国在屡战屡败的劣势下，其国际秩序原理开始面临冲击，至此始告大梦初醒。由于不同的国际体系各有不同的国际秩序原理规范其国际秩序，解释其国际行为，故强将一方之国际秩序原理加诸他方之国际体系，就是帝国主义的行为。只有站在东西方国际秩序原理各有不同的角度分析国际关系，才能呈现它的时代意义。

2. "以不治治之论"文化价值在东亚的普世化

"以不治治之论"的文化价值，并非中国理边、治国、平天下时所独有、独治、独享的历史文化精华，它通过儒家文化的传播，其实早已成为东亚的共同价值，周边国家不但知之甚详，且已普施于"中华世界帝国"之邦交关系或行之于中国境内之少数民族及东亚各邦的涉外领域，较诸近代西欧对待殖民地的控制与榨取，早已开"民族自治"之先声。

（1）朝鲜

朝鲜《日省录》的记载，李朝高宗十二年（光绪元年，1875）五月初十日，朝鲜君臣（高宗、都提调李裕元、提调闵奎镐、副提调金炳始、判府事洪淳穆、判府事朴圭寿、左议政李最应、右议政金炳国等）于熙政堂讨论国是，分析朝鲜政府该如何因应日本于明治维新之际，为通知朝鲜日本改行"王政复古"之制，而于书契（国书）中对位居交邻对等之朝鲜肆意滥用"皇、敕"等违格碍眼的字眼。其记载如下：

> 曰：自昔中国待夷狄之道，以不治治之，为其不欲生事也。今于此事，讲修邻好，包容得其宜，未必自我先为生衅也。[①]

朝鲜王廷可谓深切体会中国王朝通过"以不治治之论"包容四夷的奥妙所在。

（2）越南

至于越南，它对"以不治治之论"也不生疏，明朝时期的《越峤书》记载：陈朝末年，因黎季牦篡位自立，明太宗于永乐四年（1406）下诏数其罪，派八十万大军出兵讨伐。乱平之后，永乐帝在越南重置郡县。黎利代兴之后，率军与明朝鏖战十年。明朝终于在宣宗宣德三年（1428）撤治。黎利在越南建立安南王朝后，于宣德六年十月以权署安南国事之名向明宣宗上表谢恩，赞扬中国对四夷的"以不治治之论"。黎利称：

> 恭惟皇帝陛下，圣敬日跻，聪明时宪，万物并育，心天地以为心，四海蒙恩，治夷狄以不治。[②]

又，嘉靖十六年（1537），安南权臣莫登庸弑主篡国，世孙黎宁差使乞

---

① 《日省录》卷167《高宗篇十二》，汉城大学校出版部，1972，第195页。
② 李文凤编《越峤书》卷15《书表》，四库全书存目丛书，庄严文化公司，1996，第203页。

恩，正法以诛僭逆，明世宗以黎氏封国危急，乃兴兵"伐罪吊民，正名定难，兴灭继绝，去暴除残，以救"。① 当时，明朝援军昭告天下之大义名分，称：

> 帝王之驭夷狄，拒则惩其不恪而以威刑之，来则嘉其慕义而以礼怀之，比〔此〕所谓治之以不治之法也。安南虽云外国，实我中国与〔舆〕图，纳贡称臣，其来已远。②

及清朝嘉庆七年（1802）五月，越南改朝换代。阮福映举兵灭西山阮氏，统一分崩离析的越南，建年号为嘉隆。翌年，以"南越"之名请封，清朝旋改订其国号为"越南"，是为越南阮朝世祖。③ 嘉隆四年（1805）六月，阮福映遣陈文龙使万象，陈文龙因收受万象国王馈赠，而遭受镇臣弹劾，称："人臣义无外交，万象不当私馈，文龙不当轻受，具疏以闻。"④ 越南国王嘉隆帝谕示：

> 中国⑤之于外夷，治以不治，彼以诚来斯受之。⑥

由是观之，"以不治治之论"已经成为宗藩比邻之间的共同历史文化价值。

（3）日本、琉球

除陆邻藩国外，位居海外之日本、琉球对此共同历史文化价值的态度又如何？根据东京大学史料编纂所典藏，江户时代日本派驻琉球官员伊地知季安于天保9年（道光十八年，1838）所撰述的报告书《琉球御挂众愚按之觉》中，指出日本对此不但知之甚稔，且其做法亦与中国之"以不治治之论"完全吻合。伊地知季安说：

① 李文凤编《越峤书》卷13《书疏移文》，第159页。
② 李文凤编《越峤书》卷13《书疏移文》，第161页。
③ 《大南实录·正编第一纪》卷17，有邻堂，1963，第567—568页。
④ 《大南实录·正编第一纪》卷26，第683—684页。
⑤ 此处之"中国"应指越南。盖越南王朝对内文书自称中国，而称中国为北国。由于越南向以中国嫡系正统自居，并蔑视中国为旁系闰统，其中所隐含之意义殊堪玩味。
⑥ 《大南实录·正编第一纪》卷26，第684页。

中古之世，日本正逢乱世，政令难以下达。此时，明朝陆续派遣官员前往琉球，不厌其烦地教导他们，就这样经过了二百三十年左右，岛津家久又袭占琉球，从此众人皆以为琉球本来就是异国。不用说，不如此处置的话，琉球国体难以成立，其中尤为重要之理由，乃非如此于萨摩藩有害无益。明历元年，幕府曾下达指示，称即使鞑靼下令剃发，剃发与否，但听琉人自便。就此旨趣而言，似亦符蛮夷者以不治治之之意。①

由上述东亚各国对"以不治治之论"所展开的论述可知，"采用不治理它的方式来统治它"（="以不治治之论"）不但是中国对周边四夷的统治方式，也是以中国为中心的东亚各国（="中华世界帝国"）的共有文化价值。所以说，它就是近代以前规范"中华世界帝国"、天下或东亚世界的国际秩序原理之一。相对的，近代西方国家以"实效管辖领有论"为中心之国际法秩序原理的论述，是与"中华世界秩序原理"完全不同的国际秩序原理。二者具有对立性，一旦接触，容易爆发东西方国际秩序原理的冲突。

三　东西国际秩序原理的纠葛

国际情势的发展

西方自工业革命以降，科技不断创新，文明日益昌盛。因科技创新而船益坚炮越利，又因科技文明昌盛而全面否定其他异质文化价值。在欧美的坚船利炮下，亚、非、拉各国纷纷被迫签订城下之盟，弱者割地赔款而沦为殖民地，强者因宰制弱小而成为帝国主义，进而全面否定异质文化而形成西方价值中心主义。国际秩序原理的适用亦复如是。

19 世纪 40 年代，清朝政府因鸦片战争兵败，被迫签订城下之盟后，继

---

① 伊地知季安：《琉球御挂众愚按之觉》，日本东京大学史料编纂研究所藏。鹿児島縣歷史資料センター一黎明館編『鹿児島県史料——旧記雜録拾遺伊地知季安著作史料集二』、鹿児島県発行，1999、638 页。本文件原藏于日本东京大学史料编纂研究所，于平成 11 年即 1999 年收入鹿儿岛县史。原文以候文文体撰写，承琉球大学赤岭守、丰见山和行二位教授之教示，特此致谢。

而屡战屡败，又屡败屡战。在同治年间的 19 世纪 60 年代，因危机意识，乃开始推行洋务运动，进而采取"联日本、抗欧美、以重建中华宗藩体制"的新中华世界秩序构想。[1]

及 19 世纪 70 年代以降，就清末之时势而言，中国的边地与宗藩关系之大患有六。在东北方，日本有侵犯朝鲜之势；在西北方，有俄国入侵新疆之危；在西南方，有英国侵夺缅甸、西藏之情；在东南方，日本侵略琉球、台湾。此外，尚有法国蚕食鲸吞越南之警。此时，列强除挟军事优势屡败清军之外，也带来异质文化的"万国公法"，作为外交谈判的利器，与中国展开一场又一场的国际秩序原理之争。

意料之外，当明治维新略收成果之际，日渐西化的东邻日本一面谋与中国缔结《中日修好条规》，另一面却走向与李鸿章谋划之"新中华世界秩序构想"背道而驰的向外扩张路线，更借用"万国公法"的法理，企图北侵朝鲜、中国东北，然后南下入关；向南则谋取琉球、台湾，转由福建北上，矛指南京，亟图从南北两面进行包抄，颇有对华行"争天下"之势。因此，清朝除遭西洋侵略外，又蒙东洋恃力争夺天下的威胁。

关于清朝藩属土的中日国际秩序原理之争

1. 日本对中国直辖领土台湾之争

1874 年 4 月，日本借口 1871 年牡丹社"生番"杀害琉球漂流民事件，引发日本出兵台湾的中日纷争。明治日本根据西洋近代国际法的"无主地先占原则"，提出"台湾番地无主论"，强行出兵台湾。相对的，清朝向以因人制宜、因地制宜、因时制宜、因俗制宜、因教制宜为原则，虽视"生番"地域为"化外之地"，实行"以不治治之"政策，但提出台湾全岛乃福建省台湾府辖下的中国领土斥之，并应急备兵抗日。日本为了再以"实效管辖领有论"击溃清朝的"以不治治之论"，派遣大久保利通为使清全权办理大臣，率御雇法籍国际法专家波索纳德（G. E. Boissonade）等，于 1874 年 9 月赴北京与总理衙门辩驳台湾之主权归属问题，双方交涉要点如下。

---

[1]　张启雄「新中華世界秩序構想の展開と破綻—李鴻章の再評価に絡めて—」『法政大学沖縄文化研究紀要』第 16 号、1990、231—253 頁。

大久保：贵国政府谓生番为属地，我国则以其为无主野蛮之地……贵政府于生番究有几分实地惩处。

总署：我政府以事繁，设官分职，各有所司。我虽一时不能即答，惟有《台湾府志》可为证据。

大久保：公法云：虽有荒野之地，该国若不能实效领有，也不能于其地设置官厅，现又不能于该地（征税）获益，则公法不认其有领有之权及主权。

总署：同地岁纳饷税，为大清属土，判然可知。生番等处，宜其风俗，听其生聚，叛者征之，服者容之，向不设官、设兵，其输饷等事，已详照会。

大久保：虽载于书籍，然实未施行，不足为据。

总署：不能据此无税之说，断为管辖之外……生番之饷，向由头人包完征收者，薄待之以宽，番民之较苦者，或终身不知完饷等事。

大久保：若既已为贵国之属地，可有派官之定则、赋课租税之常例。①……贵国既以生番之地，谓为在版图内，然则何以迄今未曾开化番民。夫为一国版图之地，不得不由其主设官化导，不识贵国于该生番果施几许政教乎？②

总署：查台湾生番地方，中国宜其风俗，听其生聚，其力能输饷者，则岁纳社饷，其质较秀良者则遴入社学，即宽大之政以寓教养之意，各归就近厅州县分辖，并非不设官也，特中国政教由渐而施，毫无勉强急遽之心，若广东琼州府生黎亦然，中国似此地方甚多，亦不止琼州、台湾等处也，况各省各处办法均不相同，而番、黎等属办法尤有不同，此即条约中所载两国政事禁令之各有异同之意。③

大久保：夫版图者理当有确实证迹。未曾有其政权实迹者，在公法上谓为政权不及之地，不认其为版图，我信以为绝非贵国版图。

总署：万国公法者，乃近来西洋各国编成之物，殊无载我清朝之事，故不引此为论辩之用，当以正理熟商。④

---

①　『大日本外交文書』第7卷、一三九号文書。
②　『大日本外交文書』第7卷、一三九号文書、付記三。
③　『大日本外交文書』第7卷、一四二号文書、付記一。
④　『大日本外交文書』第7卷、一四三号文書。

大久保：今残暴不制，凶恶不殄，事涉两国，岂可置而不问。本大臣所欲知者，不在政令异同，惟在政令有无，以便确定台地之案。①

由上述中日对谈方式的争辩攻防可知，在国际秩序原理的主权归属与国家统治的理论上，清朝政府受到日本的严峻挑战。不过，政令各有异同，岂可相强。

总之，日本首先提出"台湾番地无主论"，是可以进行"先占"（occupation）的土地。相对的，中国方面则根据《台湾府志》的政府公文书，强调"台湾番地有主论"，它是中国辖下的领土，乃有主地，故无法先占。于是，日本又重新设定其主权归属的基准，提出"领其地，理其政，征其税"的"实效管辖领有论"，以便在国际秩序原理上援引西洋近代国际法秩序原理作为唯一的衡量基准。因此，日本断定中国在台湾番地所行"因俗制宜"为"无律"，"社饷"为"无税"，"社学"为"无教"，"州县分辖"为"无官"。最后，概以"政令有无"的"无"字作为归结，以攻中国所持"华夷分治论"下之"以不治治之"论述。中国则表示，不引万国公法为论辩之用，当以"正理"熟商。换句话说，中国拒绝采用西洋近代国际法秩序原理作为主权归属的唯一基准，相对的，提出以"中华世界秩序原理"作为主权归属基准的主张，并以"政令异同"的逻辑，强调国家施政巧妙各有不同来作为结论。最后，日本认为清朝在台湾"番地"并无政令管辖，中国认为这只是两国的政令差异而已，因此形成"政令异同"对"政令有无"的中日论争。

2. 关于礼部辖下的宗藩关系

（1）日本对中朝宗藩关系之争

1876年，中日两国曾就朝鲜的地位爆发"国际秩序原理"的论争。中国为了保护它与朝鲜的宗藩关系，强调"中华世界秩序原理"；日本为了攘夺朝鲜，则假借近代西洋国际法秩序原理作为其出兵朝鲜的大义名分，双方展开一场朝鲜主权归属的论争。中日双方的论述正逢东西方国际秩序原理交替之际，有助于今日学界了解、厘清近代以来朝鲜之国际地位，在国际秩序原理上所爆发的纠葛与冲突。

---

① 『大日本外交文书』第 7 卷、一四三号文书、付记。

是年，明治政府有事于朝鲜，唯惮于中朝宗藩关系，为探问虚实，避免中国突加干涉，乃于遣派黑田清隆率舰赴朝之前，先行派遣森有礼为驻京公使，赴清查探中国虚实与所持态度。1876 年 1 月 10 日（光绪元年十二月十四日），森有礼先赴总理衙门拜会，并从王大臣处轻易取得出兵朝鲜之国际法的法理借口。他说：

> 据贵王大臣云：朝鲜虽曰属国，地固不隶中国，以故中国曾无干预内政，其与外国交涉，亦听彼国自主，不可相强等语。①

森有礼据此口实，进而对照"万国公法"之诸家见解，向外务卿寺岛宗则报告，断言：朝鲜既然内政、外交自主，则与独立国无异。② 他认为清朝虽有宗主国之名，但无宗主权之实，遂照会总理衙门，称：

> 由是观之，朝鲜是一独立之国，而贵国谓之属国者，徒空名耳。③

总理衙门见森有礼照会，浑然不知日方已取得足资辩驳中国之传统法理的依据，进谋以西洋近代国际法之"领其地，理其政，征其税"的"实效管辖领有论"，对付"中华世界秩序原理"之"因人制宜、因地制宜、因时制宜、因俗制宜、因教制宜"的"以不治治之论"。1 月 13 日，总理衙门在知己但不知彼的情况下，仍一秉信念，照复森有礼，称：

> 朝鲜自有国以来，斤斤自守，我中国任其自理，不令华人到彼交涉，亦信其志在安分，故无勉强……中国之于朝鲜，固不强预其政事，不能不切望其安。④

1 月 17 日，总理衙门将其答复森有礼的要旨与原则上奏，称：

① 《清季中日韩关系史料》卷 2，212 号文件。
② 大久保利谦编『森有禮全集』第 1 卷、宣文堂书店、1972、142—143 页。
③ 《清季中日韩关系史料》卷 2，212 号文件。
④ 《清季中日韩关系史料》卷 2，208 号文件。

查朝鲜虽隶中国藩服，其本处一切政教禁令，向由该国自行专主，中国从不与闻。今日本国欲与朝鲜修好，亦当由朝鲜自行主持。[①]

总理衙门的奏折还是"以不治治之论"的传统文化价值。1876 年 2 月 12 日（光绪二年正月十八日），总署因言犹未尽，乃又去函照会森有礼，痛快陈述中朝宗藩间之权利义务。

盖修其贡献，奉我正朔，朝鲜之于中国应尽之分也；收其钱粮，齐其政令，朝鲜之所自为也，此属邦之实也。纾其难，解其纷，期其安，中国之于朝鲜，自任之事也，此待属邦之实也。[②]

一言以蔽之，仍是彻头彻尾之"以不治治之论"的历史文化价值。

森有礼为了确认中方论点，在与总署论驳后，又赴保定找李鸿章对谈。兹先摘述双方之"国际法观"，以资对照。

森：据我看来，和约没甚用处。

李：两国和好，全凭条约，如何说没用。

森：和约不过为通商事，可以照办。至国家举事，只看谁强，不必尽依着条约。

李：此是谬论，恃强违约，万国公法所不许。

森：万国公法，也可不用。

李：叛约背公法，将为万国所不容。[③]

森有礼的观点反映了他已吸收近代西洋优胜劣败、弱肉强食等"强权即公理"的社会进化论思潮。相对的，李鸿章仍墨守东方传统的王道观念。另，再根据双方就中朝宗藩关系之论驳，也可以清晰看出双方所持之中西国际秩序原理的不同，其对答如下。

---

① 《清季中日韩关系史料》卷 2，213 号文件。
② 『大日本外交文书』第 9 卷、四七号文书、付记一。
③ 《清季中日韩关系史料》卷 2，229 号文件，附件 1。

　　森：各国都说，高丽不过朝贡受册封，中国不收其钱粮，不管他政事，所以不算属国。

　　李：高丽属国几千年，何人不知。和约上所说，所属邦土，土字指中国各直省，此是内地，为内属，征钱粮管政事。邦字指高丽诸国，此是外藩，为外属，钱粮政事，向归本国经理。历来如此，不始自本朝，如何说不算属国。①

　　很清楚，中国对待属藩向来"不收其钱粮，不管他政事"；相对的，属国的"钱粮政事，向归本国经理"。其实，这个说法仍是"以不治治之论"。这种意识形态显然是基于历史文化价值而来的国际秩序原理，与国际法的法理完全不同。

　　（2）日本对中琉宗藩关系之争

　　中琉关系始于明朝洪武五年（1372）琉球奉表入贡。明末国势衰微，庆长14年（1609）萨摩藩悄悄出兵琉球，执其国王以归，并丈量琉球土地，收夺资源，征收租税，旋令琉球以"异国"名分朝见江户，后执留萨州二年始获释归琉。② 唯幕府与萨摩藩均不愿因私灭琉球之事，扩大为中日或中萨紧张之危局，特别是在强大的清朝出现后，更有导致幕藩危亡之虞。德川幕府对于丰臣秀吉侵攻朝鲜，导致中国以宗主国名分出兵援朝，丰臣政权因之崩溃的事记忆犹新，深恐因岛津侵琉一事，"招来幕藩制国家的危机"，③ 乃断然命令琉球对清采取隐蔽政策。④ 从此，琉球阳为中国独属，阴则沦为中日两属。

　　清末，中国再度式微。日本则因明治维新国势渐盛，于是爆发琉球主权归属的问题。之所以爆发琉球纷争，其根本原因实出于明治维新以后日本改采脱亚入欧政策，舍弃"中华世界秩序原理"，改奉西洋近代国际法原理作为主权归属的唯一基准。据此，日本以国际法主权具排他性企图独占

① 《清季中日韩关系史料》卷2，229号文件，附件1。
② 《中山世谱》，《尚宁王纪》，万历三十七至三十九年条。
③ 紙屋敦之『幕藩制国家の琉球支配』、校倉書房、1990、227頁。
④ 张启雄：《"中华世界帝国"与琉球王国的地位——中西国际秩序原理的冲突》，《第三届中琉历史关系国际学术会议论文集》，中琉文经协会，1991，第434—436页。

琉球，不允琉球两属，于是开始对琉展开排他的领有部署。

在法理适用上，日本对琉与对台的纷争都采用相同的法理，仍然根据西方国际法秩序原理的"实效管辖领有论"，逐步兼并琉球。日本首先于明治5年（1872）将"琉球王国"改封为"琉球藩"，以"领其地"。然后，将异国的"琉球藩"的管辖权外务省移往内务省，以"理其政"。最后，设置出张所（稽征所）于琉球，谋对琉课征税金，并纳入大藏省（财政部），以"征其税"。至此，明治政府大致依照国际法所订的领土归属步骤，完成对琉"领其地，理其政，征其税"等"实效管辖领有论"三大原则的布局。

日本政府既根据"万国公法"的步骤，将琉球编入日本版图，确立日本对琉领有权的国际法法理根据，自认为已立于不败之地。为了进一步排除所有与西洋近代国际法秩序原理"实效管辖领有论"的矛盾之处，乃于1875年5月任命松田道之为琉球处分官，于7月到琉球宣布"琉球处分"，其内容为：①禁止琉球进贡中国；②禁止琉球受中国册封；③禁止琉球奉中国正朔，改采日本年号；④在琉球施行日本刑法；⑤改革琉球藩制使与日本本土相同；⑥为了布达政令，琉球须遣人驻京；⑦废福州琉球馆；⑧藩王上京谢恩；⑨设置镇台分营驻屯琉球。[①] 1877年末，首任驻日公使何如璋于赴任途中，在神户港船上半夜接到琉球密使马兼才的日本阻贡投诉，抵东京后，旋即展开交涉。

1878年9月，何如璋赴外务省，与外务卿寺岛宗则展开琉球归属交涉。寺岛坚持依国际法的"实效管辖领有论"，提出"自其土地收税者，为管辖者""在其土地实行政事者，即其地之管辖者"的主张。相对的，何如璋则提出"国民信服领有论"，强调"非其国民信服者，难谓其为管辖之主"。[②] 于是，双方继续展开辩驳。

> 寺岛：不在管辖之人心服否，而在现在之着手如何。
>
> 何如璋：琉球乃从前我国着手之处。
>
> 寺岛：徒有纳贡朝聘，不可谓为实地实施政治。三百年来，我国

---

① 下村富士男编『明治文化资料丛书・第四卷　外交编』、风间书房、1962、103—108页；『大日本外交文书』第8卷、一四三号文书。

② 《琉球所属问题》（1）（《琉球所属问题关系资料》第8卷），第19号文书。夏威夷大学图书馆藏。

持续设置官吏加以管辖。

何如璋：若论古事，三国时代，我国曾册封贵国为王……毕竟不可以琉球为贵国之所属。

寺岛：我国有勋章制度，顷赠俄帝，册封为我国一等勋位。琉球国主中山王号得自贵国，亦同此例。

何如璋：如此引述，是为歪理。

寺岛：今有贵国以册封中山王为属国，我国以征税三百年为属藩等两种说法。

何如璋：我国有琉球数百年来纳贡之证据。

寺岛：贡者出于礼仪，与收税不同。税者，非实地管辖者不得征收，近来各国相交总据公法行事，不背公法为要。

何如璋：纳贡之义闻于贵说，封王之义如何。

寺岛：如欧洲各国至罗马以乞帝号，封王之事不可谓为属国。

何如璋：然欲将其置于我国所属。

寺岛：三百年来受我国保护之故，难委于贵国之管辖……不预其政，不可谓为管辖，亦不可谓为保护。既非管辖保护，不可谓为属国也。一如琉球，若其国大犹可，如此蕞尔小岛，非能保护管辖则必成他国之掠夺物，因而让所称外藩遭到舍弃当为贵国之失策。[1]

从此，中琉宗藩关系在国际法配合坚船利炮下横遭日本切断。其实，寺岛宗则的辩驳论述似是而非，完全不堪检验。

就册封体制而言，封贡关系乃君臣邦交关系之始也。寺岛宗则以外务卿之尊，竟有意无意地误"授勋"为"册封"，实为可笑。又，他强调："三百年来，我国持续设置官吏加以管辖。"其实日本驻琉的最高长官"奉行"从未掌握行政管辖权，充其量只拥有监督权，而且只能在暗中监督。至于王国的行政管辖权，事实上只有琉球国王一人才是真正光明正大的掌握王国统治权者，何况只要册封使一到琉球，日方的琉球奉行必须立刻销声匿迹，以免为幕藩国体带来危机。另，寺岛宗则强调："我国以征税三百年为属藩……税者，非实地管辖者不得征收。"其实，日方所称"我国以征

_____

[1] 《琉球所属问题》（1），第19号文书。

税三百年"，应该改为"我国以榨取三百年"。何以见得？盖日本从未将琉球纳入版图以"领其地，理其政"，在欠缺此前提之下，那么"征其税"之权又来自何方？因此，我们可以将它断定为剥削榨取而非征税。最后，就外交权而言，幕府对琉既采隐蔽政策，就无法染指外交权，因为根据公法，外交权乃国家对外的至高权，且须公开为之，否则即沦为属藩或被保护国。故琉球的外交权其实完全掌握在宗主国中国的手上，其中尤以中国公开对琉球实施册封权利、琉球公开对中国执行朝贡义务，持续依赖"中华世界帝国"之宗藩贸易，而永续存活于明清时代的国际关系之中。

及 1879 年 4 月 4 日，明治政府为独占琉球，正式宣布"废藩置县"令，① 废琉球藩为冲绳县。并于翌日派锅岛直彬为冲绳县令，治理冲绳。又将琉球国王移往东京，就近监控。至此，享国历五百年之久的琉球王国遂告亡国。②

在此时期，中国始终坚持"中华世界秩序原理"的"华夷分治论"，对琉球实行"以不治治之论"的治道。于琉球王国危亡之际，以争琉球"王国""王祀"的存续为己任，这就是"中华世界秩序原理"的"兴灭继绝论"。而日本则力持西洋近代国际法秩序原理的"实效管辖领有论"，以兼并琉球。随着日本国力的增强和西洋近代国际法原理的适用，琉球王国遂由"中华世界秩序原理"下的独立自主，坠入了中西国际秩序原理冲突的旋涡，最后更在日本的武力兼并下亡国了。琉球属藩的亡国成为中国的最痛，因此强烈影响了清朝对中国边疆政策的改弦更张，不得已只好开始根据西洋近代国际法秩序原理的"实效管辖领有论"实施新政，以救亡图存。这就是清末中国国际秩序原理的转型。

回顾清末西力东渐之初，在清朝屡战屡败之下，李鸿章目睹藩属土日渐为西方列强所蚕食鲸吞，于是为了对抗列强的侵略，乃于同治年间一面推行洋务运动，一面构思新中华世界秩序，企图联合东方的日本，共同抵抗西方的侵略，以达成其重建中华宗藩体制的构想。唯出乎意料者，乃日本趁明治维新略收成果之机力图脱亚入欧，亟图向周边邻国扩张，于是借

---

① 『大日本外交文书』第 12 卷、九五号文书。

② 张启雄：《"中华世界帝国"与琉球王国的地位 ——中西国际秩序原理的冲突》，《第三届中琉历史关系国际学术会议论文集》，第 419—474 页。

用"万国公法"的法理出兵台湾，染指朝鲜，尽灭琉球并夷为郡县。从此，清朝政府在遭遇西方侵略之余，又受到东洋的威胁，终于陷入遭受东西列强腹背夹击的困境。

（3）法国对中越宗藩关系之争

近代初期，法国航海东来越南，先以天主教保护者自居，借保护传教士和教徒之名，图谋染指越南。1858 年，法国无视中越宗藩关系，趁清朝内忧外患而无暇外顾之机出兵越南，占领土伦港（蚬港）。1859 年，法国兼并湄公河三角洲，占领南圻的柴棍（西贡），鲸吞边和、嘉定、定祥等南部三省。1862 年，法国强迫阮朝签订《西贡条约》，将三省割让给法国，旋改称交趾支那。1867 年，法国为扩张殖民地，又北上攻取越南昭笃、河仙、永隆等中部三省。至此，属藩越南的版图仅剩北部地区。

1870 年，企图争霸欧陆的法国因妨碍德国统一，终于引发普法战争，结果大败投降。翌年 3 月签订《法兰克福和约》，法国以割地赔款结束战争。从此，法国国力大损，乃又进谋海外发展以取偿于越南。1873 年，法军进犯河内，并入侵北圻。黑旗军应阮朝之请击败法军，法军退出北圻。然而，法国虽明知越南为中国之属藩，仍于 1874 年强迫越南签订《法越和平同盟条约》，即第二次《西贡条约》，置越南为保护国。约中第二条即为否定中越宗藩关系的条文，规定："法国伯里玺天德相待越南为自主之国，不归他国管属。"第三条乃法国布局取代中国保护越南的条文，规定："法国既有保护越南之约，则越国与别国往来通好事宜，亦应按照法国所行办理。"第四条规定，"越南国欲整顿水陆各军，法国特派水陆军各教习数员，听候该国差委"，亟图控制越南国防。第五条规定："法国所管安南地方，既经越南国认明应归法国管辖。"第十一条规定："由呢哈江通至滇省，亦可通商。"①

据此，法国不但完全控制了越南中、南部，并且对苟延残喘于北部的越南王国，亦以承认越南为独立自主来否定中国的宗主权，进而通过经红河通商云南的条款规定，企图进一步蚕食鲸吞越南北部，直到灭亡越南为止。国力中衰的法国如何以软硬兼施的外交手法对付衰败的清朝，以否定

---

① 《总署收法使罗淑亚照会附法越 1874 年条约》（光绪元年四月二十一日），《中法越南交涉档》（1），"中央研究院"近代史研究所编印，1962，第 3—10 页。

中国的对越宗主权，逐步取得越南全境的控制权，遂成为法国的对中外交政策。

1875 年 6 月 15 日，总署照会法使罗淑亚（Le Comte de Rochechouart），称："交趾（按：中国古称越南为交趾）即越南，本系中国属国……查交趾国前因匪徒蜂起，迭经该国遣人至中国乞援，中国因其久列藩封，不能漠视，遴派官兵往剿。"[1] 从此掀起中法越南归属交涉。中国使臣曾纪泽闻法将有事于越南，乃先于 1880 年 1 月照会法国前任外交部长佛来西尼（Charles de Freycinet），声明"越南系中国属邦等语"；又于 1881 年 1 月照会新任外交部长桑迪里（Barthélemy Saint-Hilaire），强调："越南国王既受封于中朝，即为中国之篱屏，倘该国有关系紧要事件，中国岂能置若罔闻。"[2] 于是爆发了中法驻俄公使间的越南归属论争。

> 商犀：本国与越南国王所定条约第二款内载法国认越南王为自主之君，许以助力，镇守地方，以及保护敌人之攻击等事。
>
> 曾侯：法国与越南定约，认为自主之国，不能与中国无干。缘三百年以前，越南尚隶中国版图，厥后封为属国，自理内政，法国虽与之定约，中国之权力尚在……中国不愿邻近属邦改隶西洋之国。[3]

同年 12 月，李鸿章与法驻华公使宝海（Albert Bourée）亦就中越宗藩问题进行交涉。不过，此时法国的国力尚未完全恢复，法方交涉态度仍然柔软。

> 李：传闻皆谓：贵国将求逞于越南，越南吾属国也。不识果有此议否？
>
> 宝：越南为贵国之属邦，当议约时，越南并未提及，故仍待以与

---

① 《总署给法使罗淑亚照会》（光绪元年五月十二日），《中法越南交涉档》（1），第 11—12 页。

② 《总署收出使大臣曾纪泽文附给外部照会》（光绪六年十二月三十日），《中法越南交涉档》（1），第 147—148 页。

③ 《总署收出使大臣曾纪泽夹单》（光绪七年二月十九日），《中法越南交涉档》（1），第 149—152 页。

国之礼。使越南钦慕贵国，甘愿朝贡，吾国断无阻难之意，亦无吞并越南之心。

　　李：传说纷纭，皆谓贵国有兼并之谋。

　　宝：吾国政府决无此意，本大臣不稍隐瞒。

　　李：越南属中国已久，贵国如欲吞灭，中国断不能置之不问，理合预先声明。①

　　其后，法国出兵越南的部署逐渐完成，对中越宗藩关系的主张渐感不耐。曾纪泽因维护中越宗藩关系致态度强硬。以下乃曾纪泽公使与法外交部长佛来西尼的对话，从中可看出一些端倪。

　　佛：法国与越南办事，未曾着意于中国。

　　曾：最当着意者莫过于中国，盖中国乃越南邻近之大国，越南乃朝贡中国之属邦。法国若欲灭之，中国不能置若罔闻。

　　佛：本国欲使越南国王照约行事，倘彼不肯照办，法国再设办法。至于如何措置之处，目前尚难逆料。

　　曾：总之，法国若欲吞并越南，中国必欲干预。

　　佛：我所言者，以目前情形而论，不致到此地步，将来事体如何则不可知。

　　曾：总之，遇此等事，中国自有办法。②

　　1882 年 11 月 26 日，李鸿章与宝海会谈。宝海议及"越南事宜三条"，又称"李宝协议"，计开：①倘中国将驻扎东京之滇桂军队撤至边境内外，宝海将照会总署，切实申明，法国毫无侵占土地之意并将毫无贬削越南国王治权之谋；②辟保胜为口岸，令商船溯红江北上贸易；③在滇桂界外与

---

①　《总署英股抄付北洋大臣李鸿章函附与法公使宝海问答节略》（光绪七年十月二十八日），《中法越南交涉档》（1），第 181—183 页。

②　《总署收出使大臣曾纪泽文附一与法外长佛来西尼问答节略二》（光绪八年五月二十六日），《中法越南交涉档》（1），第 385—388 页。

红江中间之地划定界限，北归中国巡查保护，南归法国巡查保护。① 这个协议从历史文化价值的角度来看，确实可以在相当程度上满足中国作为上国对属藩履行"兴灭继绝"的名分与义务，但在权益上无异承认法国对北圻南部拥有控制权，于保护属藩安身立命的存国存祀上却未见周详且代价太高。

1883 年 6 月 9 日，为越南事，李鸿章与法使脱利古（Arthur Tricou）交涉。此时法军的战争部署已近完成，故态度强硬。相对的，中方则因积弱不振，列强环伺四境，既无意以武力解决纷争，也未积极备战制敌，终因敌强我弱致丧失以战求和之先机。兹就中法交涉中越宗藩关系的论争，条列如次：

> 脱：甲戌年（按：1874 年）已与越南立约，乃越人不守成约，于红江通商一节，招诱土匪抗违阻扰，致启兵端。日前业已开仗，法国上下已立意尽力用兵，必须办到尽头地步……中国……若欲稍侵甲戌年约之权利，法国断不稍退让，即与中国失和亦所不恤。
>
> 李：越南为我属国已数百年……何必遽开兵端，且法越甲戌之约，本国未尝明认。
>
> 脱：若欲辩论两国应有之名分，此非辩论之时。目下情形，只论力不论理。我国谕令本大臣，不得认安南为中国属邦。
>
> 李：越南久为中国属邦，贵国断难勉强中国不认。
>
> 脱：越为中国属邦，法国自甲戌之约以后，已有明文，断不肯认。至中国必欲自认为越南上国，本国亦难相强。②

总之，法国以甲戌条约规定越南为独立自主之国，否认中国对越宗主权；并以受法国保护为根据，彻底否认"中华世界秩序原理"的宗主权，并代之以"万国公法"的保护权。换句话说，法国武则挟西洋列强之坚船

---

① 《总署收署北洋大臣李鸿章函附一宝海议越事三条》（光绪八年十月十九日），《中法越南交涉档》（2），第 531—535 页。

② 《总署收署北洋大臣李鸿章函附一与法使脱利古问答节略》（光绪九年五月九日），《中法越南交涉档》（2），第 883—887 页。

利炮，文则以"实效管辖领有论"否定中国的"以不治治之论"，逐步吞并越南。

关于理藩院辖下西藏的主属关系

1. 中英对西藏主属之争

西藏号称"世界屋脊"，外力难以侵扰。唯自 1858 年英灭印度后，[①] 开启英国窥伺西藏之野心，然中国仍不自知。1888 年，终于爆发英国侵略西藏的绪战，英军攻陷隆吐山，直入藏境。清朝迫于既成形势，乃于 1890 年与英国签订《中英会议藏印条约》，承认属藩锡金为英方保护国，一切内政、外交皆归英国管辖；又，划分西藏与锡金界线。[②] 从此，西藏丧失藩篱，险失则守难，门户因之洞开。1893 年，中英又签订《中英会议藏印续约》，即《藏印通商章程》，正式开放西藏通商，是为近代中英交涉藏案之初始。

1895 年，十三世达赖喇嘛亲政，他憎恶英国攫取西藏权益，其辖下噶厦政府也拒绝执行中英藏印条约。1904 年，英印总督寇松（Lord Curzon）借口藏方不履行条约，乃派荣赫鹏（Francis Younghusband）率军直趋拉萨；9 月 7 日迫签英藏条约。此时，十三世达赖喇嘛弃守西藏逃往蒙古，清廷下令革去达赖的名号。荣赫鹏于藏方签署条约后，曾向清朝驻藏大臣有泰表示，"英国完全承认中国在藏持续的宗主权"，[③] 并进一步批评西藏之所以不履行条约，实中国徒拥统治虚名所致，称："此次条约已证明毫无效用，西藏人民从未承认之，而中国当局又完全无力强制藏人也……中国之统治西藏，仅拥虚名。"[④] 从此，英国认为清朝对西藏仅有宗主权（suzerainty），而无主权（sovereignty）。此时，英方论点的主要依据仍以条约履行与否来判断中国对西藏是否具有管辖权。有则主权，无则宗主权。从国际秩序原理的角度而论，英方对"中华世界秩序原理""以不治治之论"的"因俗制宜、因地制宜、因人制宜、因时制宜"的民族自治、地方自治全然无知，

---

① 吴俊才：《印度史》，三民书局，1990，第 10 页。
② Sir Charles Bell, *Tibet Past and Present*，王光祈译，《中国史学丛书续编·西藏外交文件》，台湾学生书局，1973，第 169—184 页。
③ Francis Younghusband, *India and Tibet* (London：John Murray, 1910), p. 305.
④ 荣赫鹏：《英国侵略西藏史》，孙煦初译，台湾学生书局，1973，第 44—46 页。

但见战胜者的片面主张与法理论述。相对于英方的"宗主权"说，清廷则认为中国派驻藏大臣驻扎西藏，干预西藏政务本身就是"主权"的象征。不过，客观而论，"干预"西藏政务与"管辖"西藏政务，仍略有不同。

9月8日，清朝外务部接获报告，以此约"有损中国主权"，乃紧急电训驻藏大臣有泰"切勿画押"。[1] 9月10日，再度训令有泰，称：

> 藏为我属地，光绪十六、十九两次订约，均由中英议订，此次自应由中英立约，免失主权。开议之始，当以力争主权为紧要关键。[2]

1905年，清廷起用曾留学美国哥伦比亚大学的唐绍仪为藏案议约全权大臣，远赴加尔各答与英国全权代表费礼夏（S. M. Fraser）谈判。唐绍仪秉持"主国"系英文"搔付伦梯"（sovereignty）＝主权，"上国"系英文"苏索伦梯"（suzerainty）＝宗主权，而华系藏之"主国"（sovereign state）而非"宗主国"（suzerain state）的原则与英方交涉。[3] 他向外务部报告他的交涉原则与谈判过程时表示：

> 查"上国"二字，英文系"苏索伦梯"，译言彼所管为属国，而属国自有治民之权也。若自认为"上国"，是将西藏推而远之，等西藏于昔日之韩、越、球、缅也。"主国"二字，英文系"搔付伦梯"，译言臣民推为极尊，归其管辖而各事可定也。故必争为"主国"，视西藏如行省，使主权勿外移也。
>
> 前数次会议费使愿认藏为华属，惟属国与属地，英文本同一字。嗣彼声出"上国"二字，经竭力剖辩，费使坚执我国所施行于西藏者，向不尽"主国"之义务，故万不能享"主国"之权利，倘中国先能尽"主国"之义务，则英不至称兵入藏，以收拾旧约原有之权利等语。[4]

---

① 《外务部电有泰》（光绪三十年七月二十九日），"中央研究院"近代史研究所藏外务部《西藏档》册5。藏所下略。
② 《外务部电有泰》（光绪三十年八月一日），《西藏档》册5。
③ 《外务部收议约大臣唐绍仪电》（光绪三十一年四月一日），《西藏档》册6。
④ 《外务部收议约大臣唐绍仪电》（光绪三十一年五月三十日），《西藏档》册6。

　　1905 年 9 月 16 日，议约态度强硬的唐绍仪为免谈判破裂，乃称病返国，改由议约参赞大臣张荫棠续议。最后，双方签订《中英新订藏印条约》。该约第二款规定："英国国家允许不占并藏境，及不干涉西藏一切政治，中国国家亦应允，不准他外国干涉藏境及其一切内治。"然此"外国"之规定，实应包括英国在内。又，该约第三款亦规定："光绪三十年七月二十八日英藏所立之约，第九款内容之第四节所声明各项权利，除中国独能享受外，不许他国国家及他国人民享受。"①

　　总之，中国在藏独享之权，实已包括管理西藏的领土权、干预西藏的内政权、派驻西藏官员权、经营西藏实业权、综理西藏财政权等，这些独享之"权"实已超出"宗主权"范围，而进入"主权"的范畴。② 不过，驻藏大臣并不实际管辖西藏行政，监督行政的意义大过实际管辖。

　　从国际秩序原理的角度来看，"干预"西藏政务与直接"管辖"西藏政务确实略有不同。其道理在于，此乃介于"以不治治之论"和"实效管辖领有论"之间的统治方式，因此本章称之为"不完全以不治治之论"。反之，亦可称为"不完全实效管辖领有论"。换句话说，从东方国际秩序原理来说，应称之为"不完全以不治治之论"；可是从西方国际关系的角度来说，则应称之为"不完全实效管辖领有论"。中英的西藏主权归属交涉，提醒了也声张了中国对藏之主权观念，进而实施新政，直接管辖西藏政务。"舍东就西"的国际秩序原理转型乃其特色。从此，由"以不治治之论"转型为"实效管辖领有论"，就成为清朝在蒙、藏地方对内实施"新政"落实"主权"，并于对外交涉时得以"主国地位"取代"上国象征"的最好根据。

　　1906 年 9 月 1 日，慈禧下诏颁布预备仿行立宪，从此清朝开始政治经济体制改革，是为清末新政。新政实施后，清朝政府开始强化中央对地方的直接统治，西藏只不过是清朝全面实施"实效管辖"的一环而已。就当时而言，只有落实西方国际法的"实效管辖领有论"，才不会在武斗落败之外，又在国际秩序原理的文斗上再次丧失保疆卫土的论述先机。

----

① 《外务部收议约大臣唐绍仪电》（光绪三十一年五月三十日），《西藏档》册 6。
② 冯明珠：《近代中英西藏交涉与川藏边情——从廓尔喀之役到华盛顿会议》，台北故宫博物院，1996，第 167—168 页。

2. 缺乏国际秩序原理论争的俄并蒙疆

就蒙疆纷争而言，沙俄与中国之纷争，西起新疆、蒙古、东北，均逐一渗透蚕食。它甚至曾企图染指中国藩属土西藏，更曾置重兵于图们江，集结舰队于海参崴，伺机南下朝鲜。在沙俄侵略清朝的历史过程中，沙俄对中国属藩问题既无"宗主权"或"主权"之争，对中国辖下的边疆领土也未见"无主地先占"或"主权归属"等理论根据的文攻，但见贪婪讹诈的阴谋，进而挟兵力以胁迫的武吓，完全缺乏文化价值的底蕴。

鸦片战争后，沙俄在中国东北加紧侵略乌苏里江流域、黑龙江流域和西北边疆。1850年，它公然撕毁《尼布楚条约》，侵占黑龙江口的庙街，并接连入侵黑龙江地区。沙皇曾命令东西伯利亚总督穆拉维约夫，表示：如中国政府抵抗，"可以武力迫其就范"。1856年，俄国在克里米亚战争中败于英法，西向扩张受挫，乃转而致力于侵略远东。第二次鸦片战争开始后，沙俄趁机向英法靠拢，企图分享侵华成果。1858年春，俄使伙同英法公使北上，联合对清廷施压。当英法联军攻陷大沽口后，穆拉维约夫突率俄兵直趋瑷珲，于5月28日胁迫黑龙江将军奕山签订《瑷珲条约》。在英法北攻中国之腹时，俄国趁机南击中国之背，强占黑龙江以北外兴安岭以南计60余万平方公里的领土，并把乌苏里江以东的中国领土先划为中俄共管。①

《瑷珲条约》签订不久，沙俄又配合英法侵略行动，强迫清廷签订《天津条约》，除分沾英法所取得的各种侵略利益外，还强求查勘"从前未经定明边界"的条款，为进一步侵占中国领土留下伏笔。1860年，英法联军攻占北京，沙俄又趁机向奕䜣提交新的中俄条约草案和俄国单方面绘制的边界地图，胁迫清廷承认，最后签订了中俄《北京条约》。约中，除确认《瑷珲条约》外，又将乌苏里江以东约40万平方公里的中国领土强行划入俄国版图；规定中俄西段疆界，自沙宾达巴哈界牌起，经斋桑淖尔、特穆尔图淖尔至浩罕边界，"顺山岭、大河之流及现在中国常驻卡伦等处"为界。根据这一条款，又于1864年签订了《中俄勘分西北界约记》，将巴尔喀什湖以东、以南和斋桑淖尔南北44万平方公里的中国领土割让给俄国；增设喀什噶尔为商埠；重申俄国在华的领事裁判权。短短数年间，沙俄利用中国

---

① 王绳祖编《国际关系史》第2卷，世界知识出版社，1996，第236页；复旦大学历史系编《沙俄侵华史》，上海人民出版社，1986，第159—350页。

在南方受困于西欧列强之局，对北方边陲鞭长莫及之势，不断以武力为要挟，强订不平等条约，侵占中国领土总计 140 多万平方公里。[①] 其后，又以勘界为名侵夺中国西疆，甚至出兵强占伊犁，勾结英国瓜分帕米尔高原。即使对清朝发祥地的中国东北也不手软，在甲午战后为与日本争夺中国东北，联合德、法进行三国干涉还辽，骗取清朝的信赖而签订中俄密约，攫取东北路权，进而强租旅顺、大连，划长城以北为其势力范围。即使在日俄战争失败后，仍联日瓜分中国东北，日本取得南部，俄国则仍占有北部。此外，在 1911 年辛亥革命之际，更制造"外蒙古独立"，但却以支持"外蒙古自治"告终。理由在于以支持外蒙古之统独为要挟，企图挟制中国，吞噬外蒙古利权，得以随时操控外蒙古政治动向。中华民国成立后，沙俄虽警告北京政府不得对外蒙古"移民、开垦、设官治理"，但不是基于国际法"领其地，理其政，征其税"的"实效管辖领有论"，而是为了俄国便于操控外蒙古，并排除中国在外蒙古恢复旧有主权或势力，所以也未引发国际秩序原理的剧烈攻防。[②]

　　沙俄攫取中国疆土最厉害之处，在于几近不劳而获。它既不会徒费口舌与中国论辩主权归属，也避免直接会战，但却能在对手腹背受敌或四面楚歌的紧要关头趁火打劫，或伪装调解而自称调停有功，或趁机占领，或陈兵要挟，劫掠边疆以自肥。因此，对这种但知阴暗蚕食鲸吞的交涉实务，而不知累积文化价值以转换成抽象性国际秩序原理以规范国际秩序的对外国家行为，本章称为没有国际秩序原理为基础以供规范国际秩序的俄式外交。

　　总而言之，沙俄在对清交涉时既无独特的国际法秩序原理，也未提出西欧式国际法秩序原理进行法理论辩，[③] 更未通过大会战以光明正大的手段使对方屈服，而是以阴柔手段，趁中国筋疲力尽之际，腹背受敌之时，不战而夺人之地。它与西欧一手捧国际法一手持枪进行侵略的手法实大异其

---

① 　王绳祖编《国际关系史》第 2 卷，第 237 页；《沙俄侵华史》，第 159—350 页。

② 　张启雄：《外蒙主权归属交涉（1911—1916）》，"中央研究院"近代史研究所，1995，第59—61 页。

③ 　陈维新的研究亦证实沙俄外交但知夺取权益，而不知应用国际秩序原理。见氏著《清代对俄外交礼义体制及藩属归属交涉（1644—1861）》，中国文化大学政治学研究所博士学位论文，2006，第 1—414 页。

趣；既赤裸裸，也无基于独自文化累积而成的国际秩序原理，更无可供国际共享的共同价值。

四　宗藩体制的崩解与转型

属土台湾的实效管辖化

19 世纪 70 年代，日本向台湾、琉球及朝鲜等中国所属邦土寻找侵略机会。1874 年，以台湾牡丹社"生番"戕害琉球的遇风难民为由，一面高倡"台湾番地无主论"，一面出兵台湾，深入内山，而受困于深山。此时，中国一面驳斥"台湾番地无主论"，一面准备对日战争。日方在进退不得的情势下，赴北京参加中日和会，双方展开国际秩序原理的辩论。中方以《台湾府志》的记录为本，强调对台行"因俗制宜"之政，征"社饷"为税，置"社学"为教，并设"州县分辖"为治。日本则以"因俗制宜"为无律，"社饷"为无税，"社学"为无教，"州县分辖"为无官。结果，日本主张此乃"政令有无"之"无"；相对的，中国则认为这只是"政令异同"之"异"。最后，双方缔结《互换条款》，结束纷争。

台湾重归清朝怀抱，清朝经此教训，对台施政开始舍弃"以不治治之论"，改行"实效管辖领有论"，不但积极开山抚番、开路垦荒、兴学教化、铺筑铁路、充实防卫，还舍弃福建省分辖台南府，台南府下辖台湾各州县的地方建制。光绪十一年（1885），更宣布台湾建省，由中央直辖，转型成为西方式的管辖体制。

属藩琉球的沦亡

1874 年，日本为终结琉球的两属状态，乃禁止琉球朝贡中国，因而爆发阻贡事件。1875 年，日本更宣布"琉球处分"，力图断绝中琉宗藩关系，并纳琉球于日本实效管辖之下。1879 年，更进一步废（琉球）藩置（冲绳）县，片面将琉球纳入日本版图。至此，中国丧失属藩琉球。

属藩朝鲜的沦亡

1868 年，日本先在朝鲜企图利用"名分秩序论"假王政复古之名，僭越自居朝鲜上国，因而爆发书契事件。1875 年，日本又以测量海上航道为名，制造云扬号事件，强迫朝鲜签订《鲜日修好条规》（《江华条约》）。然后通过条约规定，开始榨取朝鲜，以开化为名渗透朝鲜，于 1882 年引发壬午兵变。其后，除一面剥削朝鲜，一面培养亲日派外，还于 1884 年与亲日派共谋发动甲申政变，然败于袁世凯。政变失败后，日本又策划挟朝鲜国王与闵妃以制袁世凯之策，进而积极筹划以优势兵力击败清军之战略。情势发展至此，甲午战争已箭在弦上。1895 年清朝战败后，朝鲜沦为日本殖民地，中国至此丧失属藩朝鲜。

属藩越南的沦亡

法国同样无视中越宗藩关系，1874 年强迫越南签订甲戌条约（第二次《西贡条约》），规定越南为"独立自主"之国，并"受法国保护"。从此，法国以此约为根据，假"独立自主"之名否认中国的对越"宗主权"，并借"受法国保护"之约文，以实力断绝中国之干涉，并置越南于殖民统治之下。其后中国长期交涉，但未果，法国更得寸进尺。1883 年 8 月，法国再以武力胁迫阮朝签订《顺化条约》，承认法国的保护权。1884 年，中国忍无可忍，终于爆发中法战争。

就西方国际秩序原理而言，法国认为"以不治治之"的宗主权并不是"实效管辖"；中国既不以实效管辖而领有越南，则越南不归中国统属。换句话说，中国对越既不享权利，自无义务负担可言，既无义务负担，自无过问法国对越政策之权。这就是法国彻底否认"中华世界秩序原理"的宗主权，并代之以"万国公法"之保护权的道理所在。从此，法国以坚船利炮为要挟，并以"实效管辖领有论"否定中国采"以不治治之论"统治越南之实。1885 年，中法战争爆发，清朝败，法国胜，从此越南沦为法国殖民地，中国丧失属藩越南。

属土西藏的统一

1910 年，俄国认为逃亡库伦的达赖喇嘛奇货可居，加以礼遇。清廷为防达赖亲俄，派蒙古王公前往宣慰，同意恢复其名号，并送返拉萨。但自中国实行中央对地方直接统治的新政后，清廷与西藏的摩擦日益显现。2

月，十三世达赖喇嘛通过亚东英商务处出走印度，清廷再次革夺达赖喇嘛之名号。

1911 年，辛亥革命爆发，旋肇建中华民国。驻藏清军虽响应革命，但也引发西藏动乱，形成汉藏对峙局面。此时，藏蒙趁机签订《藏蒙条约》，宣布"独立"，并互相承认。清军则败于英藏联军，遭解除武装，被遣送回内地。1913 年 1 月，达赖喇嘛回拉萨重掌政教大权。袁世凯电达赖表示，恢复其封号，但达赖重申其西藏"独立"的主张。1913—1914 年，英国、中国中央政府、中国西藏地方当局三方代表在印度举行西姆拉会议。1914 年，会议中，英国除表示支持中国西藏地方当局的所谓"大西藏"主张外，并以不承认中国对藏宗主权、拒绝中国驻藏大员回拉萨驻扎，进而协助西藏抵抗中国中央政府等作为要挟，中国中央政府议约代表陈贻范以不能擅让领土、改变疆域为由拒绝签字。此时，英国面临欧战爆发，中国也陷入军阀割据乱局，中英均无暇理会西藏问题，唯独西藏不断扩军，暂时取得优势。相对的，中华民国政府的对藏权力虽号称中央对地方，但政令下达西藏并非易事。

1933 年，第十三世达赖喇嘛土登嘉措圆寂于拉萨，情况出现转机。1935 年，西藏地方政府遴选出生于青海公绷的拉木登珠为第十三世达赖喇嘛的唯一转世灵童，报请国民政府特准免予金瓶掣签，中央特派大员吴忠信会同热振呼图克图主持坐床典礼。1940 年 2 月 22 日，在拉萨布达拉宫正殿举行典礼，拉木登珠继位为第十四世达赖喇嘛。吴忠信称："结果均甚圆满，从此对藏主权业已恢复。"[1]

就中央政府与西藏地方关系而言，清朝或民国政府为达赖喇嘛等蒙藏政教领袖举行坐床典礼，从"封贡体制论"来看，其实就是涵盖宗教性的封贡体制，可称之为"政教合一型封贡体制"。在中央掌握宗教性封贡体制的前提下，驻藏大臣既具有监督达赖政府之权，噶厦也有秉承驻藏大臣与达赖喇嘛之旨意行政的义务。

1949 年 10 月，中华人民共和国成立。1950 年 10 月，中国人民解放军兵分八路进军西藏，藏军不敌，节节败退，中央政府终于解放西藏。1951

---

[1]　中国藏学研究中心、中国第二历史档案馆合编《十三世达赖圆寂致祭和十四世达赖转世坐床档案选编》，中国藏学出版社，1991，第 314—318 页。

年 5 月 23 日，中央人民政府与西藏地方政府在北京签订《关于和平解放西藏办法的协议》（"十七条协议"），中国的对藏主权至此完全恢复。

属土外蒙古的沦丧

在历史上，沙俄不但对中国的边疆蚕食鲸吞，而且对中国藩属土加以兼并或鼓动"独立"。

蒙古地处边陲，人民以游牧为生，土广而人稀，俄罗斯窥伺已久。清末，蒙边空虚，为保疆卫土，清廷决心推动新政，乃通过移民垦殖政策，一面实边，一面筹措经费。唯移民日增后，旧有的"旗民分治"政策产生事权不一之流弊，乃有不得不设省改制，行直接管辖之势。于是，施行"实效管辖"的设省改制筹边论述成为压倒性的主流意见，终于取代"因人制宜、因时制宜、因地制宜、因俗制宜"的传统筹边见解。此外，卖地垦殖所得因不足以支应新政开销，大多就地增税。对牧民而言，牧地日少，杂税日多，蒙古虽是昔日战友，但对清政府离心离德。

1911 年冬，沙俄以武器、弹药、财政及外交为支持，鼓动喀尔喀脱离中国，外蒙古则以其利权交换，活佛哲布尊丹巴呼图克图乃在沙俄的支持下宣布"独立"。1913 年，中俄签订《声明文件》与《声明附件》，规定俄国承认中国对外蒙古拥有宗主权，外蒙古土地为中国领土之一部分，中国则承认外蒙古拥有自治权与俄国在《俄蒙协约》中所获之种种利权。据此，在西方国际法的法理上，外蒙古不但不是独立国，而且必须遵守在中国宗主权下、中国完整领土之一部分下的规定。1914 年，中、俄、蒙三方依据《声明文件》在恰克图开会解决蒙古问题，并于 1915 年签订《中俄蒙协约》，规定蒙方须取消蒙古国的国号，改称外蒙古自治官府；哲布尊丹巴须取消帝号，改称外蒙古博克多哲布尊丹巴呼图克图汗，并受中华民国大总统册封；哲布尊丹巴须取消"共藏"年号，改奉民国正朔，但得兼用蒙古干支纪年。至此，情势急转直下，外蒙古的独立运动乃告失败。

1917 年俄国爆发十月革命，刚成立的苏维埃政权无暇兼顾外蒙古。总统徐世昌与总理段祺瑞决定趁机出兵外蒙古，乃派直系将领徐树铮为西北筹边使率兵入蒙，并于 1919 年 11 月令外蒙古撤销自治，回归中国。1920 年，直皖战争爆发，徐树铮回师参战，驻库伦兵力转趋单薄，1921 年遂为白俄恩琴所败。1921 年 3 月，蒙古人民党军队在苏俄红军的支持下攻占买卖城。此时中国军阀正忙于内战。不久，苏俄红军入蒙俘虏恩琴，先借哲布尊丹巴呼图克图之名，扶植君主立宪政府。1924 年，哲布尊丹巴活佛逝世，蒙古人民党旋即宣布废除君主立宪，成立蒙古人民共和国。外蒙古虽名为脱离中国"独立"，实则沦为苏联附庸。北洋政府虽不承认外蒙古"独立"，但中国再次失去外蒙古则是千真万确之事。

相对于欧美的基督教文明，在民国以后的中俄交涉过程中，看不到基于东正教文明所产生之俄罗斯国际法的论述，它在近代中俄外交谈判上，特别是关于主权或宗主权的论述上，所表现出的国际法秩序原理，仍然是欧美的国际法。相反，从现实面来看，夺取邻国的利权或土地可能才是俄国外交真正的中心所在。

五 转型后中华国际体系内部的原理矛盾

由"宗藩关系"走向"宗属关系"的变革

1880 年 11 月 18 日，驻日公使何如璋鉴于属藩琉球沦丧，朝鲜情势岌岌可危，乃亲撰《主持朝鲜外交议》上呈总理衙门与北洋大臣，建议政府代替朝鲜主持外交，消极可免"听令朝鲜自行结约，他国皆认其自主，而中国之属国忽去其名"之弊，积极则可"庶属国之分，因之益明，他日或有外隙，而操纵由我，足以固北洋锁钥"。[①] 这是何如璋在历考西洋国际关系与国际法后提出的改革宗藩关系的办法，启发了清朝的宗属观念，政策随之改变，并由拒而渐，开始从东方式的"宗藩关系"走向西方式的"宗属关系"。[②]

于是，假借国际法的法理，将东方传统的"宗藩关系"转型为西方近代的"宗属关系"，以便借西方之衡量标准，让列强承认其既有的宗藩关系。不过，这种做法在转型上产生内部矛盾。原本"中华世界秩序原理"认为"属国"与"自主"两立乃自明之理，但在西洋近代国际法看来，"属

① 《清季中日韩关系史料》卷 2，342 号文件，附件 1。
② 张启雄：《清末中韩宗藩关系的政策转变——从宗藩关系到宗属关系》，（韩国）《国际中国学研究》第 12 辑，2009 年 12 月，第 256—262 页。

国”与“自主”则是对立的概念。

就当时的国际局势而言，中朝两国因同时面对列强侵略，危机感日益增强。结果，双方都为了自身的国家生存，痛感必须开放门户以维持均势，同时必须将较弛缓的宗藩关系转变成更紧密的宗属关系。因此，中朝两国都先后引进规范西洋进而规范世界的近代国际法秩序原理，试图借用符合西洋近代国际法秩序原理的规定，以重新建构“中华世界秩序原理”下的中朝宗藩关系，于是双方订立了敕许的阶层性《中国朝鲜商民水陆贸易章程》，这就是依据“中体西用”的见解与需要而改造的宗属关系。

结果，在1882年5月签订了“中体西用”的《朝美修好通商条约》，并以此条约作为模板，向列强开放朝鲜，亟图维持东亚均势。因此，以西方条约体制为本，强化中朝宗属关系；接着，开放朝鲜，让世界走进朝鲜，以维持列强在朝均势；然后让朝鲜走向世界，与列强通商贸易，保持友好关系，就成为当时中朝两国的国策与时代趋势。

东西方国际秩序原理的冲突

1. 主权平等 vs. 五伦阶层

西方政治学界认为国家必须具备领土、人民、主权三大构成要素。所以，国家必须在一定的领土上，居住一群人民，且拥有至高无上的主权。其中，主权的意义在于对内表现出其对领土与人民的最高权，对外则呈现出独立权。此外，不具领土属性者不是主权，不具最高权力者（如省县等领域性自治权力）也不是主权，强调主权在国际法上须具有独立与非从属的意义。其中，最高权指的是国家对其领土、人民的统治权；独立权指的是国家在处理其对内、对外事务的国际关系中，具有独立自主的权力。因此，本国内政既不容他国干涉，也不干涉他国内政。因此，主权国家可通过条约、国际惯例等国际性法律关系或惯例来设定其国际法关系，以取得权利、负担义务。[①]

一般而言，根据近代国际法的基本原则，国家在国际法上具有平等权，此即国家地位平等原则。在国际法上之“主权对等”（sovereign equality）的前提下，国家虽然有大小、强弱之分，也有强凌弱、众暴寡的侵略之实，

---

① 『国际法辞典』、331頁。

但是在形式上它的国际地位对等，权利、义务相等。如果从主权的完整与否来分类国家，国家可以分为完全主权国与部分主权国。完全主权国是完整的国际法人，可以享受国际法上的任何权利，也得负担国际法上的任何义务。相对的，部分主权国是不完整的国际法人，它们无法像完全主权国一样，可以享受国际法上的任何权利，可以负担国际法上的任何义务。所以，西方国家虽然高倡主权平等，实际上它却通过国际法的"完全主权"与"部分主权"的分类，对不被西方承认的国家或对受其侵略殖民的"国家"施行"不平等"的国际待遇。

相对于西方的主权平等原则，东方则以五伦的社会伦理思维建构出阶层的国际关系。根据东方的历史文化价值，在规范"中华世界帝国"之国际体系的"中华世界秩序原理"之下，其国际关系就是"事大交邻论"的邦（国）际关系，而落实事大交邻邦（国）际关系或邦（国）际礼仪的国际秩序原理，就是"五伦国际关系论"。

其次，"中华世界帝国"或东亚的国际秩序原理，基本上是在儒家文化价值的影响下所建立的邦（国）际关系理论。东西方国际秩序原理的根本差异，即在于西方是建立在以基督教文明为基础的价值判断之上，东方则是建立在以儒家文化为根本的价值判断之上。扼要言之，传统中国的国际关系理论，其实就是根据儒家伦理思想建构而成的五伦国际关系理论。此即君臣、父子、夫妇、兄弟、朋友的邦交关系。在传统的阶层性五伦国际关系中，中国向来独缺"朋友伦"邦交（＝"友邦"）关系。直到近代前后，西力东渐，中国遭遇欧美，在屡战屡败下，开始被西方纳入国际法规范下的欧美国际关系，始有西方式"朋友伦"国际关系的开建。说穿了，近代中国的"友邦伦"国际关系，名义上虽是"主权平等"的国际关系，但实际上则是遭列强轮番压迫，早已沦为具殖民地色彩的"友邦关系"。

再从五伦国际关系论的国际秩序原理来看"中华世界帝国"或东亚邦（国）际关系发展史，在正常的情况下，中国与周边国家或民族之间向来都建立"君臣"关系，又称"事大字小"关系；属藩与属藩之间则建立"对等交邻"的兄弟关系。两者合称，则为"事大交邻"体制。再者，在非常时期，宗藩之间"君臣"关系的伦理性，常因位居中心的中国之盛衰而随之改变。中国一衰，则君臣关系随之降转，改为兄 vs. 弟、伯叔 vs. 侄子等

"兄弟伦"关系；再衰，则只能建立对等的"朋友伦"关系；又弱，则只好建立"舅甥"等具屈辱感的"夫妇伦"关系；更有甚者，则建立屈辱性的"儿皇帝"等关系逆转的"父子伦"关系；等而下之，则建立关系至为屈辱、地位完全逆转的"君臣伦"关系，此时中华沦于夷狄，夷狄则进为中华，并入主中国。换句话说，这就是"华夷变态"的"王朝交替"。此等五伦的邦交关系，史上皆不乏其例。

考诸历代宗藩关系，属藩于朝贡中国之际，之所以经常提及"以小事大，如子事父""义为君臣，情为父子"，其根据即在于此。因"中华世界帝国"之宗藩秩序体制，乃源于将家族伦理之"君臣、父子、夫妇、兄弟、朋友"等五伦精神，转换成政治伦理的"君臣之国、父子之国、夫妇之国、兄弟之国、朋友之国"，因而形成五伦国际关系论的邦交体制。因此，在东方伦理精神下的国际关系没有侵略战争，只有基于"是非对错"与"上下尊卑"的名分秩序，而给予教训、惩罚性质的征伐，盖"中华世界帝国"的观念就是"天下一家"，家人的过错必须依照家族伦理（＝家规）惩处。相对的，在西方主权平等的原则下，既平等则无从惩罚，因此只有侵略或报复的战争。

总之，在西力东渐后，东西方列强挟其坚船利炮的优势，力主以国际法为国际交涉之唯一准则，"中华世界秩序原理"遂遭否定而逐渐湮没不明。又，在屡战屡败的劣势下，中国被迫签订城下之盟，西方的"实效管辖领有论"终于取代东方的"以不治治之论"，成为国际交涉的唯一标准。同样，伦理性的"五伦国际关系论"阶层体制也为西方近代高倡民族国家的"主权平等"观念所取代。国与国之间主权虽然平等，但是大欺小、强凌弱、剥削、榨取、侵略从无已时。从此，"中华世界秩序原理"由显而隐，由隐而无，及今则不知其所终。是故，重新认识"中华世界秩序原理"，深入挖掘"以不治治之论""五伦国际关系论"的精神，以灌注西方国际法的缺陷，就成为当今之急务。

2. 属邦 vs. 自主

清朝末年，李鸿章对宗藩关系从"以不治治之论"的东方传统思维出发，主张"属邦自主"，因为"属邦"与"自主"是一体的观念，二者并不矛盾。不过从近代西方国际法的"实效管辖领有论"来看，"属邦"与

"自主"则是互为矛盾的观念，无从并存。朝鲜大员金允植也认为："惟敝邦，在中国为属国，在各国为自主。名正言顺，事理两便。"[①] 朝鲜弱小，独力不足以自保，因此强化中朝宗藩关系，对外可以达成国家安全的目的，对内可以维持邦国自主的政略，所以说"属邦自主"是"事大字小"的"两得体制"。他鉴于过往历史，认为"属邦"与"自主"通过中朝宗藩关系，既能阻止他国之侵略，政教禁令又得以自主，既不失自主之权，又不背事大之义，可谓两得之策。

"属国"与"自主"在东方的国际秩序原理上是可以成立的，其道理在于"以不治治之论"的文化价值与宗藩关系的实务运作，形成宗主国不干涉属国内政的原则，所以原则上属国的政教禁令得以自主。但在西方的国际秩序原理则是对立的概念。其道理则在于国际法主张"实效管辖领有论"，因为宗主国既然加以实效管辖，则属国之内政、外交皆由殖民地总督管辖，故其政教禁令不得自主。反之，若属国之内政、外交得以自主，那么它就不再是属国，而是主权独立的国家。

在东方对西方开放门户后，"中国+属藩"vs."西洋+日本"之间，在国家定位与使节驻扎往来上，由传统的"宾礼"（朝贡礼）走向西式的"礼宾"（友邦礼）。过渡期间，不免造成中西礼仪之相互矛盾、窒碍、混乱等无所适从的现象。

这种强调宗属关系的"中体西用"式做法，因为《朝美修好通商条约》的签订，伴随美国势力进入朝鲜，特别是欧洲列强也都各援美国之例进出朝鲜后，在身处劣势的国际局势下，不但在中国，在属国，或在属国之间或在宗属之间，进而在宗藩与西方之间，何时爆发"属邦"vs."自主"、"宗属关系"vs."主权对等"等东西方国际秩序原理的冲突，应只是时间迟早的问题。

3. 两截体制的矛盾

两截体制，意指"一个国家，适用两种外交体制"的矛盾现象。从表面上看，它只发生在朝鲜王朝。其实，它也会发生在所有中国的属藩身上。其主要理由有二：①中国是拥有国际秩序原理的国家，而且自成体系；②中国国力式微，已不足以护持其国际秩序原理所规范之国际体系的国际秩

序。另，所以只在朝鲜发生两截体制之矛盾，盖由于朝鲜王国较晚沦亡，更重要的是它采取对外门户开放政策，引进欧美势力，并与欧美列强互派使节驻扎，办理外交事务。在中国属土方面，理藩院辖下的蒙藏也有类似的情况出现。

19世纪80年代初，驻日公使何如璋鉴于列强亟图进出中国属藩，其中尤以美国更急于与朝鲜建交，乃在其所撰《主持朝鲜外交议》中建议李鸿章：中国政府在缔约前派干员"前往朝鲜，代为主持结约"，并于缔约后饬令朝鲜声明"奉中国政府命，愿与某某国结约"，以为固朝存藩的变通之计。何如璋甚至连为日后强化宗属关系之道亦详加思索规划，乃更进一步建议朝廷应仿蒙古、西藏之例，"于朝鲜设驻扎办事大臣"。① 1882年初，李鸿章遂在《朝美修好通商条约》草约的第一款中，插入"朝鲜为中国属邦，而内政外交事宜向来均得自主"等字眼，美方以缔约两造对等为由加以拒绝。朝廷乃下谕饬令朝鲜国王撰拟"朝鲜国王致美国总统照会"，于光绪八年三月二十八日（1882年5月15日）照会美国，声明"朝鲜素为中国属邦，而内治外交向来均由大朝鲜国君主自主……至大朝鲜国为中国属邦，其分内一切应行各节，均与大美国毫无干涉"，进而以"奉清朝正朔"＝光绪八年（三月二十八日）的年号，递送照会给美国。② 不久，朝美双方又奉清朝正朔于光绪八年四月六日（1882年5月22日）在朝鲜京城签订《朝美修好通商条约》。③

继《朝美修好通商条约》后，1883年11月《朝英修好通商条约》《朝德修好通商条约》、1884年6月《朝义修好通商条约》、1884年7月《朝俄修好通商条约》及1886年6月《朝法修好通商条约》，都以《朝美修好通商条约》为蓝本，而且朝鲜国王也都在缔约之前先行递交"奉中国正朔"的照会给缔约国，声明"朝鲜素为中国属邦，而内治外交向来均由大朝鲜国君主自主"，用以保护朝鲜的经济利权和国家安全，强化中朝宗属关系。至此，朝鲜终于展开全面性的门户开放。

---

① 吴汝纶编《李文忠公全集·奏稿》卷43，第34—36页；《清季中日韩关系史料》卷2，389—397号文件。

② 《清季中日韩关系史料》卷2，420号文件附件5及422号文件附件3；卷3，101号文件，附件2。

③ 《清季中日韩关系史料》卷2，420、422号文件，附件2。

门户开放后的朝鲜开始面临"一国二法"（＝"一个国家、两种法理"）的国际秩序原理与西方近代国际法的矛盾现象，而造成国际秩序原理的冲突与外交礼仪的矛盾。朝鲜官员金允植身处东方的传统思维，认为"属邦自主"正是"事大字小"的"两得体制"。可是，面临从东方体制过渡到西方体制，眼见东西方国际秩序原理之矛盾与冲突的俞吉浚，认为这就是东西方国际秩序原理冲突下的"两截体制"。① 权赫秀称此种现象为"一个外交两种体制"。② 概括而言，所谓"两截体制"，就是一面对中国或"中华世界帝国"所属的国家遵行"中华世界秩序原理"以推动邦交，另一面则对西方国家遵守国际法参与国际关系。前者主张属国政教禁令自主；后者主张属国政教禁令不得自主，自主者则非属国。所以"属邦"与"自主"是对立的概念，还是两得的概念呢？说穿了，仍然是"实效管辖领有论"与"以不治治之论"的东西方国际秩序原理的冲突。

4. 宾礼与礼宾的外交礼仪冲突

1882 年 10 月，清朝以上国之名救许朝鲜缔结《中国朝鲜商民水陆贸易章程》。根据章程，中国于 1883 年派陈树棠为"总办朝鲜商务委员"，朝鲜则派南廷哲为"驻津商务委员"。商务委员与救使不同，救使归礼部管辖，代表皇帝；商务委员的派遣权限则分别属于北洋大臣与朝鲜国王，中方驻扎汉城，朝方则驻扎天津。朝鲜国王的地位与北洋大臣对等，同样都属于"中华世界帝国"皇帝管辖下之臣民。

陈树棠以商务委员头衔拟参与驻扎朝鲜外交使节团事务，屡遭欧美列强使节拒绝，中国政府常痛感宗主权不彰，乃于 1885 年 11 月改商务委员为"驻扎朝鲜总理交涉通商事宜"，并派袁世凯代陈树棠。欧美使节以袁世凯为驻朝公使（Minister Resident），唐绍仪表示袁世凯的头衔为英文的"Resident"，而不是公使，因为中国绝不在其属藩朝鲜派遣驻朝公使，否则无异于承认朝鲜独立。不过美方锲而不舍地追问总署，总理衙门于 1889 年 7 月答复，表示"驻扎朝鲜总理交涉通商事宜"乃基于中朝宗藩关系所"奉旨

---

① 《西游见闻》，该书编纂委员会编《俞吉浚全书》（4），汉城：一潮阁，1995，第 116—117 页。

② 权赫秀：《晚清对外关系中的"一个外交两种体制"现象刍议》，《中国边疆史地研究》2009 年第 4 期。

救派"之"办事大臣"，可参与"其国政凡与大局有关者"。① 袁世凯更建议政府"选派监国，代执其柄"，"仿汉封建，设相治事"。② 所以袁世凯本人正是推行监国大臣制的献策者，也符合何如璋主张中国代为"主持朝鲜外交议"的建议。此事正意味着中国为了符合西方近代国际法的要求，在国际秩序原理上开始求新求变，逐渐由无为的"以不治治之论"转型为"实效管辖领有论"。此时朝鲜因受到刺激，也开始引进国际法、国际关系，派遣公使驻扎欧美，倡行主权平等的观念，而"主权平等"的观念正好与"名分秩序论""五伦国际关系论"等阶层体制矛盾，于是逐渐危及中朝宗藩关系的历史文化价值基础。

经过总署释明后，袁世凯从此摆脱"以不治治之论"的束缚，遂以袁总理名分，依据国际法"实效管辖领有论"原则，监督朝鲜国政，特别是奉宗主国上谕，负有指导朝鲜外交的任务，成为实质肩负监国任务的大臣，因此处处干预朝鲜国政，终于引发朝鲜的反弹。其中尤其是袁世凯晋见国王的礼仪，李鸿章指示，依"不亢不卑"原则，照本国"司道谒亲王"之礼，③ 在宫门外"候请降舆"；谒见之际，行"三揖、侧坐"之礼；逢国大典之际，无须鞠躬，行三揖之礼，可也。④ 结果，因朝鲜对袁总理的礼遇程度远超欧美各国，公使们视之为差别待遇，遂群起向袁世凯表达不满与抗议。对此，袁世凯驳以礼仪所以不同，乃"属邦与友邦之别"所致。⑤ 果如李鸿章所料，缔结《中国朝鲜商民水陆贸易章程》在礼仪上将造成上国官员的独尊而形成阶层礼仪，⑥ 最后导致驻扎朝鲜中外使节因礼仪问题而冲突的现象日渐表面化。

同样，朝鲜派往北京的朝贡使节与派往天津驻扎的商务委员，在宗藩关系的阶层体制下只能以"陪臣"身份出现，仍须以三跪九叩礼谒见皇帝，

---

① G. C. Foulk to Secretary of State, Nov. 25, 1885, in George M. McCune & John A. Harrison, eds., *Korean-American Relations*, vol. 1 (Berkeley & Los Angeles: University of California Press, 1951), pp. 137–140.

② 《清季中日韩关系史料》卷3，919号文件，附件4；沈祖宪、吴闿生编纂《容庵弟子记》卷1，文星书店，1962，第16页。

③ 光绪朝《钦定大清会典》卷30《礼部》，商务印书馆，1909，第1页。

④ 《李文忠公全集·电稿》卷6，商务印书馆，1921，第37页。

⑤ 《李文忠公全集·电稿》卷6，第37页。

⑥ 《清季中日韩关系史料》卷3，649号文件。

而欧美日等各国驻华公使却能争取到优遇的礼仪，故不论在北京或在天津，朝鲜使节的国际地位与待遇均远不如欧美使领官员。假如朝鲜遣派的敕使、商务委员等使节，在国际上不能与欧美日等列强取得平起平坐之外交待遇的话，岂非独厚侵华列强，而独薄亲华属藩？在国际关系上不平等的差别待遇，其实就是离心离德的根源。其中尤有甚者，当中朝同时派遣使节驻扎邦交国，如美国，其使节之差别待遇就更加明显。

在宗藩体制的阶层意识之下，朝鲜派往欧美各国驻扎使节之国际地位，当然远不如拥有宗主权之中国驻外使节，中国甚至设有"三端"加以节制。所谓三端，就是①到任时，须先谒华使，请挈往，呈递国书；②宗藩使节同席时，朝鲜使节须坐于中国公使之下位；③凡遇重大外交事件，朝鲜公使须事先请求中国核示。[①] 不过，朝鲜因受国际法的洗礼和欧美使节的思想灌输，独立自主与主权平等的观念日盛，决定对华阳奉阴违。于是，故意派遣朴定阳为驻美公使，授以全权公使之名，以获驻扎使节中身份最尊的地位，甚至较宗主国中国所派二等公使之地位犹高出不少，因其身份地位居各国驻美使节团之冠，在形式上成为领导使节团之长。此外，朴定阳赴美后也不依约遵守三端，非但不先谒华使，还径自谒见美国总统，呈递到任国书。中国政府乃要求朝鲜政府惩处违约背信的朴定阳公使，结果朝鲜阳奉阴违。至此，无论在法理观念上，还是在外交实务运作上，中朝宗藩关系均已逐渐走到尽头。追根究底，外交礼仪冲突的根本原因是宾礼与礼宾之不同，礼宾予人地位对等、受到尊崇之感，而宾礼则容易予人地位差别、受到折损之感。

中华宗藩体系转型之评析

自古以来，中国发展出一套以儒家思想为中心的历史文化价值，经日积月累发展成为一套规范东亚世界的国际秩序原理，并实际规范"中华世界帝国"的国际体系历两千年之久，我们称此国际秩序原理为"中华世界秩序原理"。直到近代西力东渐后，始有根本性之国际秩序原理的冲击、矛盾、冲突及转型。

---

① 《清光绪朝中日交涉史料》卷10，第38—39页；《清季中日韩关系史料》卷5，1294、1304号文件；《李文忠公全集·电稿》卷9，第2—3页。

近代稍前，西方因工业革命而国富兵强，因科技创新发展而船益坚炮越利。东西方的国力日益悬殊。西方又通过大航海而走向世界，为因应工业革命带来的产业需求而逐渐向外扩张，甚至于寻求殖民地，以榨取原料、能源及保障市场，终于演化成进军全球的列强。在坚船利炮下，亚、非、拉各国纷纷被迫签订城下之盟，弱者因割地赔款而沦为殖民地，强者因宰制弱小而沦为帝国主义，进而建构西方价值中心主义，全面否定亚、非、拉的异质文化。

西力东渐后，欧美列强不只带来坚船利炮，同时强销用来规范西方国际秩序的国际法与国际关系，进而企图挟此利器宰制非西方世界。其国际法的内涵先是"民族国家"的概念，凡不合乎此概念所定义的国家就是"无主地"，对于无主地就可以因"发现"而进行"先占"领有。当世界都已被先占瓜分殆尽时，西方帝国主义若要在已成立国家的"有主地"上扩张势力，就得一面否认因"发现"而"先占"的说法，一面提出"实效管辖领有论"的新主张与法理论述。西欧列强对非西欧世界的国家，尤其是对多民族国家更刻意扫瞄，研究占领对策。于是将中国的领土区分为"实效管辖""不完全实效管辖"的领域，再依其对少数民族或地区的统治情况，先片面区分为"无主地"（如台湾番地）、"宗主权"地区（如礼部辖下邦国、理藩院管辖地区）及"主权管辖"领域（如各直辖省），然后"先兵后礼"（＝挟武力以制造既成事实），再利用国际法法理，取得或控制该土地以榨取权益。

列强对中国所属"宗主权"地区所使用的国际法利器，就是"实效管辖领有论"，先对凡是宣称属国或属藩的地区，进行"领其地，理其政，征其税"之"实效管辖"深度的调查，再通过军事占领，或将之培养成亲帝国主义的政权，甚至转化成自己的殖民地。

此时，中国对属藩实施"中华世界秩序原理""以不治治之论"的政策，基于民族自治，实行"属藩政教禁令自主"的地方自治。相对于西方列强，处于弱势的中国不但无力要求西方入境随俗，甚至只能屈从于列强，在施行宗藩体制的邦国对外交涉上亦得适用国际法。不过，中国对属藩或属藩对中国仍然实施传统旧制。于是，宗藩间在法理上形成了"两截体制"的矛盾，在体制上形成了"主权对等"对"阶层伦理"的冲突，在管辖交涉上形成了"属藩"对"自主"的论争，在国际礼仪上更形成了"宾礼"对"礼宾"的中外差别待遇。"中华世界帝国"原本天下一体适用的宾礼体制，至此发生无法规范欧美列强的实力落差，但是对属藩仍率由旧章，当国力无法支撑国际秩序原理运作之时，即中华世界秩序崩解之际。无论在中国境内、属藩境内还是在欧美境内的外交场合或国际关系上，都发生"两截体制"的现象，造成独厚列强、独薄属藩的不平等。其后果就是属藩开始离心离德，或遭列强吞并，或投靠列强宣告独立自主。

属于"不完全实效管辖"的蒙藏在英俄的鼓动与援助下宣布"独立"；属于"以不治治之"的琉球、朝鲜为日所并，越南则为法所并；属于"实效管辖"的台湾，在"台湾番地无主论"下的"台湾番地"，立即开山抚番，改行实效管辖，至于"全台"则改建行省，直属中央。不久，位居"中华世界帝国"中心的清朝也因革命而告崩解，西式共和的中国自此肇建。

归结言之，"实效管辖"虽是最普遍的统治方式，但是"因人制宜、因时制宜、因地制宜、因俗制宜"的"以不治治之论"也是统治方式之一。套一句总理衙门的名言，这不是"政令有无"，而是"政令异同"的问题。盖文化价值的不同形成不同的国家体制，不同的国家体制形成不同的国际秩序原理，不同的国际秩序原理规范各自不同的国际体系。

于是，衰微的多民族国家，如"中华世界帝国"（＝中国），在力不如人的劣势下，只好一面推动洋务以求自强，一面由"以不治治之"向"实效管辖"统治的法理转型，以图列强的承认。

近代以前，中国的对外关系是宗藩体制；近代以降，因国力衰颓，屡战屡败之故，乃被迫签订城下之盟，自身尚且不保，又何以保护属藩？国家宗庙几乎不保，又如何保护其传统的历史文化价值与规范其国际体系的国际秩序原理？在劣势下，遭遇国际挑战乃必然之事，在力不足以自保的情势下，唯有衡量自身能力，求变翻新，转型以自保，变法图强以谋再造。否则，宗藩体制必因树倒而猢狲散，甚至连拥宗主权的上国都成为过江的泥菩萨，难逃被欧美洪流吞噬之命运。

最后，"中华世界秩序原理"在西方船坚炮利的武斗下，"万国公法"独占国际关系的文斗里，丧失国际舞台，以致无法经世致用。因此省思"中华世界秩序原理"之内涵何以鲜为世人所知，乃必为的重中之重。

中华宗藩体制之所以崩溃，盖西力东渐后中华屡战屡败，力不足以自保所致。如今，为了使"中华世界秩序原理"在悠久的历史进程中再次重现，进而发扬其扮演以原理润滑国际关系，并探索其曾巩固"中华世界帝国"长达两千年之历史任务，学者与学界除了在浩瀚文献之中钩沉史料、发微原理，也应挖掘中西外交谈判之交涉案例，将"中华世界秩序原理"与国际法等国际秩序原理应用到国际交涉诸案例上，然后提出超然而有据的主张与论述。

近代以降，中国何止在军事竞争上败北，更残酷的是中国连士大夫也在"国际秩序原理"上打了败仗，如何重新基于历史文化价值创造具有中国特色的"国际秩序原理"与"国际法"，正是今天中国知识分子与学术界不可推卸的责任与义务。不过，对中国而言，其根本之道还是在于创造独强的综合国力，发挥历史文化价值，提倡王道的价值理念，进而改造国际秩序原理，才能在必要之时承担国际权利义务，挺身护持国际秩序，创造大同世界，维护世界和平与进步。

第六章

太平天国的兴起与败亡

一　太平天国的兴起

洪秀全的早期活动及广西局势

　　鸦片战争结束后，清政府并没有从战败中警醒，积极求变，而是无视危机与挑战，依然抱残守缺：传统的夷夏观念没有变，兵制等成法没有变，吏治腐败、文恬武嬉的现象没有变，地少人多问题没有减缓，从而使中国积弱积弊的状况没有得到应有改变。另外，清政府又在西方列强的武力威胁下被迫接受一些变化，诸如割地赔款、五口通商、设立租界、领事裁判权、传教士的涌入等。这些变化既引发了新矛盾新问题，又使旧矛盾旧问题进一步激化，两者交会，最终导致清政府陷入严重的内外危机，其标志为太平天国的兴起和第二次鸦片战争的爆发。

　　说到太平天国的兴起，必然要论及洪秀全的早期活动，特别是他的思想变化。

　　洪秀全1814年出生于广东花县（今广州市花都区）一个客家村落，7岁入私塾读书，满心博取功名。16岁起先后四次参加科举考试，均名落孙山，精神颇受打击；1836年（丁酉年）第三次科考落榜后大病一场，病中产生一些梦幻感觉，对科举仕进感到绝望，同时自视甚高，不甘以设馆授徒了此一生，这构成洪秀全此时的主要心态。1843年，他偶读基督教布道

　　* 本章由夏春涛撰写。

小册子《劝世良言》，对书中抨击世风日下、物欲横流的言辞产生共鸣，尤其是自我认为书中述及上帝的细节与自己丁酉年升天异梦的情节两相契合，由此产生强烈的心理暗示，认为自己便是上帝指派来挽救世道人心，使中国重新信奉真神上帝的人。以此为转折，时年 31 岁的洪秀全走上用"良言"来劝世、救世之路。

不过，洪秀全起初的布道活动并不顺利，仅说服其家人及密友冯云山、族弟洪仁玕等皈依上帝。1844 年春，洪秀全、冯云山结伴离乡传道，沿途信从者寥寥。接着，二人远赴广西浔州府贵县（今贵港）赐谷村，半年内发展了一批以客家人为主的信徒。返回花县后，洪秀全在教书之余继续布道，并陆续撰写一些宗教宣传品，苦口婆心地劝人拜上帝、不拜偶像，做正人、行善事。《原道醒世训》一文还明确流露出改造社会的意识，宣称上帝是天下凡间大共之父，"天下多男人，尽是兄弟之辈；天下多女子，尽是姊妹之群"，只要人们珍惜手足之情，习善正、弃奸邪，便可以"行见天下一家，共享太平，几何乖离浇薄之世，其不一旦变而为公平正直之世也"。

洪秀全通过《劝世良言》，根据自己的理解来诠释上帝信仰，可谓无师自通。1847 年春，在广州民众群起反对洋人入城的背景下，洪秀全来到美国传教士罗孝全（I. J. Roberts）设在广州的教堂学习基督教教义，每天接受两小时辅导，不久正式申请入教，但因提出入教后的生活保障问题而被视为动机不纯。因受洗不成，洪秀全再度前往广西，这成为他人生的又一转折点。

在桂平县紫荆山，洪秀全与滞留广西的冯云山重逢，得知后者在两年多时间里终于打开局面，在当地发展众多信徒，形成一个名为"上帝会"①的宗教组织，不禁喜出望外。他以教主身份主持传教。有关他的种种神秘传闻在四乡不胫而走，上帝信仰迅速传播到周边数县。因势力坐大且捣毁当地神像，上帝会引起乡绅的敌意。同年底，紫荆山生员王作新率众捉拿冯云山未逞，遂向官衙指控冯云山等人"结盟聚会""践踏社稷神明"，吁请将其"严拿正办"。冯云山被羁押，骨干信徒卢六在关押期间病亡。洪秀

---

① 该宗教组织确实存在，其名称为"上帝会"，所谓"拜上帝会"一说属以讹传讹。参见夏春涛《"拜上帝会"说辨正》，《近代史研究》2005 年第 5 期；《"拜上帝会"说再辨正》，《福建论坛》2009 年第 2 期。

全为搭救冯云山来到广州求助，未有结果。桂平县衙最终草草结案，将冯云山以无籍游荡之名递解原籍管束。冯云山事件前后历时半年多，给上帝会带来不小震荡。在洪秀全奔走广州、冯云山被押期间，紫荆山上帝会内部因群龙无首而陷入纷扰，不少人诡称神灵附体，各自发号施令，其中包括以种山烧炭为生的杨秀清、萧朝贵仿效当地降童巫术，分别托称天父（上帝）、天兄（耶稣）附体下凡。洪秀全返回紫荆山后，承认了杨、萧的特殊身份。

广西是当时长江以南社会问题最复杂、社会矛盾最尖锐的一个省份，主要体现在三个方面，即民生问题、民族问题、土客问题。

广西山多地少，且耕作粗放，水利落后，单位面积产量较低，素称"地瘠民贫"。一方面，随着人口持续增加，地少人多的矛盾变得越发尖锐，而土地兼并现象却愈演愈烈，大量自耕农、半自耕农破产，沦为佃农或游民。另一方面，由于长期过度垦殖，广西生态环境不断恶化，森林面积锐减，水土流失加重，不少山田旋垦旋荒；在平原地带向河滩争地则导致河道淤塞，引发水灾。这使得广西抵御自然灾害的能力十分脆弱。在道光朝，广西境内灾害频仍，几乎连年不断，使民生问题雪上加霜。

广西原是百粤（越）杂处之地，秦代始有汉人迁入，而以清代规模最大、持续时间最长。各民族共同为开发广西做出了贡献，但彼此间也不同程度地存在着隔阂与冲突。清雍正年间实行改土归流后，广西仍保留26个土州、4个土县及3个长官司。两种体制并存从侧面反映了民族间存在的壁垒，有碍政令畅通。而官府对各民族不能一视同仁，官方文献常将"民瑶"并称、视瑶族同胞为"化外之民"，便是一例。在多民族杂居的情形下，民族关系处理不慎，极易引发族群冲突或民变，造成社会动荡，如乾隆年间柳州府境内壮、瑶为争夺土地而仇杀，嘉庆年间西隆州苗民抗官起事，道光十二年（1832）贺县瑶民起事。

"来土之争"则更为白热化，争斗双方不完全按照族群来划分，而依是否世居或入籍早晚来划分。"来人"主要泛指清初开始自广东惠州、潮州、嘉应州迁徙入桂的客家人；"土人"指壮、瑶等世居民族，也包括那些入籍已久反客为主的汉民。随着客民人数不断增加、分布区域越来越广，土客之间常为争夺耕地等发生冲突。双方以血缘、地缘关系为纽带各分营垒，动辄为睚眦之怨械斗，给社会带来极大破坏和震荡，成为广西境内一大严重的社会问题。

耕地是民族、土客纷争的焦点。因此，民族问题、土客问题说到底也是民生问题，是其特殊表现形式。从本质上讲，广西社会矛盾如此尖锐复杂，其根源在于官府疲玩泄沓、残民以逞、贪墨成风。民不堪命，势必铤而走险。钦差大臣赛尚阿1851年夏奏报桂湘两省官习民情时承认："州县各官，胆大贪婪，任听家丁者十居八九。百姓受其欺凌，终无了期，往往铤而走险。奴才日接呈词数十张，多系控告书差、家丁舞弊者……粤西之匪蓄谋已非一日，缘大吏因循、州县逼迫所致。"①

道光末年，以天地会为主体的民间拜会结盟现象在广西迅速滋蔓，形成"盗匪如毛，会党纷起"局面，其骚动形式逐渐从单纯的打家劫舍、劫富济贫向公然对抗官府过渡，"小之开角打单，大之攻城劫狱，浸成燎原之势"。②民变大潮与土客械斗、民族纷争相交织，使广西社会陷入剧烈动荡。面对这一局面，广西当局方寸大乱。与邻省相比，广西统治力量存在先天不足：一是官员少，且人心不稳；二是驻军少，且编制混杂；三是经费少，财政不能自给。而文恬武嬉、营伍废弛的积弊又进一步削弱了其应变能力。因此，当境内发生局部骚乱时，广西当局尚能应付；一旦出现民变蜂起局面，便顿时陷入缺兵少饷的窘境，难以招架。州县官因而如坐针毡，"不愿到任视事，每下檄严催，始行登程。民不聊生，官亦不聊生，可为太息"。③于是，各州县对境内骚乱大多隐匿不报，一味敷衍了事。乡绅为求自保，纷纷出面举办团练，在牵制天地会的同时，客观上削弱了官府对基层的控制力。有些团练还卷入土客械斗等私人仇杀，从而加剧了动荡局势。

冯云山事件正是在上述背景下发生的。它使洪秀全意识到，用道德说教方式来扭转世道人心，即便在紫荆山也行不通，而纷扰的时局更让他强化了这种认识，故而表示："过于忍耐或谦卑，殊不适用于今时，盖将无以

---

① 《赛尚阿奏报沿途密访湖南广西会党及官习民情片》，中国第一历史档案馆编《清政府镇压太平天国档案史料》第2册，光明日报出版社，1990，第79页。

② 严正基：《论粤西贼情兵事始末》，太平天国历史博物馆编《太平天国史料丛编简辑》第2册，中华书局，1962，第3页。按：天地会每至一地，照例先投书富户勒索银钱，曰"打单"；群起洗劫财物曰"开角"。

③ 严正基：《论粤西贼情兵事始末》，《太平天国史料丛编简辑》第2册，第5—6页。

管镇邪恶之世也。"① 上帝会成员以穷苦人居多，对社会现状的不满情绪蓄积已久。李秀成后来回忆说："自教人拜上帝之时，数年未见动静。自道光廿七八年之上下，广西贼盗四起，扰乱城镇，各居户多有团练。团练与拜上帝之人两有分别。拜上帝人与拜上帝人一和〔伙〕，团练与团练一和〔伙〕，各争自气，各逞自强，因而逼起。"② 1848 年冬，洪秀全等人正式确立反清意向——萧朝贵以天兄名义与洪秀全对话，称洪为"胞弟"，确认了他作为"日头"即天子的身份，并在内部秘密进行打江山的动员。自此，上帝信仰被赋予鲜明的政治色彩，从单纯的道德说教转为倡导斩邪留正、创立新朝；上帝会也从单纯的宗教团体转变为一个秘密反清组织。广西之所以成为太平天国的策源地，其根源在于它是长江以南社会矛盾最尖锐、清政府统治力量最薄弱的一个省份。

从金田起义到定都天京

洪秀全、冯云山、杨秀清、萧朝贵及韦昌辉（原名韦正）、石达开构成了密谋起义的核心层。1850 年初，天兄（萧朝贵）在紫荆山召见络绎而至的各地骨干信徒，叮嘱众人要保密，真心拥戴已秘密称王的洪秀全。起义进入具体酝酿阶段。4 月 5 日，即咸丰帝举行登基大典后不到一个月，洪秀全在紫荆山悄然黄袍加身。他利用动荡时期人们普遍存在的避祸求福心理，数次以上帝名义发布预言，宣称灾劫将至、"人将瘟疫，宜信者则得救"等。随后预言果然应验，广西数县发生瘟疫，贵县爆发惨烈的土客械斗。于是信从上帝者愈众。8 月初，洪秀全家属被专人从广东接至紫荆山。与此同时，上帝会核心层由近及远，向各地会众发出到紫荆山南麓金田村"团营"的号令。金田村成为起义队伍集结地和策划起义的大本营。时值杨秀清患病，团营事宜主要由萧朝贵、韦昌辉出面主持。洪秀全、冯云山则转移到平南县鹏化山区密藏。

桂平境内会众最早集结。外地会众也纷纷变卖或处理家产，各按地域聚集，举家举族扶老携幼，从四面八方开赴金田；不少队伍遭官绅堵击，

---

① Theodore Hamberg, *The Visions of Hung-Siu-Tshuen and Origin of the Kwang-Si Insurrection* (Hongkong, 1854; Reprinted by Yenching University Library, 1935), p. 43. 译文采自简又文《太平天国起义记》，中国史学会主编《中国近代史资料丛刊·太平天国》（以下简称《太平天国》）第 6 册，神州国光社，1952，第 864 页。

② 罗尔纲：《增补本李秀成自述原稿注》，中国社会科学出版社，1995，第 107 页。

未及招齐人马，且拒且走。为尽量聚齐队伍，天兄（萧朝贵）示意"千祈秘密，不可出名先，现不可扯旗，恐好多兄弟不得团圆矣"。① 此时，广西全境以天地会为主体的武装暴动此起彼伏，且纷纷打出"替天行道""杀官留民"等旗号。年近七旬的广西巡抚郑祖琛求援不得，束手无策。广西提督闵正凤四下活动调任一事，想一走了之。左江镇总兵盛筠见局面失控，干脆告病撂挑子。到1850年夏秋，广西已大局糜烂，"贼视攻城剽邑几如反手"。② 在全省狼烟四起的情况下，各地勇练自顾不暇，对过境的团营队伍不敢穷追猛打，而是驱逐出境了事。接悉修仁、荔浦县城被天地会攻陷的奏报后，咸丰帝这才意识到事态的严重性，赶紧指派钦差大臣、对广西进行人事调整，并相继抽调滇、湘、黔各两千名官兵驰援，欲从速镇压天地会。如火如荼的天地会暴动牵制了广西官府的主要兵力，分散了其注意力，使金田团营得以避免夭折。

11月初，杨秀清病愈视事。除广东信宜凌十八外，各路人马的主干陆续聚集金田并接受整编，打破家庭结构，按性别划分男营、女营。12月末，杨秀清派兵接应洪秀全、冯云山自平南返回金田。数日后击溃前来围剿的清军。

1851年1月11日（道光三十年十二月十日），参加起义的男女老幼约两万人在金田庆贺洪秀全38岁生日和起义的胜利，定次年为太平天国元年。今人以这一天作为金田起义纪念日。十天后，钦差大臣李星沅奏曰："广西贼势披猖，各自为党。如浔州府桂平县之金田村贼首韦正、洪秀全等私结尚弟会，擅帖伪号伪示，招集游匪万余，肆行不法……近日恃众抗拒，水陆鸱张，实为群盗之尤，必先厚集兵力，乃克一鼓作气，聚而歼之。"③ 清政府这时才总算明白，金田太平军才是广西最具威胁、最难对付的力量。

太平军随带大量妇女老幼，实际作战兵力仅三千人，面对兵力、武器、给养均占优势的清军的围追堵截，不得不避实就虚，在周边地区迂回作战。但清军将帅不和，各部不能协同作战，士气低落，且不服水土。署广西巡

---

① 《天兄圣旨》卷二，王庆成编注《天父天兄圣旨》，辽宁人民出版社，1986，第77页。

② 《杜受田奏陈两广起事情形并剿捕方略单》，《清政府镇压太平天国档案史料》第1册，光明日报出版社，1990，第207页。

③ 《李星沅等奏报桂平金田大股会众抗拒官兵亟筹攻剿并请简提镇大员折》，《清政府镇压太平天国档案史料》第1册，第131—132页。按：文中"上帝会"被避改为"尚弟会"，"韦正"即韦昌辉。

抚周天爵赶至武宣县城堵截，不意"带兵一百名，如驻马嵬坡，皆不愿走也；路上募（勇）一百名，又如石壕驿，未走先哭"；而城中居民已逃避一空，"问县官刘作肃有何准备，答云'只有一绳'，则大哭"。①而太平军士气明显占优，连妇女也踊跃参战，且熟悉地理环境，凭险据守。此消彼长，使太平军在被动中掌握了一定的战略主动，一直牵着清军鼻子走，并在转战过程中实现了继续招集上帝会兄弟的目的，虽迭经恶战，但兵员仍有扩充。9 月 25 日，太平军一举攻克永安州城（今蒙山）。清军四面围攻，却迟迟不能拿下这座蕞尔山城。洪秀全在城内抓紧进行政权建设：诏封杨秀清等五人为王；重定正朔，创建天历；刻印专论礼仪制度的《太平礼制》等书籍。广西按察使姚莹分析说："窃谓人心齐、地理熟、胆气旺，此三者贼之所长而我之所短也；火器精、粮饷足、兵勇众，此三者我之所长而贼之所短也。"② 而人心、胆气成为左右战局的主要因素。时人有诗讥讽清军道："固垒深沟容贼据，缺斯破斧转心寒；孤城在望无人近，半载甘从壁上观。"③

1852 年 4 月初，太平军撤离永安。旬日后逼近省城桂林，围攻月余未下，遂移师攻下兴安、全州，沿湘江北上。清军前堵后追，南王冯云山在蓑衣渡之战中炮身亡。太平军跳出广西，6 月上旬进入湖南境，进占道州。湖南的社会矛盾同样十分尖锐，境内天地会和白莲教分支斋教十分活跃，连日投效太平军者达三五千人。战火蔓延至湖南，湖广总督程矞采为广西围剿不力叫苦不迭，认为"不得因壤地攸分，遂置妖氛于不顾，为丛驱雀。贼皆自粤而来，不得以窜入湖南为了事"，④ 并抱怨广西兵勇"每遇贼踪窜至，率皆尾追，从不敢迎头堵剿"。⑤ 然而太平军占领道州当日，程矞采却以移护省会为名，微服坐渔船弃衡州（今衡阳）而下，以致沿途居民惊骇不已，迁徙纷纷。时人有诗讥讽道："粤西贼匪尚天涯，走尽湖南十万家；

---

① 周天爵：《致周二南书》，《太平天国史料丛编简辑》第 6 册，第 3—4 页。
② 姚莹：《中复堂遗稿》卷 5《与严观察》，第 10 页 A。
③ 佚名：《粤西独秀峰题壁三十首》，《太平天国史料丛编简辑》第 6 册，第 369 页。
④ 《程矞采奏报全州失守敌逼近楚疆伤属竭力堵御折》，《清政府镇压太平天国档案史料》第 3 册，社会科学文献出版社，1992，第 216 页。
⑤ 《程矞采奏陈敌情叵测势必窥伺楚疆兵单难御现移护长沙片》，《清政府镇压太平天国档案史料》第 3 册，第 218 页。

莫怪湘民俱胆落，制军先已下长沙。"① 更有甚者，太平军刚开进湖南，湖北巡抚龚裕便以不谙军旅现复患病为由请准开缺，欲趁早规避风险。

太平军在道州休整近两月。清军组织不起像样的进攻；在太平军弃城东进后，又摸不清其进军路线，只得四面设防，顾此失彼，且大多不敢迎头拦截，追击则不堪露宿风餐之苦，故而被拖得疲惫不堪，始终撵不上太平军。太平军避实击虚，旬日间疾驰数百里，8月17日克郴州。两旬后，率部先行北上的西王萧朝贵在指挥攻打长沙时中炮，旋伤重殒命。太平军主力赶至，在腹背受敌的情形下强攻长沙81日未下，遂移师宁乡北上，出洞庭湖。年已76岁的湖北提督博勒恭武驻防岳州府城（今岳阳），闻警弃城而逃。太平军12月13日占岳州，四日后水陆并发，向湖北推进。在湖南半载，太平军前后扩军四万人左右，声势大振。

1853年1月12日，太平军攻克湖北省会武昌，在此休整筹粮。人心向背成为左右战局的一个重要因素。太平军军纪较严明，而清军纪律松弛。署河南巡抚琦善承认，各路援兵自调拨后，"多以需索骚扰为事……甚至掳掠奸淫，无所不为。百姓受其荼毒之害，隐忍莫诉……是以民间有'畏兵不畏贼'之谣"。② 自广西一直尾追太平军的署湖北提督向荣亦云："无如军营积习，疲玩颟顸……其益阳、临湘、咸宁并现在之黄州府、武昌县，各文武均不能婴城固守，乍闻贼至，即弃城先遁，以致百姓纷纷迎贼入城。"③

2月9日，太平军撤离武昌东下，帆幔蔽江，衔尾数十里。一路高歌猛进，连下九江、湖口、安庆等地。3月12日，水陆合围江宁府城（今南京）。19日破城而入，次日攻陷八旗驻防城，完全控制江宁。太平天国不久宣布在此建都，改称天京，以两江总督署为天朝宫殿，俗称"天王府"。

为镇压太平军，清政府在两年多时间里先后更换、任命了九位钦差大臣，④

---

① 《黎吉云奏参程矞采临敌由衡退避省城举动乖方大为民害折》，《清政府镇压太平天国档案史料》第3册，第473页。

② 《琦善奏陈请调派兵数及筹议防堵等情折》，《清政府镇压太平天国档案史料》第4册，社会科学文献出版社，1992，第114页。

③ 《向荣奏复十八日进兵获胜及现筹堵剿情形折》，《清政府镇压太平天国档案史料》第4册，第258页。

④ 按时间顺序，分别为林则徐、李星沅、周天爵、赛尚阿、徐广缙、陆建瀛、琦善、向荣、祥厚。其中，林则徐死于赴任途中；周天爵在李星沅病逝后暂署钦差大臣，前后仅六天；祥厚因江宁被围未接到接任钦差大臣的谕旨，旬日后即殒命。

调动十余省军队，耗费饷银两千余万两，但由于统治机器失灵，战局愈益恶化，其各种弊病在战争中暴露无遗。太平军始终遭清军围追堵截，起初处境险恶，靠避实击虚来保存实力；攻克永安后赢得喘息休整之机；进军湘鄂开拓了新空间，兵力大增，逐渐掌握战场主动权；攻克武昌后完全占据主动，乃至沿江东下，一路势如破竹，占据东南第一都会江宁。从金田村到江宁城，太平军先后转战六省，跋涉转进数千里，从星星之火渐成燎原之势，兵力从三千人扩充至十万人左右，攻占大小城池近40座。兵锋所及，清地方政权被冲击得七零八落，大多处于瘫痪状态。以安徽为例，"由省会以及沿江各州县，被兵以来城中均无官长"。①

以定都为标志，太平天国结束流动作战状态，进入以天京为中心开疆辟土的新时期。

二　太平天国与清政府的对峙

战局之演变

武昌、安庆、江宁三座省城在70天内相继陷落，清方惊呼"此我朝二百余年未有之变也"。1853年3月31日，天京太平军轻取镇江府城，威胁苏杭财赋之区；次日，又占据北路咽喉扬州府城。三城在南北两岸构成掎角之势，导致清政府南北中梗。清廷赶紧调整部署，由钦差大臣向荣率重兵屯扎天京城外孝陵卫一带，另分兵驻扎丹阳窥伺镇江，是为江南大营；另由钦差大臣琦善率重兵屯扎扬州近郊，是为江北大营。南岸主攻，北岸主守，重点防止太平军自扬州北上威胁京畿。

5月中旬，为攻取北京，林凤祥、李开芳等率两万余人从天京出发在浦口登陆，揭开北伐序幕。太平军自皖北渡过淮河突入河南，在巩县渡过黄河天堑。因久攻怀庆府城（今沁阳）不下，且清军调集重兵防堵北路，被迫绕道山西东进，翻越太行山插入直隶。北京人心惶惶，部院各衙门纷纷告假。太平军迅速推进，在泊头镇沿运河北上，破沧州，10月末进占天津

---

① 《向荣奏请饬周天爵派员迅赴各属协济仓谷先苏民命片》，《清政府镇压太平天国档案史料》第5册，社会科学文献出版社，1992，第257页。

附近的静海县城和独流镇，距北京仅二百余里。在不到半年时间里，北伐太平军转战数省，行程达四五千里，扩军至四万人。按照事先部署，林凤祥等就地驻扎等待援军。

太平军主力部署在天京一线，能否抽调援兵北上取决于南方战场的走势。同年6月初，太平天国发兵万余人溯江西征，旨在避实击虚，开辟上游地区作为天京屏障和粮饷供给之地。西征太平军再克安庆，连下彭泽、湖口，但攻打江西省会南昌93天未下。翼王石达开亲赴安庆主持西征后，攻势得到加强。太平军占九江，攻克清安徽临时省会庐州（今合肥）；旋在湖北发起攻势，进逼武昌。

然而随着与湘军接战，太平军的势头很快受到遏制。

自广西起，清政府为尽快镇压太平军，一直在忙不迭地抽调军队，但迟迟不能实施有效围剿，军事危机反而日渐加重。除战略战术的因素外，其原因主要有三：一是作为经制兵的绿营、八旗积弊甚深，总体上将不知兵、兵不习战、战不用命，且军纪松弛；二是前线大军均系仓促拼凑而成，各存门户之见，很难步调一致，甚至胜则相妒、败不相救；三是各路人马奉调后须长途跋涉，沿途又因自身不带长夫、事事责成州县而逗留迁延，以致行进迟缓贻误军机，且扰累地方甚巨。至于各地招募的壮勇多为无业游民，大半唯利是图，既无节制纪律，又无忠勇之气。而官府倡首、乡绅自办的团练仅是辅助性武装，也不足深恃。

在湖南湘乡（今双峰）守制的前礼部侍郎曾国藩深知这些弊病，遂利用奉旨帮办团练之机，按照"别树一帜""改弦更张"的思路，历时年余组建了1.7万人左右的队伍，自号"湘勇"，后因独当一面声名鹊起而被称为"湘军"。湘军之"新"体现在刷新营制，且重视冷热兵器、水陆两军之配合；精神面貌新，地域化、私人化色彩甚浓；重视训练，积极备战；饷项从优，自办军需，自筹粮饷。于是，曾国藩借团练之名、行壮勇之实、充额兵之用，创建了一支有别于八旗和绿营、具有较强凝聚力、战斗力的新式军队，从而改变了战争的态势。

太平军于1854年2月27日攻占湖南门户岳州，13天后逼近长沙，遭湘军堵击。太平军在首次交锋中失利，不到一月便退出湖南。未几，太平军增兵反攻，击退湘军，形成南北夹击长沙之势。4月末，湘军反扑靖港失利，曾国藩投水自尽，被部属救起后败退长沙。但在同时进行的湘潭会战中，湘军以少胜多，太平军阵亡近万人，导致全线溃败，退守岳州。曾国藩抓紧休整，重点整顿水师，包括造新船、添购洋炮。

在湖北，太平军经数月围攻，于 6 月 26 日再克武昌。为收复武昌，湘军在休整后陆续北上，经连番鏖战，于 7 月下旬夺回岳州，一月后占领城陵矶，并乘胜沿江追击至湖北嘉鱼县境。太平军至此彻底退出湖南，西征战略受挫。而湘军则打开进兵武昌的通道。

不久，湘军揭开出境东征的序幕，水陆顺流东进仅四旬、攻城仅三天，便以较小伤亡于 10 月中旬收复武昌，重创太平军，一时名声大噪。江南道监察御史沈葆桢认为："贼自犯顺以来，未有如此之大受惩创者。"① 自此，清廷在天京上游的军事明显倚重湘军。

由于兵力同时投放在天京外围和北伐、西征三个战场，太平军战线过长，导致机动兵力不足，顾此失彼。受影响最深的是北方战场。太平军在独流、静海固守待援，顿时从战略进攻转为战略防御，遭僧格林沁、胜保等部清军围堵。在苦守约一百天后，太平军被迫冒着严寒突围南撤，从此又从战略防御转入战略退却。僧格林沁督率马队猛追。太平军且战且退，因掉队被杀及冻死冻伤者甚众，元气大伤，于 1854 年 3 月上旬退至阜城。以弃守扬州的人马为主组成的七千余援军一路北上，兵力扩充到五六万人，3 月末进抵山东临清，距阜城仅两百多里。但援军攻打临清耽搁十多天时间，错失北上会师的最佳时机，且新兵纪律散漫，破城后掳掠财物、成群乘间潜逃；北上遭阻击后掉头南撤，在清军追击下溃不成军，折损殆尽。燕王秦日纲随后奉命领兵北上，在安徽舒城遭阻击，便以"兵单难往"为由折回。援北再告夭折。

5 月初，林凤祥率七八千人自阜城突围至横跨运河的连镇。在僧格林沁合围连镇之前，副帅李开芳率千名骑兵南下至山东高唐州，遭胜保围困。北伐军孤立无援，且被清军分割包围在不同地点，北伐战略实际上已告失败。连镇太平军在铁壁合围下拼死血战，断粮后食野菜树皮，1855 年 3 月上旬终被攻破最后防线。林凤祥被俘，旋被槛送北京凌迟处死。李开芳部

---

① 《沈葆桢奏请饬曾国藩进剿令杨需兼署湖北巡抚折》，《清政府镇压太平天国档案史料》第 15 册，社会科学文献出版社，1994，第 583 页。

得知连镇败讯，自高唐撤至茌平县冯官屯，苦战两月余亦告败北。至此，持续两年多的北方战事结束，包括众多首义将士在内的北伐太平军全军覆没。清军也遭受重创，仅在连镇、高唐、冯官屯三处就阵亡八千余弁兵，但总算解除了京畿的军事威胁。太平天国自此转为专心经略南方，再也没有起兵北伐。

在南方战场，湘军自武昌继续东征，迫使太平军完全退出湖北。战场重心随即转至江西，湘军水师扑湖口，陆路攻九江。翼王石达开亲临湖口组织反击。1855年1月末，太平军利用对方轻敌冒进的弱点封锁隘口，将湘军水师切割成内湖、外江两部分，随后以小船突袭湘军外江的笨重战船，并乘胜追击至九江，迫使其败逃上游。陆路湘军失去水师呼应，在九江城下改取守势。太平军一举扭转颓势，并迅速反攻湖北，连克北岸蕲州、黄州、汉口、汉阳；南岸也连下数城，形成夹攻武昌之势。4月3日，太平军三克武昌。署湖北巡抚胡林翼反扑武昌。曾国藩遣罗泽南援鄂，湘军在赣兵力削弱。石达开趁势展开凌厉攻势，后来奉命回援天京。至1856年4月，太平军已占据江西近2/3面积。曾国藩求援不得，只好收拢兵力扼守南昌。湘军东征势头受挫。

天京外围的争夺也日趋激烈。江北大营系乌合之众，各统兵大员除陈金绶外，皆文吏无将策，且各分畛域，不能和衷共济，因而很少组织起像样的进攻，主要对扬州实施围困。1853年末，因粮食断绝，太平军主动撤离扬州，将防线收缩至瓜洲，与镇江隔江呼应。江北大营仍进攻乏力。琦善病逝后，江宁将军托明阿继任钦差大臣，军事依旧萎靡不振。不过，广东红单船参战后，清军逐渐控制了江面。1855年8月，江南大营在水师配合下攻陷安徽芜湖。江苏巡抚吉尔杭阿在镇压上海小刀会后移师会攻镇江，江北大营则日渐进逼瓜洲。天京上下游同时告急，面临被清军两个大营合围的危险。

太平天国从安徽抽调援兵，由秦日纲挂帅自天京东进，1856年3月中旬击溃围堵镇江的吉尔杭阿等部清军。接着，太平军北渡瓜洲发起突袭，大败江北大营，于4月5日再占扬州。托明阿因战败革职，德兴阿接任钦差大臣。秦日纲在筹得大批粮食后弃城南渡；石达开也从江西战场火速回援。击破江南大营成为太平军的下一个目标。

清廷对两个大营有亲疏厚薄之分。江北大营几度易帅，但均由满洲贵胄担任；其兵源以包括八旗马队在内的所谓北方劲旅为主。而江南大营主要由南方绿营组成，虽兵力稍众，但需攻打天京、镇江两城，还得援应江北、屏蔽苏杭及兼顾天京上游战事，战线更长，兵力分散，军事压力更大，且同样存在粮饷难继、人心不稳、军纪松弛等问题。主帅向荣虽久历戎行，但年逾六旬，老病交侵，已属力不从心，面对城高池深防守严密的天京攻坚乏术。不过，长时间水陆围困导致天京接济困难、处境险恶，迫使太平天国下决心消除这一肘腋之患。石达开、秦日纲各自率部向天京靠拢，太平军城内外兵力达五万余众。而江南大营精锐尽已调出，存营者不满五千，兵力单薄，左支右绌。6月19日，太平军发起总攻，向荣苦心经营四载的紫金山营盘付诸灰烬。向荣败走丹阳，不久病逝。

天京危机化解后，太平天国又将军事重心转到上游：北王韦昌辉坐镇江西，翼王石达开救援武昌，与湘军激战，双方互有攻守。

概括地说，太平天国在定都后相继发兵北伐、西征，势头强劲，而清八旗、绿营战斗力屡弱，很难组织起有效抵抗，致使清政府的统治风雨飘摇。不过，清朝立国已逾二百年，且辖境辽阔，回旋余地大，能够调动全国资源来应对危机。尤其是湘军的崛起有效地阻遏了太平军的攻势，牵制了其主要机动兵力。林凤祥等北伐精锐最终因孤立无援而全军覆没。但清政府的形势也不乐观：江北大营、江南大营相继败溃，短期内无法恢复旧观；从武昌到天京的许多沿江重要城市及大片腹地被太平天国占据。双方争夺激烈，所占地盘犬牙交错，攻守不时易势。在这种对峙状态下，双方都面临战线过长、兵力不敷、久战力疲等问题，受到粮饷筹集、转运困难、文报往来阻塞等制约，关键看谁能够咬住牙、少犯错。

与定都之初相比，太平天国兵力与地盘均已大幅扩张，军事上总体呈上升势头。然而就在这关键时刻，太平天国却因高层权力争夺而引发大规模内讧。从1856年9月初到次年6月初，杨秀清、韦昌辉等开国元勋及两万多将士死于火并，石达开因遭猜忌而离京出走，史称"天京事变"。激剧的内乱使太平天国自乱阵脚、元气大伤，在清军乘机逼攻下，很快便从战略进攻转入战略防御乃至退却阶段，导致战局逆转。包括武昌在内的所据湖北城池全部丢失，包括九江在内的江西版图丧失殆尽，安徽尤其是皖南战局也骤然恶化；在天京外围，镇江、瓜洲等重要屏障相继失陷，江南大营、江北大营重整旗鼓，重新对天京形成围攻之势，而且比以前围得更紧更近。天京事变成为太平天国由盛变衰的一个转折点。幸灾乐祸的曾国藩在1858年春预言，若无意外波折，"洪杨股匪不患今岁不平耳"。①

然而曾国藩的预言并没有成为事实。与此前受上海小刀会、广东天地会等反清暴动的牵制相似，与洪秀全分道扬镳后流动作战的石达开，各地反清武装特别是与太平军协同作战的捻军，以及1856年秋英国侵略军挑起、法国随后加入的第二次鸦片战争，均在不同程度上牵制了清政府兵力，缓解了太平军在正面战场的压力。特别是年轻将领陈玉成、李秀成临危受命，率太平军奋力反击，逐渐扭转了颓势。

1858年秋冬之交，陈玉成、李秀成在捻军助阵下，集重兵二破江北大营、三克扬州，打通天京北岸的接济线。江北大营死伤万余人，从此一蹶不振。② 趁太平军主力东移，湖北清军进逼安庆、庐州，皖北告急。陈、李火速回援，11月中旬在三河镇歼灭孤军深入的湘军李续宾部五千余人，迫使清军全线后撤，使皖北战局恢复到以前态势。湘军遭遇前所未有的惨败，湘乡一时出现"处处招魂，家家怨别"的场景。

不过，太平军总体上仍处于被动。陈玉成、李秀成回救皖北后，天京北岸战局突变，天长、江浦守军相继哗变，粮道被断。陈、李遂于1859年春回援。战至同年冬，就在连败江南大营之际，上游又告吃紧，经一年休整的湘军再度东进，陈玉成被迫折回皖北。至1860年2月下旬，江南大营完成对天京的水陆合围。天京米粮殆尽，守军"先则杀马而食，继而饿死不少"。③

为解救天京，太平军采用围魏救赵策略，先长途奔袭并攻破浙江省会杭州，然后聚拢兵力，于1860年5月上旬乘虚二破江南大营。江南大营被歼二三万人。接着，太平军乘胜进军苏南，至7月中旬占领常州、无锡、苏州等大片区域，随即设立苏福省，以苏州为省会。

太平军主力挺进苏南时，湘军正在上游围攻安庆。安庆是天京上游屏障、关乎天京安危，苏南系清政府财赋之区、饷源重地，各为对方必救之

---

① 曾国藩：《家书（一）·致沅弟》，《曾国藩全集》第19册，岳麓书社，1985，第379页。
② 江北大营于1859年春被撤销，余部归江南大营主帅和春节制。
③ 萧远盛：《粤匪纪略》，《太平天国史料丛书简辑》第1册，第50页。

地。迫于江南大营业已崩溃，僧格林沁正在北方防御英法联军，清廷一再谕令湘军驰援苏南。照此部署，太平军可不战而解安庆之围。曾国藩奏陈利害，认为欲平定江南，必据上游之势、建瓴而下，乃能成功，并亲自率兵驻扎皖南祁门，以阻截南岸太平军援师。湖广总督官文等人附议，力主不撤安庆之围。太平天国本拟在进军苏南后移师上游，但由于英法武力阻挠而未能进占上海，购置火轮船溯江上取的计划夭折，改为陈玉成、李秀成夹江会攻武昌，其他主力相机策应，以逼迫湘军从安庆撤围回救。

陈玉成在皖北经略多年，安庆守军系其部属，故率先投入安庆会战。李秀成热衷经略苏浙，在天王洪秀全再三催促下方才领兵西进，进军迟缓，以致会攻武昌计划流产；交战受挫后又无决战之心，有意避开湘军锋芒，继其堂弟李世贤之后退出安庆会战，转图浙江。至1861年末，二李攻占浙江绝大多数城池。太平天国改浙江省为"浙江天省"，仍以杭州为省会。但由于缺乏战略协同，安庆战局持续恶化。湘军围城打援，依托深沟高垒以逸待劳，明显占据主动。太平军长途奔袭，且水师无力与湘军争衡，不能控制外江内湖，只能从陆路强攻，故而无法速战速决，陷入漫长的消耗战。战局日渐朝曾国藩设想的方向发展。1861年9月5日，太平军据守九载的安庆陷落。

太平天国相继开辟苏福、浙江二省，改变了此前天京单纯依赖上游供应粮饷的局面，极大地拓展了太平军的战略空间。对清政府来说，丢失最为富庶的苏浙地区，筹措漕粮、军饷更形棘手。不过，湘军攻克安庆，既屏障了两湖后方基地，又扼定建瓴之势，使天京上游门户洞开。从长远看，太平天国的处境更为被动。

太平天国的权力格局及吏治

在太平天国与清政府的这场殊死搏杀中，内部稳定情况及人心向背、粮饷供应、外交等因素都对战局走势产生了不小影响。领导层内部互相倾轧便是导致太平天国由盛转衰乃至最终败亡的一个重要原因。

自起义立国始，太平天国实际上有两个权力核心。洪秀全并不拥有一言九鼎的绝对权力，因为他与杨秀清除君臣名分外，还有一层子与父的关系：当杨托称天父下凡时，作为天父次子的洪不得不俯首听命。这种怪异的权力格局为洪杨之争埋下了隐患。不过，太平军初期一直流动作战、处境险恶，加上资历甚深的冯云山、代天兄下凡传言的萧朝贵所起的权力制衡和居中协调作用，所以首义诸王尚能做到和衷共济。就连清方也承认："夫首逆数人起自草莽结盟，寝食必俱，情同骨肉，且有事聚商于一室，得计便行，机警迅速，故能成燎原之势。"① 及至定都天京，冯云山、萧朝贵业已阵亡，北王韦昌辉、翼王石达开资历相对较浅，前之有人居中协调牵制的局面已不复存在，变成洪杨的直接碰撞，两人的摩擦随之增多。

定都后的杨秀清居功自傲、专横跋扈，每当与洪秀全意见相左时，便以天父下凡名义逼迫其就范，甚至以天父身份下令杖责后者，事详《天父下凡诏书》第二部。在韦昌辉等人面前，他更是百无禁忌，动辄滥施淫威，故而结怨太多，陷入孤立。就连清方也看出端倪，推测"杨贼与昌辉互相猜忌，似不久必有并吞之事"。②

以杨秀清逼封万岁为导火线，洪秀全、韦昌辉、石达开等人密议诛杨秀清。昔日同打江山的生死兄弟变得水火不容，非一死不能了之。韦昌辉率秦日纲、陈承瑢具体执行诛杀行动，血洗东王府，将杨秀清悬首示众，接着在全城清洗杨秀清部属，前后杀戮两万多人。洪秀全及闻讯返京的石达开均不赞同滥杀无辜。韦昌辉又将石达开满门抄斩，并胁迫天王悬赏诛杀缒城脱逃的石达开。内讧进一步升级。石达开起兵讨韦。洪秀全将北王韦昌辉凌迟处死，召石达开回天京。追随韦昌辉大肆杀戮的秦日纲、陈承瑢被诛。但变乱并没有就此结束。因洪秀全心有余悸，对异姓大臣放心不下，石达开负气出走，率十余万精锐远征他方，从此与洪秀全分道扬镳，直至最终兵败大渡河。这场内讧使太平天国一时间"朝中无将，国内无人"，③ 元气大伤、人心离散，导致战局急转直下。

天京事变后，太平天国经过两年多过渡，直至1859年才形成较稳定的新的领导中枢。但没过多久，朝内党争又起，并且愈演愈烈。陈玉成与李秀成之间，陈玉成、李秀成与洪氏宗亲之间，都不同程度地存在矛盾或嫌隙，其中以洪氏宗亲与李秀成等异姓大臣之间的权力摩擦最为牵动全局。

① 张德坚：《贼情汇纂》卷6，《太平天国》第3册，第172页。
② 张德坚：《贼情汇纂》卷1，《太平天国》第3册，第48页。
③ 罗尔纲：《增补本李秀成自述原稿注》，第183页。

干王洪仁玕是总理大臣，李秀成为军中大将，两人关系的演变很具代表性，从一个侧面凸显了朝内党争的脉络。

洪仁玕 1859 年 4 月辗转抵天京，不到两旬，寸功未立，就被委以总理朝纲的重任。这引起一众功臣宿将的不满。洪仁玕见众人不服，恐军心散乱，具本屡辞。洪秀全降诏抚慰，谓"风浪暂腾久自息"，并准洪仁玕保奏，封陈玉成为英王，随后又封李秀成为忠王、李世贤为侍王，从而安抚了军中将领。至此，太平天国确立了新的领导中枢，且诸王受命于危难之际，均抱有建功立业之念，相互间的关系也较为融洽。太平天国之所以随后能重整旗鼓，二破江南大营、开辟苏南大片版图，与将相之和是分不开的。

上海事件是洪仁玕、李秀成关系的一个转折点。1860 年夏，洪仁玕为进占上海一事亲自来苏州进行外交斡旋，但各国驻沪外交官丝毫不予理会。眼见外交途径交涉无望，李秀成便直接发兵攻打上海，结果被英法军队击退。苏州之行无功而返是洪仁玕主政期间的一大败笔，导致威望受损。在兵败被俘后各自所写的供述中，李秀成对干王表示不屑，说他"初来封长，又冇才情"，"封过后未见一谋"，[①] 当有所隐指；洪仁玕则指责忠王执意主战，惹恼洋人，搅了和谈大局，而且事后还不肯认错。[②] 双方所言均与事实有较大出入。这说明围绕上海未下的责任，两人心存芥蒂，关系出现裂痕。

李秀成在军中的地位仅次于陈玉成，侍王李世贤是其堂弟，洪仁玕副手章王林绍璋也与他关系甚密。而洪仁玕在太平天国原本根基甚浅，一旦失去实力派将领的支持，其影响力便大不如前，甚至一度被排挤出天京，以总理大臣身份催调兵马援救安庆。此时，以血缘和利益关系为纽带，李秀成等异姓诸王与洪秀全两位兄长（王长次兄）等洪氏宗室成员成为朝中分庭抗礼的两大派系，李秀成与洪仁玕随之嫌隙日深。安庆失陷后，洪仁玕具本弹劾军中各主要将领，结果触怒天王，由此引发朝中走马灯似的人事更迭。天王先是将洪仁玕和英王、章王等一并革职，不久恢复洪仁玕王爵，但未复军师一职；接着又恢复林绍璋爵位，不准王长次兄及洪仁玕干预朝政，未几又将林绍璋撵出京城，重新起用洪仁玕。朝内党争之激烈，于此可见一斑。

---

① 罗尔纲：《增补本李秀成自述原稿注》，第 352 页。按："冇"系粤语方言，作"没有"解。

② 参见王庆成编著《稀见清世史料并考释》，武汉出版社，1998，第 472、488、492 页。

出现这种局面，与洪秀全用人不当有很大关系。天京事变后，心有余悸的洪秀全对异姓大臣猜忌甚深，倾向于重用自己的兄弟子侄。不过，洪氏亲属过于平庸或少不更事，洪仁玕虽才堪大用但资历甚浅，故而引发功臣宿将的离心倾向和抵触情绪。而洪秀全后期专注宗教，无心亲理政事，遂使局面失控。李秀成在其供词中一再抱怨天王不信外臣、不用贤才、不问政事，确系有感而发。然而，洪氏宗亲尽管地位显赫，但无人握有兵权和地盘，洪秀全在军事上不得不倚重异姓诸王。这使得他在用人上摇摆不定，对群臣驾驭不力。

洪氏宗亲与异姓诸王之间的明争暗斗闹得沸沸扬扬，就连清方也知其梗概。左宗棠在1862年10月末的一份奏折中写道："查贼中伪王可数者共三十余，惟伪忠王李秀成、伪章王林绍璋与李侍〔世〕贤尚称投合，余则彼此猜疑，势不相下；金陵逆首洪秀全之兄伪勇王洪仁达尤为各贼所恨。似从前杨、韦两逆互相吞噬之事，不久必将复见。"① 朝内党争使太平天国领导中枢薄弱无方、波动涣散，无法从容应对日益严峻的政治军事形势。

朝内党争的实质是结党营私、党同伐异，这与官场风气的恶化有紧密联系。

吏治是洪秀全思考解决社会问题的着眼点之一。他在推行森严的等级制度的同时，反复强调世人都是兄弟姊妹，试图借虚拟的亲情来化解上下尊卑之间的隔膜与矛盾，营造一个和谐有序的社会。这种思想有积极的一面，但如何使两者并行不悖，却是太平天国从一开始就无法也不可能解开的一个死结。

例如，洪秀全、杨秀清等人在全体军民中推行禁欲主义，虽夫妻同宿也被问斩，而自己却大搞多妻制，在天京城频繁选美，引起一片恐慌和怨声。再如，首义诸王的净桶、夜壶均以金造，一度还准备打造金桌、金灯台，但金子已罄。大小官员群起效尤，"臂必带镯，手必戒指。广西、湖南人鲜有不备者，无金则银"。② 在洪、杨等人看来，自己打江山、自己坐江山，享有特权是天经地义之事。在严判上下尊卑的背景下，是否为官及官

---

① 《左宗棠奏报官兵攻剿龙游等处获胜并攻克寿昌折》，《清政府镇压太平天国档案史料》第24册，社会科学文献出版社，1999，第605页。

② 张晓秋：《粤匪纪略》，罗尔纲、王庆成主编《中国近代史资料丛刊续编·太平天国》（以下简称《太平天国续编》）第4册，广西师范大学出版社，2004，第56页。

职大小直接决定了每个人的社会地位和待遇，从而极大地刺激了人们谋求当官和升迁的心理。

在太平天国，官员升迁主要看军功大小，但血缘、地缘关系也起很大作用。这种用人上的褊狭进一步败坏了官场风气。既然上下尊卑泾渭分明，少数人的尊贵需要以多数人的卑贱作为衬托和基础，那么，官兵、军民之间也就无法真正体现"四海皆兄弟""胞与为怀"等理念。正是随着私欲膨胀，太平天国核心层的冲突日益升级，还没等打下江山就争夺起江山，结果酿成一场惊心动魄、血流漂杵的内讧。为走出内乱阴影，刺激众人效命，洪秀全不断给群臣加官晋爵。但在失去素以铁腕治军理政的杨秀清后，他又掌控不了局面。人们醉心于升迁，跑官要官现象日甚一日；在外统兵将领则僭权任命官员，培植亲信。洪仁玕主政不久便觉察到问题的严重性，为此颁布《立法制宣谕》。但他根本压不住阵脚，这场以统一事权为主旨的改革很快便告夭折。

军中将领拥兵自重，必然导致各自为政。后期，诸王各镇一方，如陈玉成在安徽，李秀成在苏南、浙西，李世贤在浙东，成为各地的实际最高长官；城市则各由其部将驻防，官制混乱、职权不清的现象十分突出。各省之间甚至一省之内，不仅彼此呼应不够，有时还为争夺粮饷与地盘发生摩擦。安庆是陈玉成辖区首府，该城之所以在湘军围攻一年多后最终失守，与李秀成、李世贤消极迁延、救援不力有很大关系。

文武百官"动以升迁为荣"的现象使局面更加失控。天京事变后，洪秀全为避免重蹈覆辙，曾宣布永不封王；嗣后一度封自己两个兄长为王，但不久就削去其王爵，直到洪仁玕投效后才再度破例。到1860年，洪秀全共计封了七个王，即干王洪仁玕、英王陈玉成、忠王李秀成、赞王蒙得恩、侍王李世贤、辅王杨辅清、章王林绍璋。随后则越封越多，竟然封出2700多个王，不仅血缘、地缘关系照样起作用，卖官鬻爵也几乎公开化，铨选制度形同虚设。滥施爵赏助长了朝中贪渎之风。据载，后期在天京城内，"各伪目无不极富，一馆内箱桄总不下数百件"。[①] 在军中，拥兵自重、各争雄长、安富尊荣之风日益滋蔓。从广西穷乡僻壤挺进江南繁华富庶之地，太平军在开疆拓土的同时，其理想与锐气却悄然褪色。时人就此喟叹道：

---

① 赵烈文：《能静居日记》卷16，《太平天国续编》第7册，第168页。

"故世谓发逆之亡，亡于苏州。盖恋恋于此，即怀安之一念足以败之矣。"①由于不少将领贪念子女玉帛，加上军心涣散，新兵良莠不齐且疏于管束和训练，太平军总兵力虽超轶往昔、远比清军占优，但战斗力大不如前。

与朝内、军中相似，太平天国乡村基层政权的情况也不乐观。

太平天国在县以下分设各级乡官，由民人出任。太平军攻占苏州不到一月，忠王李秀成便颁布告示，促令举官造册。实际操作时，乡官通常不是由乡民公举产生，而是由太平军指派。由于设立乡官的主要目的是解决军饷急务，太平军在遴选乡官时倾向于任用有名望有田产的乡绅，其次是谙练公差的旧衙门胥吏和地保。苏南常熟便大多指派富户充乡官，"倘遇差徭，有财应抵；亏缺粮饷，可使赔偿……军、师、旅帅三大伪职，非无资者所能营干……而无业者欲做伪官，争谋不易得手，盖患其亏空无偿、获财逃去耳"。② 为使绅富就范，浙江乐清县太平军还采用强硬手段，故时人有"不论贤，不论能，但呼富人强趋承，胁从不应系以绳"③ 一说。

这些染有官场旧习的人出任乡官后，与太平军貌合神离。有些人采用浮收勒索等手段，趁机巧取豪夺聚敛钱财。乡官做生日、赴任或升迁时饮"开印酒"等陋习很快风行一时。太平军也逐渐沾染上这种风气，官越大，征敛的钱越多。例如，听王陈炳文的妻子做寿，仅嘉兴王店镇就摊银三千两。这些非正常开支加重了民众负担，进一步腐蚀了太平天国肌体，败坏了官民、军民关系。

再看看清政府的情况。为挽救统治危机、争取民心，咸丰帝在即位初期数次下罪己诏，并着手整饬吏治，主要是广开言路、罗致人才、调整人事，并宣布凡被兵省份，分别蠲缓钱粮、酌情抚恤，以苏民困，严禁地方官借捐输之名苛派骚扰民间。但雷声大雨点小，这些旨令基本上形同具文，很难落实到位。而军功保举及捐班人员激增，使仕途愈益拥挤，泥沙俱下，更增加了整饬吏治的难度。

曾国藩等人在两湖地区则显露出新气象。针对官场疲玩泄沓、百弊丛生的现象，曾国藩一再表示："思欲稍易三四十年来不白不黑、不痛不痒、

---

① 潘钟瑞：《苏台麋鹿记》卷下，《太平天国》第 5 册，第 302 页。

② 汤氏：《鳅闻日记》卷下，《太平天国续编》第 6 册，第 337—338 页。

③ 林大椿：《粤寇纪事诗》，"立乡官"诗，《太平天国史料丛编简辑》第 6 册，第 444 页。

牢不可破之习……但求宏才伟识，共济时艰。"① 自组建湘军起，他一直重视延纳人才；衡量人才时，主要看对方是否有血性、无官气，期望借此"引出一班正人，倡成一时风气"。② 湖北巡抚胡林翼、以抚署幕客身份治理湖南的左宗棠同样重视整饬吏治，对官僚队伍进行大换血。通过广泛网罗、培植人才，曾、胡、左均集聚了一大批有"忠义血性"且各具才干之人，倡立一种有别于官场陋习的新风气，从而有效改变了当地人才匮乏、军政萎靡不振的状况。曾国藩还重视从严治军，一再强调禁止扰民，并写有一首浅显通俗的《爱民歌》讲明有关事项，强调"爱民之军处处喜，扰民之军处处嫌"；另注意防范不良习气在军中滋蔓，认为"军事有骄气、惰气，皆败气也"。③ 尽管湘军无法摆脱日渐萎靡、军纪败坏的趋势，但直至攻打天京，总体上仍保持着相当的战斗力。

更为重要的是，曾、胡、左三人均以忍辱负重、共济时艰相标榜，在战略、治军、吏治、用人等方面颇多共识，并且都深知唇亡齿寒、保大局即所以自保的道理，鄙弃败不相救、胜则相妒的恶习。湘军之所以得以发展壮大，得益于有两湖地区作为稳固的后方基地，而这与三人顾全大局、通力合作是分不开的。正是依靠以曾、胡、左为代表的两湖官绅所创立的湘军和两湖基地，清政府才得以抵挡住太平天国潮水般的攻势，避免了湘鄂赣皖四省及相邻省份战局的迅速崩溃，并为日后大举反攻积蓄了力量。清廷为应对危机，也注意调整内部特别是满汉官僚之间的关系。左宗棠后来因为樊燮案遭弹劾，最终得以躲过此劫，以及曾国藩在1860年被任命为钦差大臣、官授两江总督，与咸丰帝亲信肃顺的斡旋与大力举荐有很大关联。

太平天国的社会经济政策及筹饷问题

与以往单纯杀富济贫、攻城劫狱的旧式农民战争相比，太平天国有着具体的改造中国社会的思想和政策。《天朝田亩制度》是太平天国的纲领性文献，约3800字，建都初期颁布，具体反映了洪秀全的思想。

---

① 曾国藩：《书信（一）·复黄淳熙》，《曾国藩全集》第21册，岳麓书社，1990，第431页。
② 曾国藩：《书信（二）·复胡林翼》，《曾国藩全集》第22册，岳麓书社，1991，第1546页。
③ 曾国藩：《书信（二）·致李榕》，《曾国藩全集》第22册，第1182页。

该文献对社会经济生活进行重新设计，宣布"凡天下田，天下人同耕"，规定按人口平分土地，"凡男妇每一人自十六岁以上，受田多逾十五岁以下一半"。每户的生产方式及规模也完全一致，规定"凡天下树墙下以桑；凡妇蚕绩缝衣裳。凡天下每家五母鸡、二母彘，无失其时"。为了使经济生活整齐划一，该文献设想在民间采用军事编制，由13156家组成一军；由五"伍"25家组成的"两"是最基层单位，设国库和礼拜堂各一，由两司马管理。推行财产公有、平均消费制度，规定"凡二十五家中所有婚娶弥月喜事俱用国库，但有限式，不得多用一钱……通天下皆一式"；另宣布"鳏寡孤独废疾免役，皆颁国库以养"。《天朝田亩制度》将上述思想和规定概括为26个字，即"有田同耕，有饭同食，有衣同穿，有钱同使，无处不均匀，无人不饱暖"。不过，该文献并不否认上下尊卑。太平天国对永安突围前入伍者一律加"功勋"衔，该文献据此将全体社会成员划分为"功勋等臣"和"后来归从者"两大类，规定前者"世食天禄"，后者"每军每家设一人为伍卒，有警则首领统之为兵，杀敌捕贼；无事则首领督之为农，耕田奉上"。此外，该文献还强调推行上帝信仰，宣布废除旧习俗，"凡天下婚姻不论财"等。

概括地说，《天朝田亩制度》承认尊卑等级，同时又满足了广大农民对土地的渴求和均匀饱暖的愿望，试图按照这种设想来重塑中国社会。其主要内容有值得赞许的一面，但缺乏可操作性，或自相矛盾，或不切实际。例如，它取消了一切私财和商业活动，却又允许银钱流通；它机械地规定每家养五只母鸡、两头母猪，却没有考虑如何解决禽畜自身繁殖的问题。在生产力水平低下和兵戈纷扰的情况下，平分土地、均享财物的方案客观上难以实施；"处处平匀"很难保障"人人饱暖"，反而可能引发普遍贫困。最为关键的是，在西方工业革命飞速发展的时代，洪秀全却怀着浓厚的复古情愫，将小农生活理想化、绝对化。

如果说《天朝田亩制度》是往后看，试图按照理想中的古代大同模式来改造中国社会，那么《资政新篇》则是向前看，试图通过效法西方，使中国也走上近代化的发展道路。

《资政新篇》是洪仁玕在总理朝政之初向洪秀全条陈的新的治国方略，1859年夏刊行，由"用人察失类""风风类""法法类""刑刑类"四部分组成，约 11000 字。其中"法法类"是该文献的核心内容，共提出 29 条建议，内容涉及交通运输、采矿、银行、保险、专利、税收、邮政、新闻等业，堪称当时国内最为完整和先进的近代化纲领。例如，"兴车马之利"一款建议仿造外国朝发夕至的火车，"兴舟楫之利"一款主张仿造火船、汽船等，并明确提出发展私人资本，"准富者请人雇工"。该文献还介绍了世界大势，在外交、法制、社会习俗等方面也提出了具体的改革建议。

这些新思想源于洪仁玕流亡香港等地期间的所见所闻。作者倡言"与番人并雄"，呼吁"乘此有为之日，奋为中地倡"，流露出一种强烈的忧患意识与自强意识。然而在战争环境下，造火车、开矿山等方案客观上无从落实，唯一留下的痕迹是洪秀全在其女婿等人官衔上新加正副"总开矿"虚衔，如天二驸马钟万信为"又正总开矿"，天四驸马黄栋樑为"副总开矿"。

自金田起义起，太平天国一直处于战争状态；定都后更以攻占城池为目标，不断开拓疆土。清政府则为收复失地而竭力实施反攻，屯集重兵围攻天京、镇江、扬州三城便是例证。这使得太平天国不得不实行战时体制，贯彻军事优先原则，一切围绕军事，一切服从军事。在天京等城市实施戒严，取消家庭、严别男女，对全体居民实行军事化管理，使城市变相成为军营便是这种体制的一种典型体现。由此引出的问题是，庞大军队和行政系统的粮饷供应如何解决？自广西北上沿长江流动作战时，太平天国每以豁免钱粮号召民众归附，军饷主要靠攻陷城池接收官库、剥夺官绅浮财及绅民进贡来接济，如太平军首克武昌起约获百万库银，但均非长久之计。于是，理想或设想，包括《天朝田亩制度》《资政新篇》所提方案，不得不让位于现实。约在 1854 年，杨秀清等联名奏请在新占皖赣地盘实行"照旧交粮纳税"，"以充军储而裕国课"，[①] 获洪秀全首肯。"照旧交粮纳税"遂成为太平天国辖境贯彻始终的主导经济政策，实际上是筹饷政策。"照旧"意味着沿袭清朝旧制来征收钱粮，即不触动旧的地权关系，包括允许"业户"即地主收租。

这便形成以农村供给城市、穷四方之力支撑城市的格局。太平天国要

---

① 《东王杨秀清奏请准良民照旧交粮纳税本章》，太平天国历史博物馆编《太平天国文书汇编》，中华书局，1979，第 168 页。

顺利筹饷，需要具备两个前提：一是军事上处于主动或强势，对农村有足够的控制力；二是征收钱粮的额度在老百姓能够承受的范围内。问题是，太平军集重兵于城市，乡镇间有驻军也以设税卡为主；在地方设立乡官，最直接、最主要的目的是征办粮饷，对政权与生产建设的考虑较弱。这便给筹饷带来不小难度。

太平天国重视争取民心。石达开在经略江西时军纪严明，并推行轻徭薄赋政策，颇得民心。时人慨叹道："传闻贼首称翼王，仁慈义勇头发长，所到之处迎壶浆，耕市不惊民如常，贼至犹可兵则殃。"[1] 后期，洪秀全在苏福省建立不久便下诏宣布体恤民艰，将应征钱漕正款酌减若干。李秀成认真执行减征政策，并在一些地区实行减租、限租。这些举措兼顾到各方面利益，有利于休养生息，产生较好反响。为称颂忠王减粮德政，苏州乡官特意在阊门外捐建一座牌坊，上题"民不能忘"四字。常熟南门外也建有一座"报恩牌坊"，镌碑记述了"平租佣之额赋，准课税之重轻"等惠民之举。

不过，政权更迭决定了"照旧交粮纳税"不可能是原封不动、和风细雨，必然伴随着土地关系的急遽变化。太平军大兵压境，不少地主因拒绝归顺而被杀或逃匿。在乡地主的日子也不好过，面临佃户抗租这一棘手问题。常熟乡间甚至出现"业户二年无租，饿死不少，幸而降价鬻田佃户，十得二三"[2] 的情形。不少富室在动荡中家道中落。针对地主或死或逃及有些在乡地主拒领田凭（土地证）的现象，为避免田赋落空，太平军允许佃户自行完粮，即"着佃交粮"。同样出于筹饷考虑，鉴于地主收不到租就无法完粮，太平军不支持佃农抗租，宣称"同胞之将执戟之兵，虽有忠心，岂能枵腹"，申令"业户固责按亩输粮，佃户尤当照额完租……倘有托词延宕，一经控追，抗租与抗粮同办"。[3] 由此引发了一些弹压佃农抗租的事件。按理说，随着轻徭薄赋政策的推行和秩序重建，筹饷会逐步走上正轨。

但是，好景不长。随着战局恶化，减征政策变得十分脆弱，未能切实

---

① 邹树荣：《蔼青诗草》，中国科学院历史研究所第三所近代史资料编辑组编《太平天国资料》，科学出版社，1959，第 78 页。注：文中"兵"指湘军。

② 龚又村：《自怡日记》卷 21，《太平天国续编》第 6 册，第 114 页。

③ 《恋天福董顺泰为令完粮以济军饷劝谕》《忠天豫马丙兴谕刀鞘坞等处告示》，《太平天国文书汇编》，第 136—137、140 页。

持久推行。1862 年初，李秀成再次发兵攻打上海，遭英法军队、洋枪队和清军堵击。随后数月，双方在上海外围互有攻守，战事呈胶着状态。至同年春夏之交，天京遭曾国荃部湘军逼攻；皖南城池未几丢失殆尽；浙东遭左宗棠进攻，也丢失不少地盘。于是，苏浙尚存地盘便成为军需的唯一供应地。与疆域缩小形成反差的是，各路将帅为谋名位，热衷于广招兵马、抢占地盘，仅李秀成部据说就有百余万众。[①] 但这种扩充漫无节制，一是战败归降的清军兵勇和各地无业游民或难民占了较大比例，大多桀骜不驯，漫无纪律；二是非战斗人员增多。据镇守常州的护王陈坤书部残存名册统计，从事开店、官伺、看馆、看马、买菜、种菜、打柴、挑水、煮食、成衣之类的人员占了不小比例。[②] 再就是官员队伍迅速膨胀，随之膨胀的还有为官者的腐化享乐意识，非分需索增多，如开印费、生日费及建造王府、官场应酬等。

　　在上述背景下，单靠田赋显然已无法支撑各项庞大开支。各地遂不时向民间摊派银两、物资，同时开征各种名目的捐税，并不时征派徭役，以致民众实际负担远超出田赋正额。时人就 1862 年常熟东乡的情形描述道："三月，菜、麦勃然兴起。贼忽而要米数百石，忽而要金数百两，忽而要水木工、作衣匠，忽而要油盐柴烛，忽而要封船数十，忽而要小工数百，时时变，局局新，其横征暴敛莫可名状……现青黄不接，挪措丝毫无告，粮食极贵，丝织无利，家家洗荡一空，已所谓室如悬磬。而贼之迫催严比，无出其右。"[③]

　　作为具体经办者，一些乡官趁机上下其手、中饱私囊。但总的来说，干这份差事的难度和风险明显加大，不少乡官因筹饷不力而被锁拿拷打，以致被迫逃亡甚或自杀。太平天国苏浙地盘与清军控制区犬牙交错，出任乡官者原本大多持徘徊观望态度或抱着投机心理，至此则趋于解体。而近乎竭泽而渔式的强制征敛，加剧了民生状况的恶化和乡村经济的衰落，使筹饷变得更加艰难，且大失人心。缺乏农村作为稳固的后方，城市的陷落仅是时间问题。后来，天京陷入兵少粮断的绝境，而京外数十万大军迟迟

---

①　李秀成有云："那时主见我部辖百余万众，而何不忌我乎！"见罗尔纲《增补本忠王李秀成自述原稿注》，第 306 页。按："主"指洪秀全。

②　《军中档册》，王庆成编注《影印太平天国文献十二种》，中华书局，2004，第 389—465 页。

③　柯悟迟：《漏网喁鱼集》，排印本，中华书局，1959，第 56—57 页。

不能应命赴援，缺粮是重要原因之一。

反观清政府一方，左宗棠在湖南整顿漕政，革冗费、禁浮收，并实行减漕以纾民力，使湖南岁增银 20 余万两，绅民减赋数百万两。此举嗣后为胡林翼在湖北、曾国藩在江西仿行，收到显著成效，既缓和了社会矛盾，又有效缓解了湘军军饷匮乏的压力。

上帝信仰与太平天国文化政策

太平天国还试图改造文化，确立独尊上帝的局面，用上帝信仰取代孔子的权威和地位。

其实，洪秀全所构建的上帝信仰是个混合体，既吸收了西方基督教因素，又糅合了本土的儒家学说、民间宗教成分。洪秀全自幼熟读经书，后来热衷于功名，先后四次参加科举考试，与儒学渊源很深。皈依上帝后，基于禁拜偶像的信条，他撤除了书塾中的孔子牌位，但并不否定孔子学说，对孔子仍怀有敬意。在早年撰写的布道诗文中，他大量征引儒家典籍，宣扬"非礼四勿""富贵浮云"等观念，并奉孔子为道德楷模，如《百正歌》称"孔丘服教三千，乃以正化不正"，《原道救世歌》称"孔颜疏水箪瓢乐，知命安贫意气扬"，"周文孔丘身能正，陟降灵魂在帝旁"。这些诗文于 1852 年合辑为《太平诏书》刊刻，反映了洪秀全此时对儒学的公开态度。

然而洪秀全起初劝人拜上帝时，所遇到的最大阻力来自士大夫阶层。据李秀成回忆，每村"亦有读书明白之士子不从。从者具〔俱〕是农夫之家、寒苦之家"。[①] 举兵起义后，洪秀全以宗教语言号召民众响应，但反响最为寥落的依旧是士大夫阶层。在读书人看来，拜上帝是袭"外洋邪教"之余绪，属以夷变夏；"天下总一家，凡间皆兄弟"等说教有悖人伦；至于洪秀全升天受命、天父天兄下凡及永生天堂、不朽灵魂说，则更是荒诞无稽。太平天国以宗教起家，又以宗教立国，能否确立上帝信仰显得至关紧要。显然，上帝与孔子在外在形式上分别象征着两种不同的信仰，不彻底否定孔子的权威，上帝信仰便无法立足。

于是，太平天国在定都天京后态度骤变，宣布"凡一切孔孟诸子百家妖书邪说者尽行焚除，皆不准买卖藏读也，否则问罪也……但世间有书不

---

① 罗尔纲：《增补本李秀成自述原稿注》，第 102 页。

奏旨不盖玺而传读者，定然问罪也"，① 即下令焚毁孔孟经书等，规定唯有经天王审订、由官方刊刻的书籍始准传读。天京城随即开始大规模搜书、焚书，"搜得藏书论担挑，行过厕溷随手抛，抛之不及以火烧，烧之不及以水浇。读者斩，收者斩，买者卖者一同斩"。② 时人有诗叹曰："敢将孔孟横称妖，经史文章尽日烧。"③ 不过，同期刊行的《太平诏书》修订本删除了原先正面称引古人古书的所有文字，但依然保留了大量间接称引古书的文字，如源于《尚书·汤诰》的"天道祸淫惟福善"，源于《论语·颜渊》的"富贵在天生死命"等。这说明洪秀全对上述文字所表达的思想依旧持肯定态度。后期刊刻的一些图书几乎连篇累牍地渲染儒家伦理思想，其中以《天父诗》第378首讲得最为直白："只有媳错无爷错，只有婶错无哥错，只有人错无天错，只有臣错无主错。"《王长次兄亲目亲耳共证福音书》则引天王预诏曰："君不君，臣不臣，父不父，子不子，夫不夫，妇不妇，总要君君臣臣、父父子子、夫夫妇妇。"这说明，洪秀全否定的是孔子权威而不是其学说，是一种形式上而非内容上的反孔。

为了给这一文化政策确立理论依据，太平天国还对中国历史做了新解释，声称中国起初与番国同行拜上帝这条大路，从盘古到三代一直敬上帝，但自秦政开神仙怪事之厉阶后便误入鬼路，导致上帝真道在中国失传两千年，如今将由洪秀全来重新开辟。焚禁古书、贬斥古人是一种釜底抽薪的策略。洪秀全试图借此来隔断人们与传统的接触和联系，为确立上帝信仰扫清道路。

杨秀清反对排斥一切古人古书的做法，主张在独尊上帝前提下，仍不割断与中国历史和传统的联系。在杨秀清以天父名义干预下，洪秀全被迫妥协，宣布一切孔孟经书待删改刊行后始准诵习。后期主政的洪仁玕与杨秀清的态度相近，主张给予儒学适当的尊重和地位。但是，杨秀清死于天京事变，洪仁玕无力左右洪秀全。尽管洪秀全后期的公开态度显得温和些，由他审定刊行的《天父圣旨》《太平天日》称孔子的书"亦有合真道"，说

---

① 《诏书盖玺颁行论》，黄再兴文，太平天国历史博物馆编《太平天国印书》，江苏人民出版社，1979，第464页。
② 马寿龄：《金陵癸甲新乐府》，"焚妖书"诗，《太平天国》第4册，第735页。
③ 《山曲寄人题壁》，"焚孔孟书"诗，《太平天国史料丛编简辑》第6册，第386页。

孔子"亦是好人""功可补过"，但没有质的变化。据载，洪仁玕奉命从江南进献万余卷古书，天王看完后"总用火焚"，并且"总不准宫内人看古书，且叫古书为妖书"。① 直到太平天国覆亡，洪秀全并未兑现孔孟经书待删改镌颁后仍可诵读的承诺。于是，激烈反孔便成为太平天国文化政策的主要特征。然而，洪秀全反孔主张的胜利却在一定程度上招致太平天国最终的失败。

当时，儒学虽受到西学冲击，但其地位尚未发生动摇，仍被士大夫阶层乃至一般民众奉为圭臬。洪秀全再三辩解拜上帝不是"从番"、是恢复上古之风；他本人骨子里尊孔，上帝信仰始终带有浓厚的儒学色彩。但他推行过激的反孔政策，这实在是个昏招。排斥本土文化，上帝信仰也就失去依托，难以在中国社会扎根。更关键的是，这引起读书人的普遍憎恶，导致太平天国难以招揽人才。不少士子将天京焚书与秦始皇焚书坑儒相提并论，指斥此举"焚弃诗书踵暴秦""灭绝圣贤心枉用，祖龙前鉴正非遥"，甚至认为"较秦火尤甚，殊堪痛恨"，是"文章浩劫""文字之劫"。② 洪秀全以兴汉灭满的名义号召四民归附，定都后却既反满又反孔，明显缺乏策略性。即便是境况窘迫、对现实不满的士子，也会因这种过激的文化政策而打消投效太平天国的念头。

太平天国有敬重读书人的一面。起义初期传檄民间，表示各省"名儒学士不少，英雄豪杰亦多"，号召他们"各各起义"。③ 定都后正式开科取士，且录取较宽。此外，太平军大多不识字，需要读书人办理文牍，因此，"识字能书，贼颇敬重，均以'先生'称之，其余皆不足重"。④ 后来以环游世界著称的江宁人李圭，被掳后先当苦差，被发现通文墨后被推为"先生"。官兵们对李圭解衣推食，延纳唯恐不周，甚至主动为他说媒提亲，使李圭不由得感叹太平军"大有礼贤下士之风"。

---

① 《洪天贵福亲书自述之三》，王庆成编著《稀见清世史料并考释》，第520页。
② 以上见伍承组《山中草》，《太平天国史料丛编简辑》第6册，第417页；《山曲寄人题壁》，同前书，第386页；谢介鹤《金陵癸甲纪事略》，《太平天国》第4册，第681页；马寿龄《金陵癸甲新乐府》"点状元"诗，同前书，第738页；佚名：《粤逆纪略》，《太平天国史料丛编简辑》第2册，第31页。
③ 《颁行诏书·奉天诛妖救世安民谕》，《太平天国印书》，第108页。
④ 沧浪钓徒：《劫余灰录》，《太平天国史料丛编简辑》第2册，第143页。

　　但是，太平天国举行科考时，体裁沿用八股文、试帖诗，但题目不是出自四书五经，而是依据上帝教教义。这让儒生们感到丈二和尚摸不着头脑。政治上的成见、文化上的隔膜，使读书人避之唯恐不及，应试者多为粗通文墨的医卜星相之辈。有些乡官为了交差，以厚给盘缠等方法吸引读书人应试，甚或捉考、逼考。另外，太平天国的用人思路存在很大局限。应试者即便考中状元，也仅授指挥一职，并不能跻身决策层或参与机要；"先生"在营中虽受到礼遇，但仅限于抄抄写写，其余则无从置喙。太平天国在定都初期张榜招贤，内称"江南人才最多，英雄不少，或木匠，或瓦匠，或竹匠，或铜铁匠，或吹鼓手。你有那长，我便用你那长；你若无长，只可出出力的了"。[①] 虽一才一艺皆搜罗录用，但对读书人的特殊作用明显认识不足。使用但不重用读书人，这是太平天国用人政策的一个主要特征。

　　曾国藩抓住太平天国软肋，在湘军出师之初发布《讨粤匪檄》，有意避重就轻，以捍卫道统名教的名义号召士大夫与太平天国为敌，很有鼓动性。他与胡林翼等人均重视利用传统文化的资源，设法延揽了一群才学之士，既笃守纲常名教，提倡"忠义血性"，又讲求经世之学，憎恶玩泄骄惰的官场习气，从而形成一个急思振作、较有生气的官绅群体。特别是一批书生投笔从戎，被破格录用，其中不少人后来成为湘军悍将。

　　交战双方不同的文化政策和人才思想，决定了人才在两大阵营之间的流向，进而对战局产生重大影响。太平天国定都天京时，著名学者汪士铎就在城内，年余后设法逃出，后就经略苏浙向曾国藩提出十条建议，深获其心；留美回国的容闳在访问天京后改变初衷，谢绝洪仁玕的挽留，嗣后转投曾国藩；后来成为著名维新变法人士的王韬化名"黄畹"向苏州太平军献策，但未引起重视。太平天国尽管占据文化发达、人才荟萃的江南地区，但在延纳人才方面远不及曾国藩等人。时人就此评述道："贼中无读书练达之人，故所见诸笔墨者，非怪诞不经，即粗鄙俚俗。此贼一大缺陷，盖天之所不与也。"[②] 李秀成被俘后，曾国藩幕僚李鸿裔问："官兵某事好，某事不好？贼中某事好，某事办得不好？"李秀成认为其一是前者"多用读

---

①　赵烈文：《落花春雨巢日记》卷3，《太平天国史料丛编简辑》第3册，第40页。

②　陈徽言：《武昌纪事》，《太平天国》第4册，第600页。

书人"，而后者"无读书人"。① 但此时才痛感到这一点，为时已晚。

太平天国与西方列强关系的演变

太平天国兴起时，正值西方列强依据不平等条约，加紧对中国进行渗透。于是，如何办理外交便成为洪秀全等人无法规避的一个问题，并成为影响战局的一个重要因素。

太平军攻占江宁后，列强一时吃不准清政府是否会垮台，遂宣布持"中立"政策，静观事态发展，并相继主动来访，试探太平天国的对外态度，摸清其底细。1853 年 4 月，英国驻华公使最早前来投石问路。同年 12 月、次年 5 月，法国、美国公使也先后来访。太平天国因为彼此敬拜同一个上帝，所以亲切地称对方为"兄弟"。西方人自己也承认，太平天国境内军民的态度始终十分友善。

但是，受其他因素影响，双方并未确立"兄弟"般的关系。

太平天国对这几批不速之客的到来事先毫无准备。由于来历不明，这些擅闯长江的外国军舰均在镇江或天京江面遭太平军炮击。太平天国对西方人持"中立"态度感到诧异，并抱有戒心，担心对方有刺探军情的意图。外交礼仪及国际观念的冲突则成为双方交往的最大障碍。太平天国视对方为"兄弟"，但同时又沿袭传统的天朝上国观念，视对方为进贡番邦，宣称洪秀全是"天下万国太平真主"，导致在外交礼仪上与对方发生激烈争执。西方人这几次均乘坐军舰而来，明显带有炫耀武力的意思，粗暴侵犯了中国内河航运权。由于缺乏国际法常识，太平天国没有对此提出异议。

双方接触时，三国外交代表均提及各国与清政府所订条约的内容或提交文本，要求太平天国承认其条约权利。太平天国没有对此直接表态，仅表示不反对与外国通商，也同意开辟商埠，但一切要等全国平定后再行定夺，并明确表示严禁鸦片贸易。西方三国公使对这种答复感到失望，加之对太平天国沿袭夷夏观念十分反感，所以都打消了拜会天王或东王的念头，悻然而返。

基于上述原因，加上太平天国在军事上并无迅速取胜的迹象，西方列

---

① 罗尔纲：《增补本李秀成自述原稿注》，第 400 页。

强遂调整策略，不再理睬太平天国，转而全力与清政府进行修约谈判。

由于修约谈判未能如愿，英国于 1856 年 10 月下旬悍然挑起战争，出兵攻打广州。这场战争是鸦片战争的继续和扩大，史称"第二次鸦片战争"。后来法国也出兵参战。在英法联军武力威胁下，1858 年 6 月，清政府被迫与英法等国签订《天津条约》。英法联军进攻广州、大沽口，牵制了清军在广东、华北的兵力，客观上减轻了太平天国的军事压力。太平天国基于强烈的汉民族意识，倡言兴汉灭满，视清政府为死敌，并不认为打击清朝与打击中国是一回事，故而对英法联军出兵拍手称快，[1] 希望对方与自己联手推翻清政府。1858 年 11 月，英国全权代表额尔金（J. B. Elgin）率舰队自上海驶往汉口，欲根据《天津条约》考察沿江商务。遭太平军炮击后，英舰悍然将浦口炮台夷为平地，然后扬长而去。洪秀全知悉后，写御诏派人追送给额尔金，将其过境说成是"兄弟团圆"，言称"西洋番弟听朕诏，同顶爷哥灭臭虫""替爷替哥杀妖魔"，[2] 表达了与列强联手对付清政府的意愿。不过，太平天国对办理外交的重要性缺乏认识，不主动与对方接触，且依然固守传统的天朝上国观念。而列强既与清政府签约，自然需要通过清政府来兑现攫取的条约权利，且对太平天国成见日深，因此也无心与太平天国接触。

洪仁玕总理朝政后，在《资政新篇》中扼要介绍世界大势，说明旧的夷夏格局已不复存在，主张国与国之间以信义相示，彼此平等往来，不可妄自尊大轻侮对方，以免引起无谓的争执和祸端。他批评了"拘拘不与人交接"的现象，认为这是"浅量者之所为"，主张采取开放务实的态度。他的建议基本上为洪秀全采纳。在随后的外交文书中，太平天国用"照会"等语取代"诰谕""札谕"等旧称，并弃用"万国真主""来朝""谒主"等字样，改称对方为"贵国""贵驾"等。1860 年夏率部攻至上海外围后，李秀成致函英、法、美三国公使，郑重表示将保护洋人在上海的生命财产安全，并邀请对方来苏州会晤，洽谈通商联和事宜。洪仁玕随后又亲自赴

---

[1]　例如，1860 年，12 名太平军将领联名致书英法联军统领，盛赞其攻占广州之举，表示"弟等曷胜欣幸，意欲刻即统兵前来，大齐斟酌，共展鸿图"。见《殿左叁中队将李鸿昭等致英法统领照会》，《太平天国文书汇编》，第 311 页。

[2]　《天王赐英国全权特使额尔金诏》，《太平天国续编》第 3 册，第 59 页。按，"爷""哥"分别指上帝、耶稣，"臭虫"喻指清政府。

苏州进行外交斡旋。但是，列强的外交政策完全视在华利益而定，并不取决于太平天国是否更新了国际观念。太平军刚占领苏州，英、法公使便发布通告，宣布将由英法军队保卫上海，抵御任何攻击，且态度强硬，始终拒绝就此与太平天国进行接触。李秀成在事先发出照会的情形下进兵上海，遭英法军队阻击，致使占领上海功亏一篑。

与上海之战同时，英法因上年换约之争在大沽口惨败，再次出兵进犯大沽口。随后，英法联军进占北京，火烧圆明园，胁迫清政府签订《北京条约》，第二次鸦片战争结束。为尽快落实长江通航通商一款，英国人又转而主动与太平天国接触。1861年春，双方在天京通过谈判达成协议，太平天国接受英方所提的通航通商要求，并承诺在本年内不进兵上海地区。洪秀全专门为此降诏，宣称"中西永远和约章，太平一统疆土阔"。但是，太平天国念念不忘一统山河，而英国则决意阻止太平军进兵各商埠，以避免其商业利益等受损。这就注定这一纸协约不可能是"永远和约"，无法保证长久相安无事。

1861年12月，太平军攻克通商口岸宁波。次年元旦，太平天国拒绝再在攻打上海问题上让步，双方谈判破裂。英国随即图穷匕见，从虚伪"中立"转为赤裸裸的武装干涉。在清政府方面，通过祺祥政变执掌中央大权的慈禧、奕訢为尽快击败太平天国，允准江浙官绅"借师助剿"的提议。于是，双方一拍即合，形成联手镇压太平天国的局面。英、法除直接出兵攻打上海外围及宁波太平军外，还为清军在购买西式枪炮、练兵等方面提供便利和帮助，并授意现役军官戈登（C. G. Gordon）、退役军官日意格（P. M. Giquel）等以个人名义受雇于清地方政府，统领常胜军（前身为洋枪队）、常捷军等多支中外混合军，配合清军深入内地与太平军作战。

在"借师助剿"问题上，太平天国与清政府的态度截然不同。当时，双方都有外国人以个人名义投军。太平军中的雇佣军主要由各国逃兵、浪人、投机商等组成，以欧美人居多，包括菲律宾浪人、印度黑人等，但声势和规模远不及清方，李秀成部雇佣军人数最多时也不到二百人。这与太平天国所持的立场和态度有很大关联。基于民族自尊心和对洋人的戒心，洪秀全断然拒绝某"鬼头"联手灭清、事后平分疆土的提议，正告"我争中国，欲相〔想〕全图，事成平定，天下失笑；不成之后，引鬼入邦"。[①]

---

① 罗尔纲：《增补本李秀成自述原稿注》，第385—386页。

李秀成也断然否决原常胜军领队、美国浪人白齐文（H. A. Burgevine）独立带兵的要求。驻防苏州的慕王谭绍光强调"我等同拜上帝耶稣，一教相传，并无虚假损害之念"，明确宣布对前来投效的洋人实行来去自由政策，"既不诱之使来，亦不禁之不去"。① 清政府也对"借师助剿"心存顾忌，担心洋人趁机"肆其狼贪豕突之心"，但"以灭发捻为先"的思想终究占了上风，故而孤注一掷，在财政吃紧情况下，不惜拼凑巨资雇募洋人助战。

列强的粗暴武装干涉改变了战争的力量对比，帮助清军扭转了在苏浙战场的颓势，从而极大影响了战争进程和结局。李秀成便愤愤不平地说："苏杭之误事，洋鬼作怪，领李抚台之赏，攻我各路城池。攻克苏州等县，非算李鸿章本事，实得洋鬼之能。"② 洪仁玕也将太平天国败亡原因之一归结为"鞑妖买通洋鬼，交为中国患"。③

三 太平天国的败亡

攻克安庆后，曾国藩坐镇该城，指挥湘军夹江东下。太平军节节败退，庐州陷落，陈玉成被执遇难，上游尤其是皖北屏藩渐次丢失。到 1862 年 5 月末，湘军水陆两万余人攻至天京城下。自江南大营瓦解，天京在时隔两年后又遭逼攻，而且面对的是湘军。

上游告急时，李秀成正调兵全力攻打上海，但遭到英法军队、洋枪队、清军的联合堵击，始终未能攻至上海城根。1862 年 4 月，李鸿章率新组建的淮军自安庆增援上海。太平军由攻转守，嘉定、青浦等城相继失守。李秀成调重兵反攻，一举扭转浦西战局，迫使英法军队龟缩上海、常胜军坐困松江，但遭到淮军有力抵御，加之洪秀全一再严令回援天京，只得于 6 月中下旬退兵。慕王谭绍光随后组织进攻，复被击退。淮军则会同英法军队、常胜军等转入反攻，攻占苏州门户嘉定，由力保上海转为窥伺苏南。

皖南战场，湘军悍将鲍超率部展开攻势。太平军一再丧师失地，且不时有将领阵前倒戈。1862 年 7 月，作为江浙门户的宁国陷落。辅王杨辅清

---

① 《慕王谭绍光复英国会带常胜军戈登述太平天国对外政策书》，《太平天国文书汇编》，第 325 页。

② 罗尔纲：《增补本李秀成自述原稿注》，第 328 页。

③ 《洪仁玕在南昌府亲书供词》，王庆成编著《稀见清世史料并考释》，第 485 页。

等一路败退，仅据守广德、建平一隅，在皖南已势穷力竭。

在浙江，左宗棠在皖南、福建清军策应下发起攻势，与侍王李世贤部在衢州、金华一线激战。在滨海地区，英法军队、中法混合军"常捷军"、中英混合军"常安军"等配合清军展开反攻，迫使太平军退出温州、台州和宁波三府全境。1862年8月中旬，闽军克复处州、缙云，与左宗棠形成夹击金华之势。仅半年多时间，浙江太平军丢失近半城池，处境被动。

清军数路大兵压境，太平军全线吃紧。洪秀全以天京为重，意欲先消灭曾国荃部湘军，再三催促李秀成火速起兵。李秀成从上海外围撤兵，决计合13王、号称60万兵力攻打雨花台湘军大营。1862年10月13日始，兵力、武器占绝对优势的忠王部发起强攻；侍王不久也领兵三四万自浙东赶来助战。受疫病拖累的湘军依托深沟高垒拼死抵御。趁忠王、侍王率重兵回援天京，淮军在吴淞江畔的四江口重创太平军，左宗棠等部攻打金华甚急。太平军在雨花台血战46日，粮食、冬衣匮乏，加之苏州外围战事失利，遂在湘军伤亡五千、几乎难以继续支撑的情况下撤围，分兵回救。

太平军雨花台之战失利，根本原因在于清军同时在上海外围、皖南、浙江发起攻势，与天京战场遥相呼应，致使太平军被挤压在有限的作战空间内，顾此失彼，陷入全面被动。随着版图日渐缩小，太平军粮食供应问题越发突出，成为一大制约因素。

为扭转被动局面，遵照洪秀全"进北攻南"的指示，太平军攻入防备空虚的皖北，同时在皖南发起攻势，分别威胁湖北、江西，试图扯动湘军回援。但各路太平军大多各自为战，且后方不稳。李秀成因常熟守军哗变而滞留苏南约四旬，待领兵北渡增援皖北先遣军时，清军已布好防线。李秀成征战不利，所部又因缺粮饿死不少，被迫于1863年5月末折回天长县境。南岸太平军也未打开局面。在浙江，因李世贤迟迟不能回救，至同年3月中旬，包括金华、绍兴在内的浙东地盘全部陷落；守军残部退往杭嘉湖一带和皖南。苏南战局也迅速恶化，至6月上旬，淮军会同常胜军攻陷太仓、昆山及常熟福山、江阴杨舍，形成围攻苏州的态势。更为致命的是，太平军舍雨花台而进兵上游，虽先后调动曾国荃万余兵力，但同时使后者坚定株守之念，并赢得募练新兵休整再战的时间。6月13日，即石达开在四川大渡河兵败被执当日，曾国荃部攻破雨花台石城和南门外九座石垒。

李秀成奉命自江北回援，渡江时遭湘军水师截杀，伤亡惨重。九洑洲要塞不久失陷，天京江路补给线被切断。

忠王折损数万精锐自皖北无功而返，标志着历时半年多的"进北攻南"战役以失败告终。太平天国从此再也无力组织战略反攻，完全陷入被动防御的困境。根据战争态势，曾国藩决计同时进攻天京、苏州、杭州，"使该逆备多力分，不遑兼顾，或者致力于金陵、收效于苏杭。三处有一得手，两处可期并下"。① 围绕三城的争夺成为随后战局发展的主线。此时，淮军陆师已扩至四万人，另有淮扬、太湖两支水师及常胜军策应；左宗棠部计三万余人，另有常捷军等援应。太平军剩余兵力主要集中在苏杭一带，人数仍占绝对优势，仅苏州守军就有近20万之众，但总体上士气低落，且水师力量孱弱。

在苏南，淮军逐一攻占外围要地，1863年9月中旬进抵苏州城外。李秀成自天京回救，激战数月未能解围，且见苏州守军人心离散，遂离城他走。12月4日，纳王郜永宽等刺杀慕王谭绍光，献城投敌，苏州陷落。李鸿章因倒戈太平军人数甚众，恐有异变，遂大举杀降。1864年5月11日，常州失陷，护王陈坤书被凌迟处死。至此，苏福省全境沦陷，太平军先后损失约50万兵力。太平天国大势已去。

在浙西，左宗棠因兵力较单，起初推进不快。程学启等部淮军在克复无锡后入浙助战，形成夹攻之势。太平军人心浮动，数地发生哗变事件，导致嘉兴等地相继沦陷。1864年3月末，太平军撤离杭州。不久，湖州府城、广德州城成为太平军在浙西、皖南硕果仅存的据点。两地位于浙皖苏三省交界处，一时成为各路败退太平军的落脚地。

天京战局则继续恶化，附城要隘相继失守。赶回天京的李秀成认为城中缺兵断粮，人心不固，已无望解围，建议"让城别走"，但遭洪秀全严词拒绝。1864年3月初，湘军正式合围天京。两个多月后，周边所有城池悉数陷落。天京完全成为孤城，守军仅万余人，而攻城湘军达四五万人。6月1日夜，洪秀全病逝，终年51岁，幼主洪天贵福被尊奉为幼天王。7月19日午刻，湘军炸塌太平门城垣冲杀而入，日暮时基本控制全城。太平天国

---

① 《曾国藩奏复金陵近日布置等情折》，《清政府镇压太平天国档案史料》第25册，社会科学文献出版社，2001，第253页。

建都 11 年多的天京终告陷落。湘军围攻该城两载有奇，前后死于疾疫者万余人，死于战阵者八九千人。曾国藩叹曰，城破后，守军"无一降者，至聚众自焚而不悔，实为古今罕见之剧寇"。[①] 湘军入城后，随即大肆洗劫财物，并纵火焚烧天王府灭迹，大火延烧七日不熄，另肆意奸淫杀戮。就连曾国藩幕僚赵烈文也认为："其乱如此，可为发指。"[②] 洪秀全尸身则被湘军挖出，验毕戮尸，举烈火焚之。

城破当夜，李秀成掩护幼天王突围而出。他本人不久被执，在囚笼中写下数万字供述，旋被处斩。幼天王逃至广德，被先期离京搬救兵的干王洪仁玕迎至湖州。两地守军计十二三万人向江西转移，拟与在赣省觅粮的侍王李世贤、康王汪海洋等部会合。在清军围追堵截下，太平军伤亡惨重，临阵脱逃及哗变事件时有发生，一路上风声鹤唳。行至江西石城县境时，兵力已不足万人，复遭清军夜袭而溃散。幼天王被俘后拼命洗刷自己，称"那打江山的事都是老天王做的，与我无干。就是我登极后，也都是干王、忠王他们做的"，[③] 表示如今只想读书考秀才。11 月 18 日，幼天王在南昌被凌迟处死，太平天国世系至此终结。干王被执后视死如归，决意效法文天祥，为"志在攘夷愿未酬"唏嘘不已，随后同在南昌殉难。

侍王李世贤、康王汪海洋接应幼天王未果，相继辗转移师福建。侍王克漳州，号称有 20 万众；康王号称有十六七万人。来王陆顺德及由天地会众组成的天将丁太洋、林正扬等部依附两大主力，分别占据龙岩、永定、南靖等城池。闽军堵击失利。左宗棠奉命入闽督师围剿，逐渐扭转战局。太平军缺乏统一指挥，所占地盘陆续丢失，而内讧及倒戈事件进一步削弱了其实力。侍王战败后，其残部投奔占据镇平的康王；嗣后侍王只身逃至镇平，康王心存疑忌，将其刺杀。此外，继丁太洋等人哗变后，林正扬捆缚来王陆顺德，献长乐县城降清。康王势孤力薄，在粤赣闽边界流动作战。1864 年 11 月 19 日攻占粤东嘉应州城，不久陷入清军围攻。康王在交战中负伤身亡。1865 年 1 月 19 日夜，偕王谭体元率众弃城突围，两日后在丰顺县白沙坝一带全军覆没。南方太平军余部至此悉被镇压。

---

① 《官文等奏报攻克金陵详细情形折》，《清政府镇压太平天国档案史料》第 26 册，社会科学文献出版社，2001，第 44 页。按：该奏折系曾国藩拟写，由湖广总督官文领衔会奏。

② 赵烈文：《能静居日记》卷 20，《太平天国续编》第 7 册，第 274 页。

③ 《洪天贵福在江西巡抚衙门供词》，王庆成编著《稀见清世史料并考释》，第 533 页。

扑灭太平天国后，清政府得以调集更多兵力，分别镇压中原捻军、贵州苗民军，以及云南、陕甘地区的回民军。1873 年秋，清军攻占甘肃回民军占据的最后一个城池肃州（今酒泉）。至此，国内以太平天国为主体、前后持续逾 20 年的大规模反清起事基本偃旗息鼓。

通过政治上调整人事、调节内部矛盾，军事上组建湘军、淮军，经济上开征厘金新辟饷源，外交上"借师助剿"，特别是依靠曾国藩等汉族地方势力，风雨飘摇的清政府终于躲过灭顶之灾，迎来所谓"同治中兴"；曾国藩、胡林翼、左宗棠、李鸿章因此而被推许为"中兴名臣"。但是汉族督抚势力的崛起在挽救清朝的同时，改变了内满外汉、封疆大吏多由满洲权贵出任的传统政治格局，导致清廷军权、财权等大权旁落，形成内轻外重的趋势。这使得清政府统治潜伏着巨大变数，对随后历史的走向产生了重大影响。

第七章

洋务运动与早期现代化

19世纪60年代开始的洋务运动是中国早期现代化的起步阶段。有学者对以往的研究做了扼要回顾，指出在近代的诸多历史事件中，洋务运动是第一个被纳入现代化视角进行研究的事件，关于它的现代化叙事也取得了广泛共识。[①] 洋务运动的发生和推进过程曲折坎坷，反映了当时中国社会新旧因素消长缠绕的繁复场景，折射了中国现代化步履的蹒跚跟跄。

一 动因与环境

内外交困

洋务运动的启动可以1861年1月11日恭亲王奕䜣、大学士桂良和户部左侍郎文祥等联署的《通筹夷务全局折》为标志。那时的清廷，正可谓风雨飘摇、岌岌可危。举目四望，国都沦陷、山河残破，内有太平天国起义的打击，外有西方列强的侵略胁迫。北京失守，圆明园被焚，咸丰帝仓皇出逃热河后，受命留在京城与外国侵略者"议和"的奕䜣等人，比咸丰帝更痛切地意识到形势的严峻和清廷统治的脆弱。权衡得失后，他们大胆上书，陈说利害关系，认为"自换约以后，该夷退回天津，纷纷南驶，而所请尚执条约为据。是该夷并不利我土地人民，犹可以信义笼络"，强调"臣等就今日之势论之，发捻交乘，心腹之害也"，力主变通内外政策，对外妥

---

* 本章由戴鞍钢撰写。

① 郭世佑等：《突破重围——中国早期现代化研究》，河南大学出版社，2010，第118页。

协，度过危机，并酌议章程六条，其中首条便是"京师请设立总理各国事务衙门以专责成"。①

1月20日，逃亡在热河的咸丰帝准奏，并委派奕䜣、桂良和文祥三人负责总理各国通商事务，习称"洋务"。以后在奕䜣的主持下，凡需要与外国发生联系的事务，诸如购买军火、船舰、机器，管理对外通商和关税事务，创办近代军事工业和近代海军，兴办近代教育事业和向西方派遣留学生，开办近代机器制造、航运、铁路、电报、矿业等，都纳入总理各国事务衙门（以下简称"总理衙门"）的管辖范围，使其成了清朝政府的外交和涉外事务的总汇机构，人称洋务衙门。受命后，奕䜣等人于1月24日奏称："探源之策，在于自强，自强之术，必先练兵。"② 强调中国屡败于外敌，是技不如人，即军事装备和战法不敌列强，主张办洋务应先从引进、仿造外国的坚船利炮着手。此后的十余年间，洋务运动的重点是引进西方的先进技术，兴办近代军事工业。

其实，早在第一次鸦片战争时，一些有识之士就已认识到中国在战场上面对强敌所处的明显劣势，并提出奋起直追的主张。林则徐奏称："即以船炮而言，本为防海必需之物，虽一时难以猝办，而为长久计，以不得不先事筹维。且广东利在通商，自道光元年至今，粤海关已征银三千余万两，收其利者必须预防其害，若前此以关税十分之一制炮造船，则制夷已可裕如，何至尚形棘手。"他主张："制炮必求极利，造船必求极坚，似经费可以酌筹，即裨益实非浅鲜矣。"③ 魏源指出，"善师四夷者能制夷，不善师外夷者外夷制之"，明确主张"师夷长技以制夷"。④ 但是，他们的这些主张并没有引起清廷的重视和付诸行动。有资料显示，在道光帝后继位的咸丰帝也见过《海国图志》。据档案记载，1853年武英殿修书处奉旨将此书修缮贴锦进呈。但咸丰帝有没有细读，读过后又有什么感受，今人亦无从得知。⑤

①　《恭亲王奕䜣等奏》（咸丰十年十二月初三日），中国史学会主编《中国近代史资料丛刊·洋务运动》（本章以下简称《洋务运动》）第1册，上海人民出版社、上海书店出版社，2000，第5、6页。

②　《钦差大臣恭亲王奕䜣等奏》（咸丰十年十二月十四日），《洋务运动》第3册，第441页。

③　林则徐：《密陈禁烟不能歇手并请戴罪赴浙随营效力片》（道光二十年八月二十九日），《林则徐全集》第3册，海峡文艺出版社，2002，第478、479页。

④　魏源：《海国图志·原叙》，岳麓书社，1998，第1页。

⑤　茅海建：《苦命天子——咸丰皇帝奕䜣》，三联书店，2006，第54页。

　　严酷的现实是，在鸦片战争后的十余年间，中国的局面未见改善。据时人描述："国家承平二百余年，海防既弛，操江亦废。自英夷就抚后，始请以捐输之余作为船炮经费，而官吏侵渔，工匠草率偷减，不及十年，皆为竹头木屑。"[①] 最直观的是，第二次鸦片战争时，清军使用的炮仍是前装滑膛的土制火炮。这类炮的式样仍是晚明引进的红夷炮稍加改变，射程近、精确度差、发射时间长、杀伤力小，又多有粗制滥造者，战时间有震裂。其中一部分是第一次鸦片战争后铸造的，但不少是清初、清中叶铸造的，甚至是前明遗物，而英军则是最新发明的阿姆斯特朗炮，法军则是新式的拿破仑炮。[②] 两相对照，优劣有天壤之别，清军在开战后自然难逃再遭惨败的厄运。

　　也令清廷揪心的是，与其对峙的太平天国手中也陆续握有洋枪洋炮。这些枪炮是由在上海的一些外国人出售给太平军的，数目还不少，如太平天国定都天京后不久，"有洋艘二，自海道泊下关，贼始疑为大兵之借援者，继侦知其为上海之领事，舟中所带皆洋枪、火药，以通贸易为词，该逆延之入城"；[③] 太平军占据浙江湖州时，"有夷人三十余人来投，售卖洋炮、洋刀、洋粉等物"。[④] 1865 年左宗棠曾追述："从前贼匪打仗，并无外国枪械，数年以来，无一枝贼匪不有洋枪洋火。本部堂自江西、安徽、浙江转战而来，各战夺获，为数不少，并有降贼带出投诚者。上年陈炳文赴鲍军门处投诚，禀缴洋枪七千余杆，而本部堂一军截剿湖州逆贼于皖、浙、江三省边境，所得洋枪亦不下万余杆。"[⑤] 这就使清朝政府的一部分官员，特别是身处交战前线的统兵大员，更急切地意识到引进先进技术，仿造洋枪洋炮的必要。

　　1861 年 7 月 4 日，奕䜣等人奏请购买外洋船炮，以对付内外交困的危局，指出"蓄贼未能尽去，非拔本塞源之方也"，认为"贼情愈张，而外国

① 夏燮：《粤氛纪事》，欧阳跃峰点校，中华书局，2008，第 55、56 页。
② 茅海建：《近代的尺度——两次鸦片战争军事与外交（增订本）》，三联书店，2011，第 96 页。
③ 夏燮：《粤氛纪事》，第 83 页。
④ 罗尔纲等主编《中国近代史资料丛刊续编·太平天国》第 2 册，广西师范大学出版社，2004，第 441 页。
⑤ 左宗棠：《答福州税务司美里登》，《洋务运动》第 3 册，第 602 页。

之情必因之而肆"，强调"船炮不甚坚利，恐难灭贼"，主张"购买外国船炮，并请派大员训练京兵，无非为自强之计，不使受制于人"。[①] 9 月 11 日，曾国藩遥相呼应，奏称"恭亲王奕䜣等奏请购外洋船炮，则为今日救时之第一要务"。[②] 李鸿章自述，"自同治元年臣军到沪以来，随时购买外洋枪炮，设局铸造开花炮弹，以攻剿甚为得力"，赞同"彼机巧之器，非不可以购求学习，以成中国之长技"。[③] 1864 年，他又强调"今昔情势不同，岂可狃于祖宗之成法，必须尽裁疲弱，厚给粮饷，废弃弓箭，专精火器"，主张"仿立外国船厂，购求西人机器，先制夹板火轮，次及巨炮兵船，然后水陆可恃"，指出"中土士夫不深悉彼此强弱之故，一旦有变，曰吾能御夷而破敌，其谁信之"。[④] 左宗棠也认为："泰西巧而中国不必安于拙也，泰西有而中国不能傲以无也。"[⑤]

在君主专制制度下，如果没有最高统治者的认可，奕䜣及曾、左、李等人的上述主张也很难被付诸实施。而 1861 年 11 月的北京政变又称祺祥政变，为洋务主张的实际推行提供了可能。

政局演变

1860 年 11 月，在中国被迫签订一系列丧权辱国的不平等条约后，英法联军退出北京。奕䜣等人一再奏请咸丰帝回京，咸丰帝仍心有余悸，迟迟不愿返京，与此同时越来越消极颓废，倦怠于政事，沉湎于酒色，不久于 1861 年 8 月 22 日在热河病逝。临终前，授命以载淳为皇太子，由怡亲王载垣和户部尚书、协办大学士肃顺等八人为赞襄政务王大臣，将一个满目疮痍的江山丢给了年仅 6 岁的儿子。这个幼子的母亲，就是日后赫赫有名的慈禧太后。

慈禧出身官宦之家，容貌出众，据说也曾诵读经史，初通文墨。1852 年

① 《总署奏》，《海防档·购买船炮》第 1 册，"中央研究院"近代史研究所编印，1966，第 6—7 页。
② 《总署收三口通商大臣崇厚函》，《海防档·购买船炮》第 1 册，第 20 页。
③ 《李鸿章折》（同治四年八月初一日），《洋务运动》第 4 册，第 10、11 页。
④ 《复陈察院》（同治三年九月十一日），顾廷龙、戴逸主编《李鸿章全集》第 29 册，安徽教育出版社，2008，第 339 页。
⑤ 《拟购机器雇洋匠试造轮船先陈大概情形折》（同治五年五月十三日），刘泱泱等点校《左宗棠全集》第 3 册，岳麓书社，2009，第 53 页。

17岁时入宫，1856年生子载淳，母以子贵，在后宫的地位仅次于皇后钮祜禄氏。时咸丰帝为内忧外患所困扰，身心疲惫，疏于朝政，常让她代笔批答章奏，因此得以预闻政事，表现出很强的权欲。

咸丰帝死后，幼子载淳继位，分称钮祜禄氏、那拉氏为慈安、慈禧皇太后。当时，清朝统治中枢除两宫太后外，还存在另外两股对立的势力，一股以奕䜣为首，另一股以载垣为首而以肃顺为主心骨。奕䜣等人在咸丰帝出逃时被留在京城主持"议和"，咸丰帝死后被排斥在赞襄政务王大臣之外，但时时觊觎着最高权力。肃顺集团随咸丰帝出逃热河后，陪侍左右，地位显赫，咸丰帝死后又以顾命大臣身份赞襄政务，实际上掌握了清廷的最高权力。奕䜣等人被排斥于权力中心之外，两宫皇太后也仅有"钤印"的权力，清廷内部的权力之争很快白热化。

肃顺等人仗恃赞襄政务王大臣的地位，力图大权独揽。颇有心计的慈禧则拉拢慈安，凭借手中掌握的咸丰帝临死授予的"御赏"和"同道堂"两枚大印，以拒绝在赞襄政务王大臣发给内阁和地方官员的咨文上钤印相要挟，迫使肃顺等人同意将官员的疏章送两太后披览，谕旨呈两太后钤印，任用高级官员由枢臣拟名交两太后裁定，任用一般官员在御前掣签由两太后批准。接着，慈禧又通过醇亲王奕𫍽夫妇及亲信太监、侍卫，设法与留在北京的奕䜣暗中联系。据知情者透露，当时慈禧和慈安在热河密商时，为防止被人窃听，特意做了防范，"以大缸置室中，相与倚缸而语，盖人声在缸中，则弥响而余音不漏于外也"。①

经过密谋，慈禧、奕䜣在暗中加紧了政变的部署，而目空一切、过分自信的肃顺等人则完全被蒙在鼓里。1861年10月26日，咸丰帝的灵柩从热河启运回京。慈禧设计让载垣、端华等扈从两宫皇太后及载淳先行回京迎候，由肃顺护送咸丰帝灵柩随后启程，这样就把政敌的主谋与协从分隔开来，便于各个击破。11月2日政变发生，大学士贾桢等疏请皇太后垂帘听政，两宫太后随即下令革去载垣、端华、肃顺三人的爵位，景寿、穆荫、匡源、杜翰、焦祐瀛等五人退出军机处议罪。载垣、端华起而抗命，被囚于宗人府。这时，肃顺护送咸丰帝的灵柩才刚刚走到北京郊外的密云县境，亦被京城派出的禁军连夜拘捕。几天后，肃顺被押赴菜市口斩首示众，载

---

① 蔡少卿整理《薛福成日记》，吉林文史出版社，2004，第98页。

垣、端华赐令自尽，其余五人或被革职，或被革职并充军。这场政变以慈禧、奕䜣一方大获全胜告终。

政变的结果得到列强的赞许。11 月 12 日，英国驻华公使卜鲁斯（F. W. A. Bruce）向英国外交大臣罗素（John Russell）报告："这一场斗争的关键，主要的要看这一年我们和恭亲王交际中，给他的印象如何而定。幸运的是，恭亲王信赖他自己对我们的观察和经验所获得的结论，而不株守中国政治历史典籍上的教条。"他扬言："为中国利益计，和我们作对，将招致悲惨的后果，我有理由相信，这已在恭亲王及其同僚心中留下深刻的印象。"强调："总之大家认为，其表现最可能和外国人维持友好关系的那些政治家掌握政权了。"声称："这个令人感觉满意的结果，全是几个月来私人交际所造成的，这充分证明我们坚持下列政策之正确。就是我们应以温和协调的态度，获致恭亲王及其同僚的信任，消除他们的惊恐，希望迟早总会发生变动，使最高权力落到他们手里去。"① 列强的这种态度为慈禧、奕䜣等人上台后开展有求于欧美的洋务运动铺平了道路。

1861 年 11 月 11 日，载淳在太和殿登基即位，奉两宫皇太后在养心殿垂帘听政，奕䜣被任命为议政王，桂良、文祥、沈兆霖等为军机大臣，奕䜣兼管军机处，并将肃顺等人拟定的皇帝年号"祺祥"改为"同治"，意谓两宫太后共同治政。慈安性格懦弱，对政治无多大兴趣，1881 年又突然病故，实际上成了慈禧一人的统治，中国开始了长达 48 年的慈禧统治时期。她和奕䜣上台后首先致力于镇压太平天国，并沿袭先前咸丰帝重用曾国藩、胡林翼等汉族地方实力派官员的做法，在政变后的第 18 天就正式任命曾国藩以两江总督节制江南四省军务。继而陆续任命左宗棠、李续宜、沈葆桢、骆秉章、刘长佑、李鸿章等一批汉族官员，执掌与太平军交战地区的军政大权。

在众多幕府中人的鼎力辅佐下，随着对太平天国的战争渐占上风，以曾国藩、李鸿章、左宗棠等为代表的新崛起的地方督抚的权力逐渐扩张，也为他们日后在其辖区内着手推行洋务运动创造了条件。其中，经他们提携，其幕僚如愿跻身于官场者为数不少。据统计，在咸丰、同治、光绪三

---

① 《卜鲁斯致罗素》，1861 年 11 月 12 日发自北京，英国外交部档案，转引自经君健编《严中平文集》，中国社会科学出版社，1996，第 377、378、379 页。

朝，通过游幕获取高级官位者中，有 56 人出自湘、淮军幕府，占总数的 84.8%，其中 24 人出自曾国藩的幕府，13 人出自李鸿章的幕府，11 人曾游走于曾、李幕府，其他 8 人则分别出自胡林翼、左宗棠、丁日昌、李瀚章等湘系或淮系官员的幕府。至于同一时期出自湘、淮军幕府的中下级官员，则为数更多。① 这些人经由幕府的历练，相继步入仕途，大有助于洋务运动的开展和推进。在洋务运动的重镇——上海，据查考，历任上海道台中，在鸦片战争后被任命的四个满人中，三人是 1860 年以前到任的，另一个则是在 1900 年以后。也就是说，"自强运动期间（1861—1895）的上海道台，全是汉人"。②

社会条件

洋务运动所开启的中国早期现代化历程，也是近代科学技术传播和各类近代企业陆续兴办的过程。

鸦片战争后，外国资本主义列强通过中英《南京条约》及之后陆续签订的一系列不平等条约，在中国攫取了各种特权。甲午战争前，列强的对外经济活动虽然以商品输出为主，但是资本输出也已经开始。围绕商品输出和原料收购，列强相继在中国开办加工厂和轻工业。据估计，截至 1894 年，外国在华的投资总额为 2 亿至 3 亿美元。③ 这些外资企业多设立在通商口岸，尤以上海居多。以船舶修造业为例，1843—1894 年，外国资本先后在上海设有 27 家船舶修造厂，其间经兼并改组，至 1894 年继续开工的有 8 家，资本总额达 323.3 万元，占同期外国在沪资本总额的 1/3，企业数目也在各工业门类中名列第一。④ 同一时期，在沪外资缫丝厂同样有发展。截至 1894 年，上海有 1882 年设于新闸的英商怡和丝厂、1891 年设于垃圾桥的法商宝昌丝厂、1894 年设于虹口的德商瑞纶丝厂等共 4 家外资丝厂，合计拥有丝车 1500 部、雇工 3750 人、年产丝总量 1620 担、资本 120 万两。在同期上海外资工业的总资本额中，该行业约占 20%，加上船舶修造业所占的

---

①　尚小明编著《清代士人游幕表》，中华书局，2005，第 39 页。

②　梁元生：《晚清上海——一个城市的历史记忆》，广西师范大学出版社，2010，第 60 页。

③　吴承明：《帝国主义在旧中国的投资》，人民出版社，1955，第 35 页。

④　张仲礼主编《近代上海城市研究》，上海人民出版社，1990，第 333 页。

约 33%，它们的资本总额超过了上海外资工业总资本额的一半。①

由洋务运动发端的中国近代企业的经营，需要国内有较为发展的商品经济和日益扩大的商品市场。鸦片战争后，随着外国资本主义的入侵，中国的自然经济逐渐分解，越来越多的人与市场发生了联系。这个扩大了的国内市场主要为外国资本主义所把持，中国的近代企业则是在有限的市场空隙中产生和发展起来的。自然经济的分解，也为中国近代企业的兴办提供了大量廉价劳动力。举办近代企业还需要有很多资本投资。鸦片战争后，随着社会条件的变化，特别是外国科学技术的传入和外国在华企业的丰厚利润，使中国的很多富人萌发了投资近代企业的想法，并有所行动。其中，买办的动向引人注目。

这里所说的买办，是指五口通商后受雇于外国商行，为其在华推销商品和收购原料奔走的那部分中国人。鸦片战争后，通商口岸陆续增辟，洋行数目不断增加，买办人数自然也就相应增加。其中很多人是随着中国外贸重心由广州向上海转移，跟着洋行从广东北上。早期活跃于上海的买办，"半皆粤人为之"。② 在为外商奔走的过程中，买办通过薪金、佣金等途径分沾了外商在华榨取的利润，很快积聚起巨额财富，成为当时中国社会极富有的一个阶层。据估算，到 19 世纪 70 年代为止，先后做过洋行买办的至少有 2000 人。加上那些虽没有买办名义，实为掮客及直接为洋行承销洋货、承购土产的买办商人，估计总数不少于 4000 人。以每人平均拥有资产 10 万两计，便共有资财约 5 亿两，即使最低以每人平均 5 万两计，也共有约 2.5 亿两。③

在清朝政府对兴办近代企业的态度还不明朗时，就有不少买办以附股的形式参与在华外资企业的投资。其中就有航运业，"各省在沪股商，或置轮船，或挟资本，向各口装载贸易，俱依附洋商名下"。④ 美商旗昌轮船公司 100 万两开业资本，有六七十万两是华人投资。仅唐廷枢一人就握有英国

---

① 徐新吾主编《中国近代缫丝工业史》，上海人民出版社，1990，第 135 页；张仲礼主编《近代上海城市研究》，第 333 页。

② 王韬：《瀛壖杂志》，上海古籍出版社，1989，第 3 页。

③ 樊百川：《清季的洋务新政》，上海书店出版社，2003，第 64 页。

④ 《李鸿章奏》（同治十一年十一月二十四日），《海防档·购买船炮》第 3 册，第 916 页。

怡和洋行华海轮船公司全部股本的 25%。① 据考察，在整个 19 世纪下半期外国在华的各类企业中，从新式工业到铁路、航运、保险、银行、码头、堆栈及房地产，几乎每一项都有华商的附股活动。②

这种状况为决意开展洋务运动的官员们所瞩目，他们设想"若有官设立商局招徕，则各商所有轮船股本，必渐归并官局，似足顺商情而张国体"，也可改变"各口华商因无官办章程，多将资本附入洋商轮船股内"的局面。③ 华商附股外资企业的经历，也有助于将外资企业的经营管理知识应用于刚开办的洋务企业。唐廷枢在担任轮船招商局总办之前，曾在英商怡和洋行当了 10 年的买办。其间，他曾以大量的资金附股以航运为主的众多外资企业，并在企业经营管理方面获得"丰富而广阔的经验"。离开怡和进入轮船招商局后，他又把附股的外籍轮船带到招商局"入局经营"。④

近代科学知识在中国的传播首先发端于东部沿海地区。1839 年来华的美国传教士玛卡雷·布朗称："单纯传教工作，是不会有多大进展的，因为传教士在各个方面都受到'无知'的官吏们阻挠。学校可能消灭这种'无知'，但在一个短时期内，这样一个地域广阔、人口众多的国家里，少数基督学校能干什么，这就是出版书报的办法。在该项杂志和书籍内，不但能传播基督教福音，同时也传播一些现代的科学和哲学。"⑤ 1843 年，英国传教士麦都思（W. H. Medhurst）在上海设立了墨海书馆。这是鸦片战争后外国人在中国大陆最早设立的翻译出版机构，也是中国最早使用机器铅印的出版机构。

墨海书馆翻译、印刷了一些西方宗教及文化读物，成为当时中国士大夫了解西学的入门书。如 1853 年出版的《数学启蒙》介绍了西洋流行的算术、代数知识，1855 年刊行的《博物新编》概括地介绍了西方物理学、化学、天文学、动物学等知识。这些书成了最早的西学启蒙读物。徐寿和华

---

① 汪敬虞：《唐廷枢研究》，中国社会科学出版社，1983，第 106 页。
② 汪敬虞：《中国资本主义的发展和不发展》，经济管理出版社，2007，第 69 页。
③ 《李鸿章奏》（同治十一年十一月二十四日），《海防档·购买船炮》第 3 册，第 916 页；《直隶总督李鸿章奏》（光绪元年二月二十七日），《洋务运动》第 6 册，第 8 页。
④ 汪敬虞：《中国现代化黎明期西方科技的民间引进》，中国史学会编《辛亥革命与 20 世纪的中国》，中央文献出版社，2002，第 1087、1088 页。
⑤ 何凯立：《基督教在华出版事业（1912—1949）》，陈建明等译，四川大学出版社，2004，"译者序"，第 1 页。

蘅芳慕名从无锡来到上海，去墨海书馆参观了各种科学书籍和仪器，并购买了一些书和试验器具。回家后他们按照书中的讲解和提示，做各种试验，"朝夕研究，目验心得，偶有疑难，互相讨论，必求焕然冰释而后已"。① 他们从中吸取了西方近代自然科学知识，后来进入江南制造总局等洋务企业，成为著名的工程技术专家。

19 世纪 70 年代后，随着中外贸易的扩展，各式外语学馆在沿海通商口岸次第开办。据统计，自 1872 年至 1875 年，仅在《申报》上刊登招生广告的外语学馆就有 14 所。加上此前已有的兼教外语的西学堂等，1875 年时上海至少已有 24 所教习外语的新式学校。② 这些学馆有大有小，有外国人办的，也有中国人办的；有长期的，也有短期的；有日馆，也有夜馆；有的明码标价，有的则声言"修金面议，格外公道"；有的标明"授英字英语，兼译英文账目并书信等"，有的声称"专教英语，学习三个月之后，可能与西人把话"。③

洋务运动的开展与外国机器设备及技术人才的引进直接相关。北京政变的结果为列强所欢迎，当时中外航运电信联系方式又有明显改进。1870年，苏伊士运河开通，上海至伦敦的航程较之原先的绕道好望角缩短近25％。1871 年 4 月，英国人架设的香港至上海海底电报线开通营业；同年 6 月，香港至伦敦海底电报线接通。6 月 6 日，上海收到了直接来自伦敦的第一份有线电报，以往用日月计的信息传输缩短为数小时可达。技术条件方面的这种革命性变革助推了中外交往和洋务运动的开展。1864 年太平天国被镇压后，国内民众的反抗斗争陷于低潮，也使清朝政府得以推行洋务运动。

二　推进与成效

求强与求富

北京政变后，得慈禧的认可，在中央以奕䜣为首、在地方以曾国藩、

---

①　《洋务运动》第 8 册，第 18 页。
②　张仲礼主编《近代上海城市研究》，第 948 页。
③　《申报》1872 年 7 月 11 日、12 月 16 日。

李鸿章、左宗棠等人为代表的一批官僚开始引进西方的科学技术，兴办军用工业和民用企业，旨在以此支撑日趋衰弱的封建王朝，史称洋务运动。其主旨前有冯桂芬所说的"以中国之伦常名教为原本，辅以诸国富强之术"，[①] 后有张之洞《劝学篇》所概括的"中学为体，西学为用"。首批创办的近代企业是军工企业。

　　1861年，曾国藩在安徽安庆创办内军械所。次年，李鸿章在江苏苏州设立制炮局。太平天国被镇压后，清朝政府继续开办军工企业。1865年，李鸿章在上海设立江南制造局，制造轮船、枪炮、水雷、火药等。这是清朝政府所办的规模最大的军事工业。同年，李鸿章将苏州制炮局移至南京，设立金陵制造局。次年，左宗棠在福州开办福建船政局。以后，在天津、西安、兰州、昆明、广州、济南、成都、吉林、北京、杭州、武汉等地陆续又有军工企业创办，制造枪炮军械。据统计，1865年至1894年，清政府在各地共开办了34家军工企业。

表 7-1　清朝政府开办的军工企业（1865—1894）

名称	起止（或停办）年份	地点	创办人
江南制造总局	1865—1894	上海	李鸿章
金陵机器局	1865—1894	南京	李鸿章
福建船政局	1866—1894	福州	左宗棠
天津机器局	1867—1894	天津	崇厚
西安机器局	1869—1874	西安	左宗棠
福建机器局	1869—1894	福州	英桂
淮军行营制造局	1870—1894	天津	李鸿章
兰州机器局	1871—1882	兰州	左宗棠
云南洋炮局	1872—1873	昆明	王文韶
广东机器局	1873—1894	广州	瑞麟
浙江机器局	1874—1887	杭州	杨昌濬
兰州火药局	1875—1894	兰州	刘典
山东机器局	1875—1894	济南	丁宝桢

---

　　① 冯桂芬：《校邠庐抗议》，上海书店出版社，2002，第51页。

续表

名称	起止（或停办）年份	地点	创办人
湖南机器局	1875—1880	长沙	王文韶
四川机器局	1877—1894	成都	丁宝桢
新疆库车火药局	1878—1894	库车	左宗棠
新疆阿克苏制造局	1879—1894	阿克苏	左宗棠
大沽船坞	1879—1894	大沽	不详
福州火药局	1880—1881	福州	不详
贵州洋炮局	1880—1881	贵阳	岑毓英
金陵洋火药局	1881—1894	南京	刘坤一
宁波制造军械局	1881—1882	宁波	宗湘文
吉林机器局	1881—1894	吉林	吴大澂
浙江火药局	1882—1894	杭州	不详
神机营机器局	1883—1894	北京	奕䜣
云南机器局	1883—1894	昆明	岑毓英
旅顺船坞	1883—1894	旅顺	不详
威海水师机器厂	1883—1894	威海	不详
山西新火药局	1884—1894	太原	张之洞
绥巩军行营制造局	1884—1894	威海	吴大澂
湖北机器局	1884—1885	武昌	卞宝第
台南机器局	1885—1886	台南	刘铭传
台湾机器局	1885—1894	台北	刘铭传
湖北枪炮厂	1890—1894	汉口	张之洞

资料来源：据张海鹏主编《中国近代通史》第3卷，江苏人民出版社，2009，第97、98页统计表改编。原表说明：此表据中国史学会主编《洋务运动》第4册第1267—1390、1508、1522—1525页资料整理编制，并参考孙毓棠编《中国近代工业史资料》及樊百川《清季的洋务新政》有关数据。

　　洋务派官僚举办的这些近代军事工业，除采用机器生产和雇佣劳动外，资本主义的成分很少，基本上属于封建性的官办工业。它们的企业经费由官款拨充，制造出来的产品如枪炮、弹药、轮船等，由政府调拨军队使用，并不以商品形式进入市场，企业经营也不是着眼于赚取利润，而是为了镇压人民和维护统治。在经营管理方面，仍沿用封建衙门的那套方式，官场腐败的种种陋习被照旧移到企业内部。1876年，英国人巴尔福（F. H. Balfour）在上海写道："只要中国依赖无知的官员管理所有涉及兵工厂的事务，而不将他们的所作所为公之于众，或以任何方式加以约束；只要这些官员怀有私心，丝毫不顾及他们掌管的设施是否能成功运转，而只对能迅速增加自己私利的事物感兴趣的话，那么中国的相当一部分兵器、弹药，还有战舰，就必须不断地从欧洲购进。"①

而且，当时中国在经济上和技术上非常落后，兴办这样的企业势必要依赖外国的机器设备、生产技术乃至技术人员和信贷资金。如据不完全统计，洋务运动时期受聘来华的外国科技人员、教师、工人及海军人员共 472人，其中在工矿企业的 248 人，在军队机构的 105 人，在洋务学堂的 119人。② 又因当时中国并无近代基础工业，钢、铁、铜等金属器材，各种部件和仪表，油料甚至某些木料，以及蒸汽机所需的煤炭，都要依赖进口。这一切又都是在中国沦为半殖民地的过程中出现的。中外的经济往来不是在平等互利的基础上，一些洋务派官僚又不思振作，甘愿听任外国人摆布。因而，这些军事工业对外国资本主义具有浓厚的依赖性，甚至出现一些企业的大权由外国人执掌的状况。尽管如此，由于这些企业毕竟采用了机器生产和雇佣劳动，因此它不同于历代封建政府所设造军械的官办手工业，不再完全属于封建经济的范畴，而多少带有一些资本主义的性质。1881 年，受中国洋务运动军工企业的吸引，朝鲜政府曾有派遣工匠赴天津机器局学艺的举措，期望以此使朝鲜在面对欧美列强的进逼时有所振作。但次年朝鲜国内政局风云陡起，发生"壬午兵变"，在天津机器局的朝鲜工匠中引起极大恐慌，"争欲还国，无一人赴厂，多般戒谕，终不惬然"，当年冬即全部启程回国。朝鲜政府原本寄予期望的派遣工匠来华学艺一事终告落幕。③

自同治末年起，洋务派官僚在经营军事工业的同时，陆续开办了轮船、煤矿、冶铁、纺织等民用企业。这些企业的开办一方面是为了适应军事工业对燃料和原材料的需求，一方面是为了获取利润，即所谓"求富"，以补充军事工业的经费不足。洋务派官僚在开办军事工业后逐渐面临一系列新

---

① 巴尔福：《远东漫游——中国事务系列》，王玉括等译，南京出版社，2006，第 39 页。
② 详可参阅林庆元《洋务运动中来华洋匠名录》，庄建平主编《近代史资料文库》第 8 卷，上海书店出版社，2009。
③ 详可参阅戴鞍钢《朝鲜工匠天津机器局学艺考述》，复旦大学韩国研究中心编《韩国研究论丛》第 6 辑，中国社会科学出版社，1999。

的问题。首先是办军事工业需要大量的燃料和原材料供应，长期依赖进口终非长久之计，也不是清朝政府的财力所能维持的。其次是这些企业的生产和经营需要有近代运输工具相配合，传统的牛马车船已不能适应。最后是经费问题，举办和维持军事工业需要大量的经费，财政已十分困难的清朝政府日感捉襟见肘、短绌不支。

洋务派官僚因此逐渐感到，要想继续举办和维持军事工业，实现所谓的"自强"，必须同时发展民用工业以"求富"，即李鸿章所归纳的"必先富而后能强"。[①] 当时外商在华企业的高额利润和买办的暴富又给他们以很大的刺激，"分洋商之利"也是他们举办民用工业的动机之一。于是他们便着手行动。据统计，1873 年至 1894 年，洋务派官僚共开办民用企业 48 家（见表 7-2）。其中有中国人创办的最早的轮船公司、近代煤矿和机器棉纺织厂，如轮船招商局、开平矿务局和上海机器织布局等。

表 7-2　清朝政府开办的民用企业（1873—1894）

名称	开办年份	停办年份及原因		创办人	经营方式
轮船招商局	1873			李鸿章	官督商办
直隶磁州煤矿	1875	1883	退股	李鸿章	官办
湖北兴国煤矿	1875	1875	经费无着	盛宣怀	官办
台湾基隆煤矿	1876	1892	亏损	沈葆桢	官办
安徽池州煤矿	1877	1891	亏损	杨德	官督商办
直隶开平煤矿	1878			李鸿章	官督商办
兰州织呢局	1879	1882	经营不善	左宗棠	官办
山东峄县煤矿	1880			戴华藻	官督商办
广西富川煤矿	1880	1886	质劣	叶正邦	官督商办
中国电报总局	1880			李鸿章	官办
	1882			李鸿章	官督商办
热河平泉铜矿	1881	1886	亏损	朱其诏	官督商办
直隶临城煤矿	1882			纽秉臣	官督商办

---

① 《试办织布局折》（光绪八年三月初六日），《李鸿章全集》第 10 册，第 63 页。

名称	开办年份	停办年份及原因		创办人	经营方式
徐州利国驿煤铁矿	1882	1886	亏损	胡恩燮	官督商办
金州骆马山煤矿	1882	1884		盛宣怀	官督商办
湖北鹤峰铜矿	1882	1883	股本无着	朱季云	官督商办
湖北施宜铜矿	1882	1884	亏损	王辉远	官督商办
承德三山银矿	1882	1885	亏损	李文耀	官督商办
直隶顺德铜矿	1882	1884	退股	宋宝华	官督商办
安徽贵池煤矿	1883			徐润	官督商办
安徽池州铜矿	1883	1891	亏损	杨德	官督商办
北京西山煤矿	1884			吴炽昌	官督商办
福建石竹山铅矿	1885	1888	经费不继	丁枞	官督商办
山东平度金矿	1885	1889	亏损	李宗岱	官督商办
贵州青溪铁矿和铁厂	1886	1893	主持者死及事故	潘霨	官督商办
开平铁路公司	1886	1887	改组	伍廷芳	官督商办
山东淄川煤矿	1887	1891	创办者死	张曜	官办
山东淄川铅矿	1887	1892	质劣	徐祝三	官办
云南铜矿	1887	1890	经费不足	唐炯	官督商办
热河土槽子银铅矿	1887	1894	张翼接办	朱其诏	官办
海南岛大艳山铜矿	1887	1888		张廷钧	官督商办
中国铁路公司	1887			伍廷芳	官督商办
台湾铁路	1887	1893	经费不足	刘铭传	官督商办
广东香山天华银矿	1888	1890	资本不足	何昆山	官督商办
广西贵县天平寨银矿	1889			谢光绮	官督商办
黑龙江漠河金矿	1889			李鸿章	官督商办
吉林天宝山银矿	1890	1896	亏损	程光第	官督商办
山东宁海金矿	1890	1890	资本不足	马建忠	官督商办
湖北大冶铁矿	1890			张之洞	官办
汉阳铁厂	1890			张之洞	官办
上海机器织布局	1890	1893	被焚重建	李鸿章	官督商办
大冶王三台煤矿	1891	1893	积水	张之洞	官办
湖北马鞍山煤矿	1891			张之洞	官办
山东招远金矿	1891	1892	亏损	李赞勋	官督商办

续表

名称	开办年份	停办年份及原因		创办人	经营方式
热河建平金矿	1892	1898	获利极少	徐润	官督商办
湖北织布官局	1893			张之洞	官办
吉林三姓金矿	1894	1900	庚子事件	宋春鳌	官督商办
湖北纺纱局	1894			张之洞	官商合办
湖北缫丝局	1894			张之洞	官商合办

资料来源：据张海鹏主编《中国近代通史》第3卷第107、108、320、321页统计表改编。原表说明：此表据孙毓棠编《中国近代工业史资料》和樊百川《清季的洋务新政》有关数据。

　　1873年1月14日，上海轮船招商公局正式开业，半年后改名为轮船招商总局，[1] 习称轮船招商局。它是中国第一家资本主义性质的近代航运企业。它的出现打破了鸦片战争后外国资本主义把持中国沿海轮运业的一统天下，挽回了一部分民族利权。1878年开办的开平煤矿是中国当时规模最大的近代煤矿。它的创办标志着中国采煤业开始从手工作业向机器生产过渡，劳动生产率明显提高。该矿自1881年从国外引进机械采煤，每人每日可采煤4.5吨，比之手工劳动每人每日至多五百公斤，有天壤之别。抽水机的使用克服了长期无法解决的排水问题，改变了土法开采时各煤窑只能挖取头层煤，头层采完，窑即放弃的状况。上海机器织布局是中国第一家近代棉纺织厂，1878年筹办。次年4月23日美国《纽约时报》就有报道："发起这项创建国内制造业计划的人断言，用本国出产的棉花来制造纺织物，其品质相当于或优于用国外进口的同类产品的品质。其所采用的方法和所遵循的步骤是，建造一个由800台织布机组成的纺织厂，聘请有经验的英国人管理工厂三年。"[2] 1890年该局投产，占地300余亩，机器设备有美国制纺纱锭35000锭，英国制织布机530台等，有工人2000多名，日产五六百匹平纹、斜纹布，行销上海、天津、宁波等地。[3] 但投产不到三年，突发火灾，损失惨重，被迫停产。

---

[1]　以往学界多有轮船招商局1872年成立说，本章所述相关史实系据夏东元编著《郑观应年谱长编》，上海交通大学出版社，2009，第49页。

[2]　郑曦原编《帝国的回忆——〈纽约时报〉晚清观察记（1854—1911）（修订本）》，当代中国出版社，2007，第54—55页。

[3]　许涤新等主编《中国资本主义发展史》第2卷，人民出版社，1990，第416页。

　　铁路在 1825 年创行于英国。十余年后，有关铁路、火车的知识通过来华的外国人传入中国。鸦片战争前后，由林则徐主持编译的《四洲志》和魏源的《海国图志》都曾提到火轮车和铁路，表现出对它们的兴趣。太平天国期间，洪仁玕在《资政新篇》中明确提出，在倡设近代工业的同时，推行近代交通运输业，其中包括仿造外国的火轮车，表示了对建设铁路的积极态度。铁路最早出现于中国，是在 19 世纪 70 年代。1874 年，在上海的英美商人未经中国政府同意，擅自修筑上海至吴淞的铁路，并于 1876 年建成通车，正式对外营业。后经交涉，由清政府耗资 285000 两白银买下拆毁。

　　中国自办的铁路，则始于洋务运动期间。1880 年，开平矿务局以"非由铁路运煤，诚恐终难振作"和"恐误各兵船之用"等理由，得到清朝政府许可，从矿区所在的唐山动工修筑一条铁路到胥各庄。次年建成，全长 9.7 公里，名唐胥铁路。这是近代中国铁路运输系统中最先建成的一个区段，也是中国正式有铁路的开始。1888 年，这条铁路已延展到天津，全程 130 公里。继唐胥铁路建成后，1887 年 3 月，刘铭传上奏清廷，要求在台湾建造铁路，并强调兴办铁路是振兴台湾经济的关键所在。是年 5 月，他得到清廷允许，即开始在台湾兴建铁路。同年 7 月，台北至基隆段铁路正式动工，并于 1891 年竣工通车。这是继唐胥铁路后中国较早投入运营的又一条铁路。它的建成和通车促进了台湾的经济开发。刘铭传原打算将这条铁路延筑至台南，后因其离职而未能如愿。截至 1894 年，清朝政府共计修建铁路 447 公里。[①]

　　1882 年，中国电报总局由官办改为官督商办。在其后的十年间，先后修建了五条主要干线，即 1882 年的津沪线，1883 年的苏浙闽粤线和江宁、汉口线，1885 年的川鄂云贵线，1888 年的粤赣线，1889 年的陕甘线，加上各省自办的线路，基本上形成了一个全国范围的有线电报网。[②] 它的开通和运营有助于国防军事通信，也便捷了各地间信息的沟通，有助于经济社会的发展。

　　洋务派官僚开办的民用企业大多是从事商品生产的工矿业和对外营业的交通运输业，采用雇佣劳动，以营利为主要目的，属于资本主义性质的近代企业。据统计，至 1894 年，洋务民用工业资本总额 3961 万元，加上其军用工业资本总额 1071 万元，合计 5032 万元，占当时中国产业资本总数

---

①　宓汝成：《帝国主义与中国铁路》，上海人民出版社，1980，第 343 页。

②　汪敬虞：《中国资本主义的发展和不发展》，第 273、274 页。

6749 万元的 74% 以上，成为当时中国资本主义企业的主体。① 洋务民用企业的经营管理方式除"官办"外，还采取了"官督商办"和"官商合办"的形式。三者之中，尤以"官督商办"为多，如轮船招商局、开平矿务局、上海机器织布局等都是采用官督商办的方式。

所谓官督商办，就是民间集资设立企业，由政府委派官员经营管理。之所以会出现这种情况，有其深刻的社会历史原因。以煤矿为例，在中国传统社会，采煤业历来遭到"重农抑商"政策的压抑。鸦片战争后，民间资本要想涉足采矿业，仍要遭遇重重阻力。举其大者，有官府的压制、守旧势力的阻挠和各级官吏的勒索等。如 1868 年，商人何某在江苏句容购买山地一处，准备开矿采煤，被当地士绅视为异端，遭到驱逐。1873 年，上海商人魏镛等人向李鸿章申请在句容开矿，正在南京、镇江参加科举考试的儒生"闻此消息，讹言日起，人心惶惶"，纷起反对。当地官府也立碑严禁，宣称"如有不法棍徒再敢煽惑开矿，一经告发，或被访闻，定即提案照例严办，决不姑宽"。② 即使是由洋务派官员主持的矿山，也难免受到守旧派的干扰。光绪初年，唐廷枢受李鸿章委派，创办开平煤矿，不料建成投产后就有礼部侍郎祁世长出来参奏，扬言煤矿邻近遵化"陵寝重地"，在此采煤有碍皇陵风水，奏请封矿。③ 后经矿务局派人绘图说明陵寝位置并山川形势，保证无碍皇陵风水，方使煤矿得以继续开办。

显然，在这样的社会环境里，不依仗一定的政治权势，民间资本要想开矿采煤是十分困难的。洋务派官员的参与，恰在这方面给民间资本提供了必要的帮助。如李鸿章在指定原英商怡和洋行买办唐廷枢筹办开平煤矿的同时，增派前天津道丁寿昌和时任海关道黎兆棠前去会同督办，以防地方守旧势力阻挠。正因为如此，19 世纪 70 年代和 19 世纪 80 年代初创办的安徽池州煤矿、山东峄县煤矿和江苏徐州利国驿煤铁矿等企业，虽然都是由私人资本集股设立的，却都拉上"官督商办"的关系，以期得到洋务派官员的支持，为企业提供政治保护。而洋务派官员之所以推行"官督商办"，乃是为了吸引和利用民间资本，以缓和官府在举办民用企业时的资金困难。如

---

①　虞和平主编《中国现代化历程》第 1 卷，江苏人民出版社，2007，第 139 页。
②　《洋务运动》第 7 册，第 421、415、422 页。
③　《姚锡光江鄂日记（外二种）》，中华书局，2010，"前言"，第 9 页。

1878 年开平煤矿 80 万两创办资本中，原英商怡和洋行买办徐润一人的股份就达 15 万两，约占总数的 19%。[①]

军事与外交

洋务运动初期，李鸿章统率的淮军着力于武器和军事训练的近代化。1862 年淮军初到上海时，芒鞋短衣，布帕包头，遭到在沪外国军队的讪笑。不到一年，在李鸿章的操办下，这支军队面目一新，"尽改旧制，更仿夷军"。除留劈山炮队作为进攻掩护外，所有刀矛、小枪、抬枪各队均改为洋枪队。在洋枪队之外，李鸿章还建立了独立的洋炮队。随着淮军普遍使用洋枪洋炮，军械的供应成为一大问题。作为淮军首领的李鸿章，深知购买只是一时之策，设局制造才是根本大计。营制和装备的变更使得原来的营伍阵法显然不能适应新式武器作战的要求，于是李鸿章先后雇用一批洋教练，在各营中训练"洋操"。[②]

可以说，淮军是中国第一支较为系统地接受西方先进武器装备和训练的军队。后起的淮军在军队的近代化步伐上远远超过湘军，其原因是多方面的。单就各自的主帅而言，差异也是明显的。曾国藩为人守拙持重，其思想深处更多地受到封建正统儒学的影响，而李鸿章的性格则落拓不羁，对人对事均采取注重实际的态度。曾国藩作为统领全局的主帅，主要职责在于运筹帷幄，自然不及独当一面的李鸿章对洋枪洋炮的体验深刻。再加上李鸿章驻军沪上，中西交会、五方杂处，地理上的便利也促使他能得风气之先。而对于军队的发展来说，主帅的态度与抉择所起的作用是不言而喻的。

配备了西式武器的淮军，在与太平军的交战中，异军突起，骁勇凶悍。李鸿章因此声名大振，并在他的周围，以淮军将领为骨干，逐渐形成一个庞大的淮系集团，在晚清政坛上颇具实力和影响。

在陆军开始配备西式武器的同时，洋务派官员通过从外国购买或由本国军工企业制造，着手组建近代海军。1875 年，李鸿章、沈葆桢分别出任北洋、南洋海防大臣。至 1882 年，中国沿海已陆续出现北洋、南洋、福建、广东四支小型舰队。其中北洋有 13 艘舰船、南洋有 14 艘小型兵船、福建有

---

① 徐润：《徐愚斋自叙年谱》，1927 年刊印本，第 76 页。

② 翁飞等：《安徽近代史》，安徽人民出版社，1990，第 186、187、195—197 页。

十多艘舰船，广东则由于地理位置偏远，未能成为海防的重点，仅有 20 余艘只能在内河航行的小兵船。①

中法战争期间，福建舰队（习称福建水师）损失惨重。1885 年，清朝政府设立海军衙门，由奕譞任总理海军大臣，奕劻和李鸿章为会办，并由李鸿章具体主持。李鸿章遂着手组建北洋海军。次年，北洋海军正式成军，共拥有新旧舰船 20 余艘。与此同时，李鸿章还下令在旅顺口、大连湾、威海卫等地修筑海岸炮台，并于旅顺建设船坞，以旅顺、威海卫两地军港为北洋海军的基地，由淮系将领丁汝昌出任海军提督。1891 年在检阅北洋海军后，李鸿章信心满满地奏称："综核海军战备，尚能日异月新，目前限于饷力，未能扩充，但就渤海门户而论，已有深固不摇之势。"② 证之 1895 年甲午战争的结局，这番大话如同梦呓。

清代前期，中央政府没有办理外交事务的专门机构。外国使节来华，俄国使臣循例由理藩院接待，其他国家则由礼部迎送。鸦片战争后，清廷设五口通商大臣，办理对外通商和交涉事务，先后由两广总督和两江总督兼任。1861 年，总理各国事务衙门在北京设立。它实际上是清中央政府一个重要的决策机构，权限不止于对外事务。其职官设置大体仿照军机处的体制，主要分大臣和章京两级。大臣无定额，均由皇帝从内阁和各部院大臣中选任，内设首领 1 人，由亲王等皇族和军机大臣兼领，首批大臣共 3 名，后有增加，系由各部院保送。总理各国事务衙门各大臣、章京仍兼任原有职务。其中章京负责办理具体事务，分英、法、俄、美、海防等五股。通商、海关事务属英国股，传教事务属法国股，陆路通商、边防、边界属俄国股，华工等事务属美国股。其他各国交涉往来，分属以上四股。海防股系于 1885 年添设，南北海防、长江水师、船厂、炮台、购买枪、炮、军舰，开矿及修路等事务由其办理。

摈弃理藩院，改设总理各国事务衙门，是清朝政府对外关系的一大变革，以后又有驻外公使派遣之举。晚清首任驻外公使是郭嵩焘。

郭嵩焘，字伯琛，号筠仙，晚年自号玉池老人，湖南湘阴人。他自幼随父诵读诗书，17 岁考取秀才，18 岁就读于长沙岳麓书院，与刘蓉、曾国

---

① 王宏斌：《晚清海防：思想与制度研究》，商务印书馆，2005，第 197、198、199 页。
② 《巡阅海军竣事折》（光绪十七年五月初五日），《李鸿章全集》第 14 册，第 95 页。

藩换帖订交，过往甚密。后又结识左宗棠、江忠源、罗泽南等人，交游很广，亦小有文名。20 岁后家道中落，曾去辰州（今湖南沅陵）任塾师。第一次鸦片战争期间，他以幕僚身份在浙江学政罗文俊处参与海防事宜的筹划。战争的失败促动他思索"洋患"的问题，注意了解外国的情况。1847年得中进士，选翰林院庶吉士。1849 年、1850 年，其母亲和父亲相继去世，他守制在家。

1852 年，太平军出广西，过湖南。曾国藩奉旨办团练，组湘军，与太平军交战。郭嵩焘作为曾国藩的密友和幕僚，鼎力相助。1853 年 11 月，得授翰林院编修。以后三年，他曾先后在湖南、浙江等地办理捐务、盐务，为湘军筹措军饷。其间，郭嵩焘曾游历上海，会见英、法等国领事，参观利名、泰兴等洋行和火轮船，访问外国传教士主办的墨海书馆，亲身接触到一些西方资本主义的近代文明，思想颇受触动。后曾任署理广东巡抚、福建按察使等职。

1875 年，英国驻华使馆翻译官马嘉理（A. R. Margary）在云南被杀，引起中英交涉，中国被迫应允派大员赴英"谢罪"。清廷遂于同年 8 月命郭嵩焘为"出使英国钦差大臣"，赴英国赔礼道歉，旋又被任命为驻英公使，是为晚清首任驻外公使。消息传出，郭嵩焘顿遭众人奚落。有一首对联嘲讽他道："岑毓英出乎其类，拔乎其萃，不容于尧舜之世；郭嵩焘未能事人，焉能事鬼，何必去父母之邦。"① 一些守旧的官僚甚至视他为"汉奸"。②

郭嵩焘一度有些犹豫，慈禧亲自召见，为他鼓劲打气："国家艰难，须是一力任之。我原知汝平昔公忠体国，此事实亦无人任得，汝须为国家任此艰苦。"又劝慰说："旁人说汝闲话，你不要管他。他们局外人，随便瞎说，全不顾事理。你看此时兵饷两绌，何能复开边衅，你只一味替国家办事，不要顾别人闲说。"③ 有她撑腰，郭嵩焘不顾旁人的诟骂，于 1876 年 12 月由上海启航赴英。途经香港、新加坡、锡兰（今斯里兰卡）等地，游览了各地名胜古迹，参观了学校、官署，对当地的社会现状有了较真切的了解。他逐日详记所见所闻，成书《英轺纪程》（亦称《使西纪程》），称赞西洋

---

① 汪康年：《汪穰卿笔记》，中华书局，2007，第 141 页。按：岑毓英为处理 1875 年马嘉理案的清朝官员。

② 孟森等：《清代野史》，中国人民大学出版社，2006，第 318 页。

③ 《郭嵩焘日记》第 3 卷，湖南人民出版社，1982，第 49、50 页。

"政教修明，具有本末"，批评中国士大夫不明时势，只知一味负气自矜、虚骄自大，无补于世。此书寄回国内后，遭守旧派群起攻之，被毁版停印。

次年 1 月，郭嵩焘抵达伦敦，开始了他的外交生涯。不久，他又奉命兼任出使法国大臣，常往来于伦敦、巴黎之间，但以驻英时间为多。他以浓厚的兴趣走访英国的学校、图书馆、博物馆和各种学会等，结识了不少数学、化学、天文、地理、海洋、测量、植物、医学等方面的科学家。他因自己不懂英语，译员亦不能胜任而深为抱憾，虽年已六旬仍孜孜学习英语。作为晚清首任驻外公使，郭嵩焘出使英、法期间，尽其所能维护中国的权益。他目睹海外华侨备受欺凌，得不到祖国的保护，上疏清廷要求在海外设立领事，保护侨民。在太古洋行趸船移泊案、厦门渔民被英商残害案、英轮撞沉华船赔偿案、英商虐待华工案等项交涉中，郭嵩焘都能据理力争，维护或挽回了一些民族权利。

郭嵩焘在北京受命出使时，总理各国事务衙门就不顾他的反对，硬是委派一个反对西学的刘锡鸿担任副使，随同赴英，以致日后郭嵩焘时时受制，甚至连他在英国学外语、穿西服、起立迎客等举动都被刘锡鸿视为有辱天朝威仪，报告给总理各国事务衙门。国内守旧官员也继续攻击他，要求将他撤职。在这种情形下，郭嵩焘势单力孤，只得自行引退，奏请因病卸任。1878 年 8 月，清廷诏命撤回郭嵩焘，以曾纪泽继任出使英、法大臣。次年 1 月，郭嵩焘出使未满三年就被迫卸职东归。回到国内后，他不愿赴京，托病辞官，径回故乡。时湖南守旧风气很盛，上自巡抚，下至地方士绅皆视他勾通洋人，对他持有敌意。郭嵩焘就在这种压抑的氛围中走完了人生的最后旅程，于 1891 年 7 月病逝。

在郭嵩焘 1875 年 8 月启程赴任后，相继又有一些驻外公使的派遣。同年 12 月，陈兰彬为驻美公使，并兼西班牙、秘鲁公使，容闳为副使。至 1885 年 7 月，许景澄受命出任驻德公使，兼任比利时公使，清政府已向英国、美国、西班牙、秘鲁、日本、德国、法国、俄国、奥国（奥斯马加）、荷兰、意大利、比利时等 12 个国家派驻了公使。[1] 同时，又有一些驻外领事的派遣。1877 年，驻英公使郭嵩焘奏称，新嘉坡有侨民数十万，"请设领事，以资统辖"，清朝政府遂任命当地侨商胡璇泽为驻新嘉坡领事。此后，在横滨、汉

---

① 故宫博物院明清档案部等编《清季中外使领年表》，中华书局，1985，第 3—30 页。

城、小吕宋、旧金山、纽约、南非洲、澳洲等地也设立了领事。[①]

洋务运动期间，对外交往方面曾有一些引人注目的举措。中国最早派代表出席的国际博览会是 1873 年奥地利维也纳博览会，但当时派去的是一名洋人，他是时任粤海关副税务司的英国人包腊（E. C. M. Bowra）。1876 年美国费城万国博览会，中国派人前往。这次除了洋人，还有一位是中国人即浙海关文案李圭，受命"将会内情形并举行所见所闻者，详细记载，带回中国，以资印证"。李圭一行 1876 年 5 月 13 日从上海出发，途经日本抵美，先后去了旧金山、费城、华盛顿、纽约等地。接着横渡大西洋，游历伦敦、巴黎，最后经地中海、红海、印度洋、太平洋回到上海。前后历时 7 个月，行程 8 万里。李圭将所见所闻写成《环游地球新录》，记载了费城博览会的盛况，介绍了蒸汽机等欧美国家的工业成就，认为"机器正当讲求"，中国应该效仿，得到李鸿章的赞许，特为之作序推荐。1887 年，清政府又同时派遣 12 名官员前往亚洲、欧洲、南北美洲的几十个国家，进行为期两年的游历考察，最远到达南美洲的智利，其出使规模是空前的。[②]

学堂与留学

自 19 世纪 60 年代洋务运动开展后，一批洋务学堂陆续开办。1862 年，清朝政府官办的第一所学习外语的新式学堂——京师同文馆设立，开创了中国近代官办新式教育的先河。它的开办缘起于清政府培养翻译人才的需要，最初只有英文馆，学生 10 名。次年增设法文馆和俄文馆，各招学生 10 名。1866 年，随着洋务运动的开展，总理衙门打算扩大同文馆的规模，增设天文、算学二馆，招收满汉科举正途出身人员入馆学习。但遭到京师士大夫的强烈反对和抵制，总理衙门只得放宽资格而招收杂项人员，结果半年内报名的有 98 人，没有一人是正途出身，应试的有 72 人，录取了 30 人；因程度太差，半年后退学 20 人，剩下的 10 人被并入旧馆。遭此挫折，京师同文馆元气大伤。至 1869 年，英文馆只有学生 2 人，法文馆 8 人，俄文馆较多，

①　《清季中外使领年表》，"例言"，第 1 页。

②　王晓秋等：《晚清中国人走向世界的一次盛举——1887 年海外游历使研究》，辽宁师范大学出版社，2004，第 2、16、17 页。

有 18 人。^①

继京师同文馆后，1863 年李鸿章在上海设立同文馆，后改称广方言馆。其初订章程规定入学者须 14 岁以下，额定 40 人，延聘外籍教师教授英语和法语。1864 年，广州也开办了同文馆，招收 20 名学生学习英语。京、沪、粤三地设立同文馆都是出于对外交往的需要，培养外语人才。只有上海同文馆从一开始就规定，除了学习外语，还要学习算学，以备进而讲求"西人制器尚象之法"。1869 年，它又移至江南制造局内，主办者强调"学馆之设本与制造相表里"，旨在为制造局培养一些技术人才，规定学生在学习一段各科基础知识后，即分专科学习，共分矿冶、锻铸、制造、汽机、航海、攻战、外文等七门。^②

1870 年以后，京师同文馆的办学状况逐渐改观。一是因为上海广方言馆和广东同文馆 1868 年后陆续选送优秀学生到京，二是中国数学家李善兰奉调到馆担任教习，三是美国传教士丁韪良（W. A. P. Martin）担任了该馆总教习。1871 年，增设了德文馆。1876 年，规定除了英、法、俄、德等外语，学生要兼习数学、物理、化学、天文、航海测算、万国公法、政治学、世界历史、世界地理、译书等课。京师同文馆由先前单纯的外语学校，变成以外语为主、兼习多门西学的综合性学校。1877 年，馆中已有学生 101 人，中外教习十余人。1888 年，又添设格致馆、翻译处。1895 年添设东文馆，学习日文。^③

随着洋务企业的开办，广州、福州、天津、上海等地都有一些专门的技术学校设立。在广州有 1880 年创立的广东实学馆，1884 年设立的广东黄埔鱼雷学堂，1887 年设立的广东水师陆师学堂，1891 年设立的广州商务学堂，1895 年设立的广州铁路学堂，1896 年设立的广州蚕桑学堂，为广东培养了一批早期工程技术和军事技术人才。1866 年，闽浙总督左宗棠在福州设立福州船政局，同时附设求是堂艺局，后改名为船政学堂，招生学习制造、驾驶等技术。它分为前后两堂，前堂学制造，以法文授课；后堂学驾驶，

---

① 熊月之：《西学东渐与晚清社会（修订版）》，中国人民大学出版社，2011，第 239 页。

② 刘志琴主编《近代中国社会文化变迁录》第 1 卷，浙江人民出版社，1998，第 185 页。

③ 熊月之：《西学东渐与晚清社会（修订版）》，第 239 页。1898 年，京师大学堂成立。1902 年 1 月 11 日，设立已有 40 年的京师同文馆并入京师大学堂。

以英文授课，是近代中国第一所专门技术学校，为福州船政局培养了一批技术人才和近代海军人才。著名启蒙思想家严复，是该校的首届毕业生。

1880 年，李鸿章在天津开办北洋电报学堂，招聘丹麦籍教师培养中国最早的电信人才。至 1904 年，该校共培养学生约 3000 人。1881 年，李鸿章又设立天津水师学堂，为北洋水师的建立和发展培养人才，成为"开北方风气之先，立中国兵船之本"的培养海军人才的军事学校。1885 年设立的天津武备学堂，是中国最早的一所培养近代陆军人才的军事学校。1893 年开办的北洋医学堂是中国最早的培养西医的学校。1895 年由天津海关道盛宣怀创设的北洋西学堂，最初是一所工科专科学校，1903 年复校后改称北洋大学，是中国最早的工科大学。1898 年，江南制造局继主办广方言馆后，又设立工艺学堂，分化学工艺与机器工艺两科，学额 50 名，学制 4 年。一些学生在日后的城市经济发展中贡献突出。上海近代化学工业的早期创业者吴蕴初（天厨味精厂、天原化工厂、天利氨气厂创办人）、方液仙（中国化学工业社的创始人）、李润田（上海鉴臣香料厂的创办人）均毕业于这两所学校。

自 1865 年上海创办中国第一家近代企业——江南制造局之后，为了尽快掌握西方机器工业的生产技术，1867 年徐寿提议设立翻译馆，"将西国要书译出，不独自增识见，并可刊印播传，以便国人尽知"。[1] 1868 年江南制造局附设翻译馆，专事西书的翻译。在翻译馆筹建的一年内就译成《汽机发轫》《汽机问答》《运规约指》《泰西采煤图说》等 4 种。至 1872 年译成 37 种，1880 年时已译成 143 种，共 359 本。综计前 13 年，平均每年译书 11 种。至 19 世纪 90 年代中叶，共译书数百种，其中以科学技术和军事类为多。在前 12 年共翻译的 156 部书中，根据内容和数量可分为算学测量 27 部，水陆兵法 26 部，工艺 22 部，天文行船 12 部，汽机 11 部，博物学 11 部，地理 10 部，化学 7 部，年表、报刊类 7 部，地矿学 5 部，医学 5 部，外国史 5 部，造船 4 部，交涉公法 2 部，其他 2 部。综计科技类共 114 部，约占 73%；军事类 26 部，约占 17%，两者共占 90%。这些书都公开售卖，很受欢迎，在开办的 11 年共售出著书 31111 部，总计 83454 册，另售出地

---

[1] 傅兰雅：《江南制造局翻译西书事略》，戴吉礼主编《傅兰雅档案》第 2 卷，弘侠（中文提示），广西师范大学出版社，2010，第 534—535 页。

图 4774 张。1873 年，京师同文馆派员在香港、上海等地购买铅字、字架、印机等印刷机器，于北京设立印书处，开始印刷京师同文馆师生翻译的著作及其他书籍，成为仅次于江南制造局翻译馆的第二大洋务印书机构。到 1896 年时，共编译了有关国际公法、世界历史、外语及自然科学等各类图书 29 部，这些书常免费赠送京内外官员。①

中国留美学生并非始于洋务运动时期。1847 年就有黄亚胜（又名黄胜）跟随传教士布朗赴美留学，一年后因病中断学业回国。他之后参与编辑出版《遐迩贯珍》，又于 1864 年至 1867 年担任上海广方言馆的教员。② 但那尚是零星的个人行为。1871 年，时任两江总督曾国藩接受留美学成归国的容闳的建议，上奏清廷要求派遣留学生赴美"学习军政、船政、步算、制造诸学，约计十余年业成而归，使西人擅长之技中国皆能谙悉，然后可以渐图自强"。③ 具体办法是，每年选派幼童 30 名，四年共计 120 名，先入美国中小学，毕业后再入军政、船政学院学习，一切费用由清政府提供，15 年后学成回国。

有趣的是，即使全由公费支出，当时愿意出洋留学者并不多，甚至还视作畏途，所以凡入选学生的家长要签署一份自愿书，以证明他们是心甘情愿送子出洋留学 15 年，其间若学生发生意外伤害或死亡，政府皆不负责。④ 最后选定的 120 名幼童主要来自广东，共有 83 人，约占总数的 69%，其余依次为江苏（包括上海）22 人、浙江 8 人、安徽 4 人、福建 2 人、山东 1 人。在 83 名广东幼童中，有近一半共 39 人来自毗邻澳门的香山县，约占总人数的 1/3，格外引人注目。⑤ 次年秋，首批 30 名幼童在容闳的带领下抵美；至 1875 年，先后派遣了四批共 120 人。

1875 年后，又有派赴欧洲留学者。1875 年，福建船政大臣沈葆桢派福州船政学堂魏瀚、陈兆翱、陈季同、刘步蟾、林泰曾五位学生去英、法留学。其中陈季同后来成为驻法外交官，以其出色的法文造诣向世人介绍中国及其文化。1884 年 7 月，他用法文写的《中国人自画像》在巴黎出版，

① 刘志琴主编《近代中国社会文化变迁录》第 1 卷，第 256、327 页。
② 松浦章等编著《遐迩贯珍》，上海辞书出版社，2005，第 95 页。
③ 《洋务运动》第 2 册，第 153 页。
④ 石霓译注《容闳自传》，百家出版社，2003，第 180 页。
⑤ 珠海容闳与留美幼童研究会主编《容闳与科教兴国》，珠海出版社，2006，"序"，第 2 页。

时值中法战争，法国人因对中国缺乏了解而偏见很深。这本书展示了一个文化悠久、风景秀丽、飘溢着沁人茶香的东方古国，引起轰动，年内再版 5 次，两年内加印 11 次。在他之前，欧洲还没有出版过中国人用西文写的书，陈季同前后用法文写了 8 本书，主要是向西方介绍中国文化和社会风俗，其中有的被译成英、德、意、西班牙等多种文字，一定程度上破除了欧洲人对中国的偏见。① 在他之后，则有留学英国的严复通过译作《天演论》等，向中国人介绍了西方的自然和社会科学，促进了晚清中国人的思想启蒙。

1876 年，又有李鸿章派卞长胜等 7 人跟随德国人李劢协（C. Lehmeyer）赴德国学习军事，成为中国派遣军事留学生的开端。次年，福州船政学堂从毕业生中又选派制造、驾驶门类 21 人留学英、法，日后大多成为晚清海军的骨干。②

正当留美学生学业渐有长进时，却因一些官员顾虑他们年幼出国，未曾受过较多的中国传统文化教育，需要补习，否则令人担心他们在西学有成之后，能否回国成为有用之才，而在国外则缺乏这种补习的条件。③ 于是清政府 1881 年下令提前分批撤回留美学生。除先前因故回国和在美国病逝的共 26 人外，其余 94 人均在 1882 年分三批回国。首批 21 人都进入电报局任职，其余两批分别进入上海、福州、天津等地洋务企业及机构。④ 在这些未完成学业中途被撤回国内的留学生中，日后仍出现了如铁路工程师詹天佑这样的杰出人才。

民间的回响

在专制统治、闭塞守旧的中国，如果没有政府的政策及其实际举措方面的某些松动，民间资本即使有独立投资近代企业的愿望，也很少有敢于付诸行动者，于是便有为规避风险，附股外资在华企业的举动。洋务运动的开展顺应了中国社会发展的要求，也为民间资本兴办近代企业减少了一些阻力，得到他们的呼应。在洋务运动期间，民间资本独立创办了一批近代企业，其中有船舶修造业。上海发昌机器厂原是 1866 年开设的一家手工

---

① 李华川：《一个晚清外交官在欧洲》，《中华读书报》2001 年 8 月 15 日。
② 石霓译注《容闳自传》，第 255 页。
③ 潘向明：《留美幼童撤回原因考略》，《清史研究》2007 年第 2 期。
④ 《容闳与科教兴国》，第 227 页。

锻铁作坊，设在虹口美商杜那普所办船厂近侧，并专为其打制船用零部件。1869 年开始使用机床，并能自己制造小轮船。1890 年拥有车床 10 余台、牛头刨床 2 台、钻床 3 台、龙门刨床 1 台等多种机械设备，最多时工人 300 余名。继起者有 1875 年的建昌铜铁机器厂、1880 年的远昌机器厂、1881 年的合昌机器厂、1882 年的永昌机器厂、1885 年的广德昌机器造船厂和通裕铁厂等。它们多数设在黄浦江边的虹口，限于资金和技术，业务大多依附于外资船厂，承揽一些零星加工业务。①

　　机器缫丝也是民族资本较早涉足的工业部门。最早的创办人是原籍广东南海县的侨商陈启沅。1872 年，他在家乡创设继昌隆缫丝厂，雇用工人六七百名。该厂开办后，出丝精美，行销欧美，获利丰厚，以至于效仿者接踵而起。机器缫丝业的另一个中心是上海。1882 年，继外资缫丝厂之后，以公和永丝厂为先行，有一批华商相继投资兴办缫丝厂。1886—1894 年，除公和永之外，又有裕成、延昌恒、纶华、锦华、新祥、信昌、乾康等七家民族资本机器缫丝厂先后创办。② 据统计，截至 1894 年，民间资本先后创办的近代工业企业有 139 家，其中有的企业开办不久就停办歇业，它们主要分布在船舶修造、缫丝、面粉、火柴、造纸、印刷、榨油等行业。③

　　洋务运动开启了海外华侨回国投资的途径。海外侨资引起清朝官员的注意始于洋务运动时期。1866 年，广东巡抚蒋益澧率先提出应仿效欧美，保护旅居他国的本国侨民，并重视发挥他们的作用。他认为：“内地闽、粤等省赴外洋经商者人非不多，如新嘉陂（坡）约有内地十余万人；新、老金山约有内地二十余万人；槟榔士（屿）、伽拉巴约有内地数万人，和约中原载彼此遣使通好，若得忠义使臣，前往各处联络羁縻，居恒固可窥彼腹心，缓急亦可借资指臂。”④ 1874 年，福建巡抚王凯泰更直接提出招徕侨资回国

---

① 上海市工商行政管理局、上海市第一机电工业局机器工业史料组编《上海民族机器工业》，中华书局，1966，第 84、89 页。

② 《中国近代工业史资料》第 1 辑，第 72 页；徐新吾主编《中国近代缫丝工业史》，第 140 页。

③ 张海鹏主编《中国近代通史》第 3 卷，第 175 页统计表。

④ 中华书局编辑部、李书源整理《筹办夷务始末》（同治朝）第 5 册，中华书局，2008，第 1808 页。

经商，与外国在华资本抗衡，以期"不受洋人抑勒，是又暗收利权"。^① 在此背景下，曾有部分华侨回国投资。上海最早一批洋务企业中，就有海外华侨投资的记载。它可追溯到19世纪70年代洋务运动肇兴之初。华侨当时在上海投资的近代企业主要有轮船招商局等民用企业。

轮船招商局自1872年开办后，为发展业务和扩充资本，于1879年派遣广东试用道张鸿禄、候补知县温宗彦赴南洋、新加坡一带考察航运，同时招徕华侨资本。他们在曼谷通过办有机器磨坊并有一定声誉的侨商陈善继（清政府驻暹罗、新加坡领事陈金钟之子）的协助，为企业招募到一批华侨股金。档案记载，当时响应者多数是粤籍侨商，也有部分闽籍人士，有姓名可稽者共28人，各人的投资额多则5000两，少则500两，大多为二三千两，总计招集到股资5万两。次年即1880年，温宗彦从曼谷到达新加坡募股，得到38名侨商响应，共集得股资65200两，其中便有以后声名显赫的侨商巨头张振勋，他的投资额是3600两。^② 当时轮船招商局正面临怡和、太古等外国在华轮船公司压价竞销的排挤，侨商的这些投资无疑有助于它应付对手的倾轧，渡过经营难关。继轮船招商局后，1880年郑观应、经元善等人筹办上海机器织布局，也曾向旧金山、南洋、新加坡、长崎、横滨等地华侨募集股金。^③

在建于上海的中国最早的近代军工企业——江南制造局中，也可看到华侨提出筹办倡议和实际参与的活动。1863年，中国早期留美学生容闳根据他在美国所学到的知识返国后向曾国藩建议在上海设立机器工厂，并强调他"所注意之机器厂，非专为制造枪炮者，乃能造成制枪炮之各种机械者也"，换言之，就是"可用以制造枪炮、农具、钟表及其他种种有机械之物"。^④ 曾国藩批准后，容闳即携款两次赴美采购必要的设备。这是中国历史上第一次规模较大的引进外国机器设备的举动，影响颇为深远。

但在清末新政前，侨资参与国内企业尚处于起步阶段，在清政府方面，并未真正引起重视和形成相应的政策条规；华侨投资也多为零星举动，并

---

① 《轮船招商局档案》，聂宝璋主编《中国近代航运史资料》第1辑，上海人民出版社，1983，第983—988页；《上海机器织布局启事》，《申报》1880年11月17日。
② 《轮船招商局档案》，《中国近代航运史资料》第1辑，第983—988页。
③ 《上海机器织布局启事》，《申报》1880年11月17日。
④ 容闳：《西学东渐记》，岳麓书社，1985，第111、112页。

不普及，更未形成热潮。相反，由于政府方面没有提供相应的保护，陈启沅在广东南海办的继昌隆缫丝厂还不时受到地方守旧势力的骚扰，以致不得不一度迁往澳门。

三 阻力与困顿

区域的差异

清朝官员的主导既给洋务企业的兴办以一定的助力，也给这些企业日后的发展埋下了隐患。那些由政府委派的官员全面把持企业的经营大权，推行封建管理体制，并乘机任用私人、贪污中饱、营私舞弊，严重侵害商股利益。一名曾参观湖北纱厂的英国人记述："这个纱厂最大的困难是派来大批无用的人做监督，这些人都管叫坐办公桌的人，因为他们坐在桌旁无所事事。他们为了一点私利，把训练好的工人开除了，雇用一些生手。"①

在洋务企业的起步阶段，内陆甚至边远地区一度并不落伍。军工企业有 1869 年的西安机器局、1872 年的兰州机器局、1877 年的四川机器局和 1884 年的云南机器局。1867 年，左宗棠以西安为基地发兵西北，为了就近解决军火供应，1869 年他从江南制造局和金陵制造局调募一批熟练工人，购买机器，设立西安机器局，制造洋枪、铜帽和开花炮弹等军火。当战事重心移到甘肃后，1872 年他下令将西安机器局的设备拆迁至兰州，设立兰州机器局，调集浙江、广东、福建等地工匠，由略懂机器的记名提督赖长主持，继续生产军火。②

1876 年，丁宝桢由山东巡抚调任四川总督，鉴于"各勇营亦皆习用洋枪，均须购自上海洋行，价值既贵，而道路转运，费亦不赀，并恐不免有受洋行欺骗之事"，奏请自设枪炮厂以供川军之用。1877 年，四川机器局在成都择地建厂，于 1879 年规模初具，有大小厂房 118 间，制造洋枪洋炮。但机器局刚建成便遭到守旧官员以靡费为由弹劾，清廷下谕停办，丁宝桢据理力争。

针对反对者抨击丁宝桢用 6 万两银子只造了枪炮数十杆，丁宝桢下属力陈

① 汪敬虞主编《中国近代工业史资料》第 2 辑，科学出版社，1957，第 578 页。
② 秦翰才：《左文襄公在西北》，商务印书馆，1947，第 138 页。

这些银子大部分是开办经费，"譬如商贾初开铺后，用本颇多，费用不尽在物，久之自有得利之日"。清廷才知究竟，让丁宝桢决定是否续办。丁宝桢奏称"近来讲求机器，实属目前要图，然颇为众论不许"，请求保全，不久得以恢复。①

1856 年，滇西一带爆发以回民为主的反清起义。为镇压起义，清军使用了洋枪洋炮，因损耗甚巨，修理和补充困难，遂有在滇设局仿造军械之议。1865 年，巡抚林鸿年向江苏咨调洋枪队来滇教习。1868 年，巡抚岑毓英利用广东筹给的饷银和派来的工匠，开始设局仿造洋炮。1872 年，起义被镇压，该局也关闭。

1874 年，云贵总督刘长佑和巡抚岑毓英创设军火局于昆明三圣宫。②1884 年，已升任总督的岑毓英由上海、广东、福建等地雇来工匠，开办云南机器局，制造弹药并修理枪炮。最初规模很小，至 1890 年由继任的云贵总督王文韶委托江南制造局向洋商订购制造军火的机器设备进行扩充。扩建工程于次年完工，规模虽有所扩大，但生产技术未见明显提高，勉强仿造 7.5 厘米口径的克虏伯炮，又因地方守旧势力风水之见的阻挠，不准加高烟囱，熔炼的铁质低劣。③ 英国人戴维斯（H. R. Davis）1890 年曾目睹云南军工厂的生产状况："他们造克虏伯枪、罗登菲尔兹枪、来福枪和子弹。机器是用蒸汽驱动，但没有气锤，所以产品不可能是一流的。"④

民用工业有 1880 年的兰州机器织呢局。1877 年冬，主持兰州机器局的赖长用自制水轮机和当地所产羊毛制成一段毛呢交给左宗棠验看，得左赞赏，认为"竟与洋绒相似，质薄而细，甚耐穿着，较之本地所织褐子，美观多矣"。赖长建议从国外购买织呢机器，左宗棠遂致信在上海的胡光墉，嘱其"购办织呢、织布火机全付，到兰仿制，为边方开此一利"。⑤ 胡光墉即与德商泰来洋行接洽，由其代为在德国购置机器和招聘技术人员。

1879 年春，这些机器运抵上海，然后由轮船招商局运至汉口，再经水、

①　《洋务运动》第 4 册，第 340—346 页。

②　云南省国防科学技术工业办公室军事工业史办公室：《云南近代兵工史简编（1856—1949）》，1991 年油印本，第 1—3 页。

③　樊百川：《清季的洋务新政》，第 1318 页。

④　戴维斯：《云南：联结印度和扬子江的锁链》，李安泰等译，云南教育出版社，2000，第 174 页。

⑤　左宗棠：《与胡雪岩》，《洋务运动》第 7 册，第 439 页。

陆两路辗转搬运至兰州。1880 年 9 月，兰州机器织呢局开工生产。它有东厂，内设纺线部和织呢部；中厂，内有汽锅房和大车房，负责动力和运输；西厂，从事羊毛加工和毛呢的漂染及磨光；以及负责检修设备的机器局。兰州机器织呢局亦由赖长主持，聘有 9 名德国管理和技术人员，"每日产呢八匹，每匹长五十华尺，宽五华尺"。[①]

矿冶业有 1886 年的贵州青溪铁厂。1885 年，署贵州巡抚潘霨见"各省机器局及大小轮船每年用煤铁以亿万计"，而海军衙门制造铁甲兵船对煤铁的需求亦巨。贵州地瘠民贫，但"矿产极多，煤铁尤盛"。为开辟财源，他主张开发铁矿，既可"拨供邻省海防之需"，又可为本省"民间多一生计，即公家多一利源"。1887 年，贵州机器矿务总局成立。铁厂设在镇远县的青溪，故又名青溪铁厂，由江南制造局候选道、潘霨的弟弟潘露主持。初建时向商号借银 10 万两，计划在贵阳、汉口和上海招募资本 30 万两，向上海雇觅矿师和工匠，并派人携银 8 万两去国外购买机器，向英国订购全套熔铁炉、炼钢炉和轧钢机等，并于 1890 年 7 月开炉生产。[②]

西部地区的这些近代企业虽然起步较早，但开办后多命运不济。兰州机器局随着西北回民起义被镇压，左宗棠于 1881 年调京离开西北后，过去那种靠催逼各省供饷维持的局面不存，1882 年终因经费不继而停办。[③] 1886 年丁宝桢去世，刘秉璋继任四川总督，对四川机器局并不热衷，"饬局将各项洋枪暂停铸造"，并裁减局中司事和工匠，"饬令该局专铸钢帽、后门枪弹、炮弹及起造洋火药"，[④] 生产规模大为缩减。另外两家民用工业则先后倒闭。

左宗棠对兰州织呢局曾抱以厚望："今日之学徒，皆异时师匠之选，将来一人传十，十人传百，由关内而及新疆，以中华所产羊毛，就中华织成呢片，普销内地，甘人自享其利，而衣褐远被各省。"但事先缺乏必要的规划特别是产销市场、技术要求等方面的考察，决策主观随意。当时有些人认为这种工厂最好设在汉口，把原料运到汉口来制造、销售，因为汉口交通便利，有利于产品的销售。反观兰州府一带，虽位于西北羊毛产地，有

① 孙毓棠主编《中国近代工业史资料》第 1 辑，科学出版社，1957，第 902—903 页。
② 严中平主编《中国近代经济史（1840—1894）》，人民出版社，1989，第 1412—1414 页。
③ 樊百川：《清季的洋务新政》，第 1295 页。
④ 刘秉璋：《川省机器局暂行停铸疏》，《刘文庄公奏议》卷 5。

购买原料成本低廉的优点，但当地人口稀少，地方贫瘠，购买力低，况且这一地区"均尚棉布"，呢布销路更狭。然而左宗棠没有采纳这些意见，毕竟甘肃是他管辖的省份，他坚持在这里设厂。①

兰州织呢局的筹办和开工都早于上海机器织布局，但因路途遥远，交通闭塞，进口的机器设备从上海运抵兰州就大费周折。"光绪五年春，机器开始运到兰州，这是一个艰难而伟大的工作，这些机器太大，又太重了。当时内地的交通工具，委实没有资格负得起这个运输的责任。但是既已老远的从德国运到汉口，就得接运进来。可以拆散的，当然零星运，不能拆散的，只好整个运。平常的木船装不下，定做可以装得下的。大小机器共有四千箱之多。船到老河口上岸后，利用千百人力、兽力和大车来抬的抬、驮的驮、装载的装载。大车不能容，加以改造；村落不能过，只得拆让。通过山中峡道，两面碰壁时，等候凿去一层石壁再走。于是从第一批到兰州和末一批到兰州，足足相隔了一年的时间。"②

而在规划办厂时，又忽视了织呢工业用水的技术要求。由于当地"水源不足，能找到的一点水也含着碱，使得漂染很困难，结果是呢布的颜色很暗淡。因为水源缺乏，全部机器每天只能织成十匹呢布，每匹长十八码，如果水源充足，无疑地可以多织很多"。显然，这导致了产品成本高，生产效率低，况且当地的羊毛"很粗很杂，弄得每天得雇四十个人挑拣羊毛，每天只能挑两磅，因此在织成呢布之前，羊毛的成本已经很贵"，也"很难希望本局的产品在品质上能比得上外洋输入品"。③ 这样的局面使企业很难维持，因为"产品没有销路"，只能限产，每日仅产呢8匹，远低于实际生产能力。1882年上海《字林西报》载："近有人自甘肃回沪，述及该处机器织呢一事恐不能久，缘织成之呢无人购买。"④ 陈炽在论及兰州织呢局时指出："左文襄前任甘督，亦尝购买机器仿制呢绒，然牧场未立，风气未开，万里甘凉艰于转运，资本太重，不利行销，因创办之时，本未通盘筹划故耳。"⑤

1883年兰州织呢局停工，次年被新任陕甘总督谭钟麟裁撤，全套机器

---

①　孙毓棠主编《中国近代工业史资料》第1辑，第898、905页。

②　秦翰才：《左文襄公在西北》，第198—199页。

③　孙毓棠主编《中国近代工业史资料》第1辑，第899页。

④　《申报》1882年12月23日，译载。

⑤　《畜牧养民说》，《陈炽集》，中华书局，1997，第176页。

设备被闲置。1906 年去兰州游历的英国人在原厂区"非常吃惊地见到一个设备完整、费用极高的欧式羊毛加工厂……它显然花费了成千上万英镑，这里有发动机室、发动机、织机、梳毛机、清洗机、冲压机，事实上这里有整套完全用蒸汽力发动的现代工厂必需的机器，甚至它约两英尺宽的皮发动带也保存完整。尽管所有的机器都在无关紧要的维修之中，但看得出还能继续使用"。①

贵州青溪铁厂自 1886 年筹建，1890 年开炉，在购买机器、建立厂房、采购原料和运费开支等方面，共耗银 27.6 万余两，而所招商股远不敷支付，前后陆续挪借公款达 19.2 万余两。按照厂方估计，在投产后，每月用于收煤、采矿、售铁、运费和薪金等开支约需银 1.8 万两；预期每月可产铁 120 万斤，依当时售价约值银 2.21 万两，收支相抵，略有盈余。但实际投产后，与预期的设想大不相同。在铁厂附近没有找到合适的煤炭基地，开工后发现所用煤炭不适合炼铁的要求，以致在冶炼时"铁水和煤渣凝塞炉窍"，铁水不能顺畅流出，"炉塞"成为令厂方深感棘手的难题。再加上开工后不到两个月主持人潘露病故，铁厂"无人督理"，暂时停工。但对从上海招募来的工匠舍不得全部遣散，留下半数以待复工。1890 年 12 月，改由该厂会办、候补知府曾彦铨主持，官府又垫借 6 万两资助，② 仍未有起色。潘霨一筹莫展，1891 年"因病奏请开缺"，临走时对友人叹息："在黔创办铁厂，用帑三十余万而未见成效，黔中同僚诟病，家人亦非笑。"此后，铁厂一直处于停工状态，1898 年曾派道员陈明远续办，并无转机，"几年下来厂房、炼炉机器等反而损失殆尽"，陈明远被撤职，青溪铁厂亦告倒闭。③

内陆地区较早创办的一些近代企业或因战事结束，或因缺乏周密规划，决策主观随意，除四川和云南机器局继续勉强维持外，其余均昙花一现，相继停闭。在很长一段时间里，内陆地区近代企业的创办归于沉寂，即使在经济相对发展的四川，在四川机器局问世后的 20 多年间，四川并没有再出现过一家近代民用工业企业。④

① 布鲁斯：《走出西域——沿着马可·波罗的足迹旅行》，周力译，海潮出版社，2000，第 215—216 页。
② 《洋务运动》第 7 册，第 185 页。
③ 刘学洙：《贵州开发史话》，贵州人民出版社，2001，第 101 页。
④ 张学君：《四川资本主义近代工业的产生和初步发展》，《中国经济史研究》1988 年第 4 期。

督抚的因素

洋务运动推进过程中，各地督抚的作用格外突出。就清朝政府而言，开始认识到实业建设的重要，是在经历了第二次鸦片战争后。随即开展的洋务运动，重点之一是引进西方的技术和设备兴办近代企业。诚如有学者指出的，总的来说，当时的清朝并没有明确的近代化意向，清朝中央政府更没有对近代化予以制度创新和制度供给。事实上，甲午战争前洋务企业的开办、新式军队的建立及绝大多数新式学校的创办，都是得之于地方政府或中央政府通过地方政府去设立。中国早期现代化中至关重要的政府作用的发挥，可以说基本上是由地方政府承担。在近代中国相当长的时间内，在施行现代化方面没有制度供给的状态下，地方现代化的能否启动和发展，一个主导因素就是地方当政者的主体认识如何。

地方督抚们认识的提高和政府职能的转变，首先要让地方督抚能获得必需的认识环境，从思想上突破传统的阻力。一些沿海地区由于较早受到外来因素的影响，使置身其中的地方督抚有了较为便利的认知条件，而在此之外的广大地域，传统仍维系着自身的历史连续性和不可侵犯性。中国早期现代化是在一个幅员辽阔、人口众多、经济落后的农业大国中进行的，而社会变革的效应与疆域、人口和原有的经济发展程度有相当的联系。[①] 也有学者指出："19世纪后期至20世纪初期，我国现代化的推动多在于地方督抚与士绅阶级，更增强其区域间的差异性。"[②] 这在曾国藩与江南制造局，李鸿章与沪、津等地区洋务事业，丁宝桢与山东机器局，左宗棠和沈葆桢与福州船政局，刘铭传在台湾的洋务举措等史实中，已有清晰的体现。

容闳曾回忆，1867年曾国藩在回任两江总督前，"巡视了其管辖区域，上海是他视察的重要地方之一，而江南制造局——他自己创办的，则成为他在上海视察的重点。他兴致极高地参观了整个工厂，始终没有倦意。我给他介绍那些从美国采购回来的机器，他站在机器旁，非常愉快地观赏机

---

① 崔运武：《中国早期现代化中的地方督抚——刘坤一个案研究》，中国社会科学出版社，1998，第2、5、6页。

② 李国祁：《中国现代化的区域研究——闽浙台地区（1860—1916）》，"中央研究院"近代史研究所，1982，"绪言"，第3页。

器的自动运转，因为这是他第一次见到这些机器以及它们的运转情形"。①
1879 年 5 月，左宗棠在肃州宴请到访的匈牙利探险家塞切尼（Grof Szeche-
nyi Bela），"当我听到左宗棠问我是不是愿意喝点欧洲家乡的葡萄酒时，我
感到惊异，当即给予肯定的表示。他派人拿来小小一瓶匈牙利的多卡伊葡
萄酒"。② 1885 年，左宗棠曾主张在台湾兴办机器制糖业，建议"先派熟知
糖务之员亲赴美国产糖之区参观做法，购小厂机器，兼雇洋工数名回华试
制。俟考定得糖实数，另议章程，或购蔗制糖，或代民熬煮，民利仍还之
民，官只收其多出之数。著有成效，即行扩充"。③

　　海关报告也有生动记载，1883 年 5 月直隶总督李鸿章经过上海去天津，
他在上海停留期间，"象是很热心要看看此地的一切值得看的东西和值得访
问的人。他对于雇用中国工人的各种外国工业特别感兴趣，尤其是纱厂与
缫丝厂。他参加了上海自来水公司的开工典礼，亲自动手开动机关把水放
进滤水池里，从此公司的机器便开始转动了。他对这个企业甚感兴趣，似
乎很懂得它对人们的好处，因为他表示希望不久在天津也要建立一个类似
的企业"。④ 据统计，在直隶总督任上，李鸿章对天津近代企事业先后投资
约 800 万两白银。⑤

　　1885 年，刘铭传受命出任首任台湾巡抚。除了前述积极兴办铁路，针
对台湾四面环海的地理特点，刘铭传还在台湾积极兴办近代航运业。1886
年，他主持设立了招商局（后改称台湾商务局），"招股购制快船二只，名
驾时、斯美，船身各长二百五十英尺，纯系钢质，每点钟能行十五六诺，
装兵运货均极便捷"；⑥ 最多时拥有大小轮船 5 艘，航行上海、香港及东南
沿海，远至新加坡、西贡等地，大大便利了台湾与外界的经济联系和交往。
为进一步开拓近代航运业和沟通铁路运输，刘铭传曾着手疏浚和建设基隆

---

① 石霓译注《容闳自传》，第 153 页。
② 塞切尼：《塞切尼眼中的李鸿章、左宗棠》，符志良选译，《近代史资料》总 109 号，中国
　社会科学出版社，2004，第 54 页。
③ 洪安全等编《清宫洋务始末台湾史料》第 3 册，台北故宫博物院，1999，第 1942 页。
④ 徐雪筠等：《上海近代社会经济发展概况（1882—1931）——〈海关十年报告〉译编》，
　上海社会科学院出版社，1985，第 28 页。
⑤ 何一民主编《近代中国城市发展与社会变迁（1840—1949 年）》，科学出版社，2004，第
　181 页。
⑥ 《洋务运动》第 2 册，第 607、608 页。

港，后因去职而未果。

督抚对洋务的作用在后起的洋务派官员张之洞身上也有鲜明的体现。人们往往以为张之洞从清流到洋务的转变，是在中法战争后的两广总督任上。其实，1882 年在山西巡抚任上，当他在官府旧档里读到，英国传教士李提摩太（Timothy Richard）给前任巡抚曾国荃关于修筑铁路、开挖矿藏、兴办工业等建议时，大感兴趣，曾要求李提摩太帮助其将这些建议付诸实践。不久，他调任两广总督，在山西的这些设想未果。① 而在张之洞履任前，虽然广东地处沿海，对外交往较早和接受西学便利，"但事实上广东的近代化自 19 世纪 60 年代前期开始有所启动后，一直到 80 年代前期，可以说基本上处于半停滞状态"。主要原因在于，"从 1861 年至 1884 年 24 年中，任两广总督者共九人，任广东巡抚者也是九人，他们中不无热心洋务者如郭嵩焘、蒋益澧、刘坤一、张树声，但任期较长，受到朝廷信赖的基本是一些思想较保守、缺乏开拓精神的满员，故此对于地方的近代化始终未能提出一个像样的规划和采取有力的措施。因此，当具有一定近代化意识，同时又勇于任事，颇为朝廷所倚重的张之洞担任粤督时，广东的近代化随即有了一番新的气象"。②

张之洞就任后，博采西学，大力兴办洋务。1886 年，张之洞在广州将广州机器局与增涉军火厂合并，设立制造东局。1887 年又在广州城北石井圩创办石井枪弹厂，称制造西局。西局购买德国克虏伯炮厂制造枪弹的机器设备，使生产能力不断提高，规模不断发展，后来成为广东省最有影响的兵工厂。与此同时，张之洞又在广州兴办民用企业，如 1886 年在广州设立广东矿务局，颁布《矿务条例》，鼓励开矿和开炉冶炼。1887 年又在广州创办广东钱局，购置英国造币机器，开中国铸银币之始。1889 年还在广州设立广东缫丝局。民办企业，如轮渡公司、造纸厂、电灯公司也在广州兴建。同时还设立了电报学堂、水陆师学堂、海图馆与洋务处等，聘请洋教习教学，显示了其远见卓识和务实通达，③ 推动了广东的近代化进程。1889

---

① 《亲历晚清四十五年——李提摩太在华回忆录》，李宪堂等译，天津人民出版社，2005，第150 页。

② 赵春晨：《张之洞与广东的近代化》，河北省社会科学院等编《张之洞与中国近代化》，中华书局，1999，第 221、223 页。

③ 杨万秀等主编《广州简史》，广东人民出版社，1996，第 271—274 页。

年调任湖广总督后，"他建铁路、办工厂、兴学堂、练新军、理财税、创市政，可以说是全方位振鄂兴汉，使湖北从经济不很发达的内陆省份经历了一次近代崛起"。[①]

曾国藩、李鸿章、左宗棠、沈葆桢、丁宝桢、张之洞、刘坤一等督抚，致力于推动其辖区内的近代企业，除他们较之同时代的其他官员对当时中国的处境认识较为清醒，对学习西方的态度较为积极外，与他们手中握有较为丰实的财源也不无关联。清朝的财政体制原先是以解款协款制度规定各款项，由中央政府统一管理收支，户部拥有"制天下之经费"的权力，各省并无财政权，只是奉中央命令征收各项赋税存入公库，然后奏准开销各项经费，如有节余均须解运中央或收支不敷的邻省。经太平天国之后，解款协款制度渐趋废弛。各地督抚军权在握，原来掌管地方财政并直接听命于户部的藩司转而受制于督抚，中央政府已无法通过藩司控制地方财政。

厘金制的实行与就地筹饷使地方督抚的财权进一步扩大。数额可观的厘金均由地方征收和控制，上缴仅为其中的一部分，大部分被地方督抚截留。由于各省财政独立的趋势日见明显，户部无法了解各省财政的实际情况，只得改变解款协款制，推行摊派制。实际执行时，"户部历次筹款，终有一二策或数策不能通行于各省，甚或有一案请行数次，历时数年而各省终未遵办"。[②] 传统的中央集权财政体制趋于瓦解。相对富庶的东部地区的督抚在这个过程中崛起。

1889年，熟悉内情的薛福成记述："江苏一省，丁、漕、盐、税、厘五者俱赢，岁入白金一千万两以外。曾文正公用之以削平大难，旋乾转坤。今伯相合肥李公亦用之以招练淮军，四出征剿。曾公所用，在江扬淮徐通海者为多，以盐务为最饶，而地丁、厘金辅之。李公所用，在苏松常镇太者为多，以洋税、厘金为最沃，而地丁、漕政辅之。浙江一省，亦五者兼备，岁入可得江苏之半。""福建一省，地丁、盐课、厘金、茶税等项，约逾三百四十万金，加以闽关洋税三百余万金，岁入尚在浙江之上。""广东一省，综地丁、盐课、税、厘四项，岁入几与浙江相埒。""此外如直隶、陕西、

① 皮明庥：《一位总督·一座城市·一场革命：张之洞与武汉》，武汉出版社，2001，"引言"，第2页。
② 彭雨新：《清末中央与各省财政关系》，《社会科学杂志》第9卷第1期，1947年6月。

安徽、广西四省，其力皆足以自顾，如有非常措注，则必赖他省之转输。"
"又如山东、河南、山西三省，财赋以地丁为大宗，而他项稍辅之，岁入各
逾三百万金。""四川一省，地博物阜，赋额素轻，今于地丁之外加津贴，
津贴之外加捐输，虽三倍旧额，尚仅得江南田赋之半。"此外，"如甘肃、
云南、贵州三省，向赖他省之协助。云南岁入六十余万金，甘肃岁入三十
余万金，贵州岁入二十余万金，皆断断不能自立"。①

　　偏重于东部地区的一批洋务企业的兴办，与上述财政背景有着密切的
关系，因为总的说来，当时"中央财政对于洋务企业的支持并不是十分积
极、有力的。除了天津机器局、江南制造局、金陵机器局、汉阳铁厂等少
数大型企业得到中央财政的补助或拨款外，大多数洋务企业都是依靠地方
财政的调剂而兴办起来的。这从一个侧面说明，洋务派经济活动的主要动
力是来自地方。太平天国时期财政权的下移，为各地督抚经营洋务企业提
供了一定的有利条件"。② 而财政本是拮据甚至须靠外省协款挹注的西部省
份，可以腾挪筹措的渠道狭窄，洋务企业寥若晨星，一些已经开办的企业也
经营乏力，或因左宗棠、丁宝桢等人离去而陷于停产或半停产的境地。可见，
地方官员的地位、政见和财力往往对所在辖区的经济变迁影响甚大。

无言的顿挫

　　以往人们常常将 1898 年张之洞《劝学篇》中的"中学为体，西学为
用"视为洋务运动的纲领，将其解读为洋务派企图以西方的科学技术去维
护中国的封建统治制度，认为这是其失败的内在根源。这种认识未免稍显
笼统。实际上，在洋务运动的推进过程中，来自顽固守旧派的攻击、抵制
和反对几乎从未停歇。这种攻击、抵制和反对，往往是以坚持中国传统的
伦理道德和社会制度为说辞，在长期封闭、国门又是被西方列强强行轰开
的社会环境下，对主张学习西方的洋务派自然有着先声夺人的上风压力，
有学者形容"当时士大夫见解如是，宜乎郭筠仙、丁雨生（郭嵩焘、丁日
昌——引者），皆以汉奸见摈于清议也"。③

　① 《叙疆臣建树之基》，丁凤麟等编《薛福成选集》，上海人民出版社，1987，第 291—292 页。
　② 周育民：《晚清财政与社会变迁》，上海人民出版社，2000，第 307 页。
　③ 孟森等：《清代野史》，中国人民大学出版社，2006，第 318 页。

动辄得咎的洋务派，不能不想方设法为自己的洋务举措辩解开脱。已有学者指出，后人论及中体西用论，每多讥刺之词，其实中体西用论始现于 1860 年冯桂芬《校邠庐抗议》中的"以中国之伦常名教为原本，辅以诸国富强之术"，后被张之洞概括为"中体西用"，考察其历史，可以发现中体西用论在尊崇中学的前提下，以比较温和的色彩避过了顽固守旧派"以夷变夏"的攻击锋芒，为引进西学开了一条通道。[①] 洋务运动也因此得以坎坷前行。

在其推进过程中，李鸿章、郭嵩焘等人并非以为中国只是技不如人，对西方的政治制度全无认识。但郭嵩焘稍有表露，即被撤职惩处。李鸿章在致郭嵩焘的信函中则这样写道："西洋政教规模，弟虽未至其地，留心咨访，考究几二十年，亦略闻梗概。"[②] 联想到戊戌维新高潮时，他曾想列名主张变法的强学会，看来很难全以投机视之。但在洋务运动时期，他所做的确是中体西用论所标示的，如他后来所感叹的："我办了一辈子的事，练兵也，海军也，都是纸糊的老虎，何尝能实在放手办理？不过勉强涂饰，虚有其表，不揭破犹可敷衍一时。如一间破屋，由裱糊匠东补西贴，居然成一净室，虽明知为纸片糊裱，然究竟决不定里面是何等材料，即有小小风雨，打成几个窟窿，随时补葺，亦可支吾对付。乃必欲爽手扯破，又未预备何种修葺材料，何种改造方式，自然真相破露，不可收拾。但裱糊匠又何术能负其责？"[③] 这段话自然有为自己开脱的意味，但也多少道出了洋务运动蹒跚跟跄的缘由。

19 世纪 80 年代，已有洋务派官员对中体西用论割裂体用的弊端有所认识，曾任两广总督的张树声指出："西人立国具有本末，虽礼乐教化远逊中华，然其驯致富强亦具有体用。育才于学堂，论政于议院，君民一体，上下同心，务实而戒虚，谋定而后动，此其体也。轮船、火炮、洋枪、水雷、铁路、电线，此其用也。中国遗其体而求其用，无论竭蹶步趋，常不相及，就令铁舰成行，铁路四达，果足恃欤？"但这是他在 1884 年去世前夕的《遗折》

①　熊月之：《西学东渐与晚清社会（修订版）》，第 588 页。
②　李鸿章：《复郭筠仙星使》（光绪三年六月初一日），《洋务运动》第 1 册，第 269 页。
③　吴永口述，刘治襄笔记《庚子西狩丛谈》，中华书局，2009，第 121 页。

之语，此前慑于专制淫威不敢公开表露此类言论，只能于身后呈递。①

在近代中国，只从经济或器物层面着手，不可能真正实现国家的富强和现代化。反观日本，自 1868 年明治维新后，国力迅速强盛。在它悍然发动的甲午战争中，枝枝节节搞了近三十年洋务运动的中国一败涂地，李鸿章连同他标榜的能给中国带来富强的洋务运动声名扫地，众多爱国者开始更多地思索通过变革中国的政治制度去谋求国家的富强。

应该指出，洋务运动作为中国早期现代化的一种模式，已不再能打动人，但其所奠定的一些物质基础，如包括著名的江南制造局（即后来习称的江南造船厂）在内的一批近代企业，并没有因为甲午战争的失败而终止。在随后的中国现代化进程中，它们依然发挥着应有的积极作用。

---

① 冯天瑜：《近代化方略之辩》，冯天瑜等主编《张之洞与中国近代化》，中国社会科学出版社，2010，第 24、25 页。

第八章

派系分合与晚清政局

质诸古今中外，权力的争逐与妥协，利益的攘夺与交换，几乎成为一般人对"派系"一词的共同印象。就某种程度而言，这也是事实。然而，"党"或"派"在政治史运作中近乎亦步亦趋的存在，却也提醒我们派系互动在繁复的政治活动中亦有其积极功能。

当本章将晚清政治史进程置诸派系脉络下来观察时，读者不难发现，很多被认为已盖棺论定的人或事可能变得很不一样。这未必表示派系之争是解释此段史事之唯一路径，却反映过往的认知方式仍存在更深的掌握史事间延续性的开拓空间。这亦使得本章的撰作可能因而更具意义。

一　咸同交替与派系新局的形成

如果我们可以同意，同光以降慈禧的专权是影响晚清历史发展的一个关键因素，则对于"辛酉政变"在此一因素形成的过程中所具有的独特地位相信也早有共识。若非这场政变，慈禧莫说终有独踞权力顶峰之日，就连"垂帘听政"之形式能否存在，都将大有疑问。[①] 不过，如果只是慈禧个人对权力的欣趋，以有清成法，似亦难以造成扭转朝局的大作用。其时客观条件的配合才是关键。

　＊　本章由林文仁撰写。

　①　王闿运《独行谣》即有"祖制重顾命，姜妠不佐周"之句，以名此例。参见王闿运《湘绮楼诗集》卷9，文海出版社，1963年影印本，第363页。

内外冲击与"辛酉政变"的发生

追溯"辛酉政变"的缘起，咸丰十一年（1861）七月十七日，咸丰帝大行于承德之前所做的权力结构安排，毋宁是刺激政局巨变的直接成因。咸丰帝为新君——其年仅 6 岁的皇太子载淳——所指定的顾命阵容，已然使新权力核心陷入了其时足可影响朝局稳定的两项冲突诱因。此二诱因一显一隐。显者，柄政之御前大臣肃顺，与在京的恭亲王奕䜣两派势力，长期对立与紧张；隐者，自太平天国起事后，汉人士大夫集团中渐见复燃的历史纠结——南北地域之争。此二因素一旦互相为用，再加上承德行在护持幼帝的两宫太后积极联手所造成的效应，便可令朝局翻覆。辛酉之事，由是产生。

先说恭、肃两派的权力矛盾。在咸丰一朝，宗室出身的肃顺之所以能够崛起，而得咸丰帝之倚畀，与咸丰帝即位初期即在军机领班辅佐的恭亲王奕䜣于咸丰五年被逐出军机处而使他顿失股肱有关。咸丰帝与恭王的关系从"友爱如'亲昆弟'"到手足参商，缘于其父道光帝立嗣时积下的心结，历来多有论者。① 自奕䜣罢出军机，天下因太平军起事而引起之恶劣局势仍在持续险化，但咸丰帝所倚为决策依仗的军机，领班的协办大学士彭蕴章性格庸懦，又已老衰；满大臣文庆虽称有见识，但此年七月方入直，越年即下世；杜翰为咸丰帝师杜受田之子，为报答师恩而一力超擢，亦有才识，但仍资浅，缺少发言权。此外，穆荫亦如杜翰之地位。国事蜩螗之际，咸丰帝不能不感到身旁少了一个真正可与言大事、一语安邦的左右手，这便造成了肃顺崛起的机会。

肃顺勇于任事，极力鼓舞咸丰帝振衰起敝，的确是肃顺之长。《清史稿》上都不能不说："其赞画军事，所见实出在廷诸臣之上，削平大乱，于此肇甚。"② 曾国藩、左宗棠、胡林翼诸人之得蒙重用，更表现了肃顺超越满汉的眼界与对决策的强大影响力。然而作为一个申韩法家的信仰者，肃顺求治遽策的手段有时不免过于激烈，也为他长期树敌，终于积累出后日翻覆政局的能量。

---

① 相关析论，可参见董守义《恭亲王奕䜣大传》，辽宁人民出版社，1989；宝成关《奕䜣慈禧政争记》，吉林文史出版社，1980；林文仁《南北之争与晚清政局（1861—1884）——以军机处汉大臣为核心的探讨》，中国社会科学出版社，2005；等等。

② 《清史稿校注》卷 394，"国史馆"，1988，总 9912 页。

咸丰十年九月，英法联军逼近北京，面对满朝臣工几乎一致反对的情势，咸丰帝仍在肃顺等人簇拥下，以"西狩"为名避往热河，而将"办理抚局"的艰难任务留给恭亲王奕䜣，使其处于与外人协商而易受谴责的难堪处境；而肃顺、载垣等人则恰可推掉办洋务的麻烦担子。再者，拥帝西行，非但可避锋镝，且可将权力更集中在自己的集团手中。这由全班军机大臣中，仅一向在朝中被认为属恭王一系的文祥独被留京可以看出。

咸丰十一年七月十七日，咸丰帝驾崩于热河行宫。此前，其于十六日短暂清醒之际，首谕"立皇长子载淳为皇太子"，次谕"着派载垣、端华、景寿、肃顺、穆荫、匡源、杜翰、焦祐瀛尽心辅弼，赞襄一切政务"。咸丰帝此命，肃顺长期随侍，必有造陈，可以想见。不过，顾命大臣名单一公布，那些曾期望肃顺与恭王能在现实政治演变下和衷共济、同辅幼主，以开新局的人终于绝望了；而肃顺无所不用其极的胜利，也使局面成了单选题式的"零和游戏"。无论是恭王还是期望恭王再参枢机的人都明白，眼下只有一条路：以非常之手段，收非常之功。政变引信，就此埋下。

肃顺的操作与结果，将前此因显露对政务之热衷而与肃顺结恶，但此时已贵为母后皇太后的慈禧，推向同因咸丰帝身后布局沦为权力失意者的恭王一边。在慈禧的影响下，对幼主未来处境，因肃顺气焰之盛而忧心忡忡的母后皇太后慈安遂与慈禧同调。于是，两宫衡量亲疏与现实，决定与恭王合作，并以密旨交侍卫恒起驰返京师，交慈安之弟广科，令其问计于恭王，"王正久希用事，遂不惜违反家法及文宗委任辅政禁遏牝朝之旨"。[①] 易言之，恭王已与两宫达成了以赞同垂帘交换辅政大权之谋。历史将两个希冀权力而不可得的人推到一处，为改变晚清政局的大政潮接上环带，开始运转了。

另可由汉人士大夫集团南北地域之争观照。从历代政争成因分析，"地域"因素无论在任何一个断代的研究者看来都是主要的观照点。宋代以降，由于黄河流域政治势力的混同与南方经济力量的成熟，地域因素的主线由原来的东西对抗转为南北竞争，遂使问题更加无朝无之。加上科举制度自宋代得到扩大，下至明、清已完全成熟为中国社会阶级流动的主要渠道后，盘根错节的师友、年谊、僚属关系，及其背后存在的政治、经济利益使得派系成分愈见复杂。

---

① 　吴相湘编著《晚清宫廷实纪》，正中书局，1988 年重排版，第 51 页。

研究清初史事的学者往往提及八旗政权入关后，之所以能迅速掌握局面，使政治发展步上轨道，明末原属阉党的北派士大夫之合作是一重要因由。[①] 也在这样的条件下，清初顺治、康熙两朝，北派士大夫能挟此优势，在军事攻伐之外屡兴大案，重击南士。[②] 康熙中期以后，历雍、乾两朝，清廷表现了天下大定后，君主集中权力、主导政局的强势作风，已非立朝之初须借汉士原有矛盾以收操纵之实的阶段可比，派系斗争遂一定程度地受到抑制。嘉道守文，虽中央已乏英主，政治风气亦渐现如曾国藩所云"掩饰弥缝，苟且偷安"之貌，但还能维持一基本局面。一旦内外交攻，大势渐脱君主全面掌控的格局之外，官僚集团之势渐升，而政争便不可免了。值此，南北地域成见再出作祟，甚至取重于国朝利益，影响深远。

咸丰朝后期，军机汉员除老衰致仕之彭蕴章及满洲正白旗出身的穆荫外，少壮当事之匡源、杜翰、焦祐瀛俱为北士，且于咸丰十一年七月咸丰帝驾崩时被全数指定为受顾命的"赞襄政务大臣"，成为新权力核心。如此格局，与其时咸丰帝身后权臣肃顺与恭王奕䜣两派之权力斗争相结合，终为往后历同、光两朝，汉人士大夫集团在中央决策体系内所开展的南北之争创造了时机。

"辛酉政变"之成功，除恭王与慈禧两核心人物临大事之表现外，有另一助力同样关键且不容忽视，此即一批暗助恭王之军机章京。其中又有四名最具作用之章京领袖，即汉军机章京领班江阴曹毓瑛，仪征方鼎锐及仁和朱学勤、许庚身，此四人率皆南士。

军机章京为供职军机处之秘书，日常之职务为起草较一般性之上谕、廷寄，及誊缮经上意认可颁行之廷寄文件，于枢垣决策上原不具发言权或影响力。然而因彼等平日身处朝命所出之地，对任何重大决策及中枢动态了如指掌，因此一旦涉入政治上派系之斗争，处此地位往往便能有洞烛机先的功能。"辛酉政变"可称一最具代表性，也可能是有清一代唯一的事例。他们通过在热河的两宫，与在京的恭王两边呼应，在台面下积极拉拢

---

① 美国学者魏斐德（Frederic E. Wakeman, Jr.）在其所著《洪业——清朝开国史》（陈苏镇等译，江苏人民出版社，1995）一书中对此有多处论及。尤其该书第六章"清朝统治的建立"内"北人与南人"一节，述之最详。

② 清史研究先行者孟森对各案俱曾有文章考述，见其《明清史论著集刊》，南天书局，1987，第391—452页。

反肃党大老官僚，中有厕身枢垣之南人章京传递其间的布局，借由咸丰十一年九月三十日咸丰帝梓宫移灵返京，顾命诸臣首尾不兼的机会，迅雷不及掩耳地发动政变。最终怡亲王载垣、郑亲王端华及御前大臣、户部尚书、协办大学士肃顺，先后加恩赐令自尽及斩立决，以穆荫为首，杜翰、匡源、焦祐瀛三北士在内的四名大臣被逐，枢垣面临重组的新局。

同治初期政坛势力的整合

咸丰十一年十月初一日，亦即政变成功的次日，新军机阵容宣告产生，包括授为"议政王"的恭亲王奕䜣；原已在军机大臣上行走，被视为恭王股肱的户部左侍郎文祥；恭王的岳丈、大学士桂良；另一名恭王的亲信，户部右侍郎宝鋆等几名满员。其中，桂良于同治元年（1862）六月即下世，而彼所占满军机一缺此下即不补。至于另安插之汉军机大臣，到同年落定，由前述之江苏江阴曹毓瑛与河南河内出身之李棠阶入枢，由此南北士人同参枢机之局乃渐成。

然而，慈禧与恭王因同仇敌忾于肃党，而进行政治利益合作，在铲除共同敌人之后，难以避免直接面对权力分享抑或拉锯之现实。慈禧一认垂帘之君臣名分已定，恭王却更认辅政之重心在彼，于是遂有同治四年恭王被褫夺"议政王"头衔之事作。

先是二月，有御史丁浩奏山东、河南一带大雪震雷请亟修省；[1] 到了三月，编修蔡寿祺上疏劾恭王揽权、纳贿、徇私、骄盈，[2] 终于引起了朝局的风暴。三月初四日蔡折见览，引起廷争，恭王被慈禧削去一切差使，直到四月十五日上谕命仍在军机上行走，不复用"议政"名目。[3] 一番折腾，虽然又重领枢垣，雷霆雨露之后，尽归一句"恭王自是益谨"。[4] 其间当事者心境之变化，饶有深意。

---

[1]　赵中孚编辑《翁同龢日记排印本（附索引）》（本章以下简称《翁日记》）第1册，美国亚洲学会中文研究资料中心出版，成文出版社，1970，同治四年乙丑二月廿二日条，总269页。

[2]　吴相湘编著《晚清宫廷实纪》，第87页。

[3]　《翁日记》第1册，同治四年乙丑四月十五日条，总273页。

[4]　见王闿运《祺祥故事》，黄濬著，许晏骈、苏同炳合编《花随人圣庵摭忆全编》，联经出版公司，1979，第463页。

就在上述政争风波稍淡之际，军机中两席汉大臣，也因李棠阶与曹毓瑛先后辞世而发生变动。时任内阁学士，并为同治帝师的直隶高阳李鸿藻，与江苏吴江出身的礼部右侍郎沈桂芬，双双入直枢垣。李、沈二人春秋正盛，年富力强，正可为咸同交替以降派系格局渐次明晰的现实收拢盘势。配合满洲亲贵集团因恭王受抑而产生的质变，晚清派系政治由此更开局面。

"南北派系"与"恭醇之争"的成形

由同治四年及六年，李鸿藻与沈桂芬行走军机，自辛酉以来的军机阵容终于展开了一段稳定的历程。以恭王为首，以下"两满"（文祥、宝鋆）、"两汉"（沈桂芬、李鸿藻）的结构，维持到光绪二年（1876）五月文祥病逝才开始有变动产生。也就在这段时间，辛酉以降一直有山雨欲来之势的南北派系，终于在决策核心有了久居其位且备受推重的领导人树立标的之后，迅速集中资源，开始了实际政治运作中的权力抗衡。

在此时期，南北派系先以政策论辩而见其大异，各聚士论，门户愈张。进而为巩固权力基础，一方面争取决策主导权，另一方面削弱对方之竞争实力，逐步深化斗争。由同治九年至光绪四年，有三件史事正可反映此一发展步骤，分别为同治九年之天津教案、光绪三年李鸿藻丁忧免直与王文韶的入枢、光绪四年沈桂芬简黔抚事及其后引发之沈桂芬与荣禄的政治角力。

1. 天津教案

天津教案发生在同治九年五月廿三日，数千名天津百姓聚集在法国天主教教堂前表示抗议。此举导因于天津频频发生人口失踪的案子，而市嚣传言此乃天主堂中的洋教士利用所属育婴堂拐带儿童，杀害婴儿，并加以剜眼剖心，以炼制邪药。儿童失踪、无知谣诼与仇洋情绪纠结在一起，越传越激切，遂有此日之事。

事发之后，法国驻天津领事丰大业（Henry Fontanier）认为天津地方官员对此种态势不认真予以弹压，遂带着书记官西门前往三口通商大臣崇厚处"交涉"，实则咆哮威迫衙署。随后，丰大业等又来到教堂前，并与在场处理群众滋事的天津知县刘杰发生冲突，丰大业持枪击伤刘的随员，遂引爆群众情绪。群众砸毁了育婴堂，焚烧教堂及多处教会建筑，并入劫法国领事馆，殴毙丰大业及西门，并十名修女、两名神甫、四名法国男女、三名俄国男女及三四十名中国教徒。

五月二十六日，驻京的各国公使联合向总理衙门递送《致恭亲王及各大臣函》。此函措辞颇强硬，要求中国政府代为伸张正义，并重新保证在华外国公民的生命安全，并且在函中指出此事是有组织的排外事件，而提督陈国瑞指挥会党在后操纵。外人的指控使朝廷在处置措施的拿捏上更见困难，因为这极可能须牵涉对部分官员直接论罪的取舍。由此，在历次廷议上，南北两位汉军机大臣在处置基本态度上渐见壁垒。

基本上，在南北两派之中，以恭亲王掌枢之地位，自不宜有所偏袒，但以私衷而论，恭亲王一向较近南派，似不算过分之推论。一者，恭亲王在"辛酉政变"中的胜利，非南士之运作不为功，曹毓瑛即代表人物；再者，南士在洋务办理上一向有较明敏通达的态度，这对颇须耗神于对外事务的恭亲王来说十分重要，而沈桂芬正是此道之干才，更令恭王倚重。相对于此，李鸿藻与恭亲王向不称亲近，甚且在治丝益棼的天津教案处理期间，又秉持北派一向对洋务伸张"春秋大义"的路线，屡屡对抗形同代表恭王的宝鋆及沈桂芬之立场，更造成恭王与李鸿藻的疏离。由同治年间的经验，再到光绪初期的几番升沉，遂使南北派系更见分明。

2. 李鸿藻丁忧免直与王文韶的入枢

光绪三年九月十一日，李鸿藻本生母姚太夫人病故，李旋上疏乞俱服三年。李鸿藻的免直使军机上再补一席汉臣成为当务之急。但此次人事之议至光绪四年二月五日方有旨意，且是由上年十月甫自湖南巡抚内召，二月二日方到京的王文韶入直学习行走。

以王文韶在湘将近六年，平黔苗及湘省民乱，"内治称静谧焉"的政绩，内召署兵部侍郎，再予补实，应称合理。但入直枢垣，便有可商榷的余地了。何况以王未经翰林之资历，而于四月又补礼部左侍郎，这便更与向例有所不侔。及至七月，在毫无相关资历的情形下，王又兼在总理各国事务衙门行走，急于接收李鸿藻资源之用心愈见切实。这便难怪时人对此皆有认王乃沈所援引，其目的在求厚植南派之势的看法。①

---

① 王文韶为浙江仁和人，咸丰元年（1851），沈桂芬放浙江乡试副主考时取中举人，并于次年与李鸿藻、景廉同成进士。沈、王间师生之谊早有其来，这也难怪王之入枢时人议论纷纭。参见黄濬《花随人圣庵摭忆全编》，第554页。

王之入枢，打破了南、北两派近十数年于决策核心各占一席的惯例，北派魁首不得已而免，却有此事，其用意更见昭然。对照于前此恭王、宝鋆与李及北派关系之演变，李鸿藻在军机上之孤立，终于由议政时的压抑发展到了权力布局的消长。北派经此一变，突然从权力核心的在朝者一下子成了真正的在野派。这便不只关系李鸿藻个人进退，更使未来北派——至少在恭王执政时期——于权力版图中可能面临全面萎缩的现实。

北派为求扳回下势，遂将派系间争斗的水平全面升级，终成水火之势；而北派长期以来与恭王一系不相能，至此亦可化暗为明。

3. 沈桂芬简黔抚事

要谈此案，除前文已述及的南派领袖沈桂芬外，宜对两造关键人物的另一人——荣禄稍加介绍。

荣禄，字仲华，与文祥、桂良等重臣同样出身满洲八大贵族之一的瓜尔佳氏，祖父塔斯哈曾任喀什噶尔帮办大臣，父长寿及伯父长瑞曾分任凉州、天津总兵，但分别于回部张格尔及太平天国运动初起时殉清。有此两代忠烈之条件，几即注定荣禄之腾达必易于常人。尤其在同治初年，朝廷设神机营，荣禄以五品京堂充翼长兼专操大臣，再迁左翼总兵。熟悉晚清历史者应都明白，实际指挥神机营者，即醇郡王奕譞，彼岁由此与醇王建立了密切关系。恩眷隆盛时，荣禄甚且集工部尚书、步军统领及总管内务府大臣三要职于一身，时值光绪四年，亦沈、荣对抗进入白热化阶段。

荣禄与李鸿藻之亲近，时人多有述及，相对于与李鸿藻之亲近，沈桂芬与荣禄之间却于当年同治帝驾崩时即有宿怨，沈桂芬疑简黔抚之事，乃李鸿藻在丁忧居停之中，联络荣禄由内廷路线对沈桂芬及南派所进行的反击，应该是合理的推论。

沈、荣之争，标志着南北派系已由庙堂之上，以政见为核心所进行的权力角逐，进展到以人事倾轧——此种权力版图最赤裸的方面——为核心的阶段。既已至此，则理念与手段已无明显分野，政见亦只成纯粹之党同伐异的工具。

尤有进者，汉官僚之派系对立，又与满洲亲贵中自同治初期即领导朝廷，但与借垂帘实掌权柄之慈禧隐然对立的恭亲王奕䜣，因其异母弟，亦为慈禧妹婿之醇郡王奕譞，对乃兄辅政路线之异见，引发其间之权力意识抬头，而致矛盾逐步纠结。

醇郡王自同治初年开始迭授都统、御前大臣、领侍卫内大臣、弘德殿总稽察，尤其是亲自管理了被其视为朝廷武力新锐的神机营。几年下来，他颇觉踌躇满志，也渐不耐为池中物了，凡有机会，总力求表现，尤其似每不自觉地以恭亲王作为比较对象。前述天津教案最后在有限度妥协的情形下结束，醇王仍极感不满，最终以"在事诸臣，汲汲以曲徇夷心为务"，故耻与同列之理由下，愤而辞去一切差使，直到翌年正月廿六日方销假。也就在这段时间，醇王以手缮密折面呈慈禧，对恭王进行了直接攻击。论者每以此疏关系晚清之成败极深，最直接之影响即"鼓励守旧派之气焰，虚憍言论因益嚣张"。① 以此较于前引六月廿五日之会议过程，则相争之势不但未敛，反而愈显。此又岂仅止于恭醇之间，或新旧之间，盖一切党同伐异，缘之益可盘根错节，且益能以高论，甚且清议之形式，包装其中派系利益之色彩。此点于日后北派之作为特别明显。

"南北派系"与"恭醇之争"的逐渐合流，遂埋下光绪朝前十年政局变异的伏笔；加上亟欲扩权的慈禧，以其垂帘持柄之高度从中操作，终于指向光绪十年朝局的翻覆。

二　派系之争与政务影响的深化

"南北派系"失衡与"清流党"的产生

"清流党"系指光绪初年，一群在翰詹科道——尤以前二者为盛——供职的京官，以儒家传统观念为基础，以国家利益为诉求，以奏疏为主要工具，议论国是，搏击权要，全面发挥中国传统制度中的监察功能。也由于这批官僚常以集体行动以成声援之势，遂有"清流党"之称。

有关清流之历史渊源，本章所真正关切的，仍在清流与南北派系之争的联系。我们或许可以这么说，若无光绪三年九月李鸿藻的丁忧，清流党是否会在光绪朝前十年间有如此积极的表现，还有待商榷。

历来有关"清流党"成员的界定，除清人所云之"四谏"——张佩纶、

---

① 吴相湘编著《晚清宫廷实纪》，第109页。

张之洞、黄体芳、宝廷外，加上邓承修、陈宝琛及吴大澂，是一般研究者所认定的。[①] 而此一阵容，于奉李鸿藻为宗师的北派来说其实只存在亲疏，而不存立场之别。其中张佩纶、张之洞及宝廷，更被视为北派之中坚。其余诸人，亦"皆高阳李文正公之羽翼"。[②] 简言之，清流不介入南北之争，则未必有斯后之畅旺；北派不有清流之角色为工具，亦难以在优势尽失之情形下开创局面，二者实为一体两面。

清流与北派互为表里，展现于外者，则其凝聚力之强，绝非一般抽象之清议者结合可比。言事之步调务求一致，因此而有"张之洞、陈宝琛、张佩纶多以公（指李鸿藻）马首是瞻，彼等所上奏折，亦先得公之同意"之现象；[③] 而清流中人彼此互为揄扬荐举，固有对彼此才干与致用之志的肯定，就派系运作之实质论，无非为占缺卡位，寻求人事上更有利之升迁路径，扩大权力版图，如"两张"在光绪五年后晋升之快，便令李慈铭有"张有文学，以上疏为特知，然亦内有奥援"之批评。[④] "内有奥援"，非李鸿藻谁何？凡此，实非一般理念相近云云所可穷其底蕴。

光绪三年底起，清流之搏击开始转趋积极，已如前述。初时犹以地方督抚、基层官员及外派使臣为对象。既未受抑止，弹奏对象开始指向京官大员，自光绪四年下半年起，与南派关系密切之大吏，包括崇厚、万青藜、董恂、童华等部院主官纷纷被劾，且终致开缺，言路大振。对军机之实际主持者的恭王及南派而言，这不能不说是一项警讯。

西北变局与派系倾轧的加剧

1. 崇厚使俄案

新疆回变于同治九年（1870），随浩罕回酋阿古柏据天山南北而成势。同治十年，俄乘机由西伯利亚派兵占领伊犁。总署照会俄国，质问占领之理由何在，俄称乃代中国收复，俟中国号令一旦可达伊犁，定然奉还。及至光绪四年，在左宗棠主持下，天山南北路逐次肃清，这便令俄国必须履

---

①　有关"四谏"之说法，不同著作中往往各有记载之差异处，此处则依《清史稿》之说。参见《清史稿校注》卷451，总10487页。

②　黄濬：《花随人圣庵摭忆全编》，第199页。

③　李宗侗、刘凤翰：《清李文正公鸿藻年谱》上册，台湾商务印书馆，1981，第288页。

④　《越缦堂日记》第12册，光绪八年正月二十四日条，总6998页。

行归还伊犁之承诺。

其时使俄人选之决定过程中，一度将曾纪泽列为主要考虑对象，但终因沈桂芬力主由崇厚出行，才使任命案最终底定。① 以其时沈桂芬在外交决策上已是实际主导者之地位，崇厚有此，沈、崇之关系自不在话下。

崇厚抵俄后，经长时间之谈判，光绪五年底已告完成。全约共 18 条，其于中国之唯一所得，真的只有"俄愿将伊犁交还中国"。除此之外，其余 17 条条文有 16 条是载明中国须履行割地、通商、偿款等义务。揆其大要，无异"将中俄一隅问题，扩大为全面交涉"了。②

消息抵京，朝野震动。清流对崇厚原就不存好感，行前议论纷纷，而枢垣未依，结果一一应验。恭王以降之枢、译诸臣固感气折，清流中人当然更是为之沸然。此于北派而言，正是可遇而不可求的良机。

于是十二月初五日，张之洞一马当先，上折言宜战，搭配盛昱与以王仁堪为首共 22 人署名的两份"主杀使臣"的折子，③ 颇有先声夺人之势。此后宝廷、黄体芳及张之洞又轮番封奏，持续加温。清流的意向形成一股牵引决策的力量，甚至连垂帘的两宫都受到强烈感染。在十二月初十日的廷议上，两宫即有"此事委曲已久，不意要挟至此，万不能忍，若再从之，上不能对祖宗，下不能对天下臣民"之谕，④ 遂致崇厚以办理伊犁事件不善革职拿问，交刑部议罪。

诸端纷杂，千头万绪，但若细理其中线索，问题的根源实在清流，及隐身于清流背后的北派；而清流之奉李鸿藻为宗师，已是朝局中一个现实。即以此次中俄伊犁交涉，李鸿藻的意向仍是清流议劾的一主要依据。今日，我们可见到其时俨然是清流党在伊犁事件中议论的主攻者张之洞致李鸿藻的 26 通密函。在这批多用暗语，且不附日期，但皆谈中俄伊犁交涉的密件中，有对条约内容的讨论，有对决策者直率甚至严厉的批评，几皆与清流之立场及议论相合；而"所望惟在公耳"，亦甚见其怀。密函之中，对南派的攻击实是基调，⑤ 派系交倾跃然纸上。

---

① 参见《李文忠公全集·朋僚函稿》卷 19，总 421 页。
② 郭廷以：《近代中国史纲》上册，南天书局，1994，第 212 页。
③ 《翁日记》第 3 册，光绪五年己卯十二月初五日条，总 1038 页。
④ 《翁日记》第 3 册，光绪五年己卯十二月初十日条，总 1039 页。
⑤ 李宗侗、刘凤翰：《清李文正公鸿藻年谱》上册，第 310—320 页。

光绪六年正月十七日之会议，崇厚被依"增减制书"律，拟为"斩监候"，并于二十三日上谕确定。其后数日，并分有多道廷寄，命多处封疆大吏筹办防务，加上正月初八日李鸿藻服阕奉旨仍在军机、总署上行走，一时令清流士气大振。不过，中俄交涉发展的扑朔迷离，尤其是清廷决策内容的起伏，令在中国具重大利益的国家开始沉不住气了。英、法两国尤其忧心，先后表达调停之意，并劝免崇厚之罪，以求和平解决。这对主其事者而言自然是个机会，加以重要疆臣如直督李鸿章、江督刘坤一等，都以为应从英、法之请，如是则可"结欢于两国，俄夷换约之事可因之以求缓颊"。① 总署遂递密折请旨，一时天平似又倾向南派；新约之成，乃成早晚间事。

中俄伊犁交涉的发展，最终虽南派仍算保住决策主导权不失，其实已有捉襟见肘之势，沈桂芬尤其独当清流锋锐，保和局，保崇厚，亦所以保南派，心力交瘁，可以想见。最后之转圜，几全在被动中经营出来，也赖诸多因缘凑巧，不可不谓险。唯最险者，仍在北派阵容愈整，处处主动；而南派与一向倚重的恭亲王却已暮气渐深。

2. 云南报销案

光绪六年十二月廿九日除夕之期，兵部尚书、协办大学士，久值军机、总署的洋务当家大臣沈桂芬于是日巳初二刻溘然长逝。

沈一下世，南派顿见群龙无首，王文韶以枢垣行走，遂成沈之继承人，一下子被推到南派领袖群伦、抵挡北派锋锐的最前线。只是论起资望及政治历练，王比沈都差一大截，甚且比起其在军机中之同年李鸿藻，无论经历或帘眷，亦皆不如，遑论清流一向视王文韶如眼中钉，亟欲去之而后快。清流中人亦自言从王入枢以来，对彼之纠劾"无岁无之"，② 致怨之深，可想而知。相对于王文韶的彷徨，北派固不致因沈之作古而"弹冠相庆"，唯"沈卒后公（指李鸿藻）势大增"③ 毕竟是一个政治现实。诸端辐辏，朝局又将多事矣，首当其冲者，自然是王文韶。下至光绪八年，终来大举。

"云南报销案"的缘起，在光绪八年七月一位甚见活跃的御史陈启泰上

---

① 《越缦堂日记》第 11 册，光绪六年五月十三日条，总 6382 页。

② 《三请罢斥枢臣王文韶折》（光绪八年十月廿七日），《涧于集·奏议》卷 2，文海出版社，1968 年影印本，总 343 页。

③ 李宗侗、刘凤翰：《清李文正公鸿藻年谱》上册，第 310 页。

奏，参劾太常寺卿周瑞清包揽云南报销，经该省粮道崔尊彝、永昌府知府潘英章来京汇兑银两，托贿关说。上谕派刑部尚书潘祖荫及理藩院尚书麟书确切查明。

九月初一日，邓承修首先发难，且摆明直挑王文韶。张佩纶随之而出，半月之内连上三折，且蒙召对，致力者唯一道：请罢王文韶。既攻报销案，甚且议论及于王之私德。[1]

张折既上，王文韶乃于廿二、廿四日两度乞奉亲终养，皆未获准。[2] 而事实上在廿二日之前，王已请假十日，案情发展之疑虑与清流之力唱罢论，显然已令其不安于位了。随着此下数日案情更趋扩大，王文韶遂于十一月初五日三度乞请开缺，终获慈禧首肯。但经此一事，南派声势更见低迷。

中法越南冲突与派系对决

就在前述王文韶乞请开缺获允的同日，两位南派部院大臣翁同龢与潘祖荫奉旨同在军机大臣上行走。但来年（1883）正月，潘氏即因丁父忧开缺，南派枢垣领袖之地位即由资历稍逊于李鸿藻的翁同龢应机而出了。

历经同光两朝，南北之争背后的阴影愈形巨大，且愈形沉重。主要原因，自然离不开两个隐身在此阴影后的人物：慈禧太后与恭亲王奕䜣。只是，一如北派与南派的此长彼消，慈禧与恭王之间的权力比重似亦由此愈见落差。于是，此时已在发展的中法越南冲突，就成为前此派系对立能量累积，与幕后操作者阶段性的决战点。

对以垂帘执持权柄的慈禧来说，首要排除对象自是多年来掣肘其扩权的恭王。南北派系与恭王亲疏之别，正是慈禧运用操作的筹码。另外，与慈禧关系更为亲近却又颇思挑战乃兄高度的醇王，便成为慈禧取恭以代的关键角色。"恭醇之争"与"南北派系"到此彻底合流，并以越南冲突引爆，"倒恭用醇"之伏笔遂作。

法国自咸丰末年以来，有计划地对越南进行侵略，先后于同治元年、同治十三年与越南签订两次《西贡条约》。在此二约之下，法国固然为越南脱离中国做了法理上的准备，但更重要的是要使之成为法国通往中国西南

---

① 《请罢斥枢臣王文韶折》（光绪八年十月十五日），《涧于集·奏议》卷2，总326—328页。
② 《翁日记》第3册，光绪八年壬午十月廿二、廿四日条，总1195页。

门户的锁钥，尤其是控制北圻红江的通行权。不过，由于越南仍求固守与中国之宗属关系，而中国对法国之期望亦无积极反应。与中、越商讨而久无结果后，光绪八年四月，法军再度攻占北圻的河内，进窥滇越沿边，遂再次形成了中国西南的紧张局势。

整体氛围如此，清流也到了该说话的时候了。以张佩纶为主论者，上折不断，由宗主国不容法国凌欺藩属及不许越南与之私订盟约，谈到越南与滇、粤的不可分；尤以坐视越南亡胥，必鼓励日本放大胆量侵吞琉球，尤其法国在欧洲诸国中现势最为不利，若示弱于法，则必见轻欧洲各国，群起要索，如此，则"但知战败之患大，而不知和之患更大；但知增防之费多，而不知和之费更多"，言之极切。①

事态的发展已渐渐偏离恭王及李鸿章等外交长期掌舵者"和"的主旨，刘永福在千里走边的唐景崧鼓励下，主动向盘踞北圻的法军袭击，并有斩获的消息，使主战派士气愈振。此既着眼于张国朝力护藩属、抗击外患之大义，实亦对倾向主和持稳路线的南派步步进逼。然主和一道，南派背后是掌枢垣的恭王，这就使意在恭王的慈禧，对北派清流言论之张弛有更大的操弄空间。于是，光绪九年五月二十七日，慈禧决定派醇亲王"会筹法越事宜"。百年以降，论者有指此为"恭、醇两王内廷势力消长之始"，诚是的论。②

时机需要等待，布局却须先行开展，这便不能不提及一个人——孙毓汶。

孙毓汶，字莱山，山东济宁州人。其父孙瑞珍于道、咸之间历任左都御史、礼部尚书及户部尚书，其时与翁同龢之父翁心存正好皆在部院大臣位阶，故有世交之好。孙毓汶与翁同龢且同于咸丰六年（1856）成进士，翁为状元，孙为榜眼，旋同入翰林。不过咸丰八年，孙瑞珍下世，孙毓汶丁忧居里，又正逢太平天国起事和第二次鸦片战争。孙毓汶在籍办团练，却因抗捐被僧格林沁严劾。恭亲王其时总理抚局，对孙"世受国恩，首抗捐饷，深恶之"，办了孙毓汶"革职遣戍"。僧邸之参，实在恭邸之恶也，《清史稿》中已然说明。孙、恭邸之恩怨，自此即始。相对的，醇王会筹法越事宜后，"毓汶以习于醇亲王，渐与闻机要"。③ 今日观之，"机要"也

---

①　《法越之事请严备北圻折》，《涧于集·奏议》卷3，总469页。

②　李宗侗、刘凤翰：《清李文正公鸿藻年谱》上册，总392页。

③　《清史稿校注》卷443，总10417页。

者，实即光绪十年三月的朝局之变了。

光绪十年的朝局之变，究其根本，实即慈禧"倒恭用醇"路线的实现。醇王诚事件之总其成者，而出谋划策在孙毓汶，《清史稿》行文已隐喻之。士论之间，亦有如同"那拉后主持于上，下唯孙毓汶实有默契焉"之记载甚多。[①]

"甲申易枢"与派系格局的翻整

光绪十年三月十三日，慈禧在其掌权生涯中演出了第三次将枢廷完全抛在一边，内召御前、大学士及六部尚书等重臣，直接交代谕旨的戏码。亦是彼继咸丰十一年"辛酉政变"之后，第二次尽罢枢垣诸臣，存在内心多年"倒恭用醇"的路线到此实现。

十三日尽罢军机后，同日即组成新军机，由庸懦无能之礼亲王世铎顶恭王领枢，其余成员包括户部满、汉尚书额勒和布及阎敬铭，刑部尚书张之万，工部左侍郎孙毓汶，及后添入之刑部右侍郎许庚身学习行走。此外，三月十四日，即有懿旨：军机处遇有紧要事件，会同醇亲王商办，俟皇帝亲政后再降懿旨。[②]醇王用事之愿毕竟达成了。整个军机中，除孙毓汶、许庚身二人较被界以大任，而孙用事尤专外；[③]礼王纯代醇王占领枢之缺而已，阎则借以示外以整顿之心；至于张之万及额勒和布，伴食而已，顶顶台面。其中张之万之入枢，或亦有安抚北派之用意，盖之万为之洞堂兄，而朝局翻覆，北派长期以来主战施压，亦为主要成因，不料李鸿藻竟亦出枢，势不能不稍加安抚。

自同治元年南北同治格局开始浮现以来，南派与北派首度完全被排出作为权力核心的军机。对作为北派第二梯队的清流中人来说，如果内恃高阳、外仗清议的资本，是彼等一向赖以争取帝眷、打压南派、扩张权力版图无往不利的固定模式，张佩纶、陈宝琛等清流中人此时恐怕已经开始感觉到事情不对了。

揄扬清流，在于彼作为高阳羽翼，搏击南派不遗余力，且有书生格调，

---

① 黄濬：《花随人圣庵摭忆全编》，第 503 页。
② 朱寿朋编《光绪朝东华录》第 2 册，光绪十年三月己丑日条，中华书局，1958，总 1677 页。
③ 《清史稿校注》卷 443，总 10418 页。

壮其气以为武器，而实施压恭王，慈禧自有其盘算。一旦恭王倒，什么南北派系，什么清流浊流，已不具意义矣。甚且留此群言路健辈，对慈禧之专权反成累赘。

于是，借由让清流一派主战书生督办军务，顺以此后中法战事之失利追究责任，清流势力由此崩解。继翁同龢、李鸿藻被罢去军机，近二十年南北派系格局为之动摇后，清流作为北派主干与接班势力而受此重挫，终令北派汉士之传承为之败坏。李鸿藻即使于甲午再起，一以耄耋，一以班底全失，亦已无力回天。南、北二派，甲申之后固尚有发展，惟已全失其过去二十年作为决策核心运作主流之地位，只愈成残酷之权力拼搏，下开甲午之后连串国权沦丧之难，而终导向戊戌之又一大变故。

三　"帝后党争"浮现与派系分合的激化

"恭醇"与"南北"两满汉派系争斗之合流，与慈禧之操纵，极大地改变了晚清政治权力结构与派系互动的格局。恭王的退出政坛，使自咸丰初年形成之恭系势力烟消云散；醇王一系虽取得权力斗争之胜利，但以醇王与其派下新决策核心较诸已倒之恭系军机的素质，几乎难以避免地沦为慈禧个人操弄权力的工具。惟此一情况将随进入 19 世纪 80 年代后半期，光绪帝亲政日近，浮现新的政治结构。

光绪亲政前后的政治情势

已将逼近之光绪亲政，与或可称为"后慈禧时代"的即将来临，无疑牵动各方势力的算计。此中冲击最大者，尤在慈禧，与其垂帘时期备享权力，却对光绪充满不确定感的内外派系。内廷之纠葛，固为权力矛盾之投射，惟权力竞逐之坛场，究在外朝。欲于权力角逐中掌握积极主动，则万绪所本，实在人事一端。若云权力斗争中，所较即为人事布局，谅非虚词。光绪十五年（1889）光绪帝亲政后，布局之事已然展开。当此之时，慈禧多年柄政，在整个权力结构中盘根错节、罕有死角的优势便益显现，甚且帝系人马亦可巧为运用，以达其目的。相对于此，光绪帝往往只能在局内"作活"，难以主导。此势于日后愈见鲜明之帝后权力斗争历程中，几是一以贯之。

先就中央而论，自"甲申易枢"后，醇系人马掌握军机，枢垣以醇王马首是瞻，灵魂人物孙毓汶尤为西后亲信。慈禧得能直接掌握此系，他日只要此结构犹存，即令撤帘，慈禧仍能持续其左右决策之影响力。此由光绪帝亲政当年，军机大臣许庚身病故开缺，继入者仍为亲后党之徐用仪，[1]即可见之。此外，光绪十四年归政前夕，两项易为人忽略之人事安排，尤见西后布局之深意，此即以吏部尚书徐桐，于军机大臣张之万晋升体仁阁大学士管户部后，授协办大学士，并先后成翰林院掌院学士与上书房总师傅；[2]另则由西后爱将、时任镶蓝旗蒙古都统之荣禄充领侍卫内大臣。[3] 此二项任令，若能明其时帝后双边渐成之阵营结构，当可见其旨。盖徐桐之用处，在以其上书房总师傅与翰林院掌院学士之任，盯住翁同龢及其一班以翰苑新贵为主力之南派门人；而荣禄之要紧，则能以其职司内廷宿卫之实权，为西后之耳目。徐、荣二人之政治属性，除一贯忠于西后外，与翁氏不甚对头，亦为彼二人之共同点。徐桐之迂滞守旧是出了名的，时人有视之为李鸿藻之外，北派之另一代表，[4] 惟终不及高阳之凤望，以其学问与格局，实非士林魁首之器。彼与翁氏曾同于同治朝在弘德殿行走。徐之授读虽远不及翁，却自此建立内廷路线。后与翁氏由议政差异，加上南北对立渐烈，两人由"意见更深，至其后则成为仇敌"。[5]

至于荣禄，以功臣之后庇荫而起，入神机营系统，复以自身之干练，受恭、醇两王赏识，兼以西后器之，光绪初年已晋身卿贰，门面大开。却因与北派李鸿藻交善，于沈桂芬大张南派阵势时代为出头，终致跌踬。经此一挫，近十年来荣衰互见，情何以堪？帝后对立之局既可预见，此时用以与役，正其时也。慈禧以此操盘，其中之弹性空间更大；进退取予，端视现实耳。

中央之布局有此，地方亦自有其重点安排，甚且开展得更早。惟自太平军之役后，地方督抚多为湘、淮系宿将所踞，是以，除逐步布建觅缝外，更见地方派系间之彼此牵制。以卫戍京津、资源最丰之直隶总督兼北洋大

---

① 朱寿朋编《光绪朝东华录》第3册，光绪十九年十二月辛亥日条，总3291页。

② 《清史稿校注》卷472，总10707页。

③ 王钟翰点校《清史列传》卷57，中华书局，1987，总4495页。

④ 参见恽毓鼎等《清光绪帝外传（外八种）》，北京古籍出版社，1999，第90页。

⑤ 恽毓鼎等：《清光绪帝外传（外八种）》，第90页。

臣来说，光绪十年之前，李鸿章固已为朝廷倚为柱石，但以其与恭王互动合作之密切，不能不有所制衡。此尤以光绪七年起，以两江总督兼南洋大臣一职授甫收新疆而炙手可热之东阁大学士左宗棠最见痕迹。俟光绪十年后，因恭王倒台，新格局犹待展布之际，转而利用李鸿章所面临充满不确定性之忧危心态，由醇王着意拉拢结纳，通过资源之取予，达成进一步收编之目的。但若由与亲帝党势力之互动的角度来看，情势对李氏与北洋实属不利。虽然光绪帝自亲政后仍处于探测其在慈禧布局阴影下之权力底线，并期盼其实权得稳定扩充，而无何大事更张之动作，但通过每日书房形同"独对"之固定互动，翁同龢与南派新贵之渐形活跃于权力坛坫终是实情；而翁氏对北洋之开展设限之基本路线也依旧强势。尤其光绪十六年十一月醇王下世，使李鸿章与慈禧乃至光绪帝之间失去一个中介或转圜的关键触媒后，北洋政治影响力之流失更难阻遏。

惟即令李氏于政治权力版图上，已移向亲慈禧之一方，制衡之形实仍在。依此，除两江一缺，仍持续以畀老湘系外，慈禧自甲申之前即已由北派阵营中拔擢培养，且升迁甚速之张之洞，此际显成慈禧进退可据之桩脚。张之洞光绪七年以内阁学士授抚山西，光绪十年中法越事兵马倥偬之际入督两广，至十五年已迁湖广总督。识者或犹记昔年李鸿章即由此而跃向直隶，大开局面，则此举于合肥衷心有何意示，今固难知，惟南皮与慈禧之特达恩遇，毕竟非他官僚可比。即今人思之，亦不能无联想，何况老于官场之李氏？

慈禧另一颇具权谋之安排，当推甲申后与李氏渐成最大政治对手之翁同龢出掌户部。[①] 令翁氏掌地官，不啻在淮系北洋与翁系南派之竞争中，令翁氏得掣肘以资源丰沛为得力点之北洋一利器。此或可能令翁与南派势力稍张，惟慈禧可收不令李与北洋扩张过速，且为与翁氏抗衡，势需进一步向后党靠拢之效。

慈禧所踞之制高点，诚亦即将亲政之光绪帝所必取之者。然光绪帝在人脉上之弱点，使其往往只能在局中被动作眼，以争取一定均势之维持。如果在亲政之前，令慈禧于基本人事布局上已占尽先着，光绪帝显然伺机

---

① 翁出任户尚在光绪十一年（1885）十一月廿九日，见朱寿朋编《光绪朝东华录》第2册，光绪十一年十一月癸亥日条，总2045页。同日接其工尚遗缺者为潘祖荫。

以求扳回些局面。而光绪帝之所倚重，端在自开毓庆宫书房以来，十数年亦师亦父的翁同龢。

如前所述，翁氏初入权力核心在光绪八年十一月，顶替甫因"云南报销案"而被北派攻倒之王文韶，在军机行走，但旋于"甲申易枢"后，与恭王、宝鋆、景廉、李鸿藻等一并出枢。当日诸人皆于此过程中各受极实际之打击。翁氏虽亦退出军机，但只遭革职留任，且革留之处分，当年十月即蒙慈禧五旬寿庆，加恩开复；①更重要的是，易枢之谕中，令彼"仍在毓庆宫行走"，保留了翁之权力纽带中最重要的一环，他日证明至为关键。

自入光绪朝后，随翁同龢在官僚体系中地位之逐次拔升，与再为帝师之崇隆身份，其于各科衡文抡才大典之影响亦愈巨大。甲申（1884）之后，翁氏实际地位之不降反升，更使翁氏几乎主导了每一场其所参与之重大考试。此不仅进一步确立其士林巨子之地位，为常熟门下开一代人才之盛，亦成南派势力再起之根本依凭。

相较之下，"甲申易枢"前，气势大好于南派，却同跌踬于朝局翻覆之际的北派，在翁同龢与南派新锐们门面渐次大开的同时，却是另一派荣枯互见的不同景象。自甲申三月，时为协办大学士、吏部尚书的李鸿藻，以"内廷当差有年，只为囿于才识，遂致办事竭蹶"之谴，被开去一切差使，降二级调用后，直至来年（1885）二月，始奉旨补内阁学士，兼礼部侍郎衔。令人不胜唏嘘的是，此缺正是整整二十年前，李鸿藻将入军机行走前所得授者。一场政潮毁了其近二十年在官僚体系中之努力，诚不可不谓重挫。更形雪上加霜的是，其于过去二十载苦心孤诣，拉拔培练之北派第二梯队人马，所谓"清流党"者，也在稍后中法越南之役中以会办军务而全盘皆墨，加以其后当政者对其他"清流党"人一阵似显刻意之抑压，而告土崩瓦解。兵败之日，张佩纶函李鸿藻，作"师徒挠败，上损国威，下惭知己，腆颜治事，北望神驰"等语，②适成夕阳悲歌。

李鸿藻浮沉于革职留任边缘的年月，与翁同龢引领之南派阵容渐盛同时，更局限了高阳扩张派下成员之可能空间。加以翁、李与光绪帝亲疏有别。光绪帝亲政后，李氏之政治影响力自然更不及翁同龢，北派若还想在

---

① 朱寿朋编《光绪朝东华录》第2册，光绪十年十月壬午日条，总1844页。

② 张佩纶：《涧于集·书牍》卷3，第58页。

决策圈中占有一席之地，向慈禧靠拢亦不足意外。尤其昔与北派相善者，多已渐成后党中坚，荣禄尤为关键，更易加大李鸿藻与北派残余势力之政治倾斜。当荣、李再度结合时，人们或已忘却，光绪初年，荣是站在李氏与北派旁边的一员，此时则是高阳与几乎快消失的北派站在荣的旁边。

中日甲午战争期间的派系角力

光绪二十年四月，自本年三月间起事之东学党徒攻陷全罗道，一时声势大涨。四月廿八日，朝鲜求告入。五月二日，清廷定议出兵，并依光绪十一年为解决中日两国因朝鲜"甲申事变"所引发之对立而签订的《中日天津条约》知会日本。惟五日后，朝鲜政府已与东学党达成妥协，占领全罗道之东学党叛军宣布退出。这便使中、日双方出兵理由宣告消失。其时清军由直隶提督叶志超率领进抵牙山，[①] 但以事平，奉旨"先择进退两便之地，扼要移扎"。[②] 然此期间，日方已启动其预设之"军事主动，外交被动"机制：在军事上，继续派兵入韩，分由仁川、釜山登陆，以扼要害；在外交上，则提出"共同改革朝鲜内政"案，以"独立""改革"两手并用之法拖延清廷反应判断，及日方更有效布局之时间，并向朝鲜政府积极施压，以落实日本版之所谓"内政改革"及"独立属邦"计划。及至五月十九日，日本外相陆奥宗光以所谓"第一次绝交书"照会中国，[③] 拒绝撤兵，清廷方感事情严重。

三天后（五月二十三日），一道廷寄发往北洋。

> 现在日本以兵胁议，唆使朝鲜自主……据现在情形看去，口舌争辩已属无济于事。前李鸿章不欲多派兵队，原虑衅自我开，难于收束。现倭已多兵赴汉，势甚急迫，设协议已成，权或归于彼，再图挽救，更落后着。……李鸿章身膺重任，熟悉倭韩情势，着即妥筹办法，迅速具奏。前派去剿匪之兵，现应如何调度移扎，以备缓急之处，并着详酌办理。俄使喀希尼留津商办，究竟彼国有无助我收场之策，抑另有觊觎别谋？李鸿章当沉几审查，勿致堕其术中，是为至要。[④]

---

① 朱寿朋编《光绪朝东华录》第3册，光绪二十年五月戊寅日条，总3407—3408页。
② 朱寿朋编《光绪朝东华录》第3册，光绪二十年六月丁巳日条，总3426—3427页。
③ 陆奥宗光：《蹇蹇录》，龚德柏译，台湾商务印书馆，1967，第26页。
④ 《清光绪朝中日交涉史料选辑》上册，卷13，大通书局，1997，第256页。

此件密寄，堪称自事态渐峻以来，光绪帝首度向李相发声。由前引内容，不难觉出异于昔日朝廷柄政者对待合肥的一份严肃气息，连"身膺重任"四字在通篇看来，非只不带一丝寄望殷深之情，反多一重耳提面命之意。上谕末段言及联俄之意，尤充满不信任之感。事态之严重，于李鸿章而言，殆不仅在韩事之日非，更在来自朝廷之巨大阴影似已渐覆北洋上空。以李相政治经历之丰与思虑之深，焉能见不到此廷寄背后蕴积之斗争能量？

李鸿章在此一月中，于军事调度或行动上始终极主持重，对辖下亦再三申令，并不断强调审慎乐观之情绪。李鸿章之所以能有如此态度，甚且以避免提高自身战备，降低擦枪走火之危险，当在彼恃有其可行之方针。此中思维，一言以蔽之，仍在"以夷制夷"，而所以制东夷者，就地缘政治条件论，则北夷也。"联俄制日"之原则于此正式抛诸台面。

俄对东事之姿态对中国具一定之正面帮助，惟此中感获益最多者，恐即为李鸿章。自韩事初起，合肥在军事措置上之保守与迟滞，不但难见容其时之光绪帝与一班翰詹新锐之清议，时至今日，亦往往难曲容于史家之论。然而，就李相而言，此中实有太多难言之隐。

自光绪帝亲政，而慈禧结束所谓"训政"，退居颐和园后，李氏明显感受到与中央渐行渐远之现实，尤其天平强烈倾向其政治对手翁同龢与彼所领南派之一端，更令李相长期统领北洋，班列辅臣、疆臣之首的地位，即便不是岌岌可危，也似日近黄昏。此于长享中外尊荣，坐拥庞大政治资源之合肥与淮系北洋而言，其情何以堪。惟此一现实中，更令李鸿章冷暖自知者，在二十余年前，其人地位之崛兴，因有淮军成朝廷缓急可恃之主力；而今朝廷似只缺临门一脚，却未能将彼踢落北洋宝座，竟亦只因其手上掌控之淮军。李氏甚明彼何能在此时犹踞此座，是以，力保淮军与北洋海军之实力，已为合肥刻下行事之最高指导原则。由此一点，我人方能真正领会李相何以自东事以来，总将一切解决之方法寄托于外交手段、国际调停，也更能明白何以喀使以津而不以京，为联系表态之渠道。盖虽迂回，却能相通也。相较于此，一方面，光绪帝自亲政后决策权威之建立犹在未全，正跃跃于以此一战，达其立威固权之目标，尤其扶桑蕞尔旧邦，毕竟较船坚炮利之西夷处理起来要有胜算得多，是以不宜示弱；另一方面，较诸其门生天子，翁同龢看待此一外交冲突之角度就更多元且积极，而此亦正李鸿章所最感忧虑者。所谓政治对手，往往即是这般的所虑者同，所立者异。李鸿章亦明白，这对掌握决策地位的师生为达其政治目的，对耗损淮军及北洋海军，恐不会因何利害考虑而手软。

六月十二日，上谕催李鸿章速筹战备以调派，[1] 而李鸿章犹对在朝鲜之叶志超添兵之请持恐开衅之议。逡巡徘徊之际，[2] 六月十三日，上谕颁下："本日据奕劻面奏，朝鲜之事，关系重大，亟须集思广益，请简派老成练达之大臣数员会商等语。着派翁同龢、李鸿藻与军机大臣、总理各国事务大臣会同详议，将如何办理之处，妥筹具奏。"[3]

军机诸臣再迟钝，此时亦应恍然。翁同龢终于由一书房中之帝师与幕后献议者重新走至决策核心之前台。对刻下之军机，尤其实居枢纽之孙毓汶来说，光绪帝此一人事安排不能不令彼等触目惊心。十年前，当中法越事日沸之际，已故之醇亲王不正曾奉懿旨与军机、总署会筹法越事宜，而成日后罢黜以恭亲王奕䜣为首之全班军机的"甲申易枢"之前奏？而今光绪帝以近乎相同形式援入于中日朝事日沸之际之两大臣，正甲申所遭罢降之军机旧成员。昔年慈禧以醇王人马倒恭王军机而权大张，今光绪帝竟欲借恭邸军机再翻醇系阵容以抓稳实权耶？此中用心，非自多重派系纠葛考虑看，谁能真透析之？

随后中日两国终究于朝鲜开战，淮系北洋海陆两军先后受重挫，李鸿章固深受冲击，光绪帝所承感者，当更在合肥之上。盖如此惨重之折损与难堪之败退，不但对前此较所有臣工更倾向一战之光绪帝形成信心上之打击，更可能因而转为对光绪帝判断力之质疑，而进一步动摇其建之不易的领导权威；而加深皇帝领导地位之权力根底，正是光绪帝力求一搏，强硬以对日的关键因素。既如是，则此路只可坚定意志，或云硬着头皮走下去，苦撑待变，或见转机；一旦回头，则前此之努力必大打折扣，徒然为慈禧与亲后官僚在天平上加码。

---

① 《清光绪朝中日交涉史料选辑》上册，卷14，第273页。

② 《翁日记》第4册，光绪二十年六月十二日条，总1891页。事实上，李鸿章似非全无战意，只是过于偏重外力，而显得处处被动，其婿张佩纶曾记："是日，俄使来，合议无成，合肥甚愤，始决用兵意。然陆军无帅，海军诸将无才，殊可虑也。"见张佩纶《涧于日记》第4册，光绪二十年六月七日条，总2332页。

③ 《清光绪朝中日交涉史料选辑》上册，卷14，第275页。

相对于光绪帝，翁师傅对这位天子门生之考虑虽不能无理解，并为绸缪，毕竟对淮系北洋之迁延瞻顾以至偾事，不能无愤愤；于与李鸿章相呼应，百般掣肘之辈，如军机大臣孙毓汶、徐用仪等更已失却耐心。于是，翁拉拢大老同仇敌忾之情，联系派下力搏诸"佞"之识便更趋积极。由此，南派言路少壮之新一波攻势升级而起。

在翁系南派对军机中两大倾李要角孙毓汶、徐用仪的连番折攻中，每指孙、徐二人企图以种种欺蒙作为干扰光绪帝之决策判断，阻挠光绪帝之主战思维，罪属欺君，事在不赦也。孙、徐之敢于如此，必有其恃，且此恃足可令孙、徐之辈视光绪帝形同虚位元首也。以孙、徐二人之政治关系，则此恃为何，岂不自明？如此愈趋深化的派系攻伐，对象甚且已直指阻挠主战思维者之所"恃"的高度，将届花甲的老太后决定结束观望。通过向领导总署、职司情资掌握之奕劻垂询，慈禧等于宣示将直接过问这场战争的相关决策。①

对翁同龢来说，此一情势其实在分寸拿捏上是颇费周章的。翁师傅诚愿助其门生天子乾纲独振，并同时扩大南派之权力版图，但应避免事情发展成帝后间的一道权力单选题，甚且是零和游戏。此一立场，长期作为皇家西席，同受两宫恩眷的翁师傅该是清楚的。因此，以翁氏之思维，其乃求通过削弱包括北洋与李鸿章，及枢廷中长期与彼同声一气之旧势力，并局限住如北派与李鸿藻，及神机营系统等势力之发展空间，以创造南派清流作为新政治主流地位，并借之协助光绪帝完成最高权力之收束，及辅佐光绪帝开创一代明君之伟业。惟此中应力避者，乃形成皇帝对太后地位之正面挑战，否则不免治丝益棼，徒增争议。

只是，即令光绪帝与乃师君臣相得甚深，作为南派魁首的翁氏在这一点上仍不免显得过于一厢情愿了。相对于翁氏之扩大南派权力版图以佐光绪帝，并进一步强化南派之主流地位，光绪帝所仰仗于翁氏及南派的，其实正是扫除与慈禧之间权力关系暧昧不明，致其无法完全执政之根本障碍。一定程度来说，这令翁氏与南派终须面对在光绪帝与慈禧间选边站的关键问题，而不容翁氏为自己与南派——其实，翁氏相信此亦是替光绪帝着想——打着"尊后扶帝"的如意算盘。如果翁氏认为此路线乃为光绪帝完全执政创

---

① 《翁日记》第 4 册，光绪二十年七月十七日条，总 1899 页。

造最大可能之南针，则光绪帝恰认为这是完全执政最不可能实现的死路。说穿了，师生考虑中之矛盾，实亦在以自身利益与需求为出发点所造成之差异。来日于戊戌（1898）将出现且极为致命之裂痕，实早隐于今日。

一般相因成习之观念，总以为甲午之事，慈禧自始即一力主和，实此说大可商榷。东事之初，慈禧之态度即令不可强言为"主战"，离所谓"主和"亦还差得远。严格说来，应为观望。盖若一战功成，为彼六旬万寿踵事增华，岂非美事；若战有不利，必要时以其权威，出而在光绪帝与群臣之上抓抓纲领，协调皇帝与诸臣达成共识，觅个了局，而不直上决策火线，亦是符合刻下超然于最高层之身份认知。然而，自冲突初起以来，光绪帝与簇拥于其下之翁同龢与南派成员之表现，却令老太后越来越感到不安。由外而内的一连串斗争，令慈禧相信此一图谋之目的即在瓦解其权力布局，断失其根底，最终架空自己。

慈禧由观望而渐主和，关键不在其对和战有何具体看法，而是李鸿章、孙毓汶、徐用仪及枢、译二署中旧臣之态度明确了她的立场。其所对抗者，非在日本，而乃欲借中日交战而改变权力格局之一方——光绪帝，以及毋宁已被划归同一阵营的翁同龢，及南派中、青两代精英。今日之下，我人不能不说光绪帝与南派，在自身实力与形势之评估上犯了极严重之失误，也伤害了进一步累积其掌握主动权条件之可能。一旦慈禧直接介入，光绪帝原已逐步建立之最高统治者的合法地位，可有计划地拉拢、安抚、重整或削弱各种政治势力之棋局，立归一二元对立之新局面。如此，则派系资源之流动便不再是单纯之妥协、附从，与重组于"一人"之下的版本，而是阵营基于自身利害之选边游戏。在这种情形下，派系对两方实力之结算便成为尽管残酷，却最重要之考虑因素。如是，则我人不免要问：亲帝势力会是较具实力的一方吗？若答案为非，则必居被动；而为扭转此被动且已失互信之局，唯赖更激烈之斗争。甲午一役，基本上尽在此派系格局中发展。

中日战事终于光绪二十一年三月廿三日以和约画押收场。但围绕近半年蠢动于和战争议背后的派系拉锯，使整场大战所引致的人事浮沉，惨烈绝不逊之。在淮系海陆两军瓦解于甲午一役后，失此权力依恃的李鸿章，终究被褫夺了执掌达25年的直隶总督兼北洋大臣要职，加以核心人马在此役中非遭论罪，即被南派精锐弹劾去职，叱咤风云一个世代的淮系宣告崩解，也失去了对资源雄厚的北洋之掌控权。淮系之崩溃与李鸿章之失势，于其时政坛明显而立即之影响反映于两部分，一为淮系所失却之北洋控制权向何派系转移；一为19世纪60年代中期以降，长期作为清朝国防武力主体之淮军基本瓦解后，新国防武力培成之主导权势必牵动派系角力。后者涉及诸多政策之讨论与厘定，路线或犹待延长；前者却是当下便可卡出结果，立占有利山头之竞争。此亦将成下一阶段派系结构重整之重要议题。

瓜分危机与派系的持续拉锯

在19世纪与20世纪之交，中国经历了列强纷纷在中国要求独占性地缘政治利益的"租让权争夺战"，一度濒临被瓜分的边缘。究其缘起，光绪二十六年六月，为联俄制日，中国与俄国签订的《防御同盟条约》（简称《中俄密约》）堪称祸根。

自甲午战争发轫前后，俄国因与日本在东亚，尤其是中国东北地缘政治利益之冲突，便颇积极介入中日和战事务。及至《马关条约》签订，俄国又联合德、法，强力干涉辽东半岛之赎还，并提供对日赔款之贷放。俄国种种作为，使在其时东亚战略情势中只能秉"以夷制夷"之旨，非"联日制俄"即"联俄制日"之中国，天平很大程度上倾向俄国。于是，当俄国沙皇尼古拉二世即将登基，各国分派使团前赴致贺之际，便成中俄密商之契机。而当其任者，即令稍经曲折，最终仍依俄方所望，由李鸿章承命持节。对李相而言，此不啻其甫历生涯谷底的再起之机。

对李鸿章来说，多年外交折冲已使其与俄国方面建立甚深厚之人脉关系。若能促使中俄联盟，而使俄国成为影响中国外交路线之主脉，则以李相与俄方之深契，将可避免个人政治生命之全然被边缘化，甚且犹有转机。《中俄密约》即在此状态下，以李鸿章为机转，最终压服亦有"密结外援"之想的翁同龢等帝党领袖而签订。

事实上，俄国力促此约，实欲借中国联俄制日之迫切，以达其自1891年以来即抱持之热望：借地筑路——令建造中之西伯利亚大铁路东段，穿过中国北满，直抵海参崴——设若如是，俄国在区域地缘政治中之战略主动可得。联中制日与否，实是副题。但李鸿章与俄国各取所需之密约，却为中国留下更大后患。

　　就在李鸿章出使返国，并奉命行走总署后不及两月，状况开始出现。十一月初十日，德国驻华公使海靖（Edmund Heyking）向总理各国事务衙门提出租借胶州湾五十年的要求，遭总署拒绝。十二月二十七日，海靖再提同样要求，再次被拒，于是德国决定自行其是。

　　光绪二十三年十月初七日，"曹州教案"发生，两名德国天主教传教士尼斯（Franz Nies）和休尔（Richard Heule）在土匪洗劫中一并被杀，造就德国十月二十日出兵胶澳之事。事起之初，枢廷懵然，但李鸿章已直奔俄使馆求援，[①] 何以致之？

　　依次日翁日记所言，胶澳之祸至二十一日皆未入警，主要因电线为德方所断，且电信局全为德方控制，只能"发洋信，不准接华信"所致。[②] 既如此，则李鸿章从何而知？由合肥立奔俄使馆，而其余臣工连一点风声亦无的情形看，其信息应即来自俄馆。以俄使与合肥之关系，此或不致令人意外，但若深一层想，俄方之透风于合肥，是否即抓准李氏必将求俄助，且推成此局？再进一步，俄方是否亦有把握：俄国路线，合肥必拥以自重，不令他人插手，而此正适令俄方所面对之局势更单纯？李鸿章二十一日得俄讯后走俄馆，提出求助之说，纯为其个人行为，无任何朝命指授，甚且无同僚间之商榷，要说如此举措纯为忧危君父，实在缺乏说服力，更遑论乙未（1895）后，李鸿章处积毁销骨之低迷中，应有其临深履薄心念。反常以此，一言以蔽之，以利于俄者争决策主导权，并更有效地将联俄之道引为自身之政治资源。李相所想不及，或更可能明知于心却难顾及的是，俄方亦正是要利用李相这种守势待变下的迫切感以遂其图。

　　内部派系的长期矛盾，甚而欲挟外力以固盘势的私图，终令局势趋于复杂。原本在中方反应之持重，与英方通过海关总税务司赫德（Robert Hart）传达隐有制俄思维之表态下，至十一月初由翁同龢主导谈判的中方，与德使海靖原已就解决胶事达成六项协议，却在李鸿章强诋成议、独断独行，力邀俄国远东舰队依《中俄密约》南下助拳的作为下旦夕翻盘。

　　此下由中德《胶澳租借条约》，到终食《中俄密约》苦果之《旅大租借条约》，进而引出各国侵逼连串，几近瓜分之独占性利益范围条约风潮都已

————————————
　　① 郭廷以编著《近代中国史事日志》下册，中华书局，1987，第 974 页。
　　② 《翁日记》第 5 册，光绪二十三年十月二十二日条，总 2128 页。

见诸史册。今日之下，我人仍不能相信以李相之阅历与远高于判断如此事体所需之智慧，会无法预见俄国必借此扩大实占利益之后果。说到底，派系权力执念之私心自用，与全无互信至忘弃谋国忠诚，岂非个中曲折之关键？

由胶澳、旅大而全面涌起之危迫，早已令朝中君臣为之悚懔。十二月二十四日，光绪帝于一早见军机时，亦有于后日极为重要之表态。

> 见起，上颇诘问时事所宜先，并以变法为急。恭邸默然（谓从内政根本起），臣颇有数对，诸臣亦默然。退令领班拟裁绿营、撤局员、荐人材之旨，又拟饬部院诸臣不得延阁官事旨。

未来半年中，即将改变朝局结构之重大改变与发展，其实已肇基于此日；而枢臣第一时间之反应，实亦为后日之张本。讽刺的是，这场因胶澳、旅大之事为引，而导出极具政治角力意涵之变革，诸多要角之政治生命甚且犹撑不过胶、旅事端未尽底定之时，此尤令人不胜唏嘘。

由"戊戌维新"到"戊戌政变"的格局翻覆

经历亲政后，纠缠于帝后根本性权力矛盾，以致由中日战争以至瓜分危机的种种挫折，光绪帝终于看到非变换体制，不足以振乾纲的领导局限。于是，变法之宣告既出，派系对决遂不可避免。

一般谈及变法运动，几乎都与康有为联结。但本章主谈派系政治对晚清政局之影响，由此以论，康氏亦派系格局运作中之环节而已。

帝党与南派拉拢康氏为首之维新人士最具体之行动，殆即光绪二十一年七月初强学会之成立。惟亦因此，强学会极有限之活动期间始终笼罩派系角力之阴影，甚且沦为各方势力意欲通过介入强学会，以争食变法大饼的局面。[①] 后日李鸿章以南派盛聚于斯，唆使其子李经方之儿女亲家杨崇伊参劾强学会，终致被迫停止，其实也不过此一底因之延伸耳。

只是相较其门人对强学会之直接参与，翁同龢在此时虽对变法之论亦有同情，同时亦努力争取新局面中之主动权，其态度毕竟间接而审慎。笔

① 相关分析，参见林文仁《派系分合与晚清政治——以"帝后党争"为中心的探讨》，中国社会科学出版社，2005，第405—408页。

者甚且认为翁氏对壮大帝党之积极远大于变法本身。康氏曾云其屡劝翁氏宜立举大事、行新政，利用其毓庆宫行走之身份佐光绪帝创一番作为，但翁氏之态度毋宁极为犹豫。笔者相信，对翁氏来说，南海诚堪拉拢，且翁氏一向于变法之说并不排斥，但随着康氏因翁氏之荐而终得目见青光，翁与康乃至与光绪帝思维之差异却逐次扩大，终致左右大局。

对翁氏来说，荐康氏与壮大维新派声势的前提是，必须符合有利于光绪帝与南派扩张权力版图的逻辑。一旦偏离此道，则翁同龢之犹豫，乃至反弹只会高于其南派门众。随着对康氏企图扩大政治资本、改变权力格局之行径愈趋激进，南派成员立场出现松动，翁氏态度转趋暧昧，终究导致变法已势在必行的光绪帝与长期倚如股肱的翁同龢之关系发生质变。

光绪帝在康有为一派之激励下走激烈路线，以达彼通过变法对权力格局大破大立的目标，与多年来以巩固帝权、调和两宫为基本原则之翁同龢产生了最严重的偏离。在翁氏而言，一旦帝后走向决绝，非但光绪帝中兴切望必成泡影，以南派为主力之帝党根底亦必毁于一旦，但这正是如康氏般铤而走险者所不必负担的代价。论者其谓"康亦非真忠于帝，乃欲博帝之信任，以猎大权。太后既去，帝柔弱易制，而己可以为所欲为矣"。[①] 大抵极类翁氏刻下心境之写照，其甚且以"居心叵测"名康氏，亦不难知。

尤有要者，光绪帝亲政以降，历经帝后及其党附势力间历次明争暗斗，翁同龢基本上已被后党视为帝党代表人物，且渐失恩信。一旦光绪帝真趋康氏一派之激烈路径，翁氏个人亦必陷于孤立险境，甚且成派系间表态之筹码。衡诸后日，似即如此。种种复杂因素，将翁同龢由原本变法运动的领导者变成反对者。论者有以"卑劣的自保手段"一语名之者，[②] 我人则毋宁更愿以久处权力核心之派系领袖与谋国老臣的无奈相理解。

自光绪二十四年四月廿二日至四月廿七日，凡六日间，堪称以变法为主轴的本年中影响最为深远的一段时日。此六日之发展，可以帝后两党间之妥协，与帝党抽梁换柱式之调整两点涵盖。具体作为，包括协办大学士、兵部

---

① 参见濮兰德、白克好司著，张宪春整理《慈禧外记》，陈冷汰、陈诒先译，珠海出版社，1995，第102页。

② 萧公权：《翁同龢与戊戌维新》，杨肃献译，联经出版公司，1983，第109页。

尚书荣禄升文渊阁大学士，管户部；刑部尚书刚毅调兵部，协办大学士；刚毅遗缺则由蒙古镶白旗都统崇礼补入，并兼步军都统。① 有论者强烈主张此乃懿旨所出，为后党阻止变法之布局。② 后党如此布局，是否有心阻止变法是一可讨论之问题，惟刻下之要点，应在此局非依后党成办，乃帝后就推动变法，且放手由光绪帝主导达成协议后，光绪帝所释出之条件。这才有次日"上奉懿旨，以前日御史杨深秀、学士徐致靖言国是未定良是，今宜专讲西学，明白宣示等因，并御书某某官应准入学，圣意坚定"之决然纶音。③

事实上，慈禧于光绪帝主持国家重大决策方向，起初未必持反对态度。中日甲午之役，慈禧原于主战一路之支持，即为前例。慈禧之干预，皆在事态渐演为派系权力争逐后，是以此次光绪帝以实质利益图取帝后两党之妥协，凝聚变法共识，更见合理，且换来"上奉懿旨"式之表态支持。如此一来，无论是对"专讲西学"之保留，还是翁系南派政治影响力之进一步压缩，翁同龢都不能不有个态度，此遂有光绪帝做政策性宣示之当日，翁氏"臣对西法不可不讲，圣贤义理之学尤不可忘"的回应，及其拟于前晚，而于当日发布之《定国是诏》中，"以圣贤义理之学植其根本，又须博采各学之切于学务者，实力讲求，以救空疏迂谬之弊"，与光绪帝"专讲西学"之落差。对光绪帝而言，诏谕中之门面话如何已非重点，关键在其所欲推动以一新格局之各项作为。翁氏之说法亦无须字斟句酌，一如对后党所做出之让步，其实正欲将凡此让步纳入一届时不具根本作用之新政治——亦是权力——环境。只是，翁氏此时之态度恐只令光绪帝更感非将此石头搬开不可。于是，光绪二十四年四月二十七日，翁同龢遭黜之诏谕下。

长期以来，此道罢翁上谕已与翁同龢被黜一事，引人议论纷纷，百年不休。一种流行的说法是，朱谕乃慈禧强迫光绪帝颁布，甚且其内容原即后党拟定。④ 此一说法由康有为、梁启超诸人传播而承袭至今，影响其时局

① 朱寿朋编《光绪朝东华录》第 4 册，光绪二十四年四月甲辰日条，总 4093 页。
② 许晏骈：《翁同龢传》，远景出版事业公司，1986，第 389 页。
③ 《翁日记》第 5 册，光绪二十四年四月廿三日条，总 2178 页。
④ 孙孝恩、丁琪：《光绪传》，人民出版社，1997，第 349—350 页；许晏骈：《翁同龢传》，第 398—400 页；谢俊美：《翁同龢传》，中华书局，1994，第 540—543 页。另，在萧公权《翁同龢与戊戌维新》第 118 页，对时人及后世学者持此说者亦做了一番整理，可供参考。不过，萧氏个人对此种见解并不同意。

外人之闻见记录及后学之研究结论甚深。然向来之种种结论或记述，却鲜有人直接由上谕内容去琢磨，甚且由朱谕实物本身去计较。中国人民大学清史研究所出身的著名学者孔祥吉，曾为文就朱谕本身进行分析，肯定令翁同龢开缺之朱谕乃出自光绪帝亲笔，极为明确。[①]脱开外部考证一层，就朱谕内容数落翁同龢之各项罪名而言，几段有明确指涉，且用词极为直截的语句，大概也只有自君臣关系生变后，与翁同龢多次当面争执的光绪帝方能语语中的。

翁同龢的垮台宣告了自沈桂芬时代开始所建构之重要政治派系——南派的消沉，自"南沈北李"开始之汉人士大夫两大派阀至此统绪已尽。南派步北派后尘之命运，再次印证在晚清政治环境中，派系一旦由运作主体而成为更大之政治角力下一附从势力时，即不免因主动性渐失，而趋向消沉。醇系如此，北派如此，淮系北洋如此，刻下之南派亦不能免。

以南派一向以来拥君之忠，光绪帝最终对待翁同龢与南派之方式的确有些冷酷。我人固可理解光绪帝望治之切，寄希望于变法之深，惟归根结底，光绪帝对南派之决绝，关键实在南派因长年派系对耗，已丧失支持光绪帝继续从事权力斗争之实力。翁同龢长期在帝后关系处理态度上之温和倾向，固然可被视为曾同受两宫提携厚恩，且相信唯有以"下孝"换"上慈"，方能维持政局稳定的老臣心地。但由光绪帝及欲利用光绪帝一圆其政治企图者如康有为辈之角度看，其亦可能反映翁同龢对南派实力不足之疑虑，导致其不愿见到帝后党争过剧，而令作为帝党主力之南派付出更大代价；而当维新势力表现得越积极，翁系南派相对越形保守，亦是同样理由。若依此线索思考，则光绪帝最终之决定，与其说是抛弃了翁同龢与南派，不如说是选择了康有为与维新势力。在派系长期角力与帝后间无解之根本权力矛盾压力下，君臣师生之情义难免微不足道。

基于丰沛之派系实力，与立根于深厚执政经验之细腻操作手段，慈禧与后党诚为此次变法前权力调整之最大赢家。尤其去翁之安排，更令荣禄为后党掌握北洋军、经脉络之长期经营，水到渠成，且无形中帝党形同自我内部清洗；而光绪帝寄扩权希望于一个从未实际参与政治的团队，与一套从未检证与实施过的新法，也犯了面临可能之重大调整前派系运作之大忌。

---

① 孔祥吉：《翁同龢与百日维新》，氏著《晚清史探微》，巴蜀书社，2001，第 192—194 页。

　　问题是，此于光绪帝及帝党毕竟为一场政治豪赌，同时亦暴露帝党在开拓权力空间时严重受限之病根。前已论及，光绪帝之策略在求以变法彻底改变旧有权力结构，扭转长期被动之局。为免于起步之初即遭阻滞，光绪帝一方面严肃地调整了帝党内部结构，执行"以康代翁"路线，使维新派取代南派，成为帝党之战斗核心；另一方面则不惜释出包括部分内阁、枢垣乃至北洋人事权，以达成与后党间之妥协，图化解彼等在变法之初可能偾事的顾虑。对光绪帝而言，这只是暂时性地"欲取还予"，通过对后党传统政治思维下派系利益的满足，光绪帝要将后党纳入一个传统派系利益不具重大意义的全新政治结构。走到 19 世纪末的此时，对光绪帝而言，或许这已是在变法观闪现下，所能运用以一翻局面的唯一途径。

　　然姑不论光绪帝用以操作此一战略之思维，是否即其所欲摧毁之旧结构下之产物，仅由派系角力层面观之，则通过与后党达致之利益妥协，交换变法主导权，几乎等于将所有资源全押在新政必成一注上，设若变法不成，新政处逆，甚且导致新一波派系角力，则帝党落于被动，其势尽失，几为必然，加上帝党近乎抽梁换柱后，成为核心之维新派，较诸南派更缺乏执政经验与组织能力。新政推动一旦受挫，彼辈所用以补救的，只能是一贯大破大立思维下，更加激烈而极端之手段，以弥补彼辈如同光绪帝相对于慈禧在政治操控实力上之弱势。当事情走到这一步，变质为一场"零和游戏"势难避免，派系关系也因此被推到了悬崖边缘。

　　由维新到政变之历程，终结了近十年帝后党争之格局，而渐导入一条于晚清政局愈见黯淡之狭径。所谓"政变"，初有康系无"势"而妄为之举措，后有后党无"法"而力取之翻局，但二者皆致清廷于迎向新世纪之际陷入更见迟滞之沉沦。

四　满洲亲贵集团的挣扎与清末派系的残貌

　　一场名为"变法"，实蕴帝后权力拉锯内涵的派系拼搏，最终以慈禧三度听政、光绪帝断送主政权而收场。自同治时期开始之派系格局，亦因而隳堕。莫论恭醇之争早成历史，汉官僚南北派系亦几消荡于戊戌之后。于是，迎向光绪二十五年（1899）的中枢，主导势力又经更迭。

由废立争议到义和团事件的过渡

后党在戊戌政潮中最终以零和式结局宣告得来的胜利，也彻底改变了同、光两朝延续逾三十年之派系结构。作为汉官僚核心之南北派系，在帝后党争中之消融与崩解，也使戊戌八月后之权力结构中，汉官僚之决策影响力掉落到19世纪60年代以来之最低点。满洲亲贵集团之重新抬头，使彼辈试图以最迅速有效之方式重掌绝对主动，以充分抑制汉人势力。

衡诸戊戌之后的中枢格局，满洲亲贵几乎占尽要津。其中，向被视为后党主力的荣禄，自光绪二十四年四月以降，除授文渊阁大学士外，并补直隶总督兼北洋大臣，成为李鸿章之后掌控北洋的实力派人物。至八月戊戌政变作，荣禄奉召入军机、总理衙门行走，直隶总督兼北洋大臣一职虽交由裕禄接手，但荣禄仍节制北洋各军，管理兵部事务，政、军两界领袖群伦，俨然慈禧三度垂帘政权的中流砥柱。与此同时，军机上汉大臣只剩两席原亲南派的钱应溥、廖寿恒，与复出之后行事身段甚受后党接受的"琉璃蛋"王文韶，余则世铎、刚毅、裕禄、启秀一列，加上前述之荣禄，尽皆满员，而荣禄与刚毅尤为军机实际运作之核心。在浓厚的翻局氛围下，原已在同光政局中权力被边缘化的满洲亲贵之反弹与自视不免更见放大。个中代表人物，当为端郡王载漪。

载漪乃道光帝第五子惇亲王奕誴之次子，因过继给道光帝之弟瑞亲王绵忻早亡的继承人瑞郡王奕志为嗣，光绪二十年由贝勒实授郡王。但以述旨之误，本来的"瑞郡王"变成了"端郡王"，遂以因之。

载漪之得由旁系继立，依例降等袭封贝勒后，竟又得实授郡王，议论多以为与其裙带关系相系。载漪的福晋乃慈禧之弟承恩公桂祥之女，[①] 其同胞姊妹就是德宗皇后，亦即他日之隆裕皇太后。有这层关系，加上部分史料点出载漪与其妻，因善事慈禧，宠眷特隆，遂造就载漪在戊戌后满洲亲贵意图再起的过程中占据攀缘的利基，甚而在这段挣扎的历史中插一脚。

由于戊戌政变后慈禧对光绪帝已无指望，加以欲对铲除不及，甚而流庇外人之帝党除恶务尽，遂有废立之图。废立而谁替？端王世子溥儁乃以载漪"贤伉俪"之经营而成首选。由此，也带出载漪望逾其格的念想。只

---

① 　此从《清史稿》记载。亦有学者认为此说不确。

是废立之图，外国反应极差，加上后党内部亦有迟疑，终究以立溥儁为"大阿哥"作为有所坚执下的妥协。

"废立"一端，历来讨论皆集中于慈禧或后党对光绪帝之态度变化。其实，若由派系运作角度思考，或许更见合理。事实上，后党内以满洲亲贵为主之强硬派喊出"废立"，一方面可借除去帝党最后之残余——光绪帝，以持续后党之长期优势。但更重要的，通过此事之推动，亦可压迫路线不同之政治人物或派系接受收编，或使其不可妥协性浮现，而明确打击目标。此种做法确实狠烈，令多数汉员大吏噤若寒蝉、进退维谷。但另一方面，也是在炒作"废立"之举措下，后党内部亦出现分立。以荣禄为首、较具长期参政决策经验之稳健派官僚，基于"废立"对中外观瞻及后党权力基础所可能产生之影响，全力劝说慈禧，为此图谋降温。① 此举以端郡王载漪为首之新兴亲贵集团领袖至为不满，也体现彼此间权力意志之落差。相较于手拥军政资源、备受慈禧倚重之荣禄，及立场与之相近之奕劻等人，载漪集团在以"废立"达"引蛇出洞"之目的后，遂再举"排外"之旗帜，企图借激进之行动反客为主，令稳健派如荣禄、庆亲王奕劻等就范，且亦有以此隐然向慈禧施压，要求权力释放之作用。尤其载漪之子溥儁被立为"大阿哥"之事成定局，更令以彼为首之激进派亲贵图求权力之动机增强。光绪二十六年（1900）义和团运动之背景实肇于焉。

有关"义和团事件"之发展，及其后八国联军继咸丰十年（1860）英法联军再次蹂躏北京之惨祸，过程容此不加细述。但义和团于山东遭袁世凯镇压，后却入京畿，载漪等满洲或旗下亲贵臣僚辈之援引实为关键。相对的，汉臣自戊戌一变，多年派系格局崩解，即使封疆大吏如刘坤一、张之洞、李鸿章等，在此番事态发展中亦几全遭边缘化，可看出汉官僚实力与队形犹在重整，与满洲当权势力的压抑。在一定程度上，这也使庚子巨祸的决策列车冲向悬崖时更少了点可磨挡的刹车皮。

---

① 有关荣禄力阻后党中人拱着慈禧搞"废立"之情形，自以王照所述最详，也最为人所熟悉。参见王照《方家园杂咏纪事（附吟草四种）》，文海出版社，1966，第542—546页。另，王闿运后日曾有《荣文忠故宅诗》云："丞相新居近御垣，当年枥马夜常喧。宫衣一品二朝贡，门客长裾四海尊。调护无惭狄仁杰，池亭今似奉诚园。只应遗恨持节使，重对茶瓜感梦痕。"其中亦及谏止"废立"事。参见王闿运《湘绮楼日记》第5册，民国三年闰五月十条，台湾商务印书馆，1973，总3316页。

　　不过，历史的可堪玩味往往也在此。正因以载漪为首的激进派亲贵在短暂掌控权力时，自"废立"之议后，与汉官僚为主的一众封疆大吏动辄对立，反而促使后者在北京局势大非之际能发动"东南互保"运动，称朝命乃载漪等辈与义和团胁持庙堂下的矫诏、乱命，不支持义和团杀害外人的行为，不承认朝廷对各国宣战一事的合法性，并承诺将采取各种措施保护外人在华生命财产安全及合法权益，借此与各国达成不使兵燹向南延伸的共识，一定程度地控制了庚子之祸的后果。只是这也几乎宣判了载漪等激进派亲贵与官僚，他日必将承担全部罪责的下场。

　　在此，本章不欲对义和团运动之属性多所讨论，唯以派系政治之角度观察，此事实与"废立"争议有异曲同工之处。若云"废立"乃令帝党崩解后，对后党内"复古"路线心念不纯者之诱引；则借义和团而行辩证式之再斗争，进而完全掌握载漪者辈期许溥儁扶正后，决斩投机者如荣禄一路人物，并借乱局与外力，令慈禧承担罪责，交出权力，是彼等之真目的。此所以荣禄为首之后党中坚，在八国联军期间态度游疑，甚至在极其挣扎与充满争议中力阻灾难扩大；即令对八国宣战时意态昂愤之慈禧，在载漪等辈图穷匕见之后，重回倚重荣禄；在西行前，命彼留京办事，后又誉以"保护使馆，力主剿匪，复能随时赞襄，匡扶大局"。[①] 相较之下，载漪与呼应之一众则沦为《辛丑条约》之首恶，或伏诛或流放。即使载漪保其首级，自戊戌后乘势突起，意图主导政局的激进派满洲亲贵历经短暂喧嚣，毕竟在识见、实力与权力意图迥不相侔的现实下由此走入历史。此下之派系局势，迎向有清一朝落日余晖之际，将见证有实力者胜的残酷现实。

晚清军制改革与袁系北洋的崛起

　　溯自中日甲午战争时期，因战事不利，与倚为主力的淮系两军全面溃败，即使大战仍酣，清廷已积极展开军备重整工作，大体包括三项主要任务：其一，编练新军；其二，整编有作战实绩的部队；其三，遣散临时招募或溃败的军队。其中，第二及第三项自光绪二十一年战后，即交刘坤一协调王文韶、李鸿章执行。此部分之任务，目的较为消极，要在控制原已有而经大战后建制仍可勉存之武力，实即在进一步瓦解前此以地方练勇为

---

① 《清史列传》卷 57，总 4499 页。

主力之国防规制，尤以淮军及其支系为主。帝后两党之执行者，或许在派系利益上总相扞格，但在消弭淮系实力，令彼交出北洋控制权一端而言，倒是有志一同。

中日甲午战争，淮军已于历经灾难性惨败后，注定将自历史第一线退下，军备重整正式搬上日程。后党经由实控督办处，又任兵部尚书的荣禄进行对定武军接收之计划，亦进入实施阶段。未来将于派系角力中扮演重要角色的另一人物，亦由此而与政局所趋因缘际会。此即甫结束在东事期间一段灰头土脸经历，生入榆关之袁世凯。

相较于自"壬午事变"（1882）初露锋芒，进而长驻朝鲜，代表宗主国之中国力控朝鲜局势的十二年，袁世凯在甲午（1894）至乙未（1895）不到一年之折腾确是别如天壤。直至中日和约已成，袁氏由关外返津销差，方有段从容辰光思索未来，及与此相涉之种种政治现实与人脉。终而由走通李鸿藻门路，进而得结荣禄，以袁氏在朝鲜曾代练新军的历练，遂于当时军备重整之潮流间走出一条青云之路。

光绪二十一年十月，袁世凯接管定武军，改称"新建陆军"，扩充到7000余人，参照德国军制进行编制，并分立步、马、炮、工、辎等兵种。这也是所谓小站练兵的序幕。后日所谓袁系北洋的要角，如王士珍、段祺瑞、冯国璋、曹锟、张勋等都曾在此新军中任职，或由此发迹。光绪二十四年十月戊戌政变后，虽入直军机，但仍节制北洋各军的荣禄整编前淮系与新建陆军，创立"武卫军"，总计达90000兵力；而袁所领导的"新建陆军"改为"武卫右军"。相较于武卫各军，袁所领导的右军编制最新，运作最严谨，被寄望为建构未来清廷中央军主力的实验单位。[①]

然而庚子一役，武卫军大受折损，除屯驻山东的右军外，以旧淮系整合战力组建的各军几近溃散，这就使袁氏所领的武卫右军成为辛丑后一片残破的格局中，清廷赖以复原的军事主力。加上此前袁氏署理山东巡抚期间对义和团的弹压，与对条约义务及外人的尊重保护，甚得各国正面评价，终使袁氏依凭实力，逐步走向属于他的时代。

---

①　学者曾分析袁氏善于治军的几个层面，包括"采用现代化的军队编制""开始选用军事学堂出身的人担任军官""实行厚饷制度""充分满足官兵们对于升迁的愿望""建立铁的纪律"，印证袁氏以实力崛起，诚非侥幸。参见苗长青《晚清官僚派别派系研究》，辽宁大学出版社，1993，第198—202页。

光绪二十七年，短暂重挂直隶总督兼北洋大臣头衔，以利谈判八国联军入侵后之和约的李鸿章心力交瘁，逝于京师。以当时情势，各国传达希望署理鲁抚任内表现甚得肯定的袁世凯接棒，加以荣禄翼助，于是就在光绪二十七年九月李鸿章下世当天，朝命即令袁世凯署理直督，并在来年（1902）四月实授。

作为晚清军事资源重镇的北洋，自光绪二十一年李鸿章去职，淮系掌控宣告转移后，荣禄通过一系列兵源与编制的重整，俨然成为北洋新的领袖。但因庚子之乱的冲击与荣禄在光绪二十九年四月辞世，实授北洋且所属武力保持最为完固的袁世凯，顺理成章成为北洋新时代的建构者。由定武军、新建陆军、武卫右军，光绪二十七年，袁世凯增建总数约 6000 人的"新练军"，并在同年六月扩建为"北洋常备军"，简称"北洋军"。至光绪三十一年，在袁世凯的整并经营下，北洋军扩充至六镇，逾 70000 的兵力，加以各种军事学堂等人才培育施设一一就轨。于是，这股新兴武力就成为清廷晚期政权的保障，也是袁世凯建构派系势力的最大资本。晚清最终决胜大局的所谓"北洋系"亦由此形成。

"丁未政潮"与派系势力的波动

瞿鸿禨，字子玖，湖南善化人，因此政坛常以"善化"称之而不名。同治十年（1871）二甲赐进士出身，选庶吉士，三年散馆考试及格，授翰林院编修。光绪元年翰詹大考一等第二名，超擢翰林院侍讲学士，充日讲起居注官，并派充河南乡试正考官，来年（1876）授河南学政。此后两经丁忧，仕途不免延宕，及至庚子之际，瞿氏官至礼部右侍郎。

庚子两宫西狩后，因为随扈的军机大臣载漪、刚毅、启秀、赵舒翘承担致乱罪责而遭黜，军机上只剩老迈退缩的王文韶与已成领班的荣禄，亟须人力。因荣禄所荐，卓有清誉的瞿鸿禨由礼部右侍郎升授都察院左都御史，光绪二十七年（1901）再晋工部尚书，召至西安行在入枢行走，并转任新成立的外务部尚书，门面因而大开。由于受到慈禧的欣赏与倚畀，即使光绪二十九年荐主荣禄下世，庆邸时期的军机，瞿氏仍居述旨秉笔的要角。

瞿鸿禨的任重一定程度反映了庚子之后，自戊戌后一波边缘化汉官僚决策参与角色逆流的趋缓。也在这段时期，瞿氏近身观察到庆、袁沆瀣一气和图利固权的作为。在中枢汉人士大夫派系势力几近崩解的局势下，善化欲思有以制衡，势须如庆邸之有项城，于是瞿鸿禨与岑春煊产生了联结。

岑春煊是同、光两朝历任封疆要职，平定云南回变的岑毓英第三子，得乃父庇荫，捐官出身，后又乡试中举，缓步升迁。至甲午之役，岑春煊因赴关外视察，又布防山东，担当渐获肯定。至戊戌变法期间，破格简任广东布政使，红顶已然在望了。

不过，岑氏宦途的大转折仍在庚子之事。当时的岑春煊已调任甘肃布政使，在两宫仓皇奔亡于西路之际，岑春煊领兵勤王护驾，让惶惶不可终日的慈禧大感慰藉，也建立了岑三公子此下少有可比的帘眷。于是，安抵西安后，岑氏升任陕西巡抚。此下又转山西巡抚，表现仍可取，终而数历署理督抚，再晋云贵、四川总督。

事实上，由光绪三十二年到三十三年，岑氏两调云贵、四川总督，都称病滞留上海而未到任。个中曲折岑氏在署理两广总督三年多期间，整顿在地贪渎牟利官员不遗余力，而以其时庆、袁把持政治资源分配的态势下，岑氏打击者后台或谁属焉？以惩办粤海关书办周荣曜贪渎的案例，岑氏在其回忆文字中，即指周氏"纳贿京朝，广通声气，得庆亲王奕劻之援"，[1]这使论者不免怀疑岑氏被明授云、川帅缺，实则又是边缘化的老戏。[2] 然而，正因岑春煊的帘眷，及其明显与庆、袁不同路，但又位列封疆的重量，让在枢垣中相对缺乏有力奥援的瞿鸿禨密与相应，并吁进京共图改政。于是丁未，也就是光绪三十三年，一场牵动晚清国祚跌宕之政潮作。

光绪三十三年（1907）三月，岑春煊在奉旨启程赴任途中突然转道北京入觐。由于事出意外，庆、袁不及阻挡，乃得顺利面圣。按袁世凯的说法，岑氏此来"有某枢暗许引进"，其自指瞿鸿禨。派系对立愈明，而战云密布。

据岑春煊自述，彼到京后，共入对四次，每次均痛诋庆亲王奕劻贪庸误国，导致政治腐败的种种劣迹，并自陈"意欲留在都中，为皇太后、皇上作一看家恶犬"。[3] 语甚深切，两宫不能不有感，随令岑春煊留京补授邮

① 岑春煊：《乐斋漫笔》，中华书局，2007，第27页。
② 参见庄练《中国近代史上的关键人物》第3册，四季出版公司，1979，第226—227页。
③ 岑氏入对的相关忆述，见岑春煊《乐斋漫笔》，第29—31页。

传部尚书。尤有进者，岑氏才刚受命，马上面参该部侍郎朱宝奎，且竟只因面参之语，而非具体罪状，慈禧便准革了。无怪乎"都人士群相惊告，诧为异事"了。更重要的是，朱宝奎乃袁世凯派下人马，岑春煊此举形同向袁氏下战帖，且展示慈圣之优宠。

然而就在瞿岑联机看似风向益顺之际，四月中事态却发生急遽翻转。政潮也者，此时方见浪高。四月十七日，朝命岑春煊调任两广总督，虽经彼称病请收回成命，不准，仍饬着即赴任，连请赏假都毋庸议，只能黯然就道。

其事何以如此，庆、袁以何可令慈禧帘眷一夕而变的手法对付岑春煊，就不难看清。平心而论，几位亲庆邸的满汉大臣如何向慈圣缓颊，还在其次，重点是庆王十六日独对时，显然以慈禧最忌讳的戊戌前事为打击点。清代笔记资料中有此一段，合理地串联了庆邸独对时对其"下药"的药引。

> 岑春煊性极粗莽，戊戌服阕入京，结交康党，入保国会，慷慨上书，急欲一试，遂由候补京卿外简广东布政使。[1]

我们很难判断，其时服阕复起，急欲有所表现的岑春煊是为了理念相通而加入保国会，还是视变法时尚为晋身之阶，但岑氏积极的表现确乎在当时有不错的结果。只是当日所赖以简放者，今日却成为更上层楼之绊马索。加上岑氏所推举者，如郑、张等人，不能不让慈禧联想到昔日的翁系南派，乃至康、梁一党。加上盛宣怀又与袁世凯对头，于是"推翻大老，排斥北洋"的文章便很好做了。一旦再延伸至"为归政计"，即谋翻案戊戌，归政光绪帝，那就触及慈禧最敏感的政治神经了。如此，即令眷顾如岑春煊也承受不起此讦浪的冲击。若还有人以诈术加之，再深厚的君臣恩义怕也难挡祸厄。

岑春煊既经驱离，瞿鸿禨置身权力核心的时光遂亦进入倒数。瞿鸿禨宦途跌踬约在半个月后，其事之曲折不亚于岑事。先看事情基本样貌。

> 善化得君最专，一意孤行。适内阁官制成，力排项城援引之某某

---

① 胡思敬：《国闻备乘》，上海书店出版社，1997，第15页。

等，一律退出军机；嗣以枢廷乏人，复召桂抚林赞虞中丞为助。项城暨某某等为之哗然，思有以报复。善化特慈眷优隆，复拟将首辅庆邸一并排去。两宫意尚游移，讵讹言已传到英国，伦敦官报公然载中国政变，某邸被黜之说。适值慈圣宴各国公使夫人于颐和园，某使夫人突以相询，慈圣愕然。嗣以此事仅于善化独对曾经说过，并无他人得知，何以载在伦敦新闻纸中？必系善化有意漏泄。天颜震怒，项城探知原委，利喉言官奏劾。善化薄有清名，言路不屑为北洋作鹰犬，一概谢绝。重贿讲官某，上疏指参，善化竟不安其位而去。[①]

关于此事之相关说法不少，最常被提及的说法，当为瞿鸿禨在当日独对后，将消息透给了在京办《京报》，以为瞿派喉舌的学生兼姻亲汪康年，汪氏转告英国《泰晤士报》记者高某，结果该报揭露此一信息。[②] 但也有论者以为，在丁未春夏之交，庆王眷已稍衰，是各方都能感见的，而预测政局将变，未必需要有瞿鸿禨透露情事。[③] 重点是，这提供给庆、袁一派借以攻击瞿鸿禨的话头，纯粹是政治上的操弄。而前引文中，接受重贿，出头告发的某讲官，即翰林院侍读学士恽毓鼎。

善化既倒，岑春煊滞留上海，亦已乏援而无观望之机，但贿恽出手的人，显然欲求除恶务尽，遂令恽氏以今日看来都嫌夸张之情节，配上煌煌之理，必令瞿岑联机全溃，且亦真达目的。三天后，朝旨令岑春煊开缺养病，以示体恤。尤有进者，军机大臣中原受瞿鸿禨支持的林绍年，同日也一并外放河南巡抚。枢垣之内，再无反庆、袁的积极力量。丁未政潮，到此定局。不过，今日当我人检视恽氏日记时，赫见上述两日记事之前都有断漏，且未补录。劾瞿的五月六日条之前，四月十二日以降至当天均失记；而劾岑的七月初一日前，则溯自五月初九日以下亦皆失记。衡以通篇，极属特例。若此非意外或力不可及之疏失而致，那就使"丁未政潮"期间，派系操作之深刻，因此一配角更添斧凿了。

"丁未政潮"以瞿岑联机兴波，却反由庆袁一派获得最终优势。此于领

① 陈夔龙：《梦蕉亭杂记》卷2，中华书局，2007，第183—184页。
② 徐凌霄、徐一士：《凌霄一士随笔》第2册，总579—580页。
③ 徐凌霄、徐一士：《凌霄一士随笔》第2册，总1872页。

枢的庆亲王奕劻而言，自是得利最多者。综观慈禧三度听政，手握权柄 40
余年，大抵历经三位满洲亲贵重臣辅政的时代，分别为恭亲王奕䜣、醇亲
王奕譞与此时的庆亲王奕劻。其中，恭王虽与慈禧始终存在权力矛盾，彼此
拉锯逾 20 年，但其辅国才具与识见毕竟堪称亲贵中第一等，也协助创造了
同光中兴之局。醇亲王奕譞一般认为才不及乃兄，而庸懦则远过之，注定受
制慈禧，但至少不是断送天下的类型。及至庆亲王奕劻，干才能否与前二
王相比更见疑问，但贪婪好货的性格只会使政治运作更趋堕落。衡此三王
之数组，也真不能不说此亦气运所系了。不过，由慈禧用人之流变，尤其
经庚子大祸后而以庆王领枢，一定程度反映历经庚子、辛丑一番磨难的慈
禧，更在意权力的稳固掌控与臣工的绝对忠诚。以此观察"丁未政潮"的
起伏与结局，对慈禧来说，贪庸无能但于慈禧几无威胁的庆邸，似乎比臣
节清明、谨饬干练，却存在某种"为归政计"之可能心思的瞿岑联机要相
对安全。心态若此，亦毋怪慈禧柄政后权力格局愈趋狭隘了。

　　相对于庆邸安度危机，袁世凯与北洋系在这场政潮前后的处境就要更
审慎地看了。先是光绪二十三年的中央官制改革，袁世凯与北洋系原本主
推取消军机处、设立责任内阁的方针，不意前者仍存，而后者不立，反而
在新设各部中多了些形同削弱北洋系实力的单位。其中，由满洲少壮亲贵
铁良出任大臣的陆军部，将依规制统率北洋六镇，此等于削夺了袁氏倚为
根本的军权。更重要的是，"丁未政潮"后，因着瞿鸿禨与林绍年的开缺及
罢直，湖广总督张之洞与袁世凯同日被内召，在军机大臣上行走，袁氏且
接任外务部尚书。看似高升枢垣，进入权力核心，实亦令袁世凯与北洋切
割了。无法稳控此依恃，对袁氏之影响很快就浮现了。

**汉人益孤，抑满人益孤？——由抑制北洋到"皇族内阁"的晚清
派系终曲**

　　据说就在奕劻的举荐下，"丁未政潮"后，袁世凯入军机行走，但以慈
禧有意制衡袁氏，乃令汉臣大老张之洞同直。此外，也为了防奕劻与其子
载振他日声势，醇亲王载沣也受命行走军机。[1] 慈禧此虑，本不可不谓周
延，但历经近半世纪的风光与跌宕，慈禧毕竟以老病力衰，很多事无法如

---

　　①　胡思敬：《国闻备乘》，第 71 页。

早期一般细审独断了。于是，充满不确定感的晚清政坛，各方势力的明争暗斗自将趋于激烈。

先由北洋系与袁世凯观之。自袁氏入直军机，直隶总督兼北洋大臣由袁世凯保荐的杨士骧接任。杨家兄弟三人，相较其兄士燮与士琦，士骧才具被认最庸，但官至最高。[①] 但有杨士骧掌门，袁氏尚可调度北洋资源，维持彼所擅长的人脉经营。此反映于各部卿贰与巡抚之任就有 14 人之多，其余部丞与监司守令尚多有之。[②] 看似北洋系不衰反盛，实此一强势，也造成亟欲用事的少壮满洲亲贵对北洋系的疑忌与敌意。

此际朝中派系，袁世凯的北洋系几乎已是汉官僚主导的唯一流派，且一定程度倚结庆亲王奕劻，方能内外通透。张之洞虽是大老，毕竟几近孤立，只能以个人资望撑持晚景。于是迈向落日时分的派系折冲，但存袁系北洋，与自原汉官僚派系结构崩坏后峥嵘纷出的满洲少壮亲贵在小格局中困斗了。

光绪三十四年十月，在至今仍争论不已的两宫相续上宾后，因其子溥仪入承大统而成监国的载沣，立刻展开意图瓦解北洋系势力的动作。首当其冲的自是袁世凯。后人有谓载沣掌政后之动作，乃为报其兄光绪帝因戊戌项城密告，而至晚期形同废帝之仇怨，或彼入直军机期间，每遭袁氏以其少不更事，而不假辞色地见轻，等等。但若由满汉势力自戊戌解构后的斗争，平心观照，显然将成朝局核心的监国，图以彻底瓦解北洋系，巩固复古式"满主汉从"格局的积极用心，毋宁更切实际。于此，眼界与谋略有限的载沣初时想杀袁世凯，以收彼等所视镇服朝野之疾效，也就不甚意外。时论云当时奕劻等辈"不敢置一词"，但因张之洞的争取，才让项城开缺回籍养疴，以示体恤。[③] 然而，若由传统派系"恩庇侍从"体系的惯性思考，袁氏留此不绝如缕，只要沉住气，自有契机现于他日。

闲废了袁世凯之后，新掌大权的监国意图瓦解北洋系的作为仍未收手。自宣统元年（1909）初起，砍刀转向袁氏以下的派系成员，检视当年清代职官年表，包括陈璧被革去邮传部尚书，永不叙用；学部左侍郎严修被迫

---

①　胡思敬：《国闻备乘》，第 72 页。

②　参见庄练《中国近代史上的关键人物》第 3 册，第 177 页。

③　徐凌霄、徐一士：《凌霄一士随笔》第 2 册，总 406—407 页。

休致；原任东三省总督的徐世昌，此时倒是调回北京接陈璧的遗缺，但广大的东三省区域治理权由锡良接手，而且锡良一到任，便以贪污罪名革去黑龙江布政使倪嗣冲，展开对北洋系人马的整肃行动；民政部右侍郎赵秉钧亦告休致，彼所经营的北京警察体系也一并交出；直隶总督兼北洋大臣杨士骧在当年六月病故，朝命端方接任。转至宣统二年，刚由候补侍郎接任邮传部尚书的唐绍仪称病休致；铁路总局局长梁士诒撤职；江北提督王士珍以病自请开缺，也获照准。上述人等，自袁世凯建构北洋系以来多属腹心之辈，受袁氏去位影响也最直接。

不仅如此，逐退袁世凯之后，载沣立即另编了两协近卫军，由良弼出任训练大臣并兼第一协协统；又派其弟载涛任军咨府大臣，掌握陆军；载洵任海军大臣，管理海军，监国则制高掌握中央军权，满洲亲贵掌握军事实权的用心甚切。此外，为有效松弛北洋各军中间领导干部结构，载沣尝试以留日学习军事的非北洋系精英逐步取代北洋人马。① 凡此激进之手段，当然有一定程度的震慑作用，但也考验这批以载沣为首的满洲少壮亲贵的政治实力。如若实力与企图不相比肩，在操切中自暴其绌，则他日受抑者反扑力道将更强势。

宣统三年四月，历经漫长的等待及"预备"，清廷终于裁撤自清初以来形同权力机制运作核心的内阁及军机处，成立责任内阁。内阁以总理大臣为首，协理大臣两席，以下由外务部至理藩部共十部，各设大臣领部。不意首届内阁名单一经公布，舆论大哗，因为十三席大臣之中，总理大臣庆亲王奕劻以降，加上两协理大臣与十部大臣，满洲籍官员即占了九席，当中甚且有六席是宗室亲贵，令原本因预备立宪期过长而备感失望的舆论更是跌落谷底。时人以"皇族内阁"相讥，恐怕已经是非常表象而自制的反应了。

事实上，由当时内阁名单发表之初，一些当事人第一时间的动作，便可提供我人观察当时清廷各种政治势力间暗潮涌动的迹象。先是新内阁成立当天，总理大臣奕劻与两位协揆那桐及徐世昌均上折奏请辞职，后经上谕慰勉才接受任命。② 监国载沣的胞弟载涛其后回忆，请辞协理大臣的那桐

---

①　李宗一：《袁世凯传》，中华书局，1989，第157—158页。

②　北京市档案馆编《那桐日记》下册，新华出版社，2006，总688页。

与徐世昌两人，竟皆表示自己才绌，而已经罢退两年多的袁世凯，其能力十倍于彼二人，若蒙特予起用，必可宏际艰难等。徐世昌本即北洋系要角，如此说法尚可理解；但那桐是满洲重臣，竟然也这么掺和，便耐人寻味了。[①]

局势演变至此，原支持立宪人士多认为清廷坦然面对时局的诚意不够；更鉴于自洋务运动、变法维新，到立宪变革，都只是在清政权原有体制内包袱重重地原地踏步，无法满足救亡图存的迫切期望，遂开始转而支持从体制外彻底除旧立新的革命运动，终于造就宣统三年武昌起事后，以14省谘议局人士为中心之独立观变形势，最终迫使清室黯然交出政权，创造了走向共和政体的全新格局。

当然，武昌之事有如压垮载沣监国政权这匹骆驼的最后一根稻草。宣统三年九月，由总理大臣奕劻与那、徐两协揆联名上的《自请罢斥另简贤能组阁折》形同与载沣摊牌，逼迫摄政王让路，请袁世凯出山，其中"退避贤路"一语，与其目为自陈，毋宁乃明示要载沣站到一边。北洋系在袁氏跌踬后，依然在监国揽权压力下，运用原有人脉与资源的持续暗抗，配合满洲亲贵间三年来的权力矛盾，终于造就袁世凯的再出掌权，出任总理大臣，改组内阁。当年十月，隆裕皇太后颁下懿旨，让载沣引咎退居藩邸，责归总理大臣与内阁承担，袁系北洋最终以实力与时势辐辏，成为晚清政治派系升沉变异的总结者，也为有清二百六十八年统治画下句点。这个句点之所以巨大，不只在它代表一个王朝的终结，更在北洋系的本质与晚清以来派系政治运作的逻辑，将为民国政局带来的各种影响。

---

① 相关讨论，可参见孔祥吉《清人日记研究》，广东人民出版社，2008，总296—297页。

第九章

从甲午战争到戊戌变法

从一定意义上说，戊戌变法在中国近代历史中是开新篇的第一章。众所周知，洋务运动虽然为戊戌变法提供了某些条件，但它本质上是中国传统体制范围内的自强自救运动。虽然因为技术和经济的新因素而撬动了某些管理体制的创新或变动，但基本上还局限于地方的层面。戊戌变法就不同了。它是由国家政权的顶层发动的，它的目标是要变更整个国家在经济、政治和文化各领域的传统体制，是要朝着现代国家体制的方向迈进的，它的推动者不仅具有国际的视野和标准，而且具有历史、现实、未来三者贯通思考的理论体系。尽管其体系的内涵并不成熟，但向现代国家迈进的努力基本上是自觉的。不过，无论是变法推动者的主观因素还是变法需要的客观条件，当时都存在多方面的局限，使实际上所展现出来的变法面貌与现代国家体制的要求尚存较大的差异。开创中国近代新历史的戊戌变法大致可从四个部分来认识，即甲午战争的深度刺激、变法诉求的步步升级、变法举措与阻力的较量、政变发生的内外因由和结局。

一　甲午战争及其深度影响

甲午战争是中国近代史上一个巨大的事件。一方面，它标志着中国遭受更严重侵略和奴役的开端；另一方面，随着战后国际国内政治局势的紧张和经济状况的急剧变化，中国人民为救亡图存而掀起的改革和革命也在

---

*　本章由蔡乐苏撰写。

快速酝酿中。

日本侵略中国的甲午之战

日本自 1868 年明治天皇登基后，将对外侵略扩张立为基本国策，其直接侵犯的目标就是琉球、台湾和朝鲜半岛。由于这些地区藩属或直属中国，中日之间的外交纠纷从此接连不断。1875 年，日本强迫朝鲜签订《江华条约》，获得在朝鲜租地、沿海测量和领事裁判权等多项特权；1882 年又强迫朝鲜签订《仁川条约》，日本可在汉城驻兵。1884 年日本趁中法交战，清廷无暇东顾之机，策动朝鲜亲日派发动"甲申政变"，驻朝清军协助朝鲜国王平息政变。日本派伊藤博文来中国与直隶总督兼北洋大臣李鸿章签订《天津条约》，规定朝鲜如发生变乱，中日两国若派兵进入朝鲜，应先互行文知照。日本深知，欲侵占朝鲜，必须战胜中国，甚至灭亡中国。日本军队提出的总目标首先是击败北洋舰队。于是日本加快建设海军，明治天皇下令每年从内库拨款 30 万元建造舰艇。为造舰，天皇谕令节省宫廷费用，文武官员缴纳薪俸十分之一。而中国则相逆而行，截取海军经费去修颐和园，使海军建设处于停顿状态。至甲午战争爆发之际，日本海军已拥有各种舰只 30 余艘，计 6 万余吨。

1894 年春，朝鲜爆发东学党起义，朝鲜政府请求清政府派兵协助镇压，清军出动 2500 人。日本见挑战清军的机会到了，派入朝鲜的陆军增至 7600 人，大大超过清军的数量，而且有 8 艘军舰到达朝鲜海面。如此架势使朝鲜政府深感不安，要求中日同时撤军，中方同意，日方拒绝。清政府想让西方列强出面调停，促使日本从朝鲜撤军，但无结果。日方提出中日共同参与改革朝鲜内政，清政府反对干涉朝鲜内政。日本政府指示驻朝日军进攻朝鲜王宫，国王李熙被禁，大院君李昰应被迫命外务衙门废除与中国的通商条约，并委日军以驱逐清军之权。中日冲突如箭在弦。7 月 25 日，日本海军不宣而战，在朝鲜丰岛海面向中国北洋舰队实行海盗式袭击，掳走中国运输舰"操江"上官兵 83 人、饷银 20 万两、大炮 20 门、步枪 3000 支和大量弹药，击沉中国租借英国的运兵船"高升号"，致使船上 1116 名官兵中的 871 名葬身大海。8 月 1 日，中日宣战。战争分别在陆路和海上展开。陆路的首次大规模战斗是平壤之战，清军 1.3 万人，日军 1.6 万人。清军将领马玉昆、卫汝贵率部在城南英勇抗击，从凌晨战至下午 2 时，日军死伤 400 余人，被迫后撤。城北日军集中 7000 多人，分两路向清军堡垒发起攻击。清军将领左宝贵率 1500 人迎敌，时左宝贵突患右偏中风，仍力疾视事。以往临敌，他总是穿士卒衣，此次他特穿朝服，誓与守城共存亡，两次受伤，仍坚持在炮台指挥，复被炮弹击中胸前阵亡。① 日军伤亡近 300 人，最终攻占了玄武门。在日军疲惫已极的情况下，清军统领叶志超下令趁黑夜弃城北逃，遭遇日军伏击，伤亡和被俘 2000 余人，价值上千万的军用物资落入敌手，清军元气大伤。10 月下旬，日军分两路攻入中国本土，一路渡过鸭绿江，清军 3 万重兵驻守的鸭绿江防线抵挡不住。日军为夺取奉天（今沈阳），向北袭占连山关，但在摩天岭被清军灵活机动的战术所困，转而西占海城。清军多次发起规复海城的战斗，与日军在辽阳东路相持不下。日军第二路从花园口登岸，攻占金州和大连湾，向旅顺推进。11 月下旬，日军进攻旅顺。清军虽奋力抵抗，终被日军攻陷。日军发出命令："凡穿着平民服装，疑为清兵的青壮年者一律诛杀。"日军屠城 4 天，"户内户外到处是尸体，横积在路中央，通行无法落足，必须踩在尸体上面才可以通过。船坞广场向东西方向辐射的东街、中街、西街，每条街道皆尸体满地，尸体总数少说有两千具之多。沿海湾向西逃亡者遭到路上的射击，海中漂浮许多被射杀者的尸体"。② 日军侵占旅顺后，第一师团北犯以解辽阳东路之困。1895 年 3 月上旬，日军 3 个师团会师田庄台，结束了辽阳南路的战斗。陆路战场，日军虽消耗极大，但胜多败少，处于优势地位。

海上战场，黄海海战是中日海军实力的一次决战。1894 年 9 月 17 日，战斗在鸭绿江口以西的大东沟附近海面打响。日本舰队 12 艘舰只投入战斗，吨位 40849 吨、平均航速每小时 16.4 海里（其中第一游击队为每小时 19.4 海里）、各种口径速射炮 97 门。北洋舰队 10 艘舰只投入战斗，吨位 31366 吨，航速每小时 15.5 海里，没有一门速射炮。双方相持不久，日舰即从右翼绕攻我弱舰"超勇""扬威"，我"定远""镇远"冲上前去将日本舰队拦腰截断，重创日舰"比睿""赤城""西京丸"，"赤城"舰舰长毙命，三舰逃逸。日舰转而前后夹击北洋舰队，我督舰信号装置被击毁，提督丁汝

---

① 戚其章：《甲午战争史》，上海人民出版社，2005，第 106 页。

② 宗泽亚：《清日战争（1894—1895）》，世界图书出版公司，2012，第 353—355 页。

昌受重伤，在指挥失灵的危急之中，诸舰各自为战，"定远"中炮起火，"镇远""致远"急驶上前掩护，使"定远"得以灭火突围。"致远"身中多炮，全速直冲日舰"吉野"，被敌舰击沉，邓世昌、陈金揆与 200 余名官兵壮烈殉国。随后"经远"亦沉没，"济远""广甲"驶离战场。战斗历时 4 小时又 40 分，我"镇远""定远"在敌舰的围攻中沉着应战，配合默契，坚忍顽强，以寡敌众，最后迫使日舰不敢再战，仓皇遁逃。① 黄海海战，中国损失"致远""经远""超勇""扬威""广甲"五舰，其余各舰受伤程度轻重不一；阵亡官兵 90 余人、溺毙官兵 600 余人、受伤 200 余人，合计 890 余人。日本方面虽无军舰沉没，但各舰亦无不受伤，"赤城""比睿""西京丸"损伤尤重，"松岛"差点沉没，不得不将旗舰改换为"桥立"；其阵亡官兵 90 人，受伤 208 人，总体伤亡只及中国方面的 1/3。② 如此结局，实在发人深省。

　　陆路战场的节节失利，特别是旅顺口失陷，更使北洋舰队雪上加霜。日军开始欲对困守威海卫基地的北洋舰队施以诱降，为丁汝昌所拒，日军遂从荣成登陆，分两路对威海卫实行抄袭。增援的清军刚入山东，又以京畿吃紧调头北上。1895 年 1 月底，日军开始向威海炮台发起攻击，炮台守军在港内"定远"舰的配合下，击毙日军指挥官大寺安纯少将，在顽强坚守中全部战死。威海陆地沦入敌手后，日军得以水陆夹击刘公岛守军和港内舰只。炮火连天之中，陷入绝境的提督丁汝昌、管带刘步蟾饮药自尽。北洋舰队的覆灭使中日战争转向了一个新的阶段。

《马关条约》与卫台战争

　　自中日冲突起，清廷内部主战主和，意见不一。日军突破鸭绿江江防之后，慈禧更倾向于求和，先派津海关税务司德国人德璀琳（Gustav von Detring）携总理各国事务衙门照会和李鸿章私函东渡，但日本政府不予接待。清廷又派户部左侍郎张荫桓、署湖南巡抚邵友濂为全权大臣，赴日议和。日本政府对中国代表虽予接待，但以全权不足为由，拒绝开议。北洋舰队覆没后，日本政府认为近期战略目标基本达到，战争进展已引起西方

① 戚其章：《甲午战争史》，第 144 页。
② 王家俭：《李鸿章与北洋舰队》，三联书店，2008，第 459 页。

列强的干涉，战争的巨大消耗已导致国内矛盾加剧。"社会宛如被一种政治恐怖所袭，惊愕至极陷于沉郁，忧心忡忡，我国要处似有随时有受三国炮轰之虞，无人高谈匡救目下大难之大策。"① 因此亦愿尽速结束战事，开展和谈。日本要求中方派出能办大事有名之员，并给予十足全权责任。1895年3月19日，以全权大臣李鸿章为首的中国议和代表团抵日，于马关与日本全权大臣伊藤博文、陆奥宗光开始谈判。日方提出的停战条件是要占领山海关、大沽和天津，而且停战期间中国须负担日军军费。中方对此不能接受，将之搁置。当李鸿章返回寓所途中，有暴徒朝他开枪，击伤面颊。日本怕中方中止谈判，更怕列强干涉，允诺停战三周，随即签订《中日停战协定》，但停战区域不包括台湾和澎湖列岛。3月底，日方拿出和约底稿，提出：中国割让盛京省南部、台湾全岛及澎湖列岛给日本；中国向日本赔偿军费库平银3亿两；在中国已开通商口岸之外再开放七处为通商口岸。李鸿章一面竭力辩驳，一面密电清廷请示。日方掌握了李与清廷往返密电的内情，依据内外形势，将条件稍做调整，踩住底线不再松口，且态度极为傲慢强硬。直至第七次谈判，清廷亦无计可施，只好指示李鸿章与之订约。

4月17日，中日两国全权大臣于马关之春帆楼正式签约，条约规定：中国认明朝鲜国确为完全无缺之独立自主；中国割让辽东半岛、台湾全岛及所有附属各岛屿给日本；中国约将库平银二万万两交与日本，作为赔偿军费，该款分作八次交完，第一次赔款交清后，未经交完之款应按年加每百抽五之息；日本臣民得在中国通商口岸、城邑任便从事各项工艺制造，又得将各项机器任便装运进口，只交所定进口税；开放沙市、重庆、苏州、杭州为商埠，日船可以沿内河驶入以上各口搭客载货。另约规定：暂为驻守威海卫之日本国军队应不越一旅团之多，所有暂行驻守需费，中国自本约批准互换之日起，每一周年届满，贴交四分之一，库平银五十万两。②

中日《马关条约》使中国丧权辱国无以复加，激起强烈反响。国际上俄、法、德三国怀抱各自的目的，也应中国的请求，联手干涉日本割让辽东半岛，最终促成中国以银3000万两赎回辽东半岛。中国国内相当多的官员和士子上书呼吁，要求拒和备战。

---

① 陆奥宗光：《甲午战争外交秘录》，陈鹏仁译，海峡学术出版社，2005，第171页。
② 戚其章：《甲午战争史》，第415页。

台湾官民获知台湾将被割让，群情激奋，署理台湾巡抚唐景崧见台民强烈反对割台，两月之中 20 余次致电清廷，恳请保台；在籍工部主事、全台义军统领丘逢甲刺血上书，表示誓死保卫台湾："如倭酋来收台湾，台民惟有开仗！"[1] 台湾官民为抵抗日本侵略，迫不得已临时采取应变措施，成立"民主国"，公推唐景崧为"总统"，年号"永清"，"遥作屏障，气脉相通，无异中土"。[2]"民主国"政府任命新的官员，建立起清军与义军联合抗日体制，在反割台斗争中发挥了重要作用。日本任命海军大将桦山资纪为台湾总督兼军务司令官。6 月初，日军攻陷基隆，台北告急，唐景崧内渡。日占台北，桦山资纪在台北主持"始政典礼"，宣布台湾总督府成立。台湾府义军统领吴汤兴于苗栗县誓师北上抗敌，丘逢甲派所部四营参战。日军虽在炮火掩护下占据了新竹城，但被义军包围。义军胡嘉猷部以安平镇为据点，不断袭击日军，使之难以向南进兵。淡水的义军也给日军造成很大伤亡。在义军抗敌壮举的影响下，新楚军统领杨载云率四营北上，与吴汤兴义军共同向新竹城日军三次发动攻击，终因火力不济而失败。在随后的战斗中，杨载云和吴汤兴先后阵亡。日军占领彰化后，以陆军 4 万人的强势兵力向台南逼近，刘永福、杨泗洪、徐骧义、柏正林等众多爱国将领率部坚持抵抗，直至弹尽粮绝。台南被日本侵略者占据。

甲午战争的深度影响

甲午战争的失败给中国带来了深重的灾难，包括大片领土的丧失，巨额财富被掠夺，[3] 以及由列强的干涉和因赔款须借款而引起的列强对中国的争夺。俄、法、德三国干涉还辽，接踵而至的就是俄、法向中国贷款 4 亿法郎，约合库平银 1 亿两，年息 4%，折扣 94.125%，期限 36 年。英、德两国

[1] 王彦威等编《清季外交史料》第 109 卷，文海出版社，1964，第 5 页。

[2] 中国史学会主编《中国近代史资料丛刊·中日战争》（本章以下简称《中日战争》）第 1 册，新知识出版社，1956，第 202 页。

[3] 据戚其章的研究，日本经甲午战争从中国掠夺的财富总额达 3.4 亿两，包括直接赔款的 2 亿两，赎回辽东半岛的 3000 万两，威海卫驻军费每年 50 万两，三年 150 万两，日本以库平银必须足色又让中国多付 1325 万两，日本还要求必须以英镑在伦敦付款并由日本规定汇率标准，使中国因"镑亏"而多付 1494 万两，再加上日本从中国获得的舰船、枪炮、金银、粮食等战利品可折合 8000 万两。参见戚其章《甲午战争赔款问题考实》，《历史研究》1998 年第 3 期，第 65—78 页。

不甘落后，以各种威逼利诱的手段迫使清政府与之签订贷款合同，向清政府贷款 1600 万英镑，合库平银 9762.2 万两，除去折扣后清政府实收库平银只有 9142.5 万两。后来英、德又迫使清政府续借 1600 万英镑，年息 4.5%，折扣 83%，限期 45 年。通过这些利息高、折扣大、期限长的巨额贷款，列强不仅可以干预中国内政，而且可以操控中国的经济与财政。

甲午战争后，列强不仅强迫中国贷款，还在中国掀起了抢夺铁路权益的狂潮。1896 年，法国率先取得了从越南到中国龙州的铁路修筑权。同年，俄国更获得了修筑从西伯利亚穿越中国东北直通海参崴的中东铁路的权益。1897 年，清政府决定向比利时借款修筑南北干线卢汉铁路，因比利时与俄、法关系密切，引起英、德两国的不满，英、德出动军舰向清政府耀武扬威，结果，不仅英、德获取了津浦路修筑权，德国还获得了山东境内其余铁路的修筑权益，英国更把借款筑路的巨手伸向了山西、河南、长江下游、珠江流域，甚至山海关外俄国人的势力范围。在这股争夺筑路权益的狂潮中，美国也扮演了重要的角色，通过与英国的妥协，最终与清政府签订了贯通华中、华南的粤汉铁路的借款合同。

列强对某一铁路修筑权的获得是独占性的，即近期内别国不能，中国自己也不能投资修筑。债权国一般还要垄断铁路材料的供应，从中进一步获取利益。争夺铁路修筑权与争夺矿产资源紧密相连。因此，铁路经过和到达的地方，重要的矿产资源，如煤、铁矿等，大多亦为列强所控制。争夺铁路权益和矿藏资源，势必导致势力范围的划分。从 1895 年至 1899 年，列强在中国所占势力范围的大致情况是，俄国租借旅顺、大连 25 年，以此为基点，将长城以北视为它的势力范围；英国占据香港、租借九龙半岛 99 年，以此为基点，将西藏、云南一部分、广东和长江流域视为它的势力范围；德国租借胶州湾 99 年，以此为基点，将山东视为它的势力范围；法国以广西和邻近越南的云南、广东两省部分地区视为它的势力范围；日本侵占台湾、澎湖列岛后，视福建为其势力范围。美国没有来得及把中国某一地域视为自己的势力范围，它于 1899 年提出"门户开放"政策，要求各势力范围对美国开放，使美国享有均等权益和机会。"门户开放"政策陆续为列强所接受，这样就使中国既处瓜分危机之中，又在列强共同奴役之下。

列强侵入中国的势力，金融占有突出的地位。英国的汇丰银行、德国的德华银行、法国的东方汇理银行、日本的正金银行，以及俄、法合资成立的华俄道胜银行和美国花旗银行，它们建立的金融网络不仅深深地影响了中国的经济，而且直接或间接渗透到中国的政治、军事、文化和社会之中。比如，中国关税收入存放汇丰银行，银行向清政府支付年息4%。而同样是这笔钱，银行拿来贷给清政府的年息则要10%。这一出一进之中，清政府就损失了6%。外国金融资本还向中国工矿、运输、电信等行业渗透。1896年到1900年，外资工矿企业资本10万元以上者开设20余家，资本总额达2400多万元。外企利润汇出数额成倍增加。

由于《马关条约》开放了宜昌至重庆的长江航运，英、美、法、日等国的轮船，甚至军用船只就可从上海、汉口上达重庆。轮船与中国旧式木船相比处于绝对优势地位，致使一些华商行栈转而为洋行服务，洋行在长江流域的势力快速增长。

甲午战争后，列强不仅把中国作为商品倾销之地，更把剩余资本向中国竞相投放。中国自主发展经济的条件受到越来越严重的制约。正是这种制约，促使一些仁人志士把发展民族工业作为挽救民族危亡的出路，要求准许民间设厂的呼声日渐增强。清政府迫于形势，不得不采取措施加以应对。1895年7月，光绪帝在上谕中明确提到要恤商惠工。1896年初，清廷批准了各省设立商务局的建议。之后，清廷渐渐放宽了对民间创办实业的限制，允许民间招商集股开矿、开放内河航运等，并制定了《振兴工艺给奖章程》。民族资本中一股比较强的力量是轻纺工业，上海的裕晋、大纯，无锡的业勤，宁波的通久源，南通的大生等10家纱厂，有纱锭19.5万枚、资本500.7万元。其中尤以清末状元张謇在南通创办的大生纱厂具代表性。大生纱厂采用股份制向社会集资，然后逐渐扩大产业规模，发展到农垦、面粉、榨油、制盐、机械、贸易、航运、码头、金融、房地产等多个行业领域，走的是一条以农村为基地、以工业为中心、农工商协调的乡土经济发展之路，形成大生企业集团。更多的民族资本选择了缫丝工业。1895年至1911年，全国创办了140多家资本万元以上的丝厂。民族资本还创办了一批面粉厂、火柴厂、船舶修造厂和轮船运输企业。

甲午战争后的国际压力和国内局势，从不同方向催促清朝政府进行一场历史性的变革。

二　变法诉求步步升级

自 1840 年鸦片战争后，随着西方势力对中国侵入的逐渐加深，中国人对西方的了解日益增多，中西之间的差异与社会进步上的差距为越来越多的人所关注和认识。经过第二次鸦片战争、中法战争，特别是中日甲午战争，中国自身体制的缺陷和弊端一次又一次暴露出来，并且留下惨痛的教训。中华民族面临前所未有的大危机。正是伴随这种危机感的产生和加剧，要求学习西方、变更旧制、重新定位中华文明发展目标的改革意识逐渐明朗、强烈起来。变法诉求步步升级。甲午战争前，早期改良思想分散表达；甲午战争后，变法形成思潮和群体集合型诉求；后来又发展到以《时务报》为代表阵地的全国性舆论和以湖南维新运动为先驱的实施层面；最终促成统治集团内部比较明确、比较强势的变法意向。百日维新既是甲午以后的时局逼出来的，也是在漫长的心理、思想累积之上发生的。

要求变法的先驱者

容闳，号纯甫，广东香山人，1847 年赴美国留学，1850 年入耶鲁大学学习，获学士学位，1855 年回国。1860 年，他与太平天国领袖洪仁玕等商谈富强大计，提出七点计划：（1）依正当之军事制度组织一良好军队；（2）设立武备学校以养成多数有学识军官；（3）建设海军学校；（4）建设善良政府，聘用富有经验之人才为各部行政顾问；（5）创立银行制度及厘定度量衡标准；（6）颁定各级学校教育制度，以耶稣教《圣经》为主课；（7）设立各种实业学校。洪仁玕对容闳的建议甚有兴趣，十分重视，但因战争无法实施。

冯桂芬，字林一，江苏吴县人，进士，翰林院编修。1853 年，他奉旨办团练，得曾国藩、李鸿章赏识。冯桂芬著作很多，但集中反映其变法思想且对后来的变法运动影响较大的是《校邠庐抗议》。冯桂芬认为，中国在天时、地利、物产三个方面均甲于地球各国，而今觊然屈于俄、英、法、美四国之下者，主要是人为的因素造成的，人无弃材不如夷，地无遗利不如夷，君民不隔不如夷，名实必符不如夷。只要皇帝反省自问，振刷纪纲，即可解决，无待于求诸夷人。至于军事方面，中国船坚炮利不如夷，有进无退不如夷。只要改革科举，设立特科，不仅能师夷长技，而且能驾而上之。他还提出，要在自强的基础上，学会利用欧洲诸强国在中国的均势，采取坚定一贯的外交政策。1876 年《校邠庐抗议》正式刊行，1889 年光绪帝命将其中与时政关联密切的《汰冗员》《许自陈》《省则例》《改科举》《采西学》《善驭夷》等篇抄录成册。百日维新开始后，光绪帝又命将该书新印 1000 部，颁发给大学士、军机大臣、六部九卿、翰詹科道及各省督抚将军，要求仔细阅读并发表意见。

王韬，字仲弢，号紫铨，江苏长洲人。他曾在上海、香港和英国与传教士理雅各（James Legge）交往，协助其将中国典籍五经等译成英文。1871 年开始经营出版事业，出版自著《普法战记》14 卷，创办《循环日报》，发文纵论变法图强之道。1883 年撰《论变法》上、中、下三篇，认为中国取士之法宜变，练兵之法宜变，学校之虚文宜变，律例之繁文宜变，且皆宜亟变。参用西法，移风易俗，权操之自上，转移于不觉。由本以及末，由内以及外，由大以及小，非徒恃乎西法。① 后来百日维新时期所进行之科举考试改革、教育改革、律法改革、军事训练改革，在王韬的变法设计中几乎皆已论及。

马建忠，字眉叔，江苏丹徒人，1876 年赴法，回国后在天津协助李鸿章办理洋务，著有《适可斋记言记行》和语法著作《马氏文通》等。1877 年夏，他从欧洲写信给李鸿章说：

> 欧洲各国讲富者以护商为本，求强者以得民心为要。护商会而赋税可加，则盖藏自足；得民心则忠爱倍切，而敌忾可期。他如学校建而智士日多，议院立而下情可达。其制造、军旅、水师诸大端，皆其末焉者也。②

1890 年，马建忠提出"富民说"，强调对外商贸体制须改革，要把扩大

---

①　王韬：《论变法》（中），《近代中国对西方及列强认识资料汇编》第 2 辑第 2 分册，"中央研究院"近代史研究所编印，1986，第 858—859 页。

②　《近代中国对西方及列强认识资料汇编》第 3 辑第 2 分册，第 653 页。

出口、减少进口作为国家富强的关键：欲使出口货增多，"在精求中国固有之货，令其畅销"；欲使进口货减少，则须"仿造外洋之货，敌其销路"，同时应开采矿山，以保证财富常聚而不散。

何启与胡礼垣。何启，字迪之，号沃生，广东南海人，1872 年赴英攻读医学和法律，1882 年回香港当律师，1890 年任香港立法局议员。他曾协助孙中山筹划广州起义，起草对外宣言。胡礼垣，字荣懋，号翼南，广东三水人，早年毕业于香港大书院并留院任教，后创办《粤报》。1894 年冬至次年春，何启与胡礼垣合著《新政论议》，建议以复古为革新，进行七项改革。

（1）中国应仿照西方国家责任内阁制或总统制，"下令国中，自今以往，诸臣中有以改为是者，准其留职；有仍以不改为是者，着令辞官。如此则凡有宜改之处，诸臣只可将其事斟酌尽美，行之尽善而已，不能梗阻也"。

（2）大幅提高官员待遇。待遇提高后，"文员武员有受及民间一钱一物，或擅支国库一毫一厘者，立行革职，永不再用，恩俸尽削。如此，则贿赂之风未有不绝"。

（3）立即停止捐官旧例，"以真法取才，真才出，而伪才去；以伪法取才，伪才进，而真才亡。今当改革之初，事之从真，必自官场始，而官之从真，必自废捐始"。

（4）下令国中各府州县俱立学校，每省设一学政大臣，负责全省学校事务。学校教育除学习中国语言文字外，还应分设外国语文、万国公法、中外律例、中外医道、地图数学、步天测海、格物化学、机器工务、建造工务、轮船建造、轮船驾驶、铁路建造、铁路管理、电器制用、开矿、农务树畜、陆军、水师、电线传递等专门学科，考试合格者分别发给某科秀才、举人、进士执照，国家有公事，则选这些获得执照的人去办理。

（5）凡欲专攻帖括者，听其参加考试，考试内容加万国公法及律学大同二门，合格者发给文学秀才、举人、进士头衔，可担任翰林院翰林或参加议员选举。

（6）除省府县行政长官仍由天子任命、以三年为任期外，每省府县各由童生、秀才、举人、进士公举 60 名议员，分别负责本县府省的议政工作。兴革大事、度支转饷，均谋之议员。官与议员意合，方得施行。

（7）各省一年一次会于都会，开议院事，以宰辅为主席，议毕，各议员将其本省来岁应行之事，如公项出入、选取人员等件，记明画押公奏，主上御笔书名，以为奉行之据。如有未咨，则再议再奏，务期尽善而止。①

陈炽，字克昌，号次亮，江西瑞金人，长期任职户部。他曾游历山东、江浙、闽粤等沿海地区及香港、澳门，感念时变，著成《庸书》，1895 年初由翁同龢进呈光绪帝。《庸书》分内、外篇，其外篇如西书、洋务、游历、议院、育才、艺科、商部、税则、考工、商务、铁政、利源、铁路、赛会（博览会）、公司、巡捕、轮船、西法、编审、善堂、报馆、民兵、炮台、公法、使才、驿传、刑法、海国、天文、电学、格致、西臣、妇学、合纵、养民等，这几乎囊括了甲午以前中国人所了解的西学的各个层面，书中不乏卓识远见。在《报馆》一篇中他认为，应该"晓谕民间，准其自设"，一转移间，"诸利皆兴，而诸弊皆去，集思益广，四民之智识宏开，殚见博闻，万里之形声不隔，高掌远跖，明目达聪"。他高度评价欧美国家的议院制度，认为这是西方国家富强的根本原因。他认为，泰西议院之法合君民为一体，通上下为一心，中国也应仿照欧、美的议院制度。

这一时期还有郑观应、汤震、陈虬、宋恕、宋育仁等思想家，分别撰有《盛世危言》（1894）、《危言》（1890）、《治平通议》（1890 年前后）、《卑议》（1891）、《时务论》（1890 年前后）等探讨变法问题的著作。

在这个时期显露出来的改革思想者中，康有为应当引起更多的注意。他没生活在中外交往的第一线，也无参与行政的实践经验，但他的思想更具历史深度、哲学高度和现实与理想的张力，是富于文化内涵和信念关怀的体系性改革思想。

康有为，字广厦，号长素，广东南海人，曾从岭南大儒朱次琦学，构筑了中国传统学问的深厚基础。他喜冥想，好佛理，救世拯民之念甚坚。1879 年冬，康有为游香港，耳目一新："览西人宫室之环丽，道路之整洁，巡捕之严密，乃始知西人治国有法度，不得以古之夷狄视之。"②

1882 年，康有为赴京参加顺天乡试，道经上海，益知西人治术之有本，自是大讲西学，始尽释故见。声、光、化、电、重学及各国史志，诸人游

---

①　中国史学会主编《中国近代史资料丛刊·戊戌变法》（本章以下简称《戊戌变法》）第 1册，神州国光社，1953，第 188—201 页。

②　楼宇烈整理《康南海自编年谱》，中华书局，1992，第 9—10 页。

记，皆涉猎，甚至乐律、韵学、地图学也未放过。

1885 年，康有为自认学已"大定"，思想体系初步形成。从他此时期的著作《康子内外篇》《教学通义》《民功篇》《实理公法全书》等来看，确乎非同凡响。

《康子内外篇》论述了自然界和人类社会的基本法则，人性和人生的态度，统治思想的精意和作用，文明与文化的发生、比较、趋向，世界大势和中国的出路等。《实理公法全书》中心观念是崇尚"平等"，即"人有自主之权"。《教学通义》对秦汉以来政治教化的内容、体制及效应进行了严厉的批判，同时提出了较为完整的变革现实的主张。

1888 年，康有为再次入京参加顺天府乡试。他意气高昂，倜傥自喜。虽榜上无名，豪情依然万丈。他想与当朝达官名流直接联络，表达自己的变法诉求。翁同龢拒绝他的求见。三访徐桐，皆被挡驾。工部尚书潘祖荫虽给了面子，但热情不高。康未气馁，再次上书潘祖荫，力劝潘氏"与二三公忠同志大臣"，涕泣上书君上，要求变法。康有为仍觉不够，干脆直接上书皇帝，写了约五千言的《上清帝第一书》。提出三点："变成法""通下情""慎左右"。翁同龢拒绝代递，都察院代递也遭阻。

1889 年康有为离京南下，直至 1895 年，六七年中他讲学著书，颇有成就：一是以万木草堂为基地聚集了一批青年学子，形成了"康门"或称"康党"的基干力量；二是借公羊今文经学的形式，构建了一个相对完整的"复原孔教"的理论框架。之后他陆续撰成《新学伪经考》《孔子改制考》《春秋董氏学》《大同书》。

《新学伪经考》刊行于 1891 年，该书立意非常简单，其大量的考辨证明只为得出一个结论：古文经典及传注（《周礼》、《春秋》左传、《诗》毛传、古文《尚书》、古文《孝经》、古文《论语》等）都是刘歆为王莽新朝编造出来的，所以是"新学""伪经"。其论证过程多有牵强附会、鲁莽灭裂之处，如谓《史记》《楚辞》经刘歆羼入者数十条，出土之钟鼎彝器皆刘歆私铸埋藏以欺后世。1894 年 8 月，《新学伪经考》遭人参劾，被禁毁。

《孔子改制考》的撰写始于 1892 年，由万木草堂高才弟子陈千秋、曹泰等协助编辑，因"体裁博大"，直至戊戌年方才面世。这部被梁启超喻为"火山大喷火"的著作，其基本思想是，上古三代"文教之盛"和三皇、五帝、尧、舜等的事迹，都是周朝末年孔子及其他诸子为创教、改制所假借、编造而成的；儒教为孔子所创立，中国的义理制度也皆由孔子所创立，孔子是创教和改制立法的教主圣王；孔子创教改制的精义是拨乱世致太平；孔子以布衣之身立法改制，"事大骇人"，故假借古代先王名义。

甲午战后变法诉求日趋强劲

　　首先是博通中西的严复在天津连续发文，从中西文化差异和中外局势的深邃眼光呼吁变法刻不容缓。严复，字又陵，号几道，福建侯官人。他1867 年入福州船政局求是堂，1877 年赴英国学习海军，并研读西方经济、哲学、历史、社会科学等方面的著作，旁听法庭审案，观察英国社会政教风情。1879 年学成归国，先后任北洋水师学堂教习、总教习、会办、总办。甲午战败，引发严复深沉的思索和激锐的呐喊。自此他开始登上思想启蒙领袖的高台。1895 年 2 月，严复在天津《直报》上发表《论世变之亟》，认为中西之间的理道本来是相同的，但西方国家行之则常通，中国行之则常病，究其原因，则在于西方有自由，而中国无自由。3 月上旬，他发表《原强》，提出标本兼治的变法图强方案：标者何？收大权、练军实。本是民智、民力、民德。果使民智日开，民力日奋，民德日和，则上虽不治其标，而标将自立。3 月中旬，又发表《辟韩》，对唐代思想家韩愈的《原道》进行尖锐批评，提出与韩愈论点针锋相对的观点：民迫不得已而立君与臣的初衷，是欲君臣担当"卫民"的职责，而非只收税征粮，作威作福。5 月，《直报》连载严复的长文《救亡决论》，提出今日中国不变法则必亡，而变法应首先从变八股始。他批判科举制度具锢智慧、坏心术、滋游手三害。有一害即可使国家由弱而亡，中国三害兼有，国家焉得不弱亡！严复这些连珠炮似的战斗檄文，以其文化内涵和思想犀利的巨大冲击力，像春雷一样震荡着中国知识界，呼唤着变法思潮的来临。

　　1895 年 4 月 15 日，即李鸿章在马关签约的前两天，康有为令梁启超鼓动广东籍举人上折请拒和议。梁启超迅速联络了一百多名同乡举人。湖南举人也分头联络。两省举人达成协议，同时递折。4 月 22 日，粤、楚举人数百名到都察院呈请代奏。各省举子亦相继跟进。台湾举人莫不哀之。大规模的上书活动甚至得到某些官员的鼓动和支持。康有为奋笔草成的一万八千字的请愿书在众多举子中传观议论。这就是震惊内外的"公车上书"。

"公车上书"请求皇帝独断圣衷，幡然变计，采取四大措施：（1）下诏鼓天下之气；（2）迁都定天下之本；（3）练兵强天下之势；（4）变法成天下之治。变哪些法呢？

（1）富国之法，通过建立国家银行、修建铁路、兴办机器厂、轮船公司、开办铁矿、统一银币、设立邮政等措施，实现国家富强。

（2）养民之法，包括务农、劝工、惠商、恤贫四个方面，国家应广译西方农学著作，在各地城镇遍设农林牧渔茶学会，改良农业，以开农业利源；令各州县咸设考工院，广译西方制造之书，选学童研习工艺制造，奖励发明创造，允许民间设厂制造枪炮；设通商院，选派廉洁大臣长于理财者，经营其事，同时令各直省设立商会、商业学堂，比较厂（即展览会），以商务大臣统一领导，上下通气，通同商办，以夺外商之利，以扩商务；对穷困无业、游散无赖之贫民，国家宜设法收恤，或帮助其移民于边远地区或外国，或设立警惰院，收容贫民，强迫教以工艺技术，使之参加大型工程建设，以工代赈，或劝筹巨款，设立专院，收养鳏寡孤独、疲癃残疾、盲聋喑哑等，以固结民心。

（3）教民之法，武科考试废弓刀步石，改设艺科，令各省州县遍开艺学书院，凡天文、地矿、医律、光重、化电、机器、武备、驾驶，分立学堂，而测量、图绘、语言、文字皆学之，考试合格后国家分别授予秀才、举人、进士等头衔，并分别给予不同的职务。同时开设报馆，传播新闻，政俗备存，文学兼述，小之可观物价，琐之可见土风。清议时存，等于乡校，见闻日辟，可通时务。

（4）改官制去壅塞，官制太冗，俸禄太薄，外之则使才未养，内之则民情不达，若不变通，无以为教养之本。中国大病，首在壅塞。事皆文具而无实，吏皆奸诈而营私。上有德意而不宣，下有呼号而莫达。同样的事，外夷行之而致效，中国行之而益弊，只因上下隔塞，民情不通所致。

康有为饱蘸爱国激情写成的这份请愿书，实际上是一份完整的变法纲领。4月30日和5月1日两天，18省举人1200多人纷纷从各会馆云集松筠庵。清政府中的主和派对此极为恐慌，使人"妄造飞言恐吓"。有些人畏祸退缩。康有为、梁启超和数百名各省举子仍坚持将请愿书向都察院递进，但未能如愿。轰轰烈烈的公车上书虽未直接实现其目标，但使久已郁积的变法诉求公开化、群体化、强劲化了。政府中的某些要人如翁同龢等也更关注康、梁等人的变法活动。5月底，已中进士的康有为将原上书稿修改，撰成《上清帝第三书》，呈请都察院代奏。康有为的奏折很快就递到了光绪帝手中。皇帝览而喜之，命呈太后、发各省督抚将军议。

要求变法的气氛日益浓厚。朝廷内外闻风而动者颇不乏人。6月3日，甘肃新疆巡抚陶模上了一份《培养人才疏》。提出13点变法建议：（1）整饬国子监；（2）汰减科举考试和录取名额；（3）重视小学启蒙教育，年未及冠者不得提前参加科举考试；（4）停止捐官，大力汰减冗官、宦官；（5）中央各部院堂司各官练习政事，熟悉业务，防止书吏把持欺蒙；（6）八旗兵宜破除积习；（7）文武大员革除嗜好，勤于政务戎务，政戎之余，应涉猎地理政书及新译西籍有关兵法者；（8）士大夫禁食洋烟；（9）分设算学及艺学科目，以培养专科人才；（10）停止旧例武科科举考试，从新式的水、陆师学堂中选拔具有航海、驾驶、天文、测绘、机械制造、阵法等新学问的文武兼通之才，分别授以海、陆军秀才、举人、进士等称号；（11）各省驻军变通操法，改习西式水陆操；（12）考求工艺兵法，学习算学、重学、化学、汽学等专门学艺，优秀者选送出洋深造，务期各精一艺，以立富强之基；（13）总理衙门翻译各国政书，呈皇帝御览，并刊发各衙门、各书院，俾天下士大夫洞悉中外情形，以便人人知耻、知难、发愤，从而易危为安，转弱为强。①

被人称作"老顽固"的大学士徐桐也上奏，说"外省厘差盐务关务闲员甚多，内地腹省并无军务，借口弹压多招勇营，安置私人，岁糜巨款"，请皇帝下令"痛加删汰"。

康有为得知皇帝非常重视自己的上书，又撰写了长达万言的第四次上书，专谈变法体要及先后缓急之宜。建议皇帝采取五大变法措施。

（1）下诏求言，破除壅蔽，罢去忌讳，许天下言事之人到午门递折，令御史轮值监收，不必由堂官呈递，亦不得以违碍阻格，永以为例。

（2）开门集议，令天下郡邑十万户而推一人，凡有政事，皇上御门令之会议，三占从二，立即施行，其省府州县咸令开设，并许受条陈以通下情。

（3）辟馆顾问，请皇上大开便殿，广陈图书，每日办事之暇，以一时

---

① 参见《戊戌变法》第2册，第269—276页。

许亲临，顾问之员轮班侍值，皇上翻阅图书，随宜咨问。

（4）设报达聪，令直省要郡各开报馆，州县乡镇亦令续开，日月进呈，并备数十副本发各衙门公览，使民隐咸达，官慝皆知。中国百弊，皆由蔽隔，解蔽之方，莫良于是。外国新报，能言国政，今日要事，在知敌情，通使各国，著名佳报，咸宜购取。俾百僚咸通悉外情，皇上可周知四海。

（5）开府辟士。宰相之职，在于进贤，可令其自开幕府，略置官级，听其聘士，督抚县令，均可仿此自制设立相应的幕府。

康有为的这个第四次上书没有第三书那么幸运，被阻未能上达。

7月19日，署两江总督张之洞上《吁请修备储才折》，建议光绪帝采取九条变法措施：（1）亟练陆军，一年之内，于海疆各省练得力陆军三万人，军制学德国，聘用洋将训练，同时遣将弁出洋学习，并自设学堂，延西师教练；（2）亟治海军，国家无论如何艰难，即使借款，也要复建南北洋和闽、粤四支海军；（3）亟造铁路，允许西方小国商人借款承包修筑；（4）分设枪炮厂，精制兵器；（5）广开学堂，培养专门人才；（6）速讲商务，国家采取措施护商，各省设商局、办公司，以兴商务；（7）讲求工政，讲求格致，通化学，用机器，精制造，化粗为精，化贱为贵，各省设工政局、招商局，加工精造货物，或出口，或内销，以富国养民；（8）多派游历人员出国考察，增加阅历，增长才识，将来任以洋务等事；（9）预备巡幸之所，择腹省远水之地，如山西、陕西等处，建设行宫，一旦外敌入侵，可临时巡幸，不必迁都，又可免受敌人牵制。

闰五月，御史胡燏棻上《变法自强疏》，提出十点变法建议：（1）开铁路以利转输；（2）筹钞币银币以裕财源，设立官家银行，统一货币；（3）开民厂以造机器；（4）开矿产以资利用；（5）折南漕以节经费；（6）减兵额以归实际，对各省绿营无用之兵，裁其老弱，年裁二成，五年裁竣，所省之款，用以按西法招募创练新军，同时仿西方巡捕之制在各城乡市镇设立巡捕；（7）创邮政以删驿递；（8）创练陆兵以资控驭，通饬各省一律改练近年新出之西法，设武备学堂，聘洋员教习，学生毕业后分派入营充当哨、营各官，武科乡试改试枪炮，提高营哨各官之薪水及兵勇之饷项；（9）重整海军以图恢复，购舰而外改定章程，选求将帅，直听枢府号令，战时可便宜行事；（10）设立学堂以储人才，改书院，设农、工、商、矿、医、格致、水陆师、女子、聋哑等专门学堂，许民间集资设立，以开民智，国家设大书院以考试之。

七月，道员伍廷芳上书，提出九条变法建议：（1）讲求洋务以御外侮，请皇帝明降谕旨，令内外臣工留心洋务，竭力考究外国情形及交涉各事，并饬各省将军督抚，悉心搜罗深知洋务、熟谙交涉、确有实学之员，立即奏明召见；（2）整顿武备以固疆圉；（3）牵制强邻以资控驭，易干戈为玉帛，厚结英、德、美诸国，密订盟约，以牵制俄、法、日，一面简派智谋兼备之员游说各国，用夷间夷，以夷制夷，一面饬水陆各师将领朝夕训练，以成劲旅，使敌不遑谋我，不敢谋我；（4）速绘舆图以便布置；（5）酌改税则以增国课；（6）创设银行以塞漏卮；（7）创兴邮政以裕利源；（8）推广铁路以利转输；（9）仿行印花纸税以收利益。[①]

同月，两江总督刘坤一与署两江总督张之洞联名上折，条陈时务，提出六项自强之法。军事方面，着重整顿陆、海军。驻防各省之绿营、勇营、水师须汰弱留强，大事整编。凡兵多之营，无论水陆，均酌减一半或裁三成。整编后之水陆军无事则操练，有事则征调，循序渐进并严格训练及娴习各类新式枪炮，使成精锐之师。实业方面，偏重交通与矿业之发展，且二者须相辅为用。国内各种矿产资源丰富，应尽量开采，以供应冶炼钢铁、造船、修筑铁路及有关发展民用工业等方面所需之原料及燃料。教育方面，以培养中西兼通之人才为基本，尤以洋务人才为重，不以八股、试帖、辞赋取士。大量翻译各种西学书籍，分发各省书院。各省增聘西方饱学之士或长于西学之华人为教师，侧重以西学之成绩为取舍学生之标准，习西学优异者，经各省书院保送入"同文馆"深造，俟机随使臣出洋，以广见闻。[②]

要求变法的呼声虽然在趋向强劲，但昧于情势、畏惧变法的势力仍普遍存在。因此维新派还须做出更大的努力。

从强学会、《时务报》到时务学堂

康有为认为，变法必从京师开始，必从王公大臣开始才能成功。为使

---

① 参见《近代中国对西方及列强认识资料汇编》第 4 辑第 1 分册，第 161—166 页。
② 参见王玉堂《刘坤一评传》，暨南大学出版社，1990，第 114—115 页。

更多的王公大臣赞成或同情变法，康有为自己出资开印《中外纪闻》，免费分送。1895年7—8月，他发起"游宴"运动，在游宴的基础上组织强学会，以从组织上加固维新派的营垒。开始几次很不理想。8月底，康有为与陈炽分头约集浙江温处道（未到任，在督办军务处任职）袁世凯、内阁中书杨锐、丁玄钧、沈曾植和沈曾桐兄弟、张孝谦等参加宴会。宴席上，大家约定各出义捐，一举而得数千元，并当场推选陈炽负总责，张孝谦帮之，推举康有为负责起草序文和章程。此后，宴会活动日渐增多，来者日众，一些高级官员、外国使节及传教士也卷了进来。康有为等人所组织的京师强学会具有浓厚的官方色彩，可以说它是一个京师高级官员俱乐部，其成员分别来自或代表着军机处、总理衙门、内阁、翰林院、督办军务处等机构或这些机构的主要官长。除前边提到的有关官员外，侍读学士文廷式、翰林院编修徐世昌等也是会中重要分子。强学会的活动在京城令人瞩目。不到半年，御史杨崇伊上疏弹劾强学会，诋其以私立会党、开处士横议之风，强学会遂被清廷封禁。

强学会遭禁之前，康有为已离京南下。他由沪至宁，顺利地与张之洞达成协议，由张之洞带头出资，在上海组织强学会并发行会刊。张之洞委托康有为与梁鼎芬等负责起草学会的有关章程、序文及其他工作。章程末尾共有16位发起人的署名。这份经张之洞授意指定，具体由梁鼎芬电约或代签的名单，几乎囊括了张之洞周围的主要属僚和后来戊戌变法中南方地区的大部分骨干分子。11月底，康有为带着起草好的有关文件和张之洞允拨5000元作为上海开办强学会的启动经费的许诺，踌躇满志地到了上海，准备施展身手，大干一番。他把门人徐勤和何树龄电调来沪，协助办报。1896年1月，上海强学会机关刊物《强学报》创刊，文章中除了提出"光大维新之命"、"昌言变法"、设立"议院"等主张，更有关于孔子改制的康氏议论。

康有为的架势令张之洞十分懊恼，决定调汪康年到上海主持强学会各项事业，同时对康有为所召集的会议一概抵制，拒绝派人参加。京师强学会遭禁，更使张之洞不得不迅速采取停办上海强学会及《强学报》的措施。于是就有汪康年和梁启超先后到沪合创《时务报》的情况发生。

创刊于1896年8月的《时务报》旬刊，直到1898年8月终刊，共出

69 册。它不仅执当时维新舆论之牛耳，起着维新思想宣传主渠道的作用，而且是一时间维新人士的集散中心和各种维新事业的策源地。

《时务报》"论说"栏连载梁启超的《变法通议》，梁氏或阐发"凡在天地间者莫不变"的通理通则（自序）；或列举各国强盛衰亡事例及本朝列祖变前代之法的事实，反复辩难，痛陈今日处"万国蒸蒸"，大势相迫下中国变法的必要性和紧迫感（通议一）；或指斥今日讲求变法者不知本原的种种弊端，标揭变法的根本，即"变法之本在育人才，人才之兴在开学校，学校之立在变科举，而一切要其大成在变官制"（通议二）。梁氏的行文明白晓畅、剀切动人、文采飞扬、警语迭出，且措辞谨慎、出语委婉，博得许多人的欣赏和赞扬。《时务报》的风行，于一度沉闷的局势中辟出了一条新知识、新思想流动的通道，在启发民智、鼓动人心、宣传变法、引导舆论等方面居功至伟。

时务报馆实际上也成了各种维新事业的联络站。自 1896 年至 1898 年，共有 40 人自浙江、四川、江苏、湖北、安徽、山东、湖南、广州、北京、西安、吉林、槟榔屿等地来信，请求帮助办理各类事务近 60 项。这些事务涉及拟开办学堂请代聘各科教师，拟建藏书局请代购书籍，请代购各种机器、仪器、农具、良种等并代聘技师、技工，请代为探听和收集各种工艺方法、价格、款式及有关书籍、章程，请代为销售、推广报刊，请帮助筹划设学堂、办公司，等等。各地报刊、学会、学堂等的兴办，其主要者大多和《时务报》有直接或间接的关联。

《知新报》《国闻报》在《时务报》的影响下广为流布。两报一南一北，互为声援，往来密切。其他当时影响较大的报刊，如《农学报》《萃报》《蒙学报》等，也都和《时务报》关系密切。湖南的《湘学报》《湘报》，四川的《渝报》《蜀学报》，在创办之初都曾得到时务报馆的各种帮助（购机器、铅字、代为销报等）。《时务报》被时人誉为"报王"和当时各种新报的"祖馆"，所以当时创办的各种报刊大多与时务报馆有过联系，而目的则无非是欲借《时务报》之名以求推广。

在当时众多的学会中，"务农会"是兴办较早的一个，几乎为时务报馆所包办。当时影响最大、参加人数最多的学会，该属"不缠足会"。时务报馆诸人不仅是该会的倡办者，也是该会的主持者。

对于当时其他有影响的学会，时务报馆也多予支持，或参与创办（如"蒙学公会"），或广为宣传（如"圣学会""知耻学会"等）。自第38册起，《时务报》辟出"会报"一栏，专门登载各地学会"办事情形及序记、章程等"，以为提倡和推广。《时务报》中人曾力助上海中国女学堂之成立。汪康年倡议开办东文学社，此校成立后，成才日众。

1897年可谓时务报馆的黄金年。在全面介入和指导、赞助各项维新事业的同时，《时务报》的报务发展也达到鼎盛。然而在这年的下半年，《时务报》于一片花团锦簇中却显现出衰象。康有为一系的骨干如徐勤、康广仁、欧榘甲等陆续到沪后，时务报馆中的门户派系之争日益凸显，以致发生章太炎与康门子弟间的殴斗。接着，汪康年与黄遵宪之间又为立董事一事"几于翻脸"。黄遵宪力荐梁启超、李维格赴湘主持时务学堂，梁、李二人亦欣然愿往。康有为挟官方之力试图压服汪康年。汪康年则借助张之洞之力与之相抗，并与孙家鼐、刘坤一等联络沟通，结果僵持不下。与此同时，黄、梁、汪等又在报刊上登发各自的启事、声明，大打笔墨官司，一时闹得沸沸扬扬。

康、梁一派的变法诉求在京师和上海相继受阻，于是他们把阵地转移到湖南。湖南巡抚陈宝箴正想以一省为天下倡立富强之基，在经济技术层面采取了一系列改革措施。在改善吏治、培育新式人才方面也欲有所作为，就与康、梁的目标相遇了。1897年9月，陈宝箴刊发《湖南时务学堂缘起》，并亲自拟定《招考时务学堂示》，任命熊希龄为学堂总理，聘请梁启超任中文总教习。梁偕同分教习韩文举、叶觉迈，西文总教习李维格抵达长沙。年底，湖南时务学堂正式开学。

梁启超以万木草堂为蓝本，在时务学堂内营造出一种平等、自由、探讨的学习气氛。师生情谊融洽，诸生求教可往教习室个别谈话，或数人集体会谈；功课以写札记为常课，先生批答学生札记，每条或至千言。诸生阅报听讲，看书自习，遇有心得，可畅抒己见，教师亦随时批答指导。学堂还延揽学者名流轮流讲演，官绅士民集者甚盛，时务学堂诸生多往听讲。

梁启超在讲堂上无所忌讳，所言皆当时一派之民权论，又多言清代故实，胪举失政，甚至盛倡革命。学生皆住舍，不与外通，堂内空气日日激变，外间莫或知之。及年假，诸生回家，出札记示亲友，反响强烈。梁启超与谭嗣同、唐才常等又窃印《明夷待访录》《扬州十日记》等书，加以按语，秘密分布，传播革命思想，并使南学会、《湘报》在言论上与学堂暗相策应。

照维新派的设想，时务学堂担当开民智的任务。开绅智的任务归之于南学会，南学会名为学会，实际目的是培训议员，以为兴民权创造条件。会中广集书籍、图器，延聘通人定期讲演，长官亦时时莅临鼓励。会员由各州县品行端正、才识开敏之绅士组成，于会中学习议事方法，并逐步参与地方及全省新政事务的讨论。官智之开则赖于课吏堂，巡抚亲任课吏堂校长、司道为副校长。正副校长时时稽查功课，随时教诲，颇带威慑之意。课吏堂内废除官场上下级的礼节，一律以师生之礼相处。平日以候补各官到课吏堂接受培训，实职官则指定书籍功课，令其在余暇学习，并记札记待查，以求官吏人人向学，以裨治事。

正当时务学堂、南学会、课吏堂等将变法思想与变法活动融为一体，办得有声有色时，来自周围的反对、诘难之声如妖风一般刮了起来。1898年春，以王先谦代熊希龄、以叶德辉代梁启超的流言开始出现。不久又发生了联名函告湘籍京官的事，说陈宝箴紊乱旧章，不守祖宗成法，恐将来有不轨情事，不能不预防。接着就有人破坏南学会讲演。邵阳守旧士绅将南学会会长樊锥驱逐出境。岳麓书院学生宾凤阳等上书山长王先谦，以维护"名教纲常""忠孝节义"为名，攻击时务学堂，要求从严整顿，辞退梁启超等人，另聘教习。王先谦、张祖同、叶德辉等十人联名向陈宝箴呈递《湘绅公呈》，请将时务学堂严加整顿，屏退主张异学之人，俾生徒不为邪说诱惑。王先谦独自致书陈宝箴，要求停办《湘报》。岳麓、城南等书院学生邀集士绅订立《湘省学约》，攻击梁启超和时务学堂，并及南学会和《湘报》《湘学报》。进而守旧派到处刊贴诬蔑时务学堂师生的匿名揭帖，言辞不堪入目。

湖南时务学堂及变法实践中遭受的挫折，原因并不完全来自地道的守旧势力，维新派中康党的指导思想和活动方式亦是诱发矛盾的重要因素。湖南新政未及京师变法高潮的到来就偃旗息鼓了。它似乎是"百日维新"结局的一个预兆。

1898 年春天的几个变法方案

由于有官员的上奏、维新团体的呼吁、报刊舆论的传播、地方新政的举行，中央做出变法决策的时机日趋临近。1898 年 1 月 24 日（光绪二十四年正月初三日），康有为应召到总理衙门接受王大臣问话。参加问话的有李鸿章、翁同龢、荣禄、刑部尚书廖寿恒、户部左侍郎张荫桓。谈话从下午 3 点开始，一直持续到黄昏。翁同龢日记记载："康有为到署，高谈时局，以变法为主。立制度局、新政局，练民兵，开铁路，广借洋债数大端。狂甚。"① 翁同龢等将与康有为谈话情况奏报给光绪帝。光绪帝命召见康有为，而奕䜣则主张先令康有为用书面方式条陈所见，如有可采之处，再令召见。

1 月 28 日，康有为将《日本变政考》及《俄彼得变政记》连同自己奉命赶写出来的《请大誓臣工开制度局革旧图新以存国祚折》一并呈递总理衙门，比较系统地提出了自己的变法方案与实施计划。康有为进呈的《俄彼得变政记》，意在欲光绪帝效法彼得以君权变法的雄心和魄力。"愿皇上以俄国大彼得之心为心法。"康有为所说的"心法"，大约有如下几层意思：（1）有为之君，应知时从变，应天而作，奋其勇武，雷动而草木坼；（2）俄国体制与中国同，中国变法莫如法俄，法俄在学彼得能纡尊降贵，游历师学，采万国之美法，创千古之奇功；（3）威权是实，体制是虚，与其泥虚文之体制不能保实有之威权，则不如以实有之威权改虚文之体制。康有为说，皇上效法彼得，不必完全模仿，要在神武举动绝出寻常，雷霆震声，皎日照耀，一鸣惊人，万物昭苏，必能令天下回首面内，强邻改视易听。

康有为希望光绪帝效法彼得大帝改革的雄心和魄力，更希望光绪帝模仿日本明治天皇变革的方针和措施。为此，他刻意编纂了《日本变政考》一书。这部书果然很受光绪帝的重视，以至于进呈一次之后，再向康有为索要改订本。康有为在该书的跋语中说，"日本为政，备于此矣。其变法之次第，条理之详明，皆在此书。其由弱而强者，即在此矣"，"我朝变法，但采鉴于日本，一切已足。"②

严复也在此时提出了自己的变法方案。1 月 27 日至 2 月 4 日，他在天津《国闻报》上发表《拟上皇帝书》。在这篇著名的万言书中，严复深入分析了中国积弱的原因，提出中国之所以积弱，由于内治者十之七，由于外患者十之三。外患几乎无代无之，而外患之所以成为大患，是因为"内治

---

① 转引自清华大学历史系编《戊戌变法文献资料系日》，上海书店出版社，1998，第 482 页。
② 转引自王晓秋、尚小明主编《戊戌维新与清末新政》，北京大学出版社，1998，第 41 页。

之不修，积重而难返"。要根本改变局面，只有急起变法，进行彻底的、全方位的、系统的改革。既要布新，也要除旧。严复指出：

> 今者审势相时，而思有所改革，则一行变甲，当先变乙；及思变乙，又宜变丙。由是以往，胶葛纷纶。设但支节为之，则不特徒劳无功，且所变不能久立。①

严复建议光绪帝在正式宣布变法前，先迅速完成三件大事：（1）出洋游历，联各国之欢；（2）到各省视察，结百姓之心；（3）破把持之局。

严复的万言书刚在报纸上连载完，另外一位精通外情的官员伍廷芳也提出了一个变法方案。伍廷芳的变法计划主要着眼于跟世界各国建立良好的通商关系。2月10日，他上《奏请变通成法折》，建议主动、有序地向各国商人开放。伍廷芳认为，西方各国以货来，中国以货往，有无相通，小民沾利。中国若能广拓商务，精求工艺，师其所长，辅我之短，益处必多。西方各国建国历史有早有迟，或数百年，或千余年，通商立国者多，通商失国者无一先例。中国应破除成例，各处开放通商后，应仿照西方国家通例，加重入口税，减轻出口税，必对国家财政收入有益。只要控制得宜、权衡得当，就可为将来国家的富强打下基础。②

创办大生纱厂的状元张謇，于5月22日在呈报给翁同龢的《农工商标本急策》中提出三条措施。

一、商务亟宜实办。实办之计有三：定法；筹款；定捐税。

二、工务亟宜开导。开导之计有二：各省开劝工会；派大员集合资本，博采各省著名精巧之器，入巴黎大会，并选名商慧工同往，察视各国好尚风俗，以便推广制造。

三、农务亟宜振兴。振兴之计有四：久荒之地，听绅民召佃开垦、成集公司用机器垦种；未垦之地，先尽就近之人报买；凡开垦之地，援照雍正元年上谕，水田免赋六年，旱田免赋十年之例，变通为免赋

①　王栻主编《严复集》第1册，中华书局，1986，第67页。

②　丁贤俊、喻作凤编《伍廷芳集》上册，中华书局，1993，第49—50页。

三年，免赋五年；户部及各衙门费宜明定成数，杜书吏挑剔需索之习，释民间缴价畏沮之心。①

上述几个具有代表性的变法方案出台的同时，一些单项的改革建议也相继提出，比较著名的有 1897 年 12 月 16 日贵州学政严修请开经济特科，1898 年 1 月 17 日兵部尚书荣禄请参酌中外兵制设立武备特科，2 月黄思永奏请发行昭信股票，3 月御史陈其璋奏请统筹全局向英国借款以相牵制而策富强，御史宋伯鲁奏请统筹全局派员往美国集大公司准其兴办中国全境铁路矿务以保大权而存疆土，刚毅奏请裁冗员薪水各局杂支整顿保甲等。这些单项的改革提案大多很快就得到批准并开始实施。但全局性、政治性较强的变法方案仍被阻滞，因为人事条件尚不具备。

三　明定国是　急行新政

随着维新变法思潮的步步升级，更因外部局势的日趋紧迫，清廷最高权力层不能不做出变法维新的决定。所做出的决定表明了两点：一是停止变与不变的争论，统一思想，一意改革，举国上下，奋发图强；二是改革的标准是采用西法，有裨实用，不要空谈。但做出的决定既对改革的目标定位不明，也对改革的步骤表述不清。或者说在目标和步骤上并没有真正统一思想，达成共识。改革采用西法是采用西方政治制度，还是经济文化管理体制？是先从政治体制入手，还是先从经济文化体制入手？短期内要实现哪些目标？中长期要达到什么目标？这些问题都是不清楚的。更重要的是，改革所依靠的核心力量和主体力量到底是哪些人，其实也颇为混沌。所以，所谓明定国是，实际上并不明确。在这样的情况下，仅凭皇帝的雄心和康有为等人的热情，改革就必然要出现急行、渐进和抵制三股势力的明争暗斗与是非难辨的复杂局面。

"明定国是"诏书出台前后

1898 年 5 月末，恭亲王奕訢病逝。清廷中枢失去了一个特殊的、对光

---

① 《张謇全集》第 2 卷，江苏古籍出版社，1994，第 12—13 页。

绪帝和慈禧、对政府中各个不同派系均有牵制作用的人物。急欲变法的康有为得知奕䜣去世的消息后，立即上书翁同龢，促其速变法，勿失时。康有为连拟数折，请杨深秀、徐致靖、宋伯鲁、李盛铎等分别以他们的名义递上，请光绪帝"明定国是"，迅速变法。康有为在代杨深秀所拟《请定国是而明赏罚折》中指出：

> 近者外国交逼，内外臣工，讲求时变，多言变法，以图自保。然旧人多有恶为用夷变夏者。于是守旧开新之名起焉。其守旧者，谓新法概宜屏绝；其开新者，谓旧习概宜扫除。小则见诸论说，大则形之奏牍，互相水火，有如仇雠。臣以为理无两可，事无中立，非定国是，无以示臣民之趋向；非明赏罚，无以为政事之推行。[①]

就在康有为每日忙于代人起草奏折、请明定国是之时，年轻的光绪帝也在紧张地进行着各种有关"明定国是"的准备工作，特别是说服慈禧的工作。光绪帝提出一个以荣禄、刚毅等为首的内阁组织方案，得到了慈禧的认可。6月11日，光绪帝在侍奉慈禧用完早膳后，返回养心殿，随即连发两道显然是经慈禧首肯的上谕。

> 数年以来，中外臣工，讲求时务，多主变法自强。迩者诏书数下，如开特科，裁冗兵，改武科制度，立大小学堂，皆经再三审定，筹之至熟，甫议施行。惟是风气尚未大开，论说莫衷一是，或托于老成忧国，以为旧章必应墨守，新法必当摈除，众喙哓哓，空言无补。试问今日时局如此，国势如此，若仍以不练之兵，有限之饷，士无实学，工无良师，强弱相形，贫富悬绝，岂真能制梃以挞坚甲利兵乎？
>
> 朕惟国是不定，则号令不行，极其流弊，必至门户纷争，互相水火，徒蹈宋明积习，于时政毫无裨益。即以中国大经大法而论，五帝三王不相沿袭，譬之冬裘夏葛，势不两存。用特明白宣示，嗣后中外大小诸臣，自王公以及士庶，各宜努力向上，发愤为雄，以圣贤义理之学植其根本，又须博采西学之切于时务者，实力讲求，以救空疏迂

---

① 汤志钧编《康有为政论集》，中华书局，1981，第243—245 页。

谬之弊。专心致志，精益求精，毋徒袭其皮毛，毋竞腾其口说，总期化无用为有用，以成通经济变之才。

京师大学堂为各行省之倡，尤应首先举办，着军机大臣、总理各国事务王大臣会同妥速议奏，所有翰林院编检、各部院司员、大内侍卫、候补候选道府州县以下官、大员子弟、八旗世职、各省武职后裔，其愿入学堂者，均准其入学肄业。以期人才辈出，共济时艰。不得敷衍因循，循私援引，致负朝廷谆谆告诫之至意。将此通谕知之。①

"明定国是"诏书的颁发，在变法维新的整体进程中开启了一个新的阶段。从这一天开始，至9月21日（八月初六日）政变发生，共计103天，史称"百日维新"。

6月12日，光绪帝就总理衙门奏侍郎荣惠请特设商务大臣及选派宗支游历各国折发布上谕："商务为富强要图，着各督抚督率员绅认真讲求，妥速筹办，总期联络商情，上下一气，毋得虚应故事，并将办理情形迅速回奏，至选派宗室王公游历各国，着宗人府察看保荐、听候简派。"② 次日，光绪帝继续颁发上谕，宣布将于三天后召见工部主事康有为、刑部主事张元济；令湖南盐法长宝道黄遵宪、江苏候补知府谭嗣同送部引见，广东举人梁启超着总理衙门察看具奏。③ 6月15日，光绪帝在颐和园又连发五谕，引起更为广泛的关注和更加强烈的反响。

嗣后在廷臣工仰蒙慈禧端佑康颐昭豫庄诚寿恭钦献崇熙皇太后赏项及补授文武一品暨满汉侍郎，均着于具折后恭诣皇太后前谢恩。各省将军都统督抚提督等官亦着一体具折奏谢。

嗣后朕驻跸颐和园之日，各该衙门遇有应行引见之员，着一体带领引见。

---

① 徐致祥等撰《清代起居注册》（光绪朝）第60册，台北联合报文化基金会，1987，第30767—30771页。
② 参见徐致祥等撰《清代起居注册》（光绪朝）第60册，第30774页。
③ 徐致祥等撰《清代起居注册》（光绪朝）第60册，第30777—30778页。

协办大学士、户部尚书翁同龢，近来办事多未允协，以致众论不服，屡经有人参奏，且每于召对时咨询事件，任意可否，喜怒见于词色，渐露揽权狂悖情状，断难胜枢机之任，本应察明究办，予以重惩。姑念其在毓庆宫行走有年，不忍遽加严谴。翁同龢着即开缺回籍，以示保全。

昨经降旨，令宗人府保荐王公贝勒等选派游历。因思近支王贝勒等职分较尊，朕当亲行察看，毋庸保荐。其公以下及闲散宗室内如有志趣远大、才具优长者，着宗人府随时保奏。

王文韶着迅即来京陛见。直隶总督着荣禄暂行署理。①

五道谕旨中，第一道和第二道表明，慈禧和光绪帝已就变法过程中的人事权限达成共识，中央各部侍郎以上、地方各省提督以上重要官员由光绪帝任命，由慈禧考察、训话，以此确保新选官员的可靠性。第四道谕旨反映了光绪帝所发有关宗人府保奏宗室王公贝勒赴各国游历的上谕受到了来自皇族上层内部的反对，迫使光绪帝不得不对已发诏谕进行重新解释。第三道和第五道谕旨涉及重要人事变动：翁同龢开缺回籍、直隶总督王文韶调京、新任大学士荣禄调署直隶总督。王文韶入京是为填补翁同龢开缺回籍后所留下的空缺。荣禄调署直隶总督，表面的原因是要补王文韶所留下的空缺，深层的原因则是北洋权重，以利掌控政治全局。人事变动的核心是翁同龢开缺回籍。翁之开缺回籍是由多方面复杂的原因造成的，既涉及具体的外事交涉和礼仪问题，又涉及总体的外交政策，涉及治国方略和变法指导思想，还涉及财政和经济问题。当时光绪帝与翁同龢确有不协之处。

6月11日，光绪帝在颐和园与慈禧就有关变法的问题详细交换意见后回到宫中，向翁同龢等人传达慈禧的意见，让他们以此为据去拟定变法诏书。翁同龢记："上奉慈谕，以前日御史杨深秀、学士徐致靖言国是未定，良是。今宜专讲西学，明白宣示等因，并御书某某官应准入学，圣意坚

---

①　徐致祥等撰《清代起居注册》（光绪朝）第 60 册，第 30783—30786 页。

定。"这反映了慈禧和光绪帝设想中的变法指导思想是"专讲西学"，而且态度"坚定"。但翁同龢提出："西法不可不讲，圣贤义理之学尤不可忘。"①翁同龢拟旨，将此写入其中，就出现了"明定国是"诏中的"以圣贤义理之学植其根本、又须博采西学之切于时务者实力讲求"等语。这样一来，"专讲"变成了"博采"，西学由变法的主要内容降到了依附于"圣贤义理之学"的次要地位。在翁同龢看来，这可能是强调在学习西方长处的同时要确保中华民族的文化独立性，尽可能让变法在稳健中进行。而在慈禧和光绪帝看来，这种修正未必能够容忍。6月12日，光绪帝因张荫桓被劾，要求翁同龢出面力保。张氏曾担任驻美公使，熟悉世界大势和对外交涉，光绪帝对之十分倚重。翁同龢拒绝为张荫桓辩解，与光绪帝"据理力陈，不敢阿附"，②更加引起光绪帝的不快。6月13日，侍读学士徐致靖保荐康有为、张元济、黄遵宪、谭嗣同、梁启超等人，光绪帝"欲即日召见"，翁同龢认为"宜稍缓"。③

由于在外交、内政、财政、人事诸方面的观点与举措过于固执乖张，翁同龢不仅受到外国使节的攻击，并引起官员阶层的反感，更使自己站到了与光绪帝相左的位置，或许也不无保守势力的从中策动，导致6月15日变法一启动就被开缺回籍。

恭亲王之死与翁同龢被开缺回籍，使清政府中枢机构短期内接连失去了两位最有影响力和实际权威的核心人物。它究竟会给刚刚开始的变法运动带来怎样的影响呢？

经济和文化方面的改革

经济方面比较重大的变法措施首先是设立国家银行，此项工作在1897年初即已由盛宣怀具体负责，商请总理衙门王大臣并会同北洋大臣、直隶总督王文韶和湖广总督张之洞等先后在上海筹设总行，在天津、汉口、广州、汕头、烟台、镇江等处设立分行，1898年初又在北京开设京城银行。明定国是诏颁发后，盛宣怀奏报遵旨筹办国家银行——中国通商银行的进展情况及在

---

① 陈义杰整理《翁同龢日记》第6册，中华书局，1988，第3132页。
② 陈义杰整理《翁同龢日记》第6册，第3133页。
③ 陈义杰整理《翁同龢日记》第6册，第3133页。

各省会城市及通商码头设立分行的设想。7 月 13 日，光绪帝发布上谕：

> 国家设立银行，原为振兴商务，本非垄断利权，即着盛宣怀将银行收存官款，如何议生利息、汇兑官款，如何议减汇费，先与各省关商订明确，切实办理，并着户部咨行各省将军、督抚、各关监督，凡有通商银行之处，汇兑官款协饷，如查明汇费轻减，即酌交通商银行妥慎承办，以重商务。①

中国向有旧式的钱庄、票号，规模小，经营方式落后，不能适应近代工商业发展的要求。国家银行的设立为近代银行体系在中国的建立奠定了基础。

振兴商、工、农、路、矿各业，保护其发展，是经济方面变法的第二项主要内容。6 月 12 日，在百日维新的第二天，光绪帝即发布上谕，要求设局讲求商务。

> 商务为富强要图，自应及时举办，前经该（总理）衙门议请，于各省会设立商务局，公举殷实绅商，派充局董，详定章程，但能实力遵行，自必日有起色。即着各督抚督率员绅，认真讲求，妥速筹办，总期联络商情，上下一气，毋得虚应故事，并将办理情形迅速具奏。②

7 月 4 日，光绪发布上谕，批准御史曾宗彦等人的奏折，要求兼采中西之法，讲求农政。

> 农为富国根本，亟宜振兴。各省可耕之土，未尽地力者尚多。着各督抚饬各该地方官劝谕绅民兼采中西各法，切实兴办，不准空言搪塞……如果办有成效，准该督抚奏请奖叙。上海近日创设农学会，颇开风气。着刘坤一查明该学会章程，咨送总理各国事务衙门查核颁

---

① 《戊戌变法》第 2 册，第 38 页。
② 徐致祥等撰《清代起居注册》（光绪朝）第 60 册，第 30773—30774 页。

行，其外洋农学诸书并着各省学堂广为编译，以资肄习。①

7月19日，康有为上折条陈商务，认为：

商之源在矿，商之本在农，商之用在工，商之气在路……当设专官以讲之。先出矿质，发农产，精机器之工，精转运之路，然后开商学，译商书，出商报，以教诲之，立商律以保险，设兵舰以保卫之，免厘金税，减出口征以体恤之，给文凭，助游历经费以奖助之，行比较赛珍会以鼓励之，定专利严冒牌以诱导之，定册籍草簿之式以整齐之。故宜开局讲求，自内国之中，外国之情，土产若何，矿质若何，工艺制造若何，及税则之轻重，价值之低昂，转运之难易，天时之寒暖，地利之险夷，何道而浮费可省，何法而利源可兴，何经营而贸易可旺，何物畅销，何物可自制，何方之货物最多，何国之措施最善，荟萃诸法，草定章程，行之各省埠，则万宝并出，岂复患贫。②

7月25日，光绪帝发上谕：

着刘坤一、张之洞拣派通达商务明白公正之员绅，试办商务局事宜，先就沿海沿江如上海、汉口一带，查明各该省所出物产，设厂兴工，使制造精良，自能销路畅旺，日起有功。应如何设立商学、商报、商会各端，暨某省所出之物产，某货所宜之制造，并着饬令切实讲求，务使利源日辟，不令货弃于地，以期逐渐推广，驯至富强。③

8月2日，光绪帝又发上谕，重申对商务问题的重视。

着各直省督抚认真劝导绅民兼采中西各法，讲求利弊，有能创制新法者必当立予优奖。该督抚等务当仰体朝廷开物成务之意，各就该

---

① 徐致祥等撰《清代起居注册》（光绪朝）第 61 册，第 30857—30859 页。
② 参见汤志钧编《康有为政论集》，第 325—330 页。
③ 《戊戌变法》第 2 册，第 43—44 页。

管地方考察情形，所有颁行农学章程及制造新器新艺专利给奖并设立商务局、选派员绅开办各节，皆当实力推广，俾有成效……毋得徒托空言，一奏塞责，并将各项如何办理情形随时具奏。[①]

8月18日，康有为递上《请开农学堂地质局以兴农殖民而富国本折》。在这份奏折中，康有为介绍了外国根据不同的土质，利用农业机械、温室大棚（玻罩）及化肥（灰石磷酸骨粉）、选种等工具和方法，大大提高农业产量的情况。[②] 21日，光绪帝同意康有为等人的建议并发布上谕，宣布在北京设立农工商总局。

> 着即于京师设立农工商总局，派直隶霸昌道端方、直隶候补道徐建寅、吴懋鼎为督理……其各省、府、州、县皆立农务学堂，广开农会，刊农报，购农器，由绅富之有田业者试办以为之率。其工学、商学各事宜亦着一体认真举办，统归督理农工商总局端方等随时考察。各直省既由该督抚设立分局，遴派通达时务、公正廉明之绅士二三员总司其事。[③]

由于铁路、矿务事务繁重，涉及面较广，光绪帝在此之前已于8月2日下令成立矿务铁路总局，特派总理各国事务大臣王文韶、张荫桓专理其事，负责统辖各省开矿筑路一切公司事宜。[④]

经济方面第三个重大变法举措是国家对重要的发明创造提供专利保护并加以奖励。康有为建议学习西方经验，设立专利，鼓励发明创造。

> 请饬下总署议定劝厉（励）制器、著新书专科。凡有新器新书，呈学政或总署存案，由学政咨行、督抚会衔，加以奖厉（励），给予特许专卖执照，准其专利数十年……其有能自创学堂、自修道路、自开水利、有功于民者，酌其大小，给以世爵。顷中国之大，尚无枪炮厂，宜募民为之……以中国聪明灵敏之才，四万万人民之众，踊跃舞蹈，竭其耳目

[①]　徐致祥等撰《清代起居注册》（光绪朝）第61册，第30963—30965页。

[②]　《杰士上书汇录》，黄同明等主编《康有为早期遗稿述评》，中山大学出版社，1988。

[③]　徐致祥等撰《清代起居注册》（光绪朝）第61册，第31035—31037页。

[④]　参见徐致祥等撰《清代起居注册》（光绪朝）第61册，第30962—30963页。

心思以赴，皇上之求何求不得哉？①

近代世界与古代不同之处就在于随着人类经验的积累和知识的增长，知识和科学技术在整个经济发展和社会进步中所起的作用越来越大。康有为正确把握住了这一时代特点，提出了以专利促科学工艺技术发展的建议。7月5日，光绪帝发布上谕，批准了康有为关于设立专利的建议。总理衙门的反应也异常迅速，7月12日正式提出专利和奖励章程12条。第二天，光绪帝再颁上谕，宣布正式实施专利和奖励政策。

财政危机和经济落后使举国上下都承受了巨大的压力，不改革无出路已成共识，加之原来洋务派也打下了相当的基础，所以经济方面的改革相对比较顺利，在统治集团内部几乎没有遇到太大的阻力。地方官员回奏虽有时显得过于迟缓，但那更多不是因为心理上有抵触或意存观望，而是光绪帝留给他们做出反应、贯彻实施、总结汇报的时间实在太少太少。

文化，尤其是教育方面的改革，也是被普遍关注的问题。废八股的问题提上议事日程后，两种互相对立的意见随之产生：一派主张以废八股改策论为起点，最终全废科举；另一派则主张科举事关重大，应慎重对待。两派中，前者的代表人物是康有为，后者的代表人物是刚毅。6月17日，康有为连拟两折，分别以他自己和御史宋伯鲁的名义递上，痛陈八股之弊，要求光绪帝"独断乾纲"，"立废八股"，而不要通过部臣议论，以免受阻。6月22日，康有为再拟一折，以翰林院侍读学士徐致靖的名义递上。

> 伏望皇上特旨以谕天下，罢废八股，乡会试及各项考试，一律改用策论，天下数百万童生、数十万生员、万数举人，务为有用之学，风气大开，真才自奋。新政之最要而成效最速者，莫过于此。

要不要废八股的争论最后闹到慈禧那里，慈禧的态度是肯定的。这样就促成了6月23日的废八股上谕。

---

① 《请以爵赏奖励新艺新法新书新器新学，设立特许专卖，以励人才开民智而济时艰折》（1888年6月26日），《杰士上书汇录》，黄同明等主编《康有为早期遗稿述评》，第296—297页。

着自下科为始，乡会试及生童岁科各试向用四书文者一律改试策论。①

"自下科为始"意味着要等三年以后才能开始实施废八股。但康有为等维新志士认为变法事业不能等待。6 月 30 日，康有为替御史宋伯鲁拟一折一片，请光绪帝勿为反对派所摇，将经济特科并入正科，立废八股。同时，康有为又令梁启超四出活动，组织参加完会试后仍留在京城的举子共同上书，以便在社会上造成废八股的强大声势。7 月 5 日，梁启超以各省举人的名义写成《公车上书请变通科举折》，请光绪帝特下明诏，将下科乡会试及此后岁科试中废止八股试帖，推行经济六科，以培养人才而抵御外侮。康有为、梁启超等人的活动既在上层遇到了阻力，又在读书人中间引起了相当强烈的反对。康有为后来说，废八股的上谕发布后，"八股士骤失业，恨我甚，直隶士人至欲行刺"。② 梁启超也说，废八股的诏书发布后，"海内有志之士，读诏书皆酌酒相庆，以为去千年愚民之弊，为维新第一大事也……然愚陋守旧之徒，骤失所业，恨康有为特甚，至有欲聚而殴之者，自是谣诼大兴，亦遍于天下"。③

废八股是清末中国政治、经济、文化发展的必然要求，反映了新学力量的扩大和经济发展对新式人才需求的增长。但是，仅废八股而不废科举制度，新学的发展仍会受到牵制，而新式知识分子的队伍又确实没有壮大到足以与旧式士大夫队伍相抗衡的程度。为了尽快扭转这种被动局面，倾向于维新的封疆大吏和满腔热忱的维新志士把希望寄托在新式教育系统——学堂的建立上，希望通过学堂普及新式教育，扩大新式知识分子队伍，并最终废除科举制度，因此，学堂成为维新志士关注的另外一个焦点。

6 月 30 日，江南道监察御史李盛铎参照日本和英国的大学体制，提出五条办学大纲：详定章程、择立基址、酌定功课、宽筹的款、专派大臣。几天以后，总理衙门递上《遵筹开办京师大学堂折》，提出：宽筹经费，宏建学舍，慎选管学大臣，简派总教习。大学堂设于京师，以为各省表率，

---

①　徐致祥等撰《清代起居注册》（光绪朝）第 61 册，第 30812—30814 页。
②　楼宇烈整理《康南海自编年谱》，第 45 页。
③　梁启超：《戊戌政变记》，《饮冰室合集》第 6 册，中华书局，1989，第 26 页。

事当开创，一切制度均宜审慎精详，非有明体达用之大臣以管摄之，不足以宏此远模。尤应慎简教习，以收尊道敬学之效。[1]

7月上旬，康有为上折请各省改建或新设中小学堂，严旨戒饬各疆臣清查善后局及电报招商局各溢款、陋规、滥费，尽拨为各学堂经费。中学、小学所读之书、所办之章程，皆特设书局编辑中外要书，颁发诵读遵行。改诸庙宇为学堂，以公产为公费。上法三代，旁采西例。责令民人子弟年至六岁者，皆必入小学读书，而教之图算、器艺、语言、文字。其不入学者，罪其父母。使人人知学，学堂遍地，不独教化易成，亦且风气遍开，农工商兵之学亦盛。[2]

7月10日，光绪帝颁发上谕，令各省书院改为新式学堂。改建或新创学堂的工作迅速铺开，京师、直隶、山西、陕西、两湖、江浙乃至边远的甘肃、贵州等省份都有新学堂的设立。第一批女子学校也由经元善等人在上海等地创设，开创了妇女接受正规学校教育的先河。

裁冗署、罢顽臣、用新人

1. 裁冗署

8月23日，云贵总督岑毓英之子岑春煊以太仆少卿的身份递呈《敬陈管见伏冀采择折》。折中提出十条改革措施，其中第三条专论裁冗署事。其时，光绪帝改革的决心已定，谕旨的语气也愈益强劲。8月30日，光绪帝在未做任何预备性部署的情况下，陡然发布大规模裁并冗署的上谕。谕曰：

> 詹事府本属闲曹，无事可办，其通政司、光禄寺、鸿胪寺、太仆寺、大理寺等衙门事务甚简，半属有名无实，均着即行裁撤归并内阁及礼、兵、刑等部办理。

> 所有督抚同城之湖北、广东、云南三省均着以总督兼管巡抚事，东河总督应办事宜即归并河南巡抚兼办。

---

[1] 《戊戌变法》第2册，第410—412页。
[2] 《杰士上书汇录》，黄同明等主编《康有为早期遗稿述评》。

各省通、佐贰等官，有但兼水利、盐捕并无地方之责者，均属闲冗，即着查明裁汰。

除应裁之京外各官本日已降谕旨暨裁缺之巡抚、河督、京卿等员听候另行录用外，其余京外尚有应裁文武各缺及一切裁减归并各事宜，着大学士、六部及各直省督抚分别详议筹办，仍将筹议情形迅速具奏。内外诸臣即行遵照，切实办理，不准借口体制攸关，多方阻格，并不得以无可再裁敷衍了事。

至各省设立办公局所，名目繁多，无非为位置闲员地步，薪水、杂支虚糜不可胜计。叠经谕令裁并，乃竟置若罔闻，或仅听委员劣幕舞文，一奏塞责，殊堪痛恨。着各督抚懔遵前旨，将现有各局所中冗员一律裁撤净尽，并将候补、分发、捐纳、劳绩等项人员一律严加甄别沙汰，限一月办竣复奏。

尔等在廷诸臣暨封疆大吏若具有天良，其尚仰体朕怀，力矫疲玩积习，一心一德，共济时艰，庶几无负委任。若竟各挟私意，非自便身图，即见好僚属，推诿因循，空言搪塞，定当予以重惩，决不宽贷。①

谕令意图明了，语气果断，是国是之谕颁发后实施改革的重大举措，京城内外极为关注。詹事府、通政司、光禄寺、鸿胪寺、太仆寺、大理寺等衙门奉旨被裁。光绪帝又于 9 月 1 日谕军机大臣等："所有各该衙门一切事宜当并归内阁六部分办。着大学士、六部尚书、侍郎即行分别妥速筹议，限五日内具奏。"② 9 月 8 日，光绪帝再发谕旨，安置冗署裁并之后的闲散人员。两天后，未等各王大臣奏上，"再申谕大学士、六部尚书、侍郎及各省督抚等懔遵前旨，将在京各衙门闲冗员缺，何者应裁，何者应并，速即切实筹议。外省道员及同道、佐贰等官暨候补、分发、捐纳、劳绩等项人员认真裁并，并严加甄别沙汰，其各局所冗员一律裁撤净尽"。谕旨以严厉的

① 徐致祥等撰《清代起居注册》（光绪朝）第 61 册，第 31093—31099 页。
② 《戊戌变法文献资料系日》，第 914、943 页。

语气催督："大学士、尚书、侍郎、督抚等务当从速筹办，不准稍事迁延，尤须破除积习，毋得瞻徇情面，用副朝廷综核名实之至意。"①

　　光绪帝一而再再而三地发出上谕，内外大员几乎没有一人为妥善处理裁并冗署问题而提出更为完整全面的方案。光绪帝在改革的社会基础和经济条件还很不成熟的条件下，凭着奋力改革的主观愿望和节省财政开支的原初目的，没有从长远发展和提高效率的角度事先做出比较系统的安排，也没有细致的动员与准备，没有得到内外大多数官员的认同与支持，试图在短时间内以突然展开的方式完成如此复杂的改革重任，事实上是根本不可能的。它所造成的实际后果是给维新变法的全局增加困难，并使反对改革的势力获得社会基础和舆论支持。它的结局是可想而知的。

　　2. 罢顽臣

　　康有为等认为，在守旧势力非常强大的条件下，要使变法实施下去，必须使用皇帝的权威，采取能震慑群臣的"大举动"，对胆敢阻挠新政、误国病民者，果速罢黜，甚至诛杀一二大臣，以警顽庸，而示朝廷决意除旧图新之志。6月20日，御史宋伯鲁、杨深秀上奏弹劾礼部尚书、总理各国事务大臣许应骙，指责他品行平常、见识庸谬、妄自尊大、刚愎凌人。光绪帝本欲将许应骙即行罢斥，而刚毅出面为之乞恩，光绪帝不许；又请令总理衙门查复，仍不许；再请令其自行回奏，光绪帝不得已允之。许应骙对刚毅感激不尽，夜访刚毅，并谋对付之策。刚毅、许应骙都知道宋、杨弹劾之折是受康有为鼓动而上的，只有反唇相讥，才能使光绪帝左右为难，不便单方面责罚。因此，最好的办法是在回奏中将康有为狠狠指责一番。6月22日，许应骙回奏，请斥逐工部主事康有为。光绪帝看了无可奈何，只得不了了之。

　　许应骙并未因转危为安而善罢甘休。他又联络洪嘉、耸动御史文悌上折，弹劾宋伯鲁、杨深秀，进一步揭发康有为在京的种种活动。文悌曾与御史黄桂鋆奔走谋议，联名提议翻国是、复八股。康有为、杨深秀针锋相对，上折阻之，并提出敢请乱国是、复八股者重惩之，得到光绪帝的支持。7月8日，文悌递上严参康有为的长折，指斥宋伯鲁、杨深秀与康有为"公然联名庇党，诬参朝廷大臣"。光绪帝明白，这是文悌受许应骙的唆使，替

---

① 　徐致祥等撰《清代起居注册》（光绪朝）第61册，第31164—31166页。

许帮腔辩解。为了整肃台规，光绪帝批谕："文悌不胜御史之任，着回原衙门行走。"

一波未平，一波又起。这时礼部主事王照拟折建议皇帝奉太后巡幸中外，请礼部堂官代递。尚书许应骙、怀塔布拒递。王照上章弹劾许应骙、怀塔布等礼部堂官。上谕："怀塔布等均着交部议处。"9月4日，吏部遵旨对礼部堂官阻挠上书言事拿出处理意见，即降三级调用。光绪帝认为处理太轻，因发特谕：

> 若不予以严惩，无以儆戒将来。礼部尚书怀塔布、许应骙，左侍郎堃岫，署左侍郎徐会沣，右侍郎溥颋，署右侍郎曾广汉，均着即行革职。①

礼部六堂官一并革职，"举朝震骇"。被革职的官僚四处活动，寻找时机组织反扑。据梁启超《戊戌政变记》所载，礼部堂官革职第二天，满大臣怀塔布、立山等七人就同往天津谒见荣禄去了。

3. 用新人

在维新变法的高潮中，为了使具有新学识、新思想的通达之才进入中枢机构参与谋划新政，康有为等四处奔波，反复上奏，从提议开制度局、设议政处，到奏请开南书房、懋勤殿，最终都因守旧大臣的拖延阻挠和慈禧的冷漠拒斥化为泡影。但是光绪帝并未完全退让，他知道，如果不破格使用新的人才，新政措施既无法产生，也难以贯彻落实。因此，他顶着巨大的压力，令各督抚举荐人才，然后加以挑选使用。在光绪帝挑选使用的俊才新秀中最引人注目的是谭嗣同、林旭、刘光第和杨锐。

谭嗣同，字复生，号壮飞，湖南浏阳人，出身官僚家庭。1896年春，谭嗣同北游访学，在京城结识梁启超，谒见翁同龢。在南京，他闭户养心读书，冥探孔、佛之精奥，会通群哲之心法，奋臂著述，成《仁学》一书，以新的政治、伦理标准阐发君民关系。他在书中呐喊，要冲决网罗，涤荡旧俗。他往返于南京、上海间，与梁启超等商量学术，纵论天下事。1898

---

① 徐致祥等撰《清代起居注册》（光绪朝）第61册，第31124—31125页；《戊戌变法文献资料系日》，第921页。

年2月，谭嗣同回家乡湖南协办新政，在南学会讲《论中国危急》《论今日西学与中国古学》《论学者不当骄人》《论全体学》等，呼吁联合众力，官民上下，通为一气，相维相系，以图国事。《湘报》创刊，他负责编务，撰《湘报后叙》，倡导立学堂、设学会，办报刊。同时，他又与唐才常等设湖南不缠足会，与熊希龄等组延年会，在浏阳倡建群萌学会。特别是南学会，在湖南维新事业中影响甚大，而谭嗣同"实为学长，任演说之事，每会集者千数百人，慷慨论天下事，闻者无不感动，湖南全省风气大开，君之功居多"。

谭嗣同应诏于8月21日抵京，他在给妻子李闰的信中写道："朝廷毅然变法，国事大有可为。我因此益加奋勉，不欲自暇自逸。"①

林旭，字暾谷，号晚翠，福建侯官人。少负才名，乡试冠全省，长老名宿皆折节为忘年交。他1893年入都，结交名士，1895年入为候补内阁中书。1897年，胶州湾事件发生，在康、梁等人的号召倡导之下，粤学会、蜀学会、闽学会、浙学会、陕学会等相继出现。林旭成为倡导建立学会的骨干，他遍访福建在京的名流先达，从中鼓动，实际上成为闽学会的领袖人物。康有为组织保国会，林旭在其中提倡最力，成为董事。在组建学会的斗争实践中，林旭对康有为所论政教宗旨大为倾服，拜康为师，追随问学。康有为编《春秋董氏学》，阐发春秋公羊之理、孔子改制之说，林旭为之作跋，末署弟子侯官林旭。

林旭不仅与康有为联系深密，还曾受到朝廷大员荣禄的赏识。荣禄见林旭才学出众，又是沈葆桢的孙女婿，荣出任直隶总督兼北洋大臣时想将其引入自己的幕府。林亦决定就荣之聘。8月29日，署日讲起居注官詹事府少詹事王锡蕃上奏保荐通达时务人才，在奏折中推举林旭"才识明敏，能详究古今以求致用，于西国政治之学讨论最精，尤熟于交涉商务。英年卓荦，其才具实属超群"。②

刘光第，字裴村，四川富顺人，家贫不废读，卓荦不与世伍，中进士，授刑部主事，性端重敦笃，治事精严，志节崂然。自中法越南战争至甲午

---

① 《戊戌变法文献资料系日》，第899页。
② 国家档案局明清档案馆编《戊戌变法档案史料》，中华书局，1958，第163—164页；《戊戌变法文献资料系日》，第906—907页。

中日之战，他一直为时局危急而忧患思索，希图变革。1894 年，甲午战争爆发，刘光第忧国之心如焚，置个人安危于度外，毅然以一候补主事的小臣地位向皇帝递呈自己的政见书。政见书虽然没有呈上，但衙门中已公然传之。当康有为、梁启超等在京发起组织学会，搞得风风火火时，刘光第与同乡京官倡设蜀学会，也参与保国会的活动。刘光第被保荐，实际是张之洞在起作用。刘光第与杨锐是好友，杨锐是张之洞驻京的亲信。张之洞与陈三立谈起刘光第，陈把张的用意告知其父陈宝箴。陈宝箴于 8 月 5 日上"密保"折，共保举 17 人，其中就有杨锐和刘光第。

杨锐，字叔峤，又字钝叔，四川绵竹人，张之洞任四川学政时赏其才，爱其谨密，收为弟子。1889 年，杨锐考授内阁中书，参与修纂《大清会典》，书成，晋侍读。杨锐每月都有一两封密函递送张之洞，向张之洞通报宫闱禁事、朝政动态、官吏黜陟等各方面情况。康有为与诸志士倡设强学会，杨锐起而和之甚力。1896 年，上海《时务报》刊行，杨锐在京代派，热心宣传。1898 年初，他在四川会馆组织蜀学会，后列名保国会，又与四川同乡京官公同商酌，就北京观善堂旧址创设蜀学堂。

杨锐是张之洞的人马，与康有为的关系总是若即若离。一方面，他也参与康有为等人倡设学会团体的活动，承认康有为的言行对挽救国家危亡确有积极意义；另一方面，他又认为康多谬妄，不能把救国变法的希望放在康有为身上。

8 月 29 日，光绪帝就陈宝箴保荐人才折发出谕旨，着各衙门、各督抚传知杨锐、刘光第等预备召见。9 月 1 日，光绪帝在西苑勤政殿召见杨锐。9 月 5 日，光绪帝正式任命杨锐、刘光第、林旭、谭嗣同为军机章京，参预新政。

四军机章京上任后，每日要协助光绪帝批阅大量关于维新变法的奏章，起草上谕。据不完全统计，仅起草上谕一项，9 月 6 日至 20 日就有 56 条，最多的 9 月 12 日多达 10 条，其紧张勤勉是可想而知的。四军机章京参与新政，使光绪帝有了较得力的助手，维新变法的节奏也明显加快。加快的结果，自然会激起守旧势力更加强烈的抗拒，同时暴露四军机章京中部分人躁进骄浮的毛病。康有为觉得徐莹甫、徐毅甫、梁启超、黄遵宪等人入军机更合适，因此极力推动光绪帝开懋勤殿。

从鼓动设制度局到急欲开懋勤殿

先变法律、官制，在皇帝的身边新设制度局，是康有为一派主张维新变法的政治纲领。康有为在向朝廷口头表达自己的政治主张后，旋即呈递全面阐述自己变革方案的政见书，即上清帝第六书，题名《为外衅危迫，分割洊至，急宜及时发愤，大誓臣工，开制度、新政局，革旧图新，以存国祚》。康有为明确提出："考日本维新之始，凡有三事：一曰大誓群臣以革旧维新，而采天下舆论，取万国之良法；二曰开制度局于宫中，征天下通才二十人为参与，将一切政事、制度重新商定；三曰设待诏所，许天下人上书，日主以时见之，称旨则隶入制度局。此诚变法之纲领、下手之条理，莫之能易也。"①

康有为的本意，一是要采西方三权分立的精神来指导中国的维新变法，尝试先将立法权与行政权分别开来；二是试图转移或至少是分解军机处和总理衙门的权力，在皇帝周围另行设立议政机构；三是为具备新学知识但地位卑微的人才找到直接进入宫内决策新政的合法途径和舞台。

在康有为的设计中，包括两层权力关系，即朝廷内部制度局与其他十二专局的关系；制度局与地方新政局、民政局的关系。内之专局其名称与功能如下。

（1）法律局，考万国法律公法，以为交涉平等之计，或酌一新律，施行于通商口岸，以入万国公法之会。

（2）税计局，掌参用万国之税则，定全地之税、户口之籍、关税之法、采禄之制、统计之法、兴业之事、公债之例、讼纸之制。

（3）学校局，掌于京师。各直省即书院、佛寺为学堂，分格致、教术、政治、医律、农矿、制造、掌故、各国语言文字诸科，别以大小，公私并立，师范、女学而广励之，其有新书、新艺、新器者，奖劝焉。

（4）农商局，掌凡种植之法、土地之宜、垦殖之事、赛珍之会、比较之厂，考土产、计物价，定币权，立商律，劝商学。

（5）工务局，掌凡制造之厂、机器之业、土木之事。

（6）矿政局，掌凡天下一切矿产，开矿学，定矿则，凡开矿者隶焉。

---

① 《戊戌变法文献资料系日》，第555页。

（7）铁路局，掌天下开铁路事。

（8）邮政局，掌修天下道路及通信、电报之事。

（9）造币局，掌铸金、银、铜三品，立银行，造纸币，试其轻重。

（10）游历局，掌派人游学外国，一法一艺，宜得其详，其有愿游学者报焉。

（11）社会局，泰西政艺，精新不在于官而在于会，以官人寡而会人多，官事多而会事暇也。故皆有学校会、农桑会、商学会、防病会、天文会、地舆会、大道会、大工会、医学会、各国文学会、律法会、剖解会、植物会、动物会、要术会、书画会、雕刻会、博览会、亲睦会、布施会等，宜劝令人民立会讲求，将会例、人名报局考察。

（12）武备局，掌编民兵，购铁舰，讲洋操，学驾驶，讲海战。

康有为说："十二局立而新制举。凡制度局所议定之新政，皆交十二局施行。"这种关系是议政与行政既相互区别又相互统一的关系。其统一性意味着在朝廷内部不是光设立制度局的问题，而是要建立与制度局相配套的整个执行系统。新的执行系统的建立将对原有六部存在的必要性构成实际的挑战。

除朝廷内部权力关系的调整外，制度局还要关涉朝廷与地方各级的权力结构。在道、县两级分别设新政局和民政局，作为在地方贯彻落实新政的权力机构。每道设一新政局督办，不拘官阶，随带京衔，准其专折奏事，听其辟举参赞随员，授以权任。凡学校、农工、商业、山林、渔产、道路、巡捕、卫生、济贫、崇教、正俗之政皆督焉。每县设一民政局，由督办派员会同地方绅士公议新政，以厘金与之，其有道府缺出皆令管理。三月而责其规模，一年而责其治效。学校几所、修路几里、制造几厂，皆有计表上达制度局。新政局、民政局与制度局的关系，仍是议政与行政的关系，行政者有责任将有关情况上达制度局，但议政与行政不是统属关系。

康有为向总理衙门递交开制度局的条陈后，紧接着就在维新派中做起宣传鼓动工作来。他把所递条陈的副本拿出去互相传阅，获得认同，又分别为之起草奏折，以图造成声势，引起光绪帝的重视，同时可迫使总理衙门速将条陈递进，不能故意拖延。6月16日，光绪帝召见康有为。康借此良机，向光绪帝口头表达了开制度局的设想。康说："今数十年诸臣所言变法者，率皆略变其一端，而未尝筹及全体。又所谓变法者，须自制度法律先为改定，乃谓之变法。今所言变者，是变事耳，非变法也。臣请皇上变法，须先统筹全局而全变之。又请先开制度局而变法律，乃有益也。"①

康有为见光绪帝对他的变法思路和开制度局的要求表示认同的态度，便于召见的第二天又代宋伯鲁拟折。折中以"三权鼎立"之义为依据，追溯中国政治传统，明确提出开立法院于内廷、酌定宪法的主张，使开制度局的设想更加明朗、更具现代意识的色彩。宋折上奏之后两天，6月19日，康有为又上一折，为推行新政，请御门誓众，开制度局以统筹大局，革旧图新，以救时艰。康有为代他人草拟奏章时，一般不提制度局，而提议政处、立法院等。但康自己的上书，或面见光绪帝时的答对，总是提制度局。康有为这次上奏，也是直接提出开制度局的问题。他始终强调开制度局是整个变法大局中的提纲立本之事，希望光绪帝从此处下手。

康有为步步逼进，光绪帝也有些情意冲动。总署动作迟缓，光绪帝很不满意，甚至动怒，责令他们拿出意见。总署王大臣在为难之中想找靠山来应付皇帝。庆亲王奕劻暗中将康有为、光绪帝的方案和态度陈报于慈禧，并加进他自己的反对理由。慈禧的反应是谕以"既不可行之事，只管驳议"。7月2日，奕劻等在上奏中对康有为开制度局及变法的整体方案逐段反驳，否定了开制度局的必要性。光绪帝让总理衙门"另行妥议具奏"。奕劻接旨后，拖了十天，7月13日才上奏，又找出一个推脱的办法。他说康有为所上条陈主要不是外交方面的事，而是内政改革的重大问题，总理衙门不能单独对此做出议断，应由军机处等王大臣会同议奏，再由皇帝圣裁。光绪帝无可奈何，只得批示："着军机大臣，会同总理各国事务衙门王大臣，切实筹议具奏。"并特意加上一句："毋得空言搪塞。"8月2日，以军机大臣世铎领衔上奏，提出开制度局应变通为："皇上延见廷臣，于部院卿贰中，如有灼知其才识，深信其忠诚者，宜予随时召对，参酌大政。其翰林院、詹事府、都察院值日之日，就轮派讲读、编检八人、中赞二人、科道四人，随同到班，听候随时召见，考以政治，借可觇其人之学识气度，以备任使。"② 如此一变通，制度局这一常设机构就没有必要了。康有为的

①　楼宇烈整理《康南海自编年谱》，第41页；《戊戌变法文献资料系日》，第697页。
②　《军机大臣世铎等折》，《戊戌变法档案史料》，第10页。

本意是要使议政与行政分开，设立立法议政的常设机构是要转移军机处、总理衙门的权力。世铎等人的变通仍是保持原来君臣召对的老套。

在世铎等军机大臣上奏否定康有为开制度局于内廷的设想之前，康有为即已与梁启超等人开始策划在内廷开懋勤殿。懋勤殿在紫禁城内，清代已有开懋勤殿议政的先例。康、梁等人最直接的目标是要进到皇帝身边，参与议政。他们认为，制度局既是外来名字，又目标太大，易遭阻遏，也许开懋勤殿更实际可行。

孙家鼐与奕劻声气相通。在他们看来，康有为等人是品学不纯、心术不正、乡评不佳的。他们表面上不反对开南书房、懋勤殿，但是他们无论如何也不能让康有为等人进入内廷，日值皇帝左右。他们要从品学、心术上做文章，使光绪帝心存疑忌，不敢擢用。

开制度局和开懋勤殿均无下落。又一个多月过去了，康有为等仍在继续奔走努力。9月5日，康有为代徐致靖草拟的《冗官既裁请置散卿以广登进折》递到了光绪帝的手里。同日奉上谕："着孙家鼐妥速议奏。"9月9日，孙家鼐议复徐致靖请设散卿折递上。从孙折可知，康有为、徐致靖所谓置散卿不过是开制度局、懋勤殿的另一种提法，目的仍然是区别行政之官与议政之官，使康有为等人有机会进入议政机构。军机大臣仿照惯例，将"孙家鼐等封奏恭呈慈览"，结果是徐折"应无庸议"。

开制度局、懋勤殿是维新派的政治纲领，是关系政治大权的重新分配和清朝政治体制的变革问题，亦涉及很大一部分官员的地位和切身利益，同时还牵及对康有为等人人品、学术的评论等。慈禧是个老辣的政治家，从她的政治眼光角度看，对此二事决不能轻易让步。当光绪帝决意要开懋勤殿时，慈禧却冷漠置之。有记载说："皇上赴颐和园请安。上意仿照先朝懋勤殿故事，选举英才，并延东西洋专门政治家，日夕讨论，讲求治理，从康请也。蓄心多日，未敢发端，恐太后不允。至是决意举办，令谭嗣同引康熙、乾隆、嘉庆三朝谕旨拟诏……赴颐和园时禀请太后之命。太后不答，神色异常，惧而未敢申说。"[1] 康有为等焦急地盼望着从光绪帝那里能传出好的消息，谁知等来的却是令人惶恐不安的密诏。9月15日，光绪帝沮丧地回到大内，召见杨锐，令其带出密诏速筹对策。

---

[1]　苏继祖：《清廷戊戌朝变记》，《戊戌变法》第1册，第342页。

四　阴影下的困局与悲剧

当变法进入高潮后，原本存在的各种矛盾逐渐尖锐。满汉之间，帝后之间，新旧之间，联英日与联俄之间，满族大臣之间，汉族大臣如翁同龢、张荫桓、张之洞、李鸿章等之间，维新派内部康党与其他人士之间等多层次、多方位的种种摩擦对峙也都因甲午战争后外部压力的增大、国家财政危机的加深，而日益加剧。康、梁等维新人士由于指导思想上存在问题，总以奔竞躁进的姿态，试图鼓动年轻、无政治经验、无真实权力的光绪帝，以发号施令、急赏急罚的方式，在一个很短的时间内，不顾各种矛盾的客观实际，而取得变法的成功。这实际上是不可能的。百日维新，慈禧表面放手，实际无时不在关注、控制，光绪帝在康有为等人的鼓动下越来越不冷静。礼部六堂官的罢黜和冗署冗员的裁撤，由于过急过猛而引起强烈的社会动荡和心理不安，这些都预示着慈禧出而执政的时机即将来临。维新变法的失败当然是由于守旧势力的绝对强大造成的，但也与光绪帝及康、梁等人政略上的失误紧密相关。

袁世凯奉召入京的前前后后

光绪帝对袁世凯的特殊青睐，显然会引起荣禄和其他握有兵权的人的惊疑和警惕，但对慈禧，与其说是疑惧，不如说是光绪帝愚蠢地授之以柄，使慈禧毫不犹豫地亮起了"红灯"。"红灯"一亮，光绪帝和康、梁等人更加乱了阵脚，企图孤注一掷，把转危为安的一线希望全部押到袁世凯一人身上。袁世凯后来的活动并不是政变发生的关键因素，但袁世凯之被光绪帝召见擢升，的确是引发政变紧要的一环。

袁世凯，字慰亭，河南项城人，1882 年随吴长庆军入朝鲜，表现出干练的作风和勇敢的精神。1884 年 11 月，朝鲜发生"甲申事变"，袁临机应变，败日军，救韩王，干得非常出色，深得李鸿章的信赖。他 1890 年升二品衔分省补用道，继续留驻朝鲜，1892 年以海关道存记擢用，1893 年实授浙江温处道，实缺实职，本应赴任，经李鸿章奏留，仍驻朝鲜，处理一切事务。

1895 年，袁奉旨督练"新建陆军"。短短两三年的时间，督练的新建陆军取得引人瞩目的成绩。袁世凯是政治上嗅觉灵敏度很高的人，他长驻朝鲜，从事军事、商务、外交等活动了解外洋情形，产生了变法图强的要求。1895 年 8 月 2 日，光绪帝召见他，命他条陈变法事宜。他即上了一份长达一万三千余言的条陈，分为储材九条、理财九条、练兵十二条、交涉四条，从政治、经济、文化、军事、外交等多方面阐述了他的改革意见。

从袁世凯的经历和甲午战争后的表现可以看出，袁氏是有经验、有思想、知大局、欲变法救国的人，且有一定的政治地位，能与朝廷重臣直接交往。他与康有为都忧患时局，急欲实现自己报国之志，但两人变法思路、人生经历、活动的政治背景都大不相同。

当光绪帝和康有为等人急进的变法路线遭遇巨大的阻力时，他们已惶惶不安，担心将发生剥夺皇帝改革大权的军事政变。为防备不测，康有为从戊戌年六月起开始谋划夺取军队控制权的行动。他首先想到有可能被争取过来的人就是袁世凯。康有为派徐仁禄到袁世凯幕府中去摸底，主要目的是离间袁与荣禄的关系。通过光绪帝对袁的召见和提升，使袁脱离荣禄的辖制，效忠光绪帝，进而谋杀荣禄，控制军权，挟制慈禧，震慑群臣，强行变法。

主意打定后，冒险计划一步一步开始实行。9 月 11 日，康有为将署礼部右侍郎徐致靖草拟的保荐袁世凯的奏折递上。不冷静的康有为的自作聪明，加上年轻的光绪帝政治上的不成熟，使本来已经十分紧张的政治形势猛然恶化。徐致靖折递上的当天，光绪帝发出上谕，"电寄荣禄，着传知袁世凯即行来京陛见"，并将徐折"恭呈慈鉴"。[①] 荣禄与慈禧都是政治上极机警的人，他们绝不会无动于衷，相反，只会从容布局，以待康有为等自投罗网。

慈禧知道光绪帝要召见袁世凯的消息后做出的反应是"神色迥异寻常"。光绪帝给杨锐带出密诏："近日朕仰观圣母意旨，不欲退此老耄昏庸大臣而进英勇通达之人，亦不欲将法尽变。朕岂不知中国积弱不振，非力行新政不可？然此时不惟朕权力所不及，若强行之，朕位且不保。尔与刘光第、谭嗣同、林旭等详悉筹议，必如何而后能进用英达，使新政及时举

---

① 《戊戌变法文献资料系日》，第 959、961 页。

行，又不致稍拂圣意。即具奏，候朕审择，不胜焦虑之至。"①

光绪帝想召见袁世凯，授以特殊权力，公开与慈禧争夺军事力量的控制权。慈禧做出如此强烈的反应，荣禄的行动又如何呢？9月15日，"早车有荣相密派候补道张翼进京谒庆邸，呈密信并禀要事。据有见此信者，言信有四五十页八行书之多"。② 一封四五十页的信，已经是非同寻常了，当是有很重要的事要予以说明和商讨。这么一封长信，应非一日可就。从乘早车密派张翼进京、呈密信、禀要事等紧急情况看，似非许多天以前的事，很可能就是光绪帝上谕：电寄荣禄，着传知袁世凯入京陛见之后，荣禄要与庆亲王奕劻密商对策，故而派专人持密信急赴京师。荣禄此举是袁世凯已到北京，正预备召见之时。

荣禄七月间致函董福祥曰："贵部迤来分扎各处，闻与地方绅民均能联络，约束严明，良深敬佩。秋高气爽，天色畅晴，正好督饬各军，勤加训练。三秦劲旅，移卫畿疆，壮我军容，隐维大局，长城之望，知非公莫属。"③ 函稿中值得注意的是"隐维大局，长城之望，知非公莫属"。这应视为"召袁入京"之事发生后，荣禄向董福祥做出的重要暗示，让董部做好准备，随时听从调遣。

慈禧、荣禄对"召袁入京陛见"尚且如此看重，对陛见后事态的发展自不能不予以严密监视。

9月16日，光绪帝在颐和园毓兰堂召见袁世凯。见后发出上谕："直隶按察使袁世凯办事勤奋，校练认真，着开缺以侍郎候补，责成专办练兵事务，所有应办事宜着随时具奏。"④ 当天晚上，康有为、梁启超等知此上谕后喜出望外，拍案叫绝，说："天子真圣明，较我等所献之计尤觉隆重，袁必更喜而图报矣。"他们在庆贺荐袁计划成功的同时，开始筹谋军事政变的行动方案。⑤

袁世凯由于被召见而极不自安，深知"无寸功受重赏决不为福"，就利用在京城停留时间，尽可能多地去疏通达官贵人，求得他们的谅解和信任，

---

① 《清史稿》第4册，中华书局，1998，第3266页。
② 苏继祖：《清廷戊戌朝变记》，《戊戌变法》第1册，第343页。
③ 《戊戌变法文献资料系日》，第1008页。
④ 《戊戌变法文献资料系日》，第1017页。
⑤ 《戊戌变法文献资料系日》，第1018—1019页。

以免不测之祸。当天午后，袁去拜谒礼邸，不遇；拜谒刚相国和王、裕两尚书，均晤，备述无功受赏万不克称，并商王尚书，拟上疏辞。王尚书谓出自特恩，辞亦无益，反着痕迹，甚谓不可。9 月 17 日早，袁谢恩召见，"复陈无尺寸之功，受破格之赏，惭悚万状"。光绪帝反而笑着说："人人都说你练的兵、办的学堂甚好，此后可与荣禄各办各事。"袁世凯当然明白，这是让他脱离荣禄的节制，以后直接听从皇帝的调遣。这使袁心里更感沉重。袁退下后在宫门外候见庆邸，匆匆数语，即回寓。①

9 月 18 日晨，袁世凯赶紧去拜谒李鸿章，与他"久谈兵事"。午饭后，又去拜见庆亲王奕劻。可以说，除张荫桓外，当时朝廷掌权的重臣，袁都一一拜访，以此联络感情，以防后患，同时证明自己在京城没有进行别的活动。

因光绪帝有旨令八月初五日请训，而荣禄催他速回营，袁需拟折禀明缘由，申请提前请训。正在内室秉烛拟稿时（也就是初三日夜），谭嗣同有要公来见。谭是军机章京，又是新贵近臣，突然来访，袁只得搁笔出迎。谭便服称贺，"谓有密语，请入内室"。袁"屏去仆丁，心甚讶之"。果然，谭要求袁请旨赴津诛荣禄，然后率兵围颐和园。袁大惊失色。

谭嗣同走后，袁世凯心神无法安定，他反复筹思，如痴如病。本准备初四日请训回津，因折稿没有拟就，也因如何应付谭嗣同提出的要求而颇费心思，故初四一天，可能是在寓所闭门未出，徘徊审思，最后决定利用递折请训的机会，向光绪帝暗示：要慎重用人，以防酿生大变。

9 月 20 日，袁世凯请训上奏，折中说：

> 古今各国变法非易，非有内忧，即有外患，请忍耐待时，步步经理，如操之太急，必生流弊。且变法尤在得人，必须有真正明达时务、老成持重如张之洞者，赞襄主持，方可仰答圣意；至新进诸臣，固不乏明达猛勇之士，但阅历太浅，办事不能慎密，倘有疏误，累及皇上，关系极重。总求十分留意，天下幸甚。臣受恩深重，不敢不冒死直陈。

袁世凯如此上奏，应当说是很符合他当时的思想状态的。袁世凯退下，

---

① 《戊戌变法文献资料系日》，第 1055 页。

因急欲回津，即赴车站。到车站，等候达佑文一同返津。达佑文是荣禄主管陆军的幕僚。袁与达同来同往，使自己的行踪有人做证，亦可避免因皇帝的特殊召见而使荣禄对自己起疑心。这正是袁世凯成熟周密的表现。袁、达乘坐的是 11：40 的火车。下午 3 时到津。同城文武各官咸往迎迓。袁下车后即往总督府，荣禄已令卫兵夹道罗列，见到荣禄，"略述内情，并称皇上圣孝，实无他意，但有群小结党煽惑，谋危宗社，罪实在下，必须保全皇上以安天下"。当荣禄详知原委后，惊恐失色，大呼冤曰："荣某若有丝毫犯上之心，天必诛我，近来屡有人来津通告内情，但不及今谈之详。"袁说："此事与皇上毫无干涉，如累及上位，我惟有仰药而死耳。"两人筹商良久，迄无善策。①

当 9 月 21 日荣禄与袁世凯正在天津造膝筹商，苦无良策以弥合两宫之时，朝廷已赫然颁发慈禧训政的上谕。上谕内容丝毫未涉及谭嗣同策动袁世凯发动军事政变之事。可知慈禧训政与袁告密与否并无直接关系。

伊藤博文来华

伊藤博文是在戊戌政变将发未发的紧要时刻来到北京的。他的到来既有复杂的背景，又有隐秘的目的。他身份显赫，易招各方面注目，亦易为各方面所利用。维新变法者欲借以为助，稳健守旧者欲借以发难，而伊藤自己显然另有打算。毫无疑问，伊藤的到来是与政变的发生紧密交织在一起的。

伊藤博文，日本著名政治家，1898 年 6 月第三次伊藤内阁总辞职。伊藤辞职不久，就酝酿来中国"游历"。与此同时，维新派的联日活动，特别是在上海，也在紧锣密鼓地进行。

伊藤博文 8 月 3 日由日本启程，启程前多次与明治天皇秘密会谈。② 启程时，"各大臣均至伊藤住宅送行"，"闻其中尚有密议"。9 月 12 日 9 时，伊藤拜谒直隶总督荣禄，交谈一小时。9 月 14 日 11 时，伊藤一行乘火车抵达北京。9 月 15 日，伊藤拜见总署王大臣，访问李鸿章。伊藤谈话的主要精神：（1）对光绪帝锐意图新表示赞赏；（2）主张用人要老成练达者与盛

---

① 谭嗣同见袁及袁见荣禄资料，均见《戊戌变法文献资料系日》，第 1056—1057 页。

② 《戊戌变法文献资料系日》，第 868 页。

壮气锐者相配合；（3）变法图新必须循序以进，详加规划，理其端绪，细细考虑，切忌轻躁，不可猝然急激；（4）军队改革的当务之急在办士官学校，培养人才；（5）经济方面的改革应着眼于置产兴业，而非专注于关税一途。

9月17日《国闻报》报道，外间传言有初五日（9月20日）伊藤入觐光绪帝之说，"近日京朝大小官奏请皇上留伊藤在北京用为顾问官，优以礼貌，厚其饩廪。持此议者甚多"。9月17日，"庆邸、端邸同赴颐和园，哭请太后训政，且言伊藤已定初五日觐见，俟见，中国事机一泄，恐不复为太后有矣"。①

9月18日，与李鸿章之子李经方为姻亲关系的广西道监察御史杨崇伊向慈禧上了一个可以置康有为于死地的密折，此折将维新派的联日战略与孙中山的反清活动联系起来，使慈禧不能不提起十二分的警惕。

李提摩太是康有为、梁启超早已崇拜并且交往甚密的英国传教士。康有为向光绪帝推荐，建议聘请这位传教士当中国维新改革的顾问。当伊藤一行到达北京时，李提摩太与容闳、袁昶一道也来到了北京。李提摩太与伊藤同住一个旅馆，又与伊藤的秘书有过长时间的谈话。从《国闻报》的报道到杨崇伊的密奏，再参考李提摩太的记述可知，9月17日、18日，京城已有舆论认为，光绪帝9月20日要召见伊藤，伊藤有可能被聘为顾问。同时，暗中极力阻止聘用伊藤的图谋也在紧张地进行中。一方面，伊藤作为两国交往的重要一环，慈禧等人不可能不给他一点面子，不可能突然改变原定的计划。他们既要光绪帝召见伊藤，但又不能让光绪帝聘用伊藤。另一方面，康有为等维新派已知事成败局，但仍对光绪帝召见伊藤寄托希望。此时光绪帝已密谕康有为迅速离开北京，但康没有遵旨速行。但见康氏兄弟等纷纷奔走，意甚忙迫。大概康、梁这时尚未估计到政变会来得如此迅疾。他们想先发制人，国内力量方面，他们不惜孤注一掷，拉袁世凯搞武装冒险；国际力量方面，他们想全力争取英、日的支持。据李提摩太的秘书程浔所记，9月18日午后，康有为去找李，"言新政施行甚难，吾顷奉谕旨办上海官报，明日将南下矣。吾欲乞友邦进忠告，而贵邦公使又不在京，至可惜也"。李说："竟不能调和两宫乎？"康说："上行新政，盈廷衰谬

---

① 《戊戌变法》第1册，第344页。

诸臣恐被罢黜，哭诉太后，太后信之，致横生阻力，夫复调和之可言。"①

康有为从袁世凯那里未能获得明确的答复，到李提摩太这里也是无可奈何。他只能把全部希望放在伊藤身上了。9月19日午后3时，康有为去找伊藤，告知光绪帝的困境，请求他从国际局势的危急角度说服慈禧赞成变革。两人可谓知无不言，言无不尽，一连谈了三个多小时，夜幕降临方别。

伊、康私晤，充分表露了康有为在政治上的幼稚可笑。其实，在康有为来找伊藤时，慈禧出而训政的大局已定，伊藤对康的请求不过应付而已。伊藤来华的主要目标是联华制俄，以求日本在中国的殖民权利获得更大发展，所以他决不会为支持政治上不成熟的康有为急进的变革思路而妨碍自己与清廷决策者的交往。

9月20日11时，伊藤博文谒见光绪帝。从召见过程看有几点值得思考。第一，召见的时间安排在11时，这显然是没有准备长谈。第二，正当光绪帝将话题转到赞佩伊藤擘画日本维新事业，取得显著成效这一实质问题上来时，庆亲王与光绪帝耳语移时。之后，光绪帝只接着说了一句，而这一句的真正含义是要伊藤将对中国维新变法的建议和看法告诉总署王大臣。这即是说，接收伊藤建议的权力是由总署王大臣掌握的。第三，整个召见过程只有约两刻钟，中间还穿插了庆亲王好一会儿的耳语，更使召见短暂简略。这样的安排和结果既远没有达到康有为所希望的效果，也与光绪帝自受康有为的影响后，对日本维新成就的热切向往心情很不相符。

光绪帝召见伊藤第二天，9月21日，执政权完全转移到慈禧手里。康有为等维新派试图使光绪帝召见伊藤成为朝廷权力结构发生新变动的一个契机。他们想通过渲染国际局势的万分危急，来证明建立中、日、英、美联盟的必要，又因建立联盟而需要共选通达时务晓畅各国掌故者百人，专理四国兵政税则及一切外交等事。这百人不能无主脑，所以请速简通达外务、名震地球之重臣，如李鸿章这样的人，去同李提摩太、伊藤博文商酌，再请康有为当参赞。这实际上是要成立一个以光绪帝为首，以李鸿章、李提摩太、伊藤博文、康有为为辅，以百名维新人士为骨干的新政府。这个计划当慈禧训政的上谕一颁发，就立刻化为泡影了。

①　《戊戌变法》第1册，第421页；《戊戌变法文献资料系日》，第1027页。

扑朔迷离的政变过程

面对慈禧的满脸怒气，光绪帝已陷入进退两难的困境，一方面，康有为等维新派要全力推动光绪帝去实现他们自己的改革计划；另一方面，慈禧因袁世凯入京之事而向光绪帝亮出了"黄牌"。9 月 15 日，光绪帝赐杨锐密诏说：

> 近来朕仰窥皇太后圣意，不愿将法尽变，并不欲将此辈老谬昏庸之大臣罢黜而登用英勇通达之人，令其议政，以为恐失人心。虽经朕屡次降旨整饬，而并且有随时几谏之事，但圣意坚定，终恐无济于事。即如十九日之朱谕（指将礼部堂官革职的朱谕——引者注，下同），皇太后已以为过重，故不得不徐留（《赵柏岩集》29 页为"徐图"）之，此近来实在为难之情形也。朕亦岂不知，中国积弱不振至于阽危，皆由此辈所误。但必欲朕一早（《赵柏岩集》为"旦"）痛切降旨，将旧法尽变而尽黜此辈昏庸之人，则朕之权力实有未足。果使如此，则朕位且不能保，何况其他？今朕问汝，可有何良策，俾旧法可以渐（《赵柏岩集》为"全"）变，将老谬昏庸之大臣尽行罢黜，而登进英勇通达（《赵柏岩集》为"通达英勇"）之人令其议政，使中国转危为安，化弱为强，而又不致有拂圣意。尔等（《赵柏岩集》为"其"）与林旭、谭嗣同、刘光第及诸同志妥速筹商，密缮封奏，由军机大臣代递，候朕熟思审处（《赵柏岩集》无"审处"二字），再行办理。朕实不胜紧急翘盼之至。特谕。①

9 月 16 日，光绪帝发出上谕，袁世凯"着开缺以侍郎候补，责成专办练兵事务，所有应办事宜着随时具奏"。赵柏岩记："御史杨崇伊善总管太监李莲英，内事纤悉报知之。崇伊亦去天津诣荣禄，告曰：'上之用慰亭，欲收兵权也。上得权必先图公，公其危哉？且康有为乱法，臣工怨之，事宜早图也'……荣禄谓崇伊曰：'尔言官也，可约台垣请太后训政，试归与

---

① 《戊戌变法》第 2 册，第 91—92 页。

庆邸谋之.'遂为书与崇伊还京。"①杨崇伊去天津找荣禄之前，找过王文韶和廖寿恒，但这两位汉人大臣不敢做主。杨已拟好请慈禧训政的折稿。他说服荣禄的理由非常明确，就是皇帝擢用袁世凯是要收兵权，兵权一旦由皇帝掌握，首先要杀的就是荣禄。其实这个道理用不着杨崇伊来给荣禄讲，荣禄自己心里非常明白，所以两人一拍即合。荣禄要杨崇伊回京与庆亲王奕劻商量，并写了亲笔信托杨交庆亲王，表示自己赞成和支持政变。

从上述情况看，政变发生的直接源头起于光绪帝召袁入京陛见，引起慈禧的惊疑和发怒。怀塔布等被罢免的高级官员正伺机反扑，阻止光绪帝的改革。因杨崇伊与李莲英的关系，得知慈禧的真实心态，遂乘机联络荣禄与庆王，策划拥慈禧再训政。

杨崇伊回到北京是16日的晚上或17日的上午。他奉荣禄之意，先找庆王等人谋划，再向慈禧上奏。赵柏岩记："崇伊与庆王、端王、徐桐、怀塔布、立山等日夜谋，因约仲炘（张仲炘）联名上书太后，请训政以慰天下之望。至颐和园门外，不得达（时皇上在乾清宫，奏事官皆随皇上。太后归政久，颐和园未设奏事官），遇端王载漪弟镇国公载澜，告以故，载澜遂持折递太后。"②从档案文献看，杨崇伊请慈禧训政的奏折是以他单独一人的名义密陈的，宫中档案原件标明时间为八月初三日（9月18日）。

杨崇伊此折是政变发生最为关键的一步。杨在折中只字未提光绪帝擢拔袁世凯之事，而是从一个更大的时空范围来说服慈禧。杨崇伊的后台是李鸿章，李鸿章的目的不光是阻止光绪帝任用袁世凯，他更要防备翁同龢之复起，与张荫桓组成新的权力中心。因此杨崇伊在密奏中追溯甲午主战之事，特意指名文廷式由主战而招致割地偿款，又创大同学会，蛊惑士心，"外奉广东叛民孙文为主，内奉康有为为主"，而且得到黄遵宪、陈三立、陈宝箴等人的支持。康有为既与大同学会有关，又"不知何缘，引入内廷，两月以来，变更成法，斥逐老臣，借口言路之开，以位置党羽"，更招引伊藤博文来华，将专政柄，使祖宗所传之天下，不啻拱手让人。杨折从文廷式说到康有为，又从黄遵宪说到伊藤博文，目的是要告诉慈禧，翁同龢、张荫桓所信任和接近的人有背叛朝廷的重大嫌疑，他们招引伊藤博文来华

---

①　赵炳麟：《赵柏岩集》，潜并草堂，1922年印本，第29页。
②　赵炳麟：《赵柏岩集》，第31页。

怀有不可告人的目的。光绪帝受这些人的蒙蔽，将危及国家社稷。在看到杨崇伊密折之前，慈禧大概不会从如此严重的角度来考虑光绪帝所推行的变法，她所关注的无非光绪帝权力的范围、用人是否合适、进退大臣是否妥当。但杨崇伊密折一上，使慈禧对变法的看法在性质上发生了变化。只要慈禧听信杨崇伊之言，维新派顷刻就会被摧毁；光绪帝以长江流域几大重臣为支撑点的联英日战略就会立即搁浅；翁同龢复起与张荫桓组织新的权力中心的打算就会落空；而李鸿章集团甲午战争后的被动局面将会有所改变。

慈禧即刻做出了决断。第一，必须在光绪帝会见伊藤博文之前警告光绪帝，不能聘用伊藤当什么顾问；第二，立即拿办康有为等人，以消除祸患。

由杨崇伊的密奏而促使慈禧做出政变的决策，与由光绪帝的密诏而导致康有为等人做出防止政变而采取行动的决定几乎是同时发生的，即都发生在9月18日（八月初三日）这一天。

很有可能，在慈禧回宫之前，光绪帝于乾清宫已与庆亲王等王大臣发生了一场惊心动魄的争吵。"皇上于是日谓枢臣曰：'朕不自惜，死生听天，汝等肯激发天良，顾全祖宗基业，保全新政，朕死无憾。'"① 堂堂一国之君居然在大臣面前怒气冲冲地讲到要死，如果不是王大臣们毫无畏惧地围攻皇帝，迫其下诏废除新政，拿捕维新派，这几句话是不会脱口的。大臣们之所以能如此放肆，说明他们对政变已是成竹在胸了。

慈禧回宫后怒斥光绪帝："我抚养汝二十余年，乃听小人之言谋我乎？"上战栗不发一语，良久嗫嚅曰："我无此意。"慈禧唾之曰："痴儿，今日无我，明日安有汝乎？"短短数语，慈禧发动政变的根本原因就包含在这里面，即认定光绪帝已有谋制她的意图，她已看透康有为等维新派不仅是要离间她与光绪帝，而且对光绪帝也不过是一时的利用而已。

慈禧怒斥光绪帝后，光绪帝实际上已失去执政权。但为了减少外交上的压力，在已预先安排好20日会见伊藤博文这一活动没有过去前，慈禧没有发出训政的懿旨。宫中的变局进行得平稳而隐秘。20日一早，袁世凯照常请训。光绪帝看了袁的请训折，"动容，无答谕"。9月21日，上谕宣布

① 《戊戌变法》第1册，第345页。

慈禧训政。同日又谕：

> 工部候补主事康有为结党营私，莠言乱政，屡经被有参奏，着革职，并其弟康广仁，均着步军统领衙门拿交刑部，按律治罪。①

从上谕内容来看，政变主旨首先是剥夺光绪帝的执政权，其次是要除掉康有为，其罪行是"结党营私，莠言乱政"，并未提谋杀荣禄及围颐和园等事。

一伙顽固守旧的大臣在康有为急进改革的压力下惶惶不可终日。他们造谣、构陷，不遗余力。光绪帝十分赏识康有为。顽固派要除掉康有为，必须剥夺光绪帝的执政权；要禁制光绪帝，必须抬出慈禧；要抬出慈禧，必须有两个条件，一是要有实力稳健大臣的参与，二是要有能激起慈禧愤怒的事实。这些他们都做到了，所以政变最先裸露出来的原形，是剥夺光绪帝的执政权，革去康有为的职务并予治罪。

康、梁脱难与"六君子"就义

康有为在 9 月 18 日得到光绪帝催他迅速出京的明谕和杨锐、林旭带出的密诏后，当天下午"欲乞友邦进忠告"，而英国驻华公使已去北戴河；去找李提摩太（Timothy Richard），而李的态度并不热情；深夜派谭嗣同劝说袁世凯，袁又借词推托；第二天下午赴日本公使馆，求伊藤向慈禧进言，伊藤佯诺之态，使康亦不能寄予希望。奔波了两天一夜，他知大势已无可挽回，遂决意离京。

康有为 9 月 20 日天未明出京。9 月 21 日，康广仁、程式榖等被捕。米市胡同口，车骑塞途，观者如山。康广仁说："若死而中国能强，死亦何妨！"程说："外国变法，前者死，后者继。中国新党寡弱，恐我等一死，后无继也。"康说："八股已废，人才将辈出，何患无继哉？"

梁启超躲进日本公使馆，谭嗣同亦到。谭劝梁东游日本，并且把谭自己所著的书及诗文稿本数册、家书一箧都托付给梁。谭说："不有行者，无以图将来；不有死者，无以酬圣主。"9 月 22 日，梁启超断发洋装，在日本

---

① 《戊戌变法》第 2 册，第 99 页。

人的掩护下潜赴天津。康有为亦已逃脱上海官吏的追捕，转乘驶往香港的轮船。康、梁师徒经历整整一月的风风雨雨、惊涛骇浪，在英、日军舰的保护下脱离险境，逃避了大难，在日本重新相聚，继续着他们的救国之业。

然而，仍留京城的维新志士无时无刻不在危险中。9月24日，上谕宣布："张荫桓、徐致靖、杨深秀、杨锐、林旭、谭嗣同、刘光第均着先行革职，交步军统领衙门拿解刑部治罪。"①

清廷迫于英、日的压力，张荫桓被区别对待，"六君子"未经审讯而速遭杀害。"六君子"被押至菜市口刑场，观者万人。康广仁欲有所语，而左右顾盼无一人。谭嗣同神气不稍变，呼监斩大臣刚毅曰"吾有一言"，刚不听。六人遂从容就义。

"六君子"的死，惊天地，泣鬼神。经历这悲壮的一幕，多少中国人开始醒悟！"六君子"虽或各不相同，然而他们的血是一样的鲜红。有诗曰："求治或太急，论事或过烈。庶几鼓朝气，一洗宇宙暗。"在杀害"六君子"的第二天，清廷补充宣布了康有为、梁启超和"六君子"的所谓罪状。同时将张荫桓发往新疆，将徐致靖交刑部永远监禁，将湖南学政徐仁铸革职永不叙用。随后，李端棻、陈宝箴、陈三立、江标、熊希龄等参与维新变法的官员亦相继被革职。

政变后，慈禧虽将百日维新中所采取的改革措施大加否定，但有关经济、教育、军事等方面仍保留了一部分变法的成果，特别是慈禧提出了以国计民生为标准，化除新旧之见的思想，这对新因素的生长是有利的。不过从当时较短的一段时期的情况来说，维新变法的风气从整体上已被打压下去了。守旧的、顽固的势力猛然抬头。特别是清廷亲贵中的腐朽愚昧势力迅速膨胀起来，使政变之余的维新事业事实上难以为继。历史前进的道路从来都不会是直线的。热热闹闹的变法维新一时间虽沉寂了下来，但顽固愚昧势力的倒行逆施不久就闯出了大祸，并被大祸冲得落花流水。试图推翻清朝反动统治的革命运动和试图建立近代国家政治体制的宪政运动，在义和团和八国联军之役刚刚过去就渐渐从酝酿中浮出水面。清政府开始陷入垂死挣扎的泥潭，而新时代的曙光已隐约可见。从历史的连续性来看，戊戌变法不过是近代政治体制转型长剧中的一首序曲，亦可视为后来大喜

① 《戊戌变法》第2册，第100页。

剧之前的首场悲剧。它是历史前进必然要付出的代价。戊戌变法当之无愧称得上是我们今天现代国家的真正起点。万事开头难，老大的中国要迈开跨入现代社会的第一步，无疑是万事中之至难者。这第一步不可能是稳健的，更不可能是成功的，却是伟大的、具有深远意义的。历史越往前行，伸向未来，离新的起点越远，就越显示新起点的可贵和伟大。我们当然需要总结变法失败的种种教训，但总结应当建立在客观地、全面地分析当时的条件和情境、对变法志士予以足够同情的基础上。

第十章

义和团运动与二十世纪中国

按照西人的算法，1900 年是 20 世纪第一年。这一年所发生的重大事件，对于这个新世纪或许都具有重要的指标意义。然而对于中国来说，这一年无疑是中国被迫走上近代化道路后最为糟糕的年份，一场突如其来的义和团运动及随之而来的八国联军入侵几乎将中国逼至崩溃的边缘。

一　义和团运动兴起的国际国内背景

义和团运动的发生有着深刻的国际国内背景，是中国被迫走上近代化道路后一个无法避开的重要环节，是自 1840 年中国与西方开始交往后民族主义情绪的总爆发，也是先前政治发展的一个重要转折。

甲午战前几十年，中国利用国家管制的方式发展经济获得了一定成就，恢复了往昔的一些气象，即便传统史观所说的"同光中兴"并不一定代表历史真实，但中国在 19 世纪 90 年代初期确实与先前不太一样了。然而到了甲午年间，一场规模并不大的战争几乎耗尽了先前几十年的积累。更重要的一点还在于，先前几十年以"中体西用"为指导思想的洋务新政可能只是一场"跛足的现代化"，中国的发展必须另找参照系。这就是稍后维新运动之所从来。

从比较严格的意义上说，维新运动在战争尚未结束时就开始了。整军经武、允许地方进行自治试验、鼓励资本主义发展，为新社会阶级的诞生

扫清了制度层面的障碍。应该说，经过几年的发展，到了1897年，以模仿明治维新为基本特征之维新运动进展顺利，缓慢的政治变革其实在有序进行。

然而，由于《马关条约》允许"日本臣民"到中国自由创办企业，允许自由贸易，那时的国际资本正如列宁所说已经发展到了帝国主义阶段，资本的输出已经大于对领土的觊觎，因此在甲午战后没几年，外国资本就像潮水一样涌进了中国。先前争论不已的铁路开始修筑了，而且很快构筑了影响后世的基本路网；许多矿产资源开采了，一些基础项目差不多都在甲午战后迅速开建。这是一个大发展的时期，同时由此衍生出许多问题。

经济的发展主要凭借的是国际资本，国际资本除了要利润最大化，当然还看重资本的安全和便捷。我们过去说列强在甲午战后有个瓜分中国的狂潮，其实就是指国际资本潮水般地涌进中国后，一方面希望"整片开发"，减少成本，与中国政府协商集中投资，比如英国将资本主要集中在长江流域，日本集中在福建，德国集中在山东，法国集中在西南；另一方面由于中外贸易额度大幅增加，远洋巨轮在经过漫长航海靠岸后总需要休整维修，因而在甲午战后不久，在中外贸易达到一定规模后，列强相继向中国政府提出仿照英国人租借香港的前例，在中国沿海租借一些尚未开发的港湾，以备各国民用及护航的海军舰队使用。这样的要求意味着对主权的侵害，在实际操作上清政府也是一拖再拖，总是在内心深处希望对方能够放弃这些要求。

列强中比较急切需要一个沿海港口的是德国。德国在1895年马关议和谈判中支持中国，并联合俄国、法国向日本施压，让日本将已经占领的辽东半岛归还中国。尽管中国为此多花了一大笔银子，但"三国干涉还辽"确实维护了中国本土的完整性，其战略意义不容低估。德国之所以如此积极干预中国事务，当然有其外交上的考虑，其中一个值得关注的目的在于，德国希望通过与中国政府的亲善，有助于德国顺利地从沿海拿到一个港口。中德贸易大幅增长，德国太需要一个港口了。

对于德国人的要求，清政府原本是答应的，只是碍于体制，碍于领土、主权的因素，清政府在答应了之后一拖再拖。德国政府遂接受一些人的建议先斩后奏，乘着山东巨野教案的机会出兵强占胶州湾，造成既成事实，然后倒逼清政府与其谈判胶州湾租借问题。

胶州湾的租借在清朝最高统治层原本并不构成问题，只是德国人的做法无疑使日本人很不高兴。日本人觉得三年前到嘴的肥肉被德国、俄国和法国给搅黄了，也就三年时间，德国人竟然异想天开从中国获取如此大的利益。日本人对德国人的做法很不能认同，于是一个原本并不张扬的军事行动，一个细节并不为外人所知的秘密外交，竟然被具有日资背景的《国闻报》全程报道、逐日追踪。中国的民族主义情绪因此被充分调动，一个甚至比甲午战败还恐慌的危机情绪在中国新一代知识分子中迅速蔓延。严复呼吁中国人"急求所以自立之道"，[①] 而梁启超、谭嗣同、黄遵宪、唐才常等一大批更加激进的知识分子甚至为中国作"亡后之图"，计划将正在进行维新试验的湖南转变为中国复兴的基地，一旦北方局势持续恶化，他们就可以据湖南而独立，进而成为未来中国复兴的基地。[②]

德国人并没有因为中国人的反对而中止对胶州湾的占领和稍后的租借谈判，清政府原本寄望于俄国政府能够看在老朋友的面上劝说德国人注意适可而止，别让自己在民众面前太丢面子，但俄国人一面爽快地答应了清政府的请求，实际上不仅站在德国人方面出主意、想办法，而且和德国人狼狈为奸、一唱一和，以出师威吓德国的名义占据了旅顺和大连湾，中国在痛失胶州湾之后再失旅大。稍后，英国人也利用这些机会以利益均沾的理由向中国提出类似要求。尽管列强的这些要求只是租借，根据约定，租借总有归还的那一天，但在当时那种特殊背景下，中国人面对这些租借总有亡国之痛。

列强相继向中国提出租借港口的要求，严重困扰了当时的中国人，一大批充满激情的年轻知识分子真正感到空前的民族危机。

胶州湾事件尚未完全处理完毕的时候，来自广东的年轻知识分子康有为就向朝廷提交了一份建议书，以为甲午战后三年，列强咸以瓜分中国为

---

① 《再论俄人为中国代保旅顺大连湾事》，王栻主编《严复集》第 2 册，中华书局，1986，第 465 页。

② 胶州湾事件发生后，谭嗣同等湖南人士格外恐慌，他们计划以湖南独立获取未来中国发展空间，"而独立之举，非可空言，必其人民习于政术，能有自治之实际然后可"，于是他们建议湖南巡抚陈宝箴推广地方自治，增强人民的政治能力，"以为他日之基，且将因此而推诸于南部各省，则他日虽遇分割，而南支那犹可以不亡"。参见梁启超《戊戌政变记》附录二《湖南广东情形》，《饮冰室合集·专集之一》，中华书局，1990，第 138 页。

目标，到处流传着列强准备瓜分中国的示意图，由此可见列强筹划之详明严密。根据康有为的推测，德国出兵强占胶州湾，实在是为列强瓜分中国开了一个很不好的先例，德若成功，列强必群起效尤，诸国咸来，并思一脔，瓜分豆剖，渐露机牙，整个中国犹如地雷四伏，导管遍布，一处有警，举国响应。胶州湾事件在康有为看来只不过是列强瓜分中国的开始而已。鉴于此，康有为在这份后来被命名为《上清帝第五书》的文书中呼吁朝廷师法日俄进行政治改革，逐步从君主专制走上君主立宪。① 这就是 1898 年"百日维新"的开始。

可惜的是，到了这年秋天，维新运动在一场政变中结束。康有为、梁启超等指责以慈禧为首的守旧派镇压了维新派，而清廷在当时的处理决定中明白说是康有为等人纠集乱党，谋围颐和园、劫持慈禧，是用武力解决和平变革中的问题，实际上就是一场武装政变。②

戊戌年间政治变革及其结局当然还可以继续研究，只是经过这件事情的打击，产生两个最严重的后果。第一，光绪帝似乎因为对康有为这些年轻政治家失察而自责甚深，其原本就不太好的身体竟然突然出了问题。第二，或许因为光绪帝身体出了问题，慈禧再次从幕后走上前台，出园训政。这虽说是他们爱新觉罗家族的内部事务，但对正在进行的政治变革无疑是一个巨大转折，大清王朝政治走向从此开始了一个"维新变法的反动时期"。③ 所谓"反动"当然是指反新政，凡是新政中所提出或实行的举措，似乎都值得拿出来重新讨论其价值。而新政基本价值取向是向西方学习，所以这一政治上的反动时期在基本价值取向上无疑鼓励、纵容了盲目的排外主义，似乎先前几十年向西方学习的选择从根本上就是错误的，中国未来只能从自身传统中去寻找。

强烈的排外意识是戊戌后社会各界的基本共识，那时朝野似乎一致厌恶西方、反对西方，最上者如慈禧。她虽然是近代中国比较早认识西方近代发展实质意义的领导人，但在戊戌后，出于最实际利益的考量，她对西

① 《上清帝第五书》，汤志钧编《康有为政论集》（上），中华书局，1981，第 210 页。

② 清廷官方文书指康有为"乘变法之际，阴行其乱法之谋，包藏祸心，潜图不轨，前日竟有纠约乱党谋围颐和园劫制皇太后陷害朕躬之事"。参见朱寿朋编《光绪朝东华录》第 4 册，中华书局，1984，第 4206 页。

③ 李剑农：《中国近百年政治史》，复旦大学出版社，2002，第 172 页。

方的看法发生了变化，她不明白她那样执着地劝说中国人学习西方，西方为什么还那样与她过不去。大清王朝已明白宣示康有为、梁启超"犯上作乱"，而西方国家不仅不帮助中国将康梁缉拿归案，反而协助他们出逃，予以庇护，拒绝引渡给中国，甚至允许他们成立什么保皇会，发行报刊，攻击诋毁天朝上国，最可恶的是允许康梁肆意攻击她本人。专制体制独裁者无论如何也不能理解西方社会价值取向和民意，这也是慈禧在戊戌后一变成为西方文明反对者的根本原因之一。

慈禧的变化深刻影响了朝中大臣和一般士绅，曾经参与新政的那些大臣已经在政变后受到相应处分，而现任大臣或原本就不满意光绪帝和康有为推动的政治改革，或因慈禧态度转而对西方文明比较反感。他们过去或许一度仰慕赞美过西方文明，但他们实在弄不明白西方何以总是欺负这个中国学生，总是跟中国过不去。他们感到西方人和西方国家之所以支持中国政治变革，可能与他们的总体阴谋有关，那就是防止中国真的强大，阻止中国发展，乃至彻底搞垮中国，进而使中国沦为他们的殖民地。[①]

一般民众当然没有这种深刻认识，不过他们出于最直接的感受，觉得自五口通商开始，外国商品与传教士毫无节制涌入中国，他们的日子不是比过去更好些，而是比过去更糟糕，旧式手工业受到前所未有的冲击，失业人口急剧增加。再加上甲午战后巨大的战争赔款压力，战后大量兵勇遣散，流民数量成倍增加。更不幸的是，那几年天灾不断，尤其是华北地区大面积持续干旱及黄河连年失修所导致的灾难，造成哀鸿遍野、民不聊生。一般民众当然不会进行理性分析，不可能具有多少深刻认识，但他们直观感受到日子之所以一天比一天艰难，大概都是洋人来了之后所造成的。洋人在中国大规模造铁路、开矿山，将中国的龙脉挖断了，地藏的宝气泄漏了；洋人在中国城乡遍设教堂，把中国传统神祇、祖先得罪了、侮辱了，这些神祇、祖先也不保佑中国人了。

基于直观感受与判断，民众的集体无意识就是想恢复往昔的宁静生活，就只有将那些可恶的洋人驱逐出去，尤其是非将那些洋教士及追随那些洋教士为非作歹的汉奸教士及所谓教民杀掉不可。这种集体无意识逐步发酵，

---

① 《郑观应致盛宣怀函》（1899 年 5 月 1 日），陈旭麓等主编《义和团运动——盛宣怀档案资料选辑之七》，上海人民出版社，2001，第 3 页。

终于酿成此伏彼起、连年不断的教案。仅德国占据胶州湾后一年半，山东省境内因铁路、矿山及教案所引发的外交纠纷就有一千余件。

就大清王朝统治者来说，列强在戊戌后对中国内政毫无收敛的干涉也让他们相当恼火。追根溯源，他们认为是新政象征光绪帝依然在位的结果。他们越来越倾向于相信，只要光绪帝在位一天，甚至只要光绪帝还活在人世，不仅康有为等流亡海外的所谓维新志士还有精神寄托和从事政治活动的资本，而且西方国家就会继续以光绪帝这一问题向中国施压，无所作为、束手待毙的光绪帝竟然一度成为"麻烦制造者"。

事实上，早在慈禧出园训政时，朝野就弥漫着光绪帝病重甚至已去世的谣言。这些谣言既有清廷政治高层有意向外释放的信息，以便为未来政治决策预留足够空间，也有康梁等海外流亡人士故意夸张的成分。康梁等人清楚，只要光绪帝一天不倒，只要光绪帝依然活在人间，即便他们现在吃够苦头，他们终究会有扬眉吐气、重出江湖的一天，因为年轻的光绪帝终究要比年迈的慈禧活得时间更长些。

光绪帝的存在成为慈禧和那时当权者的一个重大心病，起初他们或许真的企图通过宫中太监使用药物等办法摧毁光绪帝的肉体，但这一做法很快遭到各方面公开谴责，中外各界一致警告那些政治野心家不要违背民意进行这种阴谋。

不过，谣传中的这一做法在多大程度上出于慈禧指使，实际上是很值得怀疑的。作为一国领袖，慈禧不会也不至于这样下作。她如果想置光绪帝于死地，应该并不困难。光绪帝虽然不是慈禧亲生，但承受她多年养育之恩，正如光绪帝自己所辩白的那样，他并没有对慈禧表示过不忠。据现在能够看到的比较可信的资料，即便是在光绪帝确实感到对新政干预太过分时，即便与慈禧发生言语冲突后，他找杨锐所要商量的也是考虑怎样既能推动新政进行，而又不使慈禧生气。[①] 光绪帝的真情实意并不难被慈禧理解。所以慈禧如果真的像康梁等人所宣传的那样指使宫中太监使用药物从肉体上摧残光绪帝，未免太过于夸大了帝后之间的冲突，也太过于戏剧化。

康梁等人因新政失败流亡国外，虽然吃尽了苦头，但获得了许多道义

---

① 上谕第 228，中国史学会主编《中国近代史资料丛刊·戊戌变法》第 2 册，神州国光社，1953，第 92 页。

上的同情和支持，且较清廷拥有更强的话语权。相反，清廷特别是慈禧毕竟用"六君子"的鲜活生命换取了政权，不管怎么说似乎都在道义上亏了一层。再加上专制政体信息不透明，清廷在很大程度上反而成了话语弱势一方。所以我们看到所谓慈禧利用宫中太监向光绪帝使用药物的说法，基本上来源于康梁系，并没有档案或其他方面的证据作为支持。

两宫之间的真实情形我们并不太清楚，但我们知道光绪帝在戊戌年秋天那场未遂政变后确实病倒了。第二年（1899），一整年时好时坏，至年底似乎大有一病不起的迹象。12 月 20 日，光绪帝发布一道上谕，驳斥康有为、梁启超等人在海外造谣诬蔑，强调慈禧出园训政以来上下一心、宫府一体，希望臣民不要听信康有为等人瞎说，妄为揣测。[①]

光绪帝的谕旨证明两宫之间没有矛盾，然而为时不久，一个流传很久的传言竟然变成了事实，满洲贵族统治集团开始为光绪帝物色继承人，至1900 年 1 月 24 日，上谕宣布立端郡王载漪的儿子溥儁为大阿哥，入继穆宗毅皇帝同治帝为子，实际上就是光绪帝的接班人。由于这一天为农历己亥年十二月二十四日，因此历史上称这一事件为"己亥建储"。

二　从拳到团：清廷对民间结社的利用

"己亥建储"确乎为光绪年间的重大政治事件，这一事件对于后来的政治发展具有相当重要的作用。但是这一事件的真相现在已经很难弄清了，其本质应该与光绪帝的病情恶化及清代权力传承有关。

中国文明很早就确立了政治权力父死子继的大原则。如果没有子嗣，中国文明中政治权力传承的小原则是兄终弟及。假如兄终弟及也无法实现，比如皇帝没有亲兄弟，那也没有问题，按照血缘关系，以与皇帝血缘关系的远近确定皇位继承人。这种制度设计最大限度地减少了皇族内部的权力冲突，是一种自然顺位。然而由于清廷是以"异族"身份入主中原，所以自第一个皇帝开始，直至最后一个皇帝，始终面临着皇位继承问题的困扰，始终不知究竟怎样解决。

立端王之子溥儁为大阿哥，主要是因为光绪帝的身体经过 1898 年的折

---

①　朱寿朋编《光绪朝东华录》第 4 册，总 4454 页。

腾可能实在顶不住了，而且光绪帝大婚已经十几年了，看来已经很难有自己的龙子龙孙了，因为在过去两年中，也曾有外国公使馆的医生为他看过病，已经证明他的肾病相当严重。为了大清王朝长治久安，为了防止光绪帝万一发生什么不虞，特别是因为光绪帝需要静养，而清廷烦琐的日常典礼实在太多，所以如果有一个大阿哥代劳，至少可以使朝廷日常事务重回正常状态。这是立大阿哥的真实原因，完全是为光绪帝的身体着想，而且这个想法在很大程度上就是光绪帝本人的主意。

从善意去理解"己亥建储"是对的，清廷官方文书也都是这样解释的。然而由于此时离1898年政治变动太近了，许多问题并不那么容易看清楚。出于政治原因，在清廷为正常的政治运作，而在被流放的康有为、梁启超等人看来，可能就是一个阴谋。他们认为这是以慈禧为首的守旧派试图更换皇帝的做法，为了保护他们心目中的英明皇上，他们发起了一场规模浩大的"保皇运动"，许多不明真相的人出于挚诚，通电抗议清廷"名为立嗣，实则废立"，呼吁朝廷中的健康力量如庆亲王、荣禄等公忠体国，奏请光绪帝不要有退位之想，"上以慰太后之忧勤，下以弥中外之反侧"。① 将一个正常的人事调整视为影响中外关系的大事件，这就为后来的政治发展注入了许多不确定因素。

"己亥建储"所引起的政治格局变化只在上层，而下层民众则是另外一种情形。只是到了后来，当上层政治变化引发中外关系紧张和冲突时，政治高层非常不恰当地利用了民粹主义情绪，遂使问题复杂化。

下层民众在甲午战后承受了更多痛苦，他们根本没有多余精力当然也没有能力就国家大事表明自己的态度。不过，甲午战败对下层民众来说也是直接的政治事件，他们的生活在经历了这次战争后更加艰难，他们不甘心于中国社会继续沉沦，不甘心于具有五千年历史文化传统的中华民族就此灭亡。于是，以广大农民、手工业者为主体的中国社会各阶层民众自发地再次联合起来，他们用自己独特的应变方式掀起了一场以挽救民族危亡为根本目的的政治运动。他们像顾炎武在两百多年前所揭示的那样，对于国家的灭亡并不感到特别可怕，他们真正感到可怕的是"亡天下"，是民族

---

① 《上总署转奏电禀》（1900年1月27日），虞和平编《经元善集》，华中师范大学出版社，1988，第309页。

文化无法在这个世界继续存在，于是有义和拳在山东悄然兴起。

正如人们久已知道的那样，义和团运动至1900年初方才引起人们注意。在此之前数月，义和拳一直在鲁西北慢慢积蓄力量。至1899年冬，义和拳越过直隶和山东交界地区，以迅雷不及掩耳的速度扩展到华北平原大部分地区，甚至蔓延到东北及蒙古地区。[①] 所以经久不衰的民谣称"义和拳起山东，不到三月遍地红"。

义和团运动的迅速崛起，与甲午战后国际局势变化及国内社会经济大变化有着直接关系。随着《马关条约》的落实，外国资本潮水般进入中国，外国传教士也随着外国资本大量涌入内地，形成新的文化冲突，于是民间秘密结社形式及其政治诉求多有变化。他们往往不满意于"新异族"传教士的所作所为，开始放弃先前两百年"反清复明"的政治诉求，转而将传教士作为斗争目标和袭击对象。

秘密结社是中国民间社会的一个重要组织形式，有着悠久的历史传统，其功能是在政治高压社会网络中为孤立无援的个人提供咨询和帮助。据研究，晚清活跃的义和拳只是中国民间秘密结社的一个分支，大多属于白莲教系统，其政治起因多是不满于"异族"统治，故而在清朝前期从事"反清复明"政治活动，基本上是以民间力量为清朝政治统治制造麻烦。

到清朝中期，种族意识在长时期消磨中逐渐丧失，由白莲教系统演化出来的义和拳实际上已演变成以强体健身、自卫身家为宗旨的民间武术团体，他们的政治诉求一般说来比较简单具体。

鸦片战争后，传教士随着列强的战舰大规模东来，涌入内地。他们在向中国社会传递西方近代文明的同时，毫无疑问也因为对中国国情缺乏了解而支持或者说利用了一些不良中国人。不可否认早期教民中有许多虔诚的中国人真心向教，但同样不可否认早期教民中也有一些不良之士甚至为中国人所不耻的地痞无赖。这些不良之士利用传教士身份背景欺行霸市、为非作歹、横行乡里，激化了民间社会的中西矛盾。民间社会与"新异族"传教士的矛盾不断加剧，他们逐渐将传教士作为主要斗争目标和袭击对象。于是民间秘密结社成为晚清中国社会中抵抗外来侵略尤其是反对外国传教

---

① 〔美〕柯文：《历史三调：作为事件、经历和神话的义和团》，杜继东译，江苏人民出版社，2000，第15页。

士斗争的中坚力量。

在甲午战前，民间秘密结社反洋教的斗争虽然时有发生，但从总体上看，这种斗争既没有形成规模，也没有多少政治深度，更多的只是各地因某些具体事件而发生的反对传教士、教民不法行为的所谓"教案"而已。

甲午战后则不然。随着外国资本无节制地进入中国，外国商品无限制地涌入，许多中国人的生活越发艰难，许多下层民众的生活状况较战前不是有所改善，而是进一步恶化。有了这种最直接的个人生命体验，中国人尤其是广大农村民众在将责任归罪于朝廷的同时，他们更直接的感受就是那些仰仗洋枪洋炮而作威作福的洋教士及他们所豢养的那些所谓教民几乎没有什么好东西。他们的愤怒无一例外地对准这些洋教士和中国教民。

就传教士本身来检讨，这些传教士本来是肩负传播"福音"的使命来到中国的，在甲午战前一般说来除个别传教士怀有某些政治野心，不安分于传教而热衷于政治活动外，大多数传教士还是在中国广大地区尤其是农村地区，特别是偏远的农村地区做了许多有益的慈善工作和教育普及工作。

然而到了甲午战后，随着外国资本在中国大幅增加，各国在中国的利益也在增加，相当一部分传教士已不安心于传教，而是开始直接或间接地为其国家利益服务，违背了其传播"福音"的原初宗旨。例如德国天主教圣言会在山东的主教安治泰（John Baptist Anzer），一直要求德国政府为教会利益采取积极有力的行动。巨野教案发生后，他立即向德国外交部建议应该利用这个大好机会占据胶州湾，并将其变为德国在远东的一个重要基地。[①] 这种具有明显政治色彩的言行显然不符合传教士的角色，不符合传教士来华的本意，显然是以宗教外衣从事宗教外的事务，这自然引起中国人的反感。

像安治泰这样的传教士在当时虽然并不具有普遍意义，但也为数不少。诸如法国传教士樊国梁（Pierre Marie Alphonse Favier）和美国传教士丁韪良（W. A. P. Martin）、李佳白（Gilbert Reid）等，他们虽然在近代中国社会转型过程中起过相当重要的作用，但随着中国与西方国家尤其是与他们自己的国家发生某种冲突或外交紧张，他们都在某种程度上背弃了最初的宗教乃至政治信仰，而屈从于更现实的政治，都曾向他们自己的国家竭力鼓吹过瓜分中国，要求其政府动手建立自己的侵略基地。

---

① 孙瑞芹译《德国外交文件有关中国交涉史料选译》第 1 卷，商务印书馆，1960，第 154 页。

甲午战后，中外冲突最剧烈的地方无疑是山东。山东人不仅在战争中遭受直接痛苦，而且在战后受到直接影响，特别是德国强占胶州湾后，山东成了德国人独占的势力范围。德国人修铁路，开矿山，强占民田民房，破坏水道，破坏坟茔，山东境内铁路沿线、矿山周围的百姓没有得到经济开发所带来的好处，反而因经济开发而受到了无端伤害。

按照中德双方达成的谅解，德国人在山东修筑铁路、开采矿山，需要占用民田民房的，都要给予相应补偿甚至优待。但实际上，那些被占用的民田民房根本得不到补偿，或者得到的补偿非常少。这势必引起被占土地的大量农民强烈不满，引发一系列突发事件。

缘于按照中德约定，德国铁路、矿山所需要的土地当然由中国政府征收整理后提供，德国方面不介入与中国百姓的直接关系，德国方面的补偿主要是通过贸易形式提供，因此这些征用对百姓补偿的责任主要在清政府。在突发事件发生后，德国方面也不得直接介入，因为这是中国政府的权力，是司法自主。然而由于地方政府效率低下，突发事件发生后往往反应迟钝，制止不力，甚至有纵容民间社会向德国殖民当局闹事的嫌疑，于是久而久之，德国人根本不再顾忌中德原先达成的谅解，一旦某地发生骚乱，德国人往往绕开中国地方当局，迅速直接派兵强行镇压，由此加剧了中外之间的仇视和中国人的反感。

为了平息民怨，参与处理这些纠纷的山东地方官员曾向清廷提出建议，希望由总理衙门出面协调与德国殖民当局的关系，维持原条约中的约定，但凡租界外发生纠纷，仍归中国地方当局处理，"庶免喧夺而起纷争"。[①] 然而这样的建议或不被清廷重视，或不被德国人接受，结果矛盾越积越深，局部抗争逐步演化成大规模武装反抗。

在山东开发投资的不只是德国人，日本、英国在山东也有自己的利益。甲午战后，威海卫曾被日本作为抵押占领三年之久，后被英国顺手租借。这些租借、开发虽然不是完整意义上的殖民，但无疑使中外发生冲突的概率上升。这是义和拳兴起的一个外部原因。

义和拳的兴起还与当时经济转型有关。甲午战后，外国资本蜂拥而至，

---

① 《高密县民与铁路口角拔去路标并围公司肇衅致动德兵议结案内电底禀底》，陈旭麓等主编《义和团运动——盛宣怀档案资料选辑之七》，第 13 页。

投资中国的铁路。铁路很快成为经济大发展中一个重要的物流渠道，其便利、低价、规模大具有极强的竞争优势。外国资本控制的沿海航运业也是一个新兴的价格低廉的物流渠道，因而甲午战后不久，传统的物流通道即南北大运河日趋衰落，原先凭借运河谋生的船夫、挑夫、搬运工，甚至相关的餐饮店、旅馆等都受到极大影响，从业者大批失业，四处流浪。

除了外部原因，义和拳的兴起还与当时连续自然灾害有关。那几年天灾频仍，黄河不断决口，受灾面积不断扩大。到了1899年，黄河流域又遇到空前干旱，许多地方颗粒无收，不仅造成了严重饥荒，流民遍野，而且人们的情绪也受到非常恶劣的影响，怒火中烧。这些流民、灾民，就是义和拳，就是大刀会，就是民间秘密组织。他们的本意不过是抱团取暖、相互扶持，度过最困难时期，所以他们一旦遇到非常事件就很容易爆发。

我们过去始终以为义和拳、大刀会等都是民间秘密结社，其实这个说法可能并不准确。这些人聚到一起无须结社，他们只是因为困难而走到一起，他们中稍有知识的人可能会宣传某些"劫变"观念，宣称他们渡过这个难关，或许有机会顺应天意，拯救劫难，这实际上是一种宗教安慰，是自我抚慰。在本质上，他们抱团取暖，习拳练武，兼习法术，其实只是强身健体，在经济困难时期自我保护而已。至于他们所渲染的刀枪不入等超自然本领，则是中国农村社区精英从来就有的一种表演方式，即便到了后来，这种情形在黄淮平原广大农村仍非常普遍。

作为受灾受难的灾民，义和拳、大刀会等不可能有什么明确的政治诉求和政治理念。他们之所以反对外国教会，反对教民，除了教会、教民的活动侵犯了他们的利益，可能有中西文化上不认同的原因，是基督教文明与中国本土文明的冲突，但是这个冲突不宜夸大。如果不是后来被别有用心的政治人物利用，义和拳、大刀会不会成为那样的排外组织。什么"反清复明"，什么"扶清灭洋"，显然有外部力量的因素，并不全是这些农村民众发自内心的政治信仰。他们就是一拨流浪者，一拨生活没有着落的人。

根据后来的研究，义和拳、大刀会最活跃的地区主要在鲁西南，其中影响最大的是曹州、单县的大刀会和茌平、高唐、平原一带的神拳。那一带处在政治统治的边缘，因而有利于民众四处流浪、集会练武，也不容易引起清廷的及时注意。这是义和拳、大刀会等在最初阶段发展的真实机缘。

义和拳、大刀会发展最直接的动力其实又与朝廷的政治变动有关，这些原本并不对政治有任何兴趣的人被迫介入了政治，成为政治的筹码。

在 1900 年之前，由于《马关条约》签订后中国对外国资本全面放开，外国资本蜂拥而至抢占中国这个广袤而尚未开发的市场。外国人刚到中国，中国人刚刚遇到外国企业和外国人，相互之间的不协调、不适应在所难免。在这个过程中，下层民众的利益受到某种程度的伤害也是实情，所以许多地方政府在对这些流民尤其是具有结社倾向的流民进行镇压的同时，也多少给予道义上的同情，有时地方政府甚至以这些受到冤屈的流民作为与外国人谈判的筹码。在这一点上，中外利益冲突最严重的山东格外明显。这或许因为德国在列强中还比较落后，发展或者说财富的积聚对其更为迫切，因而与山东地方的冲突也比较多，所以山东几任巡抚李秉衡、毓贤等一方面执行朝廷的指令尽量镇压闹事流民，另一方面对流民给予适度同情，毕竟他们是自己的子民，何况他们本身确实有冤屈。

毓贤在任时，山东的民教冲突更加严重，不仅本地那些失去土地的民众不断闹事，很多从外地赶来的流民也加入其中。这些本地与外地的流民是否真的组织起严密的组织，其实是值得怀疑的。但是从毓贤的立场上，为了稳定地方，他一改李秉衡严厉镇压的措施，对于本地那些失去土地的流民，对于他们习技勇以自卫身家的行动略表同情。一旦地方发生大规模群体冲突，毓贤的本能反应是将本地人与外地人区别处理，尽量使本地人解脱，将责任推给外地人，甚至宣称这些外地流民是打着义和拳、大刀会名义的游匪，因而这些群体事件与真正的义和拳、大刀会并无关联。[①]

很显然，毓贤担心如不分别对待，诚恐株累太多；[②] 担心老百姓一旦不能忍受，势必铤而走险，溃川决防，不可收拾。[③] 他深感仅仅凭借政府力量并不足以与洋人进行交涉，并不足以抗衡飞扬跋扈的外国教会，因此他真诚希望在一定程度上保护义和拳、大刀会民众的积极性，在主观上有利用他们以与外来势力相抗衡的政治或外交目的。

---

① 《教务教案档》第 6 辑，"中央研究院"近代史研究所编印，1974，第 152 页；中国社会科学院近代史研究所、《近代史资料》编译室主编《筹笔偶存》，中国社会科学出版社，1983，第 42 页。

② 《筹笔偶存》，第 45 页。

③ 《教务教案档》第 6 辑，第 241 页。

李秉衡、毓贤的做法到了新巡抚张汝梅的时候更进一步。张汝梅觉得既然这些义和拳、大刀会民众是一种可以凭借的力量，为什么不能将他们官方化，为什么不能将他们引导到体制内呢？1898年6月30日，张汝梅将这个意思向朝廷做了报告，宣称在山东、直隶一带活动的这些义和拳、大刀会，其实就是咸丰、同治年间创办的"乡团"，具有乡间自治的意思。因此，张汝梅建议朝廷"化私会为公举，改拳勇为民团"，将他们纳入体制，交给地方官严加管理，将他们引导到自卫身家、守望相助、维护地方秩序方面来。这就是我们后来一般不再说"义和拳"而改称"义和团"的背景。其实从原初意义上说，义和拳可能比义和团更准确。

三　义和团转战京津

张汝梅"改拳勇为民团"的建议获得了朝廷默许，这就为后来的政治演变注入了新因素，义和团从此成为官方可以动员的一种力量，成为对外交涉中的一个筹码，他们当然不会像过去那样坚定地镇压这些民间组织。毓贤明白无误地说过，"当此时局艰难，外患纷沓之际，当以固民心为要图"，相信只有整合民心、利用民心才能渡过难关。[1] 他们甚至认为，如果一味对这些民众团体进行镇压，很可能为渊驱鱼、为丛驱雀，必将把全体民众都弄成教民而后已。真的到了这种状况，国家也就到了万劫不复的境地。[2] 在这些地方行政长官看来，对外交涉仅仅凭借政府外交人才是不够的、无效的，如果将民间力量统统推到敌对方面，对外交涉可能更加困难，不仅无法约束外国人的活动，甚至没有办法镇住那些原本就是中国人的教民。既然民心可用，当然不会强力镇压，而是利用他们作为对外交涉的工具。[3]

山东地方官府将义和团作为对外维权工具还情有可原，只是不巧得很，这种情绪不幸遇到了后来涉及国家层面的大事变，外交上的雕虫小技成为主导，义和团竟然成为政府的调控工具，终于衍生出后来一系列重大问题。

---

[1]　《筹笔偶存》，第45页。

[2]　《御史郑炳麟折》（光绪二十六年四月初三日），故宫博物院明清档案部编《义和团档案史料》（上），中华书局，1959，第84页。

[3]　给事中胡孚辰说："岂知今日时势，不仗兵力而仗民心；各国之觊觎而不敢遽动者，亦不畏兵力而畏民心。"参见《义和团档案史料》（上），第83—84页。

我们前面已经说过，清廷为光绪帝立大阿哥有其正当性，是一个不必怀疑的内政问题，但是一个正当的事情被弄成好像不正当，弄成像是一个废立阴谋。这主要是因为清廷贵族集团选择了端王的儿子为大阿哥，这里既没有能力上的比拼，也没有血缘上的充分理由，当然不足以说服贵族集团内部的反对者。

端王在这之前其实并没有深度介入现实政治，不论是清廷内部还是外国人其实都很难说端王究竟是左还是右，究竟是排外还是具有一定的国际视野，因为他从来没有这方面的表现。他后来的排外形象其实是一点一点被塑造、被加工，而他自己也就在这个过程中不断向着这个方面转化。

实事求是地说，端王是个平庸的人。他能上位，他的儿子能够被立为大阿哥，就是因为他的平庸。他如果锋芒毕露、性格外向，真的具有坚定的排外立场，后来的情形或许也不是这个样子。一个平庸的端王得到了意外好处，一定会使那些不论是自认为还是别人都不认为平庸的贵族心中不爽。比如庆王，他自恭亲王之后一直负责中央事务的日常管理，与外国公使有着非同寻常的私人关系，庆王家的孩子为什么不能当大阿哥呢？这个主管外交事务的王爷究竟在端王排外倾向的塑造中起了怎样的作用？我们当然不能说庆王将端王的形象往排外主义者方面去塑造，但是我们有足够理由可以说，负责外交事务的庆亲王真的没有向外国公使解释，没有说这位端王爷并不是一个排外主义者。

清廷立端王之子溥儁为大阿哥的消息是 1900 年 1 月 24 日对外公布的。奇怪的是，各国公使一反外交礼仪，对清政府这样巨大的人事变动根本不愿做任何反应，硬是将端王父子晾在一边，让清廷出尽了洋相。清廷内部人事变动当然无须征询外交使团的意见，只是外交使团太不给面子，这势必影响清政府的威望。清政府需要公使帮忙时，公使不帮忙，那么继续拖下去，总有各国公使需要清政府帮忙。这种机会并不难等到。

其实，就在这个时候或稍前，由于山东地方官府的前述心态，义和团、大刀会在那里有了相当快的发展。这些不官不民的组织令外国人格外忧虑，所以外交使团在 1899 年底的时候以山东地方当局镇压不力为由，请求清廷任命袁世凯替换毓贤。

在各国公使看来，袁世凯早年常驻朝鲜，其所具有的国际视野会使他对义和团、大刀会有个比较正确的判断。而其小站练兵聘请外国教练训练的几千新军也使他有力量迅速剿灭这些义和团、大刀会。袁世凯的个性也受到各国公使的赞赏，以为他在关键时刻总会从容不迫、镇静坚持。各国公使相信在袁世凯的治理下，山东一定会很快恢复秩序。[1]

列强的建议很快获得了清廷的积极回应，因为那个时候还没有大阿哥事件发生，中外沟通还不存在多大问题。1899年12月6日，清廷免去毓贤的山东巡抚职，提升袁世凯接任。

袁世凯没有辜负列强的期待，就职伊始，就发布一道措辞强硬的告示，要求各地义和团民众尽快自动解散，否则严厉镇压，格杀勿论，决不姑息。对于那些"献首"、自新的义和团民众，袁世凯宣布既往不咎。[2]

剿抚兼施的两手策略很快见效，然而谁也想不到的是，袁世凯的这个政策引发了一个非常奇怪的"卜克斯问题"。

卜克斯（S. M. Brooks）是英国传教士，是一个比较狂热的宗教极端分子，在当时比较紧张的气氛中，他坚持要从泰安返回平阴。不料途中遇到几个准备打家劫舍的流人，他们试图绑架卜克斯去吃大户。然而年轻气盛的卜克斯根本不愿配合，这几个流人鉴于袁世凯严厉的镇压措施，以为与其放掉卜克斯准备吃官司，不如将他杀死，一了百了。[3]

民教冲突是山东的老问题，卜克斯既不是在山东遇害的第一个传教士，也不是最后一位。但是卜克斯死得实在不是时候，这对于袁世凯的强力镇压政策构成了极大冲击。一些大臣将卜克斯被杀归罪于袁世凯的这一政策，英国公使联络各国公使向总理衙门一次又一次地提出抗议。然而，此时朝廷正因大阿哥事件闹得不可开交，自然无暇也没有人顾及卜克斯事件。

清政府的拖延使英国人非常愤怒。1900年1月23日，法国公使毕盛（Stephen Pichon）提议召集英、法、德、美四国公使会议，讨论怎样与清政府交涉日趋严重的山东局势。他们要求清廷严厉镇压在山东、直隶的义和团、大刀会，因为这些地区的这些团体已经公开在自己的旗帜上写上"灭洋"的字样。四国公使开会时，还不知道意大利在山东、直隶也有不少传教士，因

---

[1] 胡滨译《英国蓝皮书有关义和团运动资料选译》，中华书局，1980，第4页。

[2] 《袁世凯致徐世昌函》，《近代史资料》1978年第2辑，第19页。

[3] 《署理山东巡抚袁世凯折》（光绪二十六年二月十五日），《义和团档案史料》（上），第66页。

而稍后他们邀请意大利公使参加，"四国公使联盟"演变为"五国公使联盟"。

不管是四国公使，还是五国公使，他们都不知道这个会议正在进行时，清廷也在举行重大会议。同一天（1月23日），清廷御前会议宣布了一个惊人决定：以端郡王载漪之子溥儁为皇子（大阿哥）。[①] 这一消息立即在国内外引起高度混乱和密集抗议，清廷自然无暇顾及五国公使就卜克斯事件发出的抗议。

其实，清政府此时特别需要来自各国公使的帮助，各国公使如果此时向清廷伸出援助之手，就大阿哥事件稍做肯定性表态，情形肯定不一样。然而，各国公使不知出于什么样的考虑，他们始终不愿就大阿哥事件发表任何评论，他们只希望清廷尽快镇压义和团、大刀会。结果，清廷对各国公使的要求既无兴趣又确实没有时间进行讨论。又过了一个月，五国公使于2月21日致信总理衙门，催促答复。25日，总理衙门的答复姗姗来迟，表示朝廷已有旨，由山东巡抚、直隶总督予以剿抚。

总理衙门的回复无法使各国公使满意，不过这个回复毕竟使各国公使与清政府自动恢复了失去很久的外交联系。各国公使趁热打铁，再接再厉，要求总理衙门安排一个紧急会晤，并明确要求庆亲王参加。总理衙门很快同意了这项要求，时间安排在3月2日。

就在会晤的前一天（3月1日）晚上，五国公使分别接到总理衙门的照会及附件，附件中有直隶总督奉旨剿办义和团的布告及一道上谕，这份上谕使用了"取缔"义和团等字样。

总理衙门的照会没有使各国公使放心。3月2日，他们依然如约前往总理衙门与庆亲王等清大臣会晤。庆亲王向各国公使解释了朝廷的政策，对于各国公使要求在政府公报中正式发布那份剿灭义和团的上谕，庆亲王婉言拒绝，以为不合体制。

如果从大清国体制来说，各国公使的要求确实有点问题，这其实是对清廷的不信任，要求清廷将皇上的御旨公开发布，以便稍后对照检查。这当然不太合适。不过，各国公使也无法理解中国的体制运转，有时觉得中国体制很有效率，有时又觉得这个体制根本转不动。清廷明明白白说要对

---

① 李希圣：《庚子国变记》，中国史学会主编《中国近代史资料丛刊·义和团》（本章以下简称《义和团》）第1册，上海人民出版社，1957，第11页。

义和团进行镇压了，但是这个镇压始终没有付诸实践。除了袁世凯在山东略展拳脚，其他地方还是老样子。而山东在袁世凯治理下形势好转，只是这个好转又以义和团大规模向直隶迁徙为代价。鉴于这一系列复杂情形，各国公使越来越倾向于武装干预，认为至少各国应该联合起来在中国北部沿海进行一次军事演习，以此警告清廷和义和团。

各国公使的建议并没有很快得到各国政府的同意，因为军事干预毕竟不是小事，各国政府依然期待清政府能够变化，能够在义和团问题上拿出勇气。然而或许是因为清廷内部问题太复杂了，拖到 3 月下旬，华北的局面不仅没有好转的迹象，反而越来越复杂，义和团开始大规模向京津地区转移。

让各国公使看不明白的还有一点，即各国公使曾经明白告诉清廷不要重新起用力主排外的前山东巡抚毓贤，然而清廷不仅大张旗鼓地重新起用，而且将毓贤派往外国人比较多的山西当巡抚。这在各国公使看来是公然挑衅，是让各国难堪。

各国公使得知毓贤被重新起用的消息后反应强烈，英国公使窦纳乐（C. M. MacDonald）表示，卜克斯的案子尚未处理，清政府不对毓贤进行惩处，反而重用，这无疑是与各国作对。各国公使再次要求本国政府派遣军舰到中国沿海示威，以防止更严重的事情发生。

对于公使们的要求，各国政府也给予谨慎回应。英国、美国、德国、意大利等，从防患于未然的角度开始调兵遣将，准备在情况危急时出手救助各国在华传教士、外交官、工程师及那些中国教民。

在各国公使向清政府施压的时候，俄国、日本的公使没有参与。俄国公使格尔思（M. N. de Giers）在与英国公使窦纳乐交谈时表示，根据他的观察，各国的强硬举动对中国人来说不仅没有效果，可能适得其反，中国人不会因为列强示威而屈服。不过，对于清政府，格尔思也尽量施加积极影响，希望清政府正视列强的警告，无论如何要早点出手，主动平息华北的义和团骚乱，不要给列强留下军事干预的任何借口。①

俄国人的忠告也没有引起清廷的警觉，清廷到这个时候其实还在大阿哥事件上纠结，列强始终不愿在大阿哥问题上表示支持态度，这也是清廷对于列强要求冷漠的一个原因。清廷的冷漠为义和团的发展提供了一个难

---

① 张蓉初译《红档杂志有关中国交涉史料选译》，三联书店，1957，第 215 页。

得的机会，到了这年春天，义和团已经大摇大摆进入京津。他们"分遣党羽在山东、直隶各省煽诱愚民。近因直隶拿办严紧，潜来近畿一带传教惑众，行踪诡秘"。① 根据御史李擢英的调查，京师义和团主要来自山东，这大概是因为山东巡抚袁世凯强行镇压，迫使义和团向京津地区转移，这些义和团"散布京城，潜通南宫、冀州一带，无知之辈，明目张胆，到处勾劝"。②

唐晏记载，此时京师纷传义和团民之多，几至遍地皆是。每当夕阳既西，肩挑负贩者流，人人相引习拳，甚至有大户人家也开始设坛，王公贵族随着起舞，据说倡导最力的就是大阿哥的父亲端郡王。这显然不是单纯信仰义和团、大刀会，而是别有政治用心。③

清廷镇压无力，义和团急剧发展引起列强恐慌。4月6日，英、美、德、法四国公使联名照会，要求清政府两个月内将义和团一律剿灭，否则各国将派兵代为剿除。④ 这大约是列强第一次提出出兵代剿方案。

列强的不满容或确有事实依据，不过如实说来，清廷除个别官僚如端王载漪等对义和团有所偏爱外，就其整体而言，他们对义和团并非一味纵容和默许。不论是山东巡抚袁世凯，还是直隶总督裕禄，他们一直奉行强硬的镇压手段，举凡发现哪里出现义和团，他们无不迅速派兵"妥为弹压解散"，毫不客气地将"设立拳厂，煽惑滋事首要匪犯拿获"。⑤ 然而，他们的强力镇压并没有收到预想效果，义和团运动不仅没有因他们的镇压销声匿迹，反而在四五月迅猛发展，直接影响到京师安全。

4月中旬，义和团在卢沟桥至保定一线频繁活动。他们分散在附近乡村中，并且相当成功地在当地居民中招募信徒。义和团定期举事的匿名揭帖到处张贴，⑥ 据估计，仅仅屯扎于保定府南门外的义和团就有一万多人。⑦ 在卢沟桥的义和团百余人举行会议，并皆暗带兵器，散布揭帖，专以杀害教民反对洋人为词。各国公使甚至清廷普遍担心这些在京郊活动的义和团

① 《义和团档案史料》（下），第700页。
② 《御史李擢英片》（光绪二十六年三月初六日），《义和团档案史料》（上），第71页。
③ 唐晏：《庚子西行记事》，《义和团》第3册，第471页。
④ 《八国联军志》，《义和团》第3册，第169页。
⑤ 《直隶总督裕禄片》（光绪二十六年三月初十日），《义和团档案史料》（上），72—73页。
⑥ 北京大学历史系中国近现代史教研室编《义和团运动史料丛编》第2辑，中华书局，1964，第90页。
⑦ 《拳乱纪闻》，《义和团》第1册，第9页。

可能很快会与京城中的外国人发生冲突。①

4月下旬，部分义和团民潜入京师，凡遇教堂，他们遍贴揭帖，宣称现在中国的"混乱扰攘均由洋鬼子招来，彼等在各地传邪教、立电杆、造铁路，不信圣人之教，亵渎天神，其罪擢发难数"，"天意命汝等先拆电线，次毁铁路，最后杀尽洋鬼子。今天不下雨，乃因洋鬼子捣乱所致"，"消灭洋鬼子之日，便是风调雨顺之时"。② 义和团民鼓动民众与他们一起定期举事，攻击教堂和外国人。③ 4月底，京城第一个义和团坛口终于在东单牌楼西裱褙胡同于谦祠内出现。

进入5月，京城内外的义和团相互配合，越闹越大。近畿一带，如清苑、涞水、定兴，尤其是保定府，相继发生焚毁教堂、杀害教民等多起事件。在京城地面，"颇有外来奸民，妄造符咒，引诱愚民，相率练习拳会；并散布谣言，张贴揭帖，辄称拆毁教堂，除灭洋人，借端煽动"。④ 在西四牌楼羊市南壁上发现的义和团乩语云："一愁长安不安宁，二愁山东一扫平，三愁湖广人马乱，四愁燕人死大半，五愁义和拳太软，六愁洋人闹直隶，七愁江南喊连天，八愁四川起狼烟，九愁有衣无人穿，十愁有饭无人餐，过戌与亥是阳间。"⑤ 随后不久，类似的揭帖在京城到处张贴，鼓动拳民焚毁教堂、使馆，"在京洋人，均有自危之心。各电本国，请派兵来京，自行保护"。⑥

四　八国联军入侵北京

义和团在京津地区活动加剧引起列强高度警惕。事实上，清廷此时对于义和团其实也已经无能为力，因为中外交涉困难默许义和团进入京津地区，一些王公大臣甚至故意与义和团称兄道弟，以此向列强显示众志成城。

---

① 《总理各国事务衙门致直隶总督裕禄电报》（光绪二十六年三月十七日），《义和团档案史料》（上），第79页。

② 《英国档案馆所藏有关义和团运动的资料》，《近代史资料》1954年第2辑，第9页。

③ 《拳乱纪闻》，《义和团》第1册，第111页。

④ 《总理各国事务奕劻等折》（光绪二十六年四月二十六日），《义和团档案史料》（上），第97—98页。

⑤ 《义和团文献》，《近代史资料》1957年第1辑，第15页。

⑥ 《总理各国事务奕劻等折》（光绪二十六年四月二十六日），《义和团档案史料》（上），第98页。

其实，民粹主义操控原本就是一把双刃剑，煽动起来不难，呼之即来，但很难做到挥之即去。这大约也像中国老话说的，请神容易送神难。

还有一点值得关注的是，不管是义和拳，还是后来的义和团，他们原本并没有多少政治诉求，但是到了 5 月底 6 月初，他们进入京津，与王公大臣结合起来之后，他们的政治诉求越发明显，排外的性质越来越清晰。一份落款为 5 月 28 日的义和团揭帖写道："兹因天主教并耶稣堂，毁谤神圣，上欺中华君臣，下压中华黎民，神人共怒，人皆缄默。以致吾等俱联系义和神拳，保护中原，驱逐洋寇，截杀教民，以免生灵涂炭。"① 这样清晰的表述显然不是农民兄弟所为，一定另有捉笔者。

清廷镇压无力，或者许多时候不愿镇压，这一点不论是义和团民，还是各国公使，似乎看得都很明白，其中的原因，似乎也都知道，总是与大阿哥的事情有关联，各国公使不愿在大阿哥问题上做出丝毫让步，不愿做任何友好表示。在这种情形下，京津地区越闹越乱，直至一发不可收拾。

5 月 17 日，法国驻华公使毕盛向各国公使报告，义和团在保定府附近毁坏了三个村庄，杀死了 61 名天主教徒。18 日，窦纳乐通过伦敦会得到消息，称义和团在北京东南大约 40 英里处毁坏了他们的一个礼拜堂，并且杀死了一名中国牧师。窦纳乐为此立即致函总理衙门，强烈要求清政府必须采取坚决措施，避免继续发生骚乱。同一天，窦纳乐又前往总理衙门，询问清廷正在采取什么措施，并且特别强调必须保护偏僻的农村地区。在座的总理衙门大臣此时终于承认局势是严重的。但他们向窦纳乐解释道，朝廷 5 月 17 日颁布了一道上谕，以京城内外奸民以拳会为名，张贴揭帖、摇惑人心，事关交涉，命顺天府尹、五城御史、步军统领衙门会同妥议章程，立即镇压义和团，并令直隶总督裕禄一体严禁。窦纳乐后来回忆，总理衙门的大臣们在此次会晤过程中的态度是真诚严肃的，他们既与窦纳乐坦率讨论清政府必须加以克服的实际困难，也以最严肃的口吻向窦氏保证，这些困难将得到克服，而且在很短时间内必能将这场大规模骚乱镇压下去。

然而 5 月 19 日，各国公使首席代表、西班牙公使葛络干（B. J. de Colo-gan）将法国传教士樊国梁的一封信转给各国公使。樊国梁在这封信中用最

---

① 《告白》，《义和团》第 4 册，第 149 页。

阴森的笔调描绘北京的情形，以为北京局势基本失控，北京已经被义和团包围。根据他的说法，义和团的目标就是要消灭在中国的欧洲人，因此他预言最大的不幸可能很快就会出现。[①]

樊国梁大主教是元老级传教士，在中国已经生活了38年之久，懂中文、广交际，一口地道的北京腔使其获得他人无法获得的信息。虽然有公使觉得樊国梁的说法或许有点夸大，但总体上大家还是比较认同这样一个判断，即北京已处在危险之中。各国在华传教士、侨民，乃至各国公使都面临巨大危险。所以各国公使不约而同地请求各自政府尽快向中国派遣军队，保护侨民、传教士和公使馆。

北京的局势确实在持续恶化，清廷对此也开始感到忧虑。5月27日下午，庆亲王应邀与英国公使窦纳乐、俄国公使格尔思会晤。庆亲王表示朝廷知道现在的困难，也已向直隶总督下达了最严厉的命令。他劝各国公使相信清廷有能力保护公使馆，因此不赞成各国军队进入北京，只是各国政府执意这样做的话，清廷并不完全反对。庆亲王刻意强调，义和团不仅是外国人的敌人，也是清廷的敌人。[②]

庆亲王的态度是游移不定的，各国公使鉴于北京局势的发展，为慎重起见，还是决定从天津调集一批军队进入北京，加强使馆区及教堂警卫。5月31日，第一列军用专车向北京进发，几天后抵达北京的使馆卫队接近千人。[③]

各国公使之所以急于从天津调集使馆卫队，是因为6月1日是中国传统的端午节，早有传言说义和团将在那一天举行大规模活动，这是列强行动的背景。然而从义和团方面说，列强大规模的军事行动并没有阻吓住团民，或许仅仅出于看热闹的心理，在北京的义和团民反而越来越多，形势并没

---

①　《樊国梁神甫致毕盛先生函》，《英国蓝皮书有关义和团运动资料选译》，第73页。

②　《义和团档案史料》（下），第702页。

③　第一批进京的使馆卫队人数说法不一，窦纳乐在1900年6月10日致索尔兹伯理（H. E. Salisbury）的信中说总计337人，其中英国特遣部队由75名士兵和3名军官组成。参见《英国蓝皮书有关义和团运动资料选译》，第81页。而裕禄在当天致总理衙门的电报中根据铁路局查点"洋兵上车"的实在数目为：英国兵72名，军官3名；美国军官7名，士兵56名；意大利军官3名，士兵39名；日本军官2名，士兵24名；法国军官3名，士兵72名；俄国军官4名，士兵71名。总计各国军官22名，士兵334名。参见《义和团档案史料》（上），第111页。

有因使馆卫队进京而舒缓，反而因使馆卫队的惊扰更趋严重。另外，使馆卫队进京也使清廷中的强硬派找到了对抗理由。5月30日，军机大臣兼刑部尚书赵舒翘等人向朝廷上了一个奏折，建议放弃先前对义和团一味镇压的办法，以为诛不胜诛，不如不诛；剿不胜剿，不如不剿。不如将义和团民众收编，纳入清军序列，统以将帅，利用其仇教的情绪，以防范列强。①列强向北京派遣使馆卫队原本可能并不与清廷为难，结果在这里被解读成了一种敌意。

使馆卫队进京加剧了北京及华北其他地区的紧张形势。随后几天，在华北主要铁路线上工作的欧洲人差不多都遇到了麻烦，他们开始大规模向天津收缩。不料这一举动又被中国民众误解，欧洲人在撤退途中遇到了中国民众的多次拦截，甚至发生了多次冲突。②

华北特别是京津地区的空前恐慌引起了列强注意。6月6日，驻扎在大沽口的各国舰队司令官举行会议，讨论局势，同意在必要时采取统一行动。各国政府对舰队司令官的决定表示默认，相继同意他们在外国侨民受到威胁时可以采取适当的行动。由此，各国开始向天津租界调集军队。

各国调集军队的目的是保护他们的传教士、侨民、教民和外交官，同时暗含当清廷对义和团镇压不力时"代剿"的意思。列强至少此时并没有将清军作为作战对象，但各国军队的调动依然引起了清军将领的严重不安。正是在这样一种背景下，清廷高层对义和团的态度发生变化，以端王载漪、体仁阁大学士及大阿哥的师傅徐桐、军机大臣刚毅和赵舒翘、都察院左副都御史何乃莹等为代表的主抚派渐渐占了上风。6月6日，清廷发布一份上谕，有意改变义和团的定性，刻意强调义和团的出现主要是为了练艺保身、守护乡里，均为国家赤子。③清廷或许期待用这种办法收服义和团，但在各国公使看来，清廷的新上谕其实是对先前镇压立场的倒退，势必引发新

---

① 《刑部尚书兼顺天府尹赵舒翘等折》（光绪二十六年五月初三日），《义和团档案史料》（上），第110页。
② 《张美翙致盛宣怀函》（1900年5月29日），《义和团运动——盛宣怀档案资料选辑之七》，第15—17页。
③ 《上谕》（光绪二十六年五月初十日），《义和团档案史料》（上），第118页。

问题。①

毫无疑问，清廷的宽容政策引起了新的形势变化。在随后几天，为了防止外国军队继续向北京进发，有团民开始扒铁路，毁电线杆，到处张贴焚教堂、杀教民、驱逐外国人的揭帖，甚至与前来镇压的清军发生正面冲突。② 清廷的宽容政策不仅没有取得预想效果，反而使原本已经混乱的局面越来越混乱。6月9日一大早，慈禧和光绪帝从颐和园匆忙赶回宫中召集王公大臣讨论时局，端王载漪大约为了报复列强的轻慢，在会上肆意撩拨慈禧的情绪，以为义和团声势之所以一拨高过一拨，主要是因为洋人的欺负，而洋人的目的并不仅仅在欺负这些中国人，而是要推翻她的统治，重建一个新政府。

端王载漪的鼓噪击中了慈禧的心病，她自1898年秋天之后最烦心的事情莫过于与外国人的关系陷入低谷。愤怒的慈禧在这次会议上决定不再对义和团进行镇压，任命端王载漪为总理衙门首席大臣，改组政府，极端排外的礼部尚书启秀等在总理衙门上行走，命令董福祥的甘军从南苑进驻城里。清廷的政策从这一天开始对义和团由镇压正式转为利用，对列强由尽量沟通维持关系转为决裂，即便还未公开宣布。

清廷的动向很快被各国公使获悉，各种传言如雪片一样飞来。有的说慈禧在会上表示要把外国人逐出京城；有的说董福祥的甘军已经做好总攻的准备，只等一声令下。这些传言严重困扰着各国公使，为预防万一，他们的选择只能是宁愿信其有，不可信其无，即便一直与中国方面保持良好沟通的俄国公使也有点沉不住气了，向国内报告各国公使在北京的使命或许即将结束，未完事宜或许要转移至各国海军将领那里。言下之意，各国对于义和团所能做的，只剩下武力干预一个选择。

根据这种认知，列强很快在天津组织了一支规模并不大的联军，由英国海军中将西摩（E. H. Seymour）率领，于6月10日浩浩荡荡开往北京。他们的目的如前所说只是保卫使馆，拯救传教士、侨民和教民，但这个举动无疑使清廷方面非常恐惧，以为列强是不宣而战。6月11日，清廷派总

---

① 《窦纳乐爵士致索尔兹伯理侯爵函》（1900年6月10日），《英国蓝皮书有关义和团运动资料选译》，第86页。
② 刘春堂：《畿南济变纪略》，《义和团档案史料》（上），第340页。

理衙门大臣许景澄和太常寺卿袁昶前往各使馆，请求各国公使劝阻联军进京，宣布各国公使和所有在华外国人的安全都是有保障的。①

经过艰难交涉，几天时间过去了，各国公使都不愿接受停止向北京用兵的建议，然而出乎各国公使意料的是，包括义和团在内的中国民众竟然主动在京津线上拦截联军，使西摩联军用了 17 天时间竟然无法抵达北京，反而于 6 月 26 日狼狈逃回天津。②

西摩联军引发了两个严重后果，对于中国方面，联军向北京进发引起高度恐慌，北京的局势越发不可收拾，前门商业区 6 月 16 日燃起熊熊大火，竟然连烧三天，损失惨重。17 日，清廷召集御前会议，讨论对策，鉴于联军继续向北京挺进的事实，决心招抚义和团民众，用他们和清军配合作战，以防范列强突然或持久攻击。

由于西摩联军向北京进发并不顺利，这引起各国公使、海军将领的思考。他们经过反复研探，以为联军之所以在进京路上如此艰难，主要是因为联军的后路被清军遏制，后援部队无法提供及时支援。这是西摩联军行进困难的主因。为此，各国将领认为，要履行保护公使、侨民、传教士的责任，就只有确保天津与北京之间道路畅通，而其中的关键就是要将大沽炮台控制在联军手里。

大沽炮台是天津的屏障，也是海上通往天津的必由之路，具有重要的军事价值，是中原王朝自明代开始重点经营的北方要塞。当时驻扎大沽炮台的清军有三千人，总兵罗荣光为最高指挥官。此外，北洋海军统帅叶祖珪的旗舰及鱼雷艇也都在周边巡弋，与大沽守军遥相呼应。

6 月 16 日，各国海军舰队司令与西摩联军失去联系快一个星期了，他们为此做出占领大沽炮台的决定。在联军司令官看来，他们向北京挺进只是为了营救公使、传教士和教民，并非与清政府为敌，因为保护使馆和传教士的安全也是清政府的责任，他们的目的不是要与清军决战，反而在某种程度上是在帮助清军。所以，联军司令官在当天会议上签发一份通牒，限中国守军在 17 日凌晨两点让出大沽炮台。③

---

① 《袁昶奏稿》，《义和团》第 4 册，第 160 页。

② 《庚子中外战纪》，《义和团》第 3 册，第 293 页。

③ 《贾礼士领事致索尔兹伯理侯爵函》附 6 月 16 日《会议记录》，1900 年 7 月 2 日于天津，8 月 15 日收到，《英国蓝皮书有关义和团运动资料选译》，第 176 页。

联军司令官会议是 16 日上午 11 点结束的，最后通牒也应该在此后不久送给了罗荣光和直隶总督裕禄。作为军人，罗荣光当然不会接受联军的要求，将大沽炮台移交给联军。他在拒绝联军要求的同时，立即向海军统帅叶祖珪及直隶总督裕禄做了通报，请求他们在必要时给予援助。

罗荣光不愿将炮台和平移交，而联军又坚定认为大沽炮台是他们向北京、向华北用兵的咽喉，志在必得，于是一场恶战无法避免。距最后通牒规定的时间还有 70 分钟时，争夺大沽炮台的战斗终于打响。经过几个小时的激战，至清晨 5 时许，大沽炮台陷落，中国守军数百人壮烈殉国。

在大沽炮台争夺战打响之前，罗荣光曾派员向直隶总督裕禄求救。裕禄表示天津防御已经很吃紧，无暇他顾，更没有办法提供支援。这不能说就是罗荣光失利的原因，但很显然作为直隶总督的裕禄对大沽炮台失守负有相当责任。

其实，联军大约也注意到了这一点。联军送给罗荣光、裕禄的同文照会送达的时间就有差别。送给罗荣光的时间为 16 日下午，而送给裕禄的则拖到第二天上午 10 点，尽管照会上的时间仍然写着 16 日。

当裕禄收到联军送来的索要大沽炮台的外交照会时，大沽炮台已经到了联军手里，几千守军早已溃败。然而，裕禄不是将这个结果及时报告朝廷，反而将联军的最后通牒紧急报送朝廷，说本月 17 日他接到法国总领事送来的照会，以各国水师提督的名义"限至明日早两点钟时将大沽口各炮台交给"联军，逾期不交，即当以武力占领。[①]

裕禄的报告送到朝廷的时间为 19 日下午，此时距离大沽炮台失守已经两天。尽管过了两天，朝廷对天津的事情一概不知。慈禧和光绪帝虽然在那几天连续召集御前会议，王公大臣虽然对战与和、剿与抚做了许多发言，出了许多主意，但究竟是战是和，列强究竟是像他们自己所宣扬的那样要帮助清廷剿灭义和团，还是要以清廷为敌，对清军开战，这在之前的几次御前会议上并没有结论。现在好了，裕禄的报告来了，列强索要大沽炮台了，这不就是明明白白要以大清为敌，准备开战吗？

其实，慈禧、光绪帝和其他与会者都不知道大沽炮台已经不在清军手

---

① 《直隶总督裕禄折》（光绪二十六年五月二十一日），《义和团档案史料》（上），第 147 页。

里，所以他们讨论的前提就是怎样阻止联军，怎样保住大沽炮台。① 与会者普遍认为，联军索要大沽炮台将引发严重的政治危机，权衡利弊，他们所能做的就是坚决拒绝联军的这一蛮横要求。怎样才能做到这一点呢，那就要有不惜破裂的决心和意志，要以不可动摇的强硬态度迫使列强让步。19日下午5时许，总理衙门向11国驻华公使馆和关税处送去12份同文照会，大意是联军索要大沽炮台令人震惊，显然是各国有意失和，首先开衅。既然如此，现在北京城里也一片混乱，人心浮动，那就请各国公使在24小时内下旗开路，前往天津。② 这个照会就是后来一直争议的"宣战照会"，其实仔细分辨，这只是一份普通的外交照会，只是表明清政府的强硬姿态而已。

我们今天可以这样理解这个照会，各国公使在当年却不这样认为。他们收到这份照会后立即陷入极度恐慌，因为他们既不知道天津究竟发生了什么事情，也不知道清政府的这个最后通牒究竟意味着什么。

当天晚上，11国公使聚集在首席公使官邸召开会议，争论了一个晚上也没有找到解决办法。德国公使克林德（Klemens Freiherr von Ketteler）建议天亮之后集体前往总理衙门要求会晤，至少要表达24小时的宽限太短了，那么多的公使、家属及传教士，根本无法撤退完。然而外面的局势或许真的很混乱，其他公使竟然全部反对克林德的建议，不敢集体前往总理衙门。

别人的反对并没有阻止克林德单独行动，何况他与总理衙门原本第二天中午有个约会，所以他第二天（6月20日）上午还是带着秘书乘坐轿子离开了公使馆，不料刚到东单路口，就被清军神机营的枪手一枪毙命。③

克林德之死是1900年中外关系的重大转折，先前勉强还能维持的外交窗口至此全部关闭，各国公使退守使馆区组织卫队严密防守，并将散在各处的

①　直至五月二十四日（6月20日），清廷仍发布上谕，要求裕禄报告联军索要大沽炮台的最新进展，仍不知道大沽炮台已被联军占据。上谕说："裕禄于二十一日（17日）后并无续报，究竟大沽炮台曾否开仗强占？连日洋兵作何情状？现在招募义勇若干？能否节节接应？拳民大势又是如何情形？着即迅速咨明总署转呈，并遵前旨随时驰报一切。"参见《军机处寄直隶总督裕禄上谕》（光绪二十六年五月二十四日），《义和团档案史料》（上），第157页。由此可见，清廷在召开决定开战的御前会议时仍以列强索要大沽炮台为前提，以为仅仅是外交争端一类的事情，故而比较容易取强硬的态度。

②　《照会》（光绪二十六年五月二十三日），《义和团档案史料》（上），第152页。

③　许国英：《十叶野闻》，中共中央党校出版社，1998。

传教士、教民尽量接到使馆区。从这一天开始，使馆区与外界几乎隔绝。

在使馆区外面确实有一支清军，清军外面有中国民众，这些民众被统称为义和团，其实也不尽然。使馆外面的清军，按照过去流行的说法是在围攻公使馆，但按照清廷特别是慈禧、荣禄等人的解释，其实是为了防止中国民众冲击公使馆而实施的保护措施，当然在此后局势日趋紧张的时候，这些清军也与公使馆的守军发生过一些冲突和战斗。只是从总体上说，清方的解释更合乎情理。

公使馆不仅和清政府失去了联络，与天津、与他们各自的政府也失去了联系。这种情形使各国政府非常焦虑，各国驻天津的领事和海军将领只好抓紧时间组织联军往北京进发，准备用武力去解救被包围的公使、侨民，还有聚集在西什库教堂的传教士和教民。

各国海军将领对中国方面的力量估计过高，他们一定要等到各国援军到来方才准备向北京进发，于是时间在一天一天消逝，北京的僵局没有办法打破。直至8月初，各国后援部队方才完成向天津的集结。8月4日下午，两万名联军从天津出发，分两路直扑北京。清军虽然在津京一线集结了十万军队，然而总体上说，清军并没有组织像样的抵抗。8月14日上午，八国联军先头部队突破北京防线，顺利进入使馆区，被困两个多月的使馆解围。[①]

五　《辛丑条约》：中国的低谷与起点

当八国联军即将侵入北京的时候，清廷内部一片混乱。慈禧和光绪帝一片慌乱。联军虽然与清军在过去一段时间发生过冲突，但从总体上说，由于荣禄与公使馆保持着一种特殊的沟通渠道，并没有使中外关系完全中断，联军当局也一再传信清廷，不要让两宫离开北京，就留在宫中好了。但是事关国家体制和尊严，假如联军进京之后少了一点约束，两宫威严受到任何伤害，都是不得了的大事。为郑重起见，两宫在做了一些善后安排，任命一些留守大臣后，于8月15日凌晨在枪炮轰鸣声中出西华门，奔德胜

---

① 《窦纳乐爵士致索尔兹伯理侯爵函》（1900年9月20日），《英国蓝皮书有关义和团运动资料选译》，第119页。

门，经颐和园稍事休息，然后经居庸关，向太原方向行进。[①]

两宫出走并不是临时起意，而是有一个比较长的酝酿筹备过程。大约在总理衙门改组、克林德被杀，中外沟通受到严重阻碍的时候，两宫就对后来的政治发展有所安排，留有后手。

6月9日，总理衙门改组，端王载漪出任首席大臣。十天后，6月20日，德国公使在前往总理衙门的路上被枪杀。当天，朝廷向各省督抚发了一道密旨。

> 各省督抚均受国厚恩，谊同休戚。事局至此，当无不竭力图报者。应各就本省情形，通盘筹画，于选将、练兵、筹饷三大端，如何保守疆土，不使外人逞志；如何接济京师，不使朝廷坐困。事事均求实际。沿江沿海各省，彼族觊觎已久，尤关紧要。若再迟疑观望，坐误事机，必至国势日蹙，大局何堪设想？是在各督抚互相劝勉，联络一气，共挽危局。[②]

这道上谕的词句非常奇怪，许多阅读者认为这就像一个行将就木的政府发布的遗命。不过，这个密旨赋予各省督抚便宜行事权力，希望各省督抚发挥能动性切实保护各自管辖的省份，尽量对北京危急局势提供力所能及的帮助。

第二天（6月21日），两广总督李鸿章又收到荣禄发来的密信，忠告李鸿章不必再对北京的御旨继续给予重视。这个消息在东南各省督抚和西方外交官中很快传开，大家一个比较共同的看法是，端王载漪可能已经篡夺了清廷的政策主导权，因而此后来自朝廷的指示，他们都可以视自己的需要有选择地接受，不合乎需要或者说不利于地方稳定的可以视为"伪诏"。[③]这就为稍后发生的"东南互保"提供了一个重要的依据。

6月22日，在轮船招商局担当重要角色的郑观应致信盛宣怀，以为联军在北方的战事持续下去必将对南方发生重大影响，列强鉴于这种形势极

---

①　杨典诰：《庚子大事记》，《义和团运动史料丛编》第1辑，第21页。

②　《军机处寄各省督抚上谕》（光绪二十六年五月二十四日），《义和团档案史料》（上），第156—157页。

③　《代总领事霍必澜致索尔兹伯理侯爵电》（1900年6月29日），《英国蓝皮书有关义和团运动资料选译》，第59页。

有可能进行类似于瓜分的行动，特别是由于英国人在上海、在整个长江流域有着非常重要的经济利益。随着局势持续恶化，英国人一定担心南方也会像北方一样混乱，因此英国人一定会与其他列强一道向南方用兵，在上海登陆，进而向整个长江流域派兵，稳定局势。果如此，东南大局不堪设想。为避免不必要的损失，郑观应建议盛宣怀不妨抓紧将一些中国公司转换到外国名下，或许有利于保护。①

郑观应的提醒无疑启发了盛宣怀。三天后即 6 月 24 日，盛宣怀致电两广总督李鸿章、两江总督刘坤一、湖广总督张之洞，提议"从权"与各国领事进行谈判，将上海租界交给各国保护，长江内地归各省督抚保护，两不相扰，以便在目前复杂局势下保全各国及本国商民的财产及生命安全。②

盛宣怀的提议获得了李鸿章、刘坤一和张之洞等的首肯，其实在这之前刘坤一和张之洞也有类似考虑，以为在目前困难局势中只能尽量为国家保存一点元气。根据盛宣怀的建议，刘坤一、张之洞等又邀集东南各省督抚共同讨论，终于达成与各国合作，共同维护东南半壁相对稳定的局面。他们相信这个办法并不违背朝廷密电"联络一气，以保疆土"的精神。③

根据这些共识，上海道台余联沅与各国驻上海领事举行谈判，并最终达成《东南互保章程》共九条，东南各省在没有丧失主权、治权的前提下，与各国友好合作共保东南、长江流域各省的和平与稳定，严格禁止义和团以任何方式南下，各国也承诺不在上海、长江流域登陆、用兵。④

东南互保行动在多大程度上得益于清廷那份神秘诏书的启示，还值得研究。不过由此可以知道，清廷在总理衙门改组特别是克林德被杀之后，也确实做了一些善后准备。不仅通过各种各样的外交渠道刻意与列强保持沟通，营造一些友好气氛，而且很早就通过各种渠道向列强求和。

总理衙门的改组时间为 6 月 9 日，然而也就是几天后，慈禧 6 月 16 日

---

①　《郑观应致盛宣怀函》（光绪二十六年五月二十六日），《义和团运动——盛宣怀档案资料选辑之七》，第 81 页。

②　盛宣怀：《寄李中堂刘岘帅张香帅》（光绪二十六年五月二十八日），《愚斋存稿》卷 36，文海出版社，1975，第 5 页。

③　《盛京堂来电并致南洋》（光绪二十六年五月二十九日），《李鸿章全集》第 3 册，第 954 页。

④　朱寿朋编《光绪朝东华录》第 4 册，总 4523 页。

电召两广总督李鸿章迅速北上，争取早点开始与列强谈判。

李鸿章无疑是当时中国最善于外交的人，他与各国公使也有着非同寻常的友谊。他在接到通知后虽说并没有及时北上，但他确实迅速利用各种渠道与各国进行接触。他通过驻外公使向各国政府说明情况，请求和解，为后来的正式谈判准备了条件。

由于北方战局一直没有停止的迹象，清廷在克林德事件之后既没有集中力量镇压义和团，也没有拿出精神与列强真的开战，北方战局在不破不和中僵持着，而各国司令官在军事力量没有达到预想状态时也不愿冒险向北京进发。北京局势的僵持使李鸿章无法顺利北上，至八国联军侵入北京一个月后，李鸿章方才有机会于9月15日离开上海前往北京，中外之间的正式谈判方才有可能开始。

在李鸿章抵达北京前，联军当局其实已经与中国方面进行了接触。清廷在离开北京时任命有留京办事大臣，这些大臣通过私人关系很快与总税务司赫德取得联系，然后再通过赫德与联军当局建立沟通渠道。在赫德帮助下，跟随两宫播迁的庆亲王也很快被追了回来，这都为后来的正式谈判做了充分的铺垫。

应中国政府要求，赫德在与各国公使磋商后，于9月1日向中国方面提交了一份善后清单，并私下告诫中国大臣无论如何不能将围攻使臣的事情看得太轻，更不能误看，因为这是各国在国际交往中最看重的一件事情。赫德在这份文件中详细列举事件始末，分析中国方面应该承担的责任，以为中国政府要想息事宁人，必须承认姑息纵容义和团的错误，必须就义和团围攻公使馆和枪杀公使、教民等事情认错道歉，并给予适当赔偿。①

大致说，清政府主导力量应该能够接受赫德的这些建议，此后的交涉也大致按照赫德的提示进行。只是清政府对各国要求追究煽动义和团排外的责任，追究德国公使、日本使馆书记官、传教士、教民等死亡原因和责任有点出乎预料。

知道列强真实心迹的俄国人很早就向中国方面做过类似建议，希望清政府不要让列强牵着鼻子走，应该主动惩办一批可以牺牲的"肇乱大臣"，

---

① 《围攻使臣始末节略》（1900年9月1日），《中国海关与义和团运动》，中华书局，1983，第32页。

以此换取列强的信任，为后续谈判铺路。①

由清政府自行惩处所谓"肇乱大臣"或许是缓和时局的一个办法，在俄国政府提出这一动议前后，法国政府也通过外交渠道表明类似立场。法国人认为，推动善后议和的前提有四：一是清政府务必确保各位公使的行动自由与安全；二是清政府应先行将端王载漪等"肇祸大臣"革职查办；三是将各处军队撤回，不得再与外国军队接战；四是清政府务必彻底剿灭义和团。②

其实，惩处所谓"肇祸大臣"的想法在李鸿章等一批稍具国际视野大臣那里早就想到了，只是碍于同朝为官，碍于这些"肇祸大臣"许多人是皇亲国戚。而这些皇亲国戚依然盘踞在慈禧周围，不仅掌握着清廷大权，而且似乎依然受到慈禧信任，所以始终没有人敢向慈禧提出。文献表明，至少在7月中旬前后，李鸿章准备奉旨北上时，就已意识到清政府自行惩处那些煽动排外的愚昧大臣可能是缓解中外冲突的一个重要步骤，只是怎样实现，他就没有把握了。

李鸿章不敢贸然弹劾那些宫中实权大臣，但对那些不在宫中的"肇祸大臣"一点也不客气。9月2日，他与刘坤一、张之洞联名奏请将署黑龙江将军寿山、署奉天副都统晋昌罢斥治罪，以为寿山、晋昌二人纵容义和团毁路构衅，一意主战，致使许多地方失陷，殃害人民，贻国家无穷之累。③

清廷很快同意了李鸿章等人的建议，但仅仅将寿山、晋昌两人作为替罪羊远远无法平息列强的愤怒。在各国公使心目中，"肇祸大臣"绝对不是这样几个人，即便不追溯到慈禧这样的最高层，也必须追溯到在混乱时期出任总理衙门首席大臣的端王载漪，以及庄亲王载勋等。

对于这些皇亲国戚，李鸿章等汉大臣当然不敢向朝廷提出，因为这几个人都是皇上、皇太后的至亲。

9月5日，德国政府正式提出议和条件，第一条就是"严惩"罪魁祸首。④

①　《陕西巡抚端方代奏李鸿章电报》（光绪二十六年八月初九日），《义和团档案史料》（上），第543页。

②　《裕庚致军机处电》（1900年8月19日），《义和团运动——盛宣怀档案资料选辑之七》，第196页。

③　《调补直隶总督李鸿章等折》（光绪二十六年八月初九日），《义和团档案史料》（上），第539页。

④　《外交副大臣李福芬男爵致驻北京公使穆默电参事克莱孟脱草稿》（1900年9月5日），《德国外交文件有关中国交涉史料选译》第2卷，第111页。

在德国政府提出要求的第二天，俄国人也正式提出几点要求，其中最重要的一条就是要求惩办那些所谓"叛乱首犯"，包括端王载漪、董福祥、刚毅、李秉衡、毓贤等。①

德国人要求惩处那些"罪魁祸首"，俄国人提出一个具体名单。列强很快就哪些人应该承担战争责任展开讨论。经过漫长的调查取证和讨价还价，列强与清廷终于在1901年2月6日就惩处"肇祸大臣"达成共识：端王载漪、辅国公载澜由中方判处其死刑，然后再以皇帝的名义赦免，流放新疆，永远监禁；尽快剥夺董福祥的兵权，然后予以严惩；英年、赵舒翘、毓贤、徐承煜、启秀等处死；对于已死亡的李秉衡、刚毅、徐桐，由清廷宣布追夺原官，撤销恤典。

与此同时，清廷与各国还达成一个共识，为徐用仪、许景澄、联元、袁昶、立山等大臣恢复名誉，平反昭雪，他们在义和团战争期间因反对围攻使馆和对外作战而被清廷下令处死。②

此外，各国公使还在4月4日向中国方面提交了一份上自藩王督抚、下至知县士绅的142名必须惩处的名单。③ 后经反复交涉，清廷于4月29日发布上谕，以义和团战争期间奉行不力、致酿事端，焚烧教堂，伤害教民、教士等"罪名"，分别轻重，将山西归绥道郑文钦等56人予以严惩。④

6月3日，清廷再发上谕，将盛京副都统晋昌等11人发往极边充当苦差。⑤ 8月19日，清廷三发上谕，又惩处地方官员士绅58人。⑥ 至此，列强要求的所谓惩办"肇祸大臣"交涉大致结束。

惩凶之外是就克林德和日本使馆书记官杉山彬被杀进行道歉和赔偿。这个谈判比较简单，清政府同意以皇帝名义致信德、日两国元首道歉，并派遣高级代表分赴两国当面"认罪"。清政府还同意在克林德遇难处修建一

---

① 《代理外交大臣致巴黎密函草稿》，《红档杂志有关中国交涉史料选译》，第243页。其第二条和第三条原为一条。
② 《英国蓝皮书有关义和团运动资料选译》，第461页。
③ 《全权大臣奕劻李鸿章电报》（光绪二十七年二月十六日），《义和团档案史料》（下），第1014页。
④ 《上谕》（光绪二十七年三月十一日），《义和团档案史料》（下），第1067页。
⑤ 《上谕》（光绪二十七年四月十七日），《义和团档案史料》（下），第1185页。
⑥ 《上谕》（光绪二十七年七月初六日），《义和团档案史料》（下），第1286页。

座纪念物，至于支付必要的抚恤金更是无须讨论。[1]

至于战争赔款的谈判确实比较艰难，列强之间的看法并不一致，德国人、俄国人出于各自需要，确实希望利用这场战争大发一笔横财，确实有竭泽而渔的味道，[2] 但是美国、英国还有日本，特别是总税务司赫德（Robert Hart）并不认同德、俄两国的看法，谈判的结果就是既要中国就战争军费进行赔偿，又不能超出中国的支付能力，"合理的赔偿部分可以通过已经增加的保证外国的权利和豁免权的安全来实现；更为重要的是，通过中国向全世界开放平等通商来实现"。[3] 这是美国总统的政策声明，这个声明后来成为各国谈判的基础。

根据各国公使建议，赫德于 1901 年 3 月 5 日提交了一份备忘录，就中国究竟能够支付多少赔款，最适合的偿付方式是什么，中国能够最容易获得的岁入是什么，以及列强需要得到什么样的控制权四个问题提出了方案。赫德在过去几十年担任海关总税务司，是一个真正意义上的技术官僚，各国公使后来又任命一个专门委员会就赔款问题进行调查、计算和讨论，以为要保证中国经济还能正常运转，中国能够支付的赔偿总额不得超过 4.5 亿两。[4] 至于各国如何分配，当然只能参照各国实际损失和实际军费支出。

善后谈判还涉及使馆区的扩大、使馆卫队、武器禁运，以及在中国驻军等问题。这些问题确实涉及中国的主权和尊严，也正是从这个意义上说，以上述内容为基本构架的《辛丑条约》其实只是一项共识。[5] 1901 年的这个条约既让中国的国际地位、国家尊严跌至谷底，但又是中国重新起步、从头开始的起点。这一年重新启动的新政就蕴含了这个因素，几年之后开始的预备立宪实际上也是其逻辑的发展。

---

① 《上谕》（光绪二十六年闰八月初二日），《义和团档案史料》（上），第 643 页。

② 《义和团》第 3 册，第 7 页。

③ 《美金莱总统在第四个年度咨文中谈八国联军与〈辛丑条约〉部分》，见阎广耀、方生选译《美国对华政策文件选编——从鸦片战争到第一次世界大战》，人民出版社，1990，第441 页。

④ 《驻北京公使穆默致外部电 308 号》，《德国外交文件有关中国交涉史料选译》第 2 卷，第390 页。

⑤ 《辛丑条约》是中国人的说法，因为谈判、签字在"辛丑"年。西方人称为"北京议定书"，共有"正约"12 款及 19 个"附件"。

第十一章

十年新政与清朝覆灭

20 世纪头十年，也即清朝统治的最后十年，中国历史在遭受内忧外患的一再冲击之后，进入了一个新的拐点。在这十年里，除外部国际形势继续对中国政治和社会产生巨大影响外，国内则出现了三股政治势力，寻找并影响中国历史的走向。一是清朝统治阶级，他们在吸取庚子事变的惨痛教训后痛定思痛，再次祭出改革主义大旗，试图通过仿效日本明治维新，除弊振衰，继续维护清王朝的统治；二是以康有为、梁启超为代表的海外立宪派和国内由部分开明绅商群体转化而来的立宪派，他们为实现参政的愿望，试图通过和平请愿等方式，在中国建立英国式的议会制君主立宪政体，促进中国由传统国家向近代国家转型；三是以孙中山、黄兴为代表的革命党人，他们主张用暴力革命手段推翻清朝统治，在中国建立美国式的民主共和政体，从而达到振兴中华的目的。本章仅就清朝统治阶级在最后十年里所实行的各项改革及其命运做一探讨和反思。①

---

* 本章由崔志海撰写。

① 国内研究清末新政的学术性著作主要有赵军《折断了的杠杆——清末新政与明治维新比较研究》，湖南出版社，1992；张连起《清末新政史》，黑龙江人民出版社，1994；吴春梅《一次失控的近代化改革——关于清末新政的理性思考》，安徽大学出版社，1998；李细珠《张之洞与清末新政研究》，上海书店出版社，2003；赵云田《清末新政研究——20 世纪的中国边疆》，黑龙江教育出版社，2004。国外研究清末新政的代表作为卡梅伦的《中国的维新运动（1898—1912）》（Meribeth E. Cameron, *The Reform Movement in China, 1898-1912*, New York: Octagon Books. Inc. , 1963）一书。该书自 1931 年由斯坦福大学出版以来，一直为研究这段中国历史的外国学者广泛引用，多次重印。有关国外学者清末新政史的研究，可参见崔志海《国外清末新政研究专著述评》（《近代史研究》2003 年第 4 期）一文。

一　清末新政改革纲领的制定

清末新政是对 1901—1911 年清政府实行的各项改革的总称。它是晚清历史上的第三场改革运动，也是晚清历史上的最后一场改革运动。新政的启动与前两场的改革——洋务运动和戊戌变法有许多相似之处，它们都在内忧外患的冲击下启动，都是统治阶级的自救运动。洋务运动系受太平天国运动和第二次鸦片战争的触动，戊戌变法系受甲午战败的刺激，清末新政则受义和团运动和八国联军侵华事件的打击。但与前两次改革分别由部分洋务派官僚和维新派人士倡议发起不同，清末新政从一开始就由清朝的最高统治者发起和领导。1900 年 8 月 22 日，慈禧和光绪帝驻跸太原后即发布上谕，表达自新愿望，称：

> 自来图治之原，必以明目达聪为要。此次内讧外侮，仓卒交乘，频年所全力经营者毁诸一旦。是知祸患之伏于隐微，为朕所不及觉察者多矣。惩前毖后，能不寒心！自今以往，凡有奏事之责者，于朕躬之过误，政事之缺失，民生之休戚，务当随时献替，直陈毋隐。[①]

1901 年 1 月 29 日，慈禧和光绪帝再次发布上谕，批评各级官员有关改革建言不是窒碍难行，就是不切实际，再次宣示改革决心，宣称：

> 世有万古不易之常经，无一成不变之治法。穷变通久，见于大《易》。损益可知，著于《论语》。盖不易者三纲五常，昭然如日星之照世。而可变者令甲令乙，不妨如琴瑟之改弦。伊古以来，代有兴革，即我朝列祖列宗，因时立制，屡有异同。入关以后，已殊沈阳之时。嘉庆、道光以来，岂尽雍正、乾隆之旧？大抵法积则敝，法敝则更，要归于强国利民而已。[②]

---

① 中国第一历史档案馆编《光绪宣统两朝上谕档》第 26 册，广西师范大学出版社，1996，第 274 页。
② 故宫博物院明清档案部编《义和团档案史料》（下），中华书局，1959，第 914 页。

上谕接着对康梁推动的维新变法运动大加挞伐，斥责康梁变法妄分新旧，离间两宫，将康有为的所作所为比作与朝廷作对的民间秘密组织活动，甚至表示"康逆之祸，殆更甚于红拳"；斥责康梁所讲新法"乃乱法也，非变法也"。同时，上谕极力为慈禧当年发动戊戌政变辩护，称之为"剪除乱逆"之举，并非守旧、反对变法，宣称"皇太后何尝不许更新、损益科条？朕何尝概行除旧？"并宣示现恭承慈禧之命，一意振兴，"严却新旧之名，浑融中外之迹"。

上谕认为当时中国社会的弊端和积弱的根源在于"习气太深，文法太密，庸俗之吏多，豪杰之士少"，"误国者在一私字，祸天下者在一例字"；认为西方富强的根源在于"居上宽，临下简；言必行，行必果"。上谕批评中国以前的改革和学习西方只学西方的皮毛，诸如语言文字、制造机械，同时"佐以瞻徇情面，肥利身家之积习"，结果不能实现富强的目标。因此，上谕通令各军机大臣、大学士、六部九卿、出使各国大臣及各省督抚："各就现在情弊，参酌中西政治，举凡朝章、国故、吏治、民生、学校、科举、军政、财政，当兴当革，当省当并，或取诸人，或求诸己，如何而国势始兴？如何而人才始出？如何而度支始裕？如何而武备始修？各举所知，各抒所见，通限两个月，详悉条议以闻，再由朕上禀慈谟，斟酌尽善，切实施行。"①

根据这道变法上谕对清廷以前改革所做的反思及要求各级官员所建言的改革内容来看，明确预示了这次启动的将是一场全方位的改革运动，而不会是一些枝节的变革，也不会是后来一些研究者所认为的那样，是三十多年前洋务运动的翻版。并且，后来的历史也表明，这是晚清历史上一道具有划时代意义的上谕，它标志着清末十年新政的开始，是清末新政第一份纲领性文件。清末新政的改革内容远远超出洋务运动乃至戊戌维新运动的范围。

然而，由于这道上谕依然以中国传统儒家的"损益""变通""兴革""自新"等古训作为改革的指导思想，其中还有"盖不易者三纲五常，昭然

---

① 《光绪宣统两朝上谕档》第 26 册，第 460—462 页；朱寿朋编《光绪朝东华录》第 4 册，中华书局，1958，总 4601—4602 页。两份文献所载上谕文字稍有出入，研究者利用时须加留意。

如日星之照世"等维护中国封建专制君主统治的套话，特别是上谕对两年前康梁领导的戊戌维新运动继续大加挞伐，这就使得当时朝野均对慈禧发动改革的诚意多有疑虑。在变法上谕下达后，不少地方督抚揣摩"懿旨"，不敢对改革问题贸然表达意见。美国驻华公使康格（E. H. Conger）在将这一重要上谕译送美国政府的报告中，也以上谕仍然否定 1898 年的戊戌变法，斥责康有为的变法非变法，乃乱法，对慈禧发动改革的诚意抱怀疑态度，未加认真对待，认为"这道上谕出自皇太后的意愿和鼓动，不能期望会有许多真正的改革"。①

鉴于清廷朝野对变法上谕态度冷淡，4 月 21 日，在改革上谕颁布两个多月后，慈禧再次以光绪帝名义发布上谕，敦促封疆大吏就变通政治、力图自强提出建议，并宣布设立督办政务处作为清末新政改革的总机关，任命庆亲王奕劻，大学士李鸿章、荣禄、崑冈、王文韶，户部尚书鹿传霖为督办政务大臣，刘坤一、张之洞遥为参与，"于一切因革事宜，务当和衷商榷，悉心评议，次第奏闻，俟朕上禀慈谟，随时择定，俟回銮后，切实颁行，示天下以必信必果、无党无偏之意"。②

根据 4 月 21 日上谕的精神，8 月 20 日，作为朝廷负责新政改革总机关的督办政务处制定并颁布政务处章程 10 条，除对政务处的组成、职能、权限和地位做出规定外，还就新政改革提出一些原则性建议。督办政务处将改革内容分为两大类，宣布变法大纲有二：一是认真整理旧章；二为中法所无则参用西法。对于改革，督办政务处持审慎态度，认为政务处的首要目的是求自强，而救贫又为富强之始基，强调改革绝不可"先事搜刮"，建议先尽裁冗费，取天下所痛恶者革除一二，天下所甚愿者兴办一二，以争取民心，"使天下之人，晓然于朝廷变法，为吾民兴利除害，人人有悦服之诚，而事事有求实之意，则此后下令如流水矣"；否则，"人心一失，虽有良法，亦难措置"。督办政务处赞同改革应遵循上年上谕"严禁新旧之名，

---

① "E. H. Conger to the Secretary of State, March 1, 1901," in Jules Davids, ed., *American Diplomatic and Public Papers: The United States and China*, Series Ⅲ, *The Sino-Japanese War to the Russo-Japanese War 1894–1905*, *volume 1*, *The China Scene* (Wilminton: Scholarly Resources Inc., 1981), p. 73. 正是根据这道上谕的一些语言表述，后来国内一些学者不恰当地认为清末新政只是洋务运动的翻版，其实这种理解是片面的。

② 《光绪宣统两朝上谕档》第 27 册，第 49—50 页。

融通中外之迹"训条，吸取洋务运动、戊戌维新之教训，去私心、破积习、化除党祸之害；强调改革应根据中国国情，因地制宜、因势利导，指出："今言变法，动引日本为例。殊不知日本幅员非广，风气齐一，号令易行，且以外国学外国，譬犹楚学齐语，不甚悬殊，故事易举而效甚速。中国地方四万里，历代相承二千余年，从不知西学为何事。东南诸行省风气已开者，语以西法，尚不惊疑；若西北之民，质性忠朴，耳目未广，骤令变革，何异聋俗鸣球，修菱蒂藕乎？"并认为"今学西学，欲学其事，先学其心"，指出"西人作事，千人一心，共利其国；中人作事，百人百心，各利其身，身有利有不利，而国决无一利"，因此，"必先正中国之人心，乃可行西人之善法"。[①]

督办政务处提出的上述改革建议，虽然在一定程度上反映了当时中国的国情，具有极大的合理性，尤其是关于中国当务之急在于"救贫"和"求自强"的主张，以及有关改革须因地制宜、以争取民心和切勿扰民为前提的建议，对后来新政改革的成败具有重大指导意义。但是这些改革建议因过于笼统和保守，并不适合当时清朝最高统治者慈禧力图改变自身顽固守旧形象的革新愿望和要求，与变法上谕精神多有偏离，因而并未受到重视和采纳。对清末新政起指导作用的是湖广总督张之洞和两江总督刘坤一两位地方实力派督抚在《江楚会奏变法三折》（以下简称《江楚三折》）中提出的改革方案和主张。

变法上谕颁布后，两江总督刘坤一和湖广总督张之洞在与其他督抚会商后，于1901年7月由刘坤一领衔，先后三次上奏朝廷。在《江楚三折》中，与督办政务处将"救贫"和"求自强"放在首位不同，刘、张将培养人才看作改革的突破点，置于各项改革之首，指出中国的问题"不贫于财而贫于人才，不弱于兵而弱于志气"，"保邦致治，非人无由"，因此，他们就如何育才兴学提出四条改革措施：设文武学堂、酌改文科、停罢武科、奖励游学。他们强调："此四条为求才图治之首务，其间事理，皆互相贯通，互相补益。故先以此四事上陈。盖非育才不能图存，非兴学不能育才，非变通文武两科不能兴学，非游兴不能助兴学之所不足。揆之今日时势，幸无可幸，缓无可缓。仰恳宸衷独断，决意施行。其间条目章程，自须详

---

① 该章程内容详见沈桐生辑《光绪政要》卷27，江苏广陵古籍刻印社，1991，第9—11页。

议，而大纲要旨，无可游移。"①

　　刘、张认为治国如治疾，欲行新法，必先铲除旧弊；而立国之道有三：曰治、曰富、曰强，国必治而后可求富强，国不治则富强亦必转为贫弱。整顿旧法者，为治之具；采用西法者，为富强之谋。据此，他们认为改革的第二步就是整顿中国旧法，为求强致富提供一个良好的政治和社会环境，并提出12条措施：崇节俭、破常格、停捐纳、课官重禄、去书吏、去差役、恤刑狱、改选法、筹八旗生计、裁屯卫、裁绿营、简文法。他们宣称："以上十二条，皆中国积弱不振之故，而尤为外国指摘诟病之端。臣等所拟办法，或养民力，或澄官方，或作士气……仰恳圣明裁察施行，以为自强之根本。"②

　　刘、张就上谕采用西法以达富强提出11条建议：选派官员出国考察；用外国操练兵；广军实，发展近代军工企业；修农政；劝工艺；定矿律路律商律交涉刑律；用银元；行印花税；推行邮政；官收洋药；多译东西方各国书籍。这11条大致涉及军事、经济、金融财政、实业教育等方面的改革。他们强调各条与戊戌年康有为的变法主张"判然不同"，"大旨尤在考西人富强之本源，绎西人立法之深意。伏望圣明深察远览，早赐施行"。③

　　刘、张提出的改革方案全面、具体，每一条改革建议都有具体内容，不像督办政务处的改革建议那样笼统、空泛，迎合了当时趋新的愿望，最后为朝廷所采纳，成为新政的改革纲领。10月2日，慈禧即发布懿旨加以肯定，称刘、张"会奏整顿中法、仿行西法各条，事多可行，即当按照所陈，随时设法择要举办"，并通令"各省疆吏，亦应一律通筹，切实举行"。④ 对于刘、张制定的改革方案，近来研究清末新政史的学者也几乎一致加以肯定，称赞它是一个全面系统的改革方案。

　　其实，《江楚三折》只是刘、张根据变法上谕揣摩慈禧懿旨而制定的一个改革方案，是1901年1月29日变法上谕的具体化。这个改革方案固然全面、系统，但完全出于迎合慈禧，满足她树立开明、改革形象的需要，以

① 朱寿朋编《光绪朝东华录》第4册，总4728、4737页。
② 朱寿朋编《光绪朝东华录》第4册，总4753页。
③ 朱寿朋编《光绪朝东华录》第4册，总4769页。
④ 《光绪宣统两朝上谕档》第27册，第188页。

博外人欢心，同时又不出 1901 年 1 月 29 日变法上谕的范围。刘、张在《江楚三折》中提出 12 条整顿中国旧法的改革措施，并强调这 12 条内容"尤为外国指摘诟病之端"；而在提出采用西法的 11 条建议中，刘、张一方面辩称他们的改革方案与康梁变法有别，同时强调这 11 条改革内容可获外人欢心，"使各国见中华有发愤为雄之志，则鄙我侮我之念渐消"。[①] 因此，在《江楚三折》的改革方案里，刘、张根本没有考虑和顾及当时中国的国力和财力。尽管刘、张在《江楚三折》之外专门上了一个《请专筹巨款举行要政片》，意识到改革与经济实力之间的关系，意识到改革要有充足的财力支持，建议为举办新政"专筹巨款"。但是在这个附片里，刘、张并没有为新政如何筹得巨款提出任何可行的建议或方案，只是一味强调筹款的必要性和重要性，认为"既须筹赔偿之款，尤宜筹办自强之款。赔偿之款，所以纾目前之祸难；自强之款，所以救他日之沦胥"，声称"此时应省之事必须省，应办之事必须办，应用之财必须用"，[②] 全然以封建官僚长官意志看待改革可能遇到的困难和问题。

　　虽然刘、张在《江楚三折》里对各项改革之间的关系有所阐述，诸如他们所说的"保邦致治，非人无由""治国如治疾""欲行新法必先除旧弊"等都颇有些道理，且还有些理论深度，但是细加推敲，这些理论均不足以指导改革获得成功。譬如，根据"保邦致治，非人无由"理论，刘、张将教育放在各项改革之首，这就有些不适合改革路径了。人才固然重要，但发展教育一则必须有相应的经济和物质基础，二则教育也须与社会发展程度相适应，满足社会需要，否则发展教育就会成为无源之水、无本之木。事实上，后来新政教育改革就遇到这个大问题。又如，在与经济有关的改革方案中，刘、张对农工商业三者之间的关系也做了阐述，大体认为发展农业为发展近代工商业的基础，指出"夫富民足国之道，以多出土货为要义；无农以为之本，则工无所施，商无可运"。关于工业与商业两者之间的关系，他们认为工业为商业的基础，"有工艺然后有货物，有货物然后商贾有贩运"。但他们为发展近代农业和工业提出的一些具体建议并没有为中国

---

① 朱寿朋编《光绪朝东华录》第 4 册，总 4769 页。按：清末新政改革自然离不开整顿旧法、采用西法，甚至接受一些外国人的建议，但倘若这些改革要以列强的观感为出发点，取悦列强，不顾中国自身利益和需要，那就又是另外一回事了。

② 朱寿朋编《光绪朝东华录》第 4 册，总 4770 页。

经济的近代化制定出一个可行的方案。尽管他们为发展近代农业提出设立司农专官、培养农业专门人才和推广农业生产技术，以及招垦荒地、发展近代大农场等富有建设性的建议，但是这丝毫没有触及封建土地制度。至于他们为发展近代工业所制定的几项改革措施，也仅局限于设立工艺学堂和劝工场，培养技术人才，还是没有找到发展近代工业的门径。

总之，《江楚三折》作为清末新政的一个纲领性文件，它所描绘的改革方案一方面代表了当时清朝统治阶级的最高认识水平，具体、详尽、全面、系统，对清末十年新政改革起了很好的指导和促进作用，即使在1906年预备立宪政治改革启动之后，《江楚三折》设计的许多改革内容也仍然得到贯彻和执行。但另一方面，《江楚三折》设计的改革方案并不科学：一则脱离当时中国的国力和财力，没有处理好发展与稳定两者之间的关系；二则各项改革没有轻重缓急之分，没有处理好各项改革之间的相互关系；三则除教育改革设计比较周全外，并没有为其他改革找到一个循序渐进的路径和突破点。这样的一个改革方案如不在实施过程中加以调整和补充，注定不足以将新政改革引向成功之路。

二 1901—1905 年的新政改革

1901年1月新政改革上谕颁布后，尤其是在《江楚三折》为新政改革制定出具体方案和负责新政改革的总机关督办政务处成立后，新政的各项改革立即全面启动、齐头并进。直至1905年，新政的各项改革基本上都在按照《江楚三折》设计的方案进行。

根据《江楚三折》"为政之道，首在得人"的改革思路，在1901—1905年的各项改革中，教育改革的步子迈得最快，成绩也最显著。在不到五年的时间里，就完成了戊戌维新的改革目标，初步实现了中国教育由传统向近代的转变。这一时期的教育改革涉及三方面内容。

第一，兴办近代学堂，创立近代学校制度。创办新式学堂并不始于新政改革时期，早在洋务运动时期即已实行。清末新政教育改革的特殊意义在于将兴办学堂作为一项国策在全国推广，并建立起比较完整的近代学制。1901年9月14日，清政府即颁布兴学诏书，明令全国改造书院，在省城改设大学堂，各府及直隶州改设中学堂，并多设蒙养学堂。[①] 在清朝中央政府的督促下，兴办学堂的诏书迅速得到贯彻，截至 1902 年，先后有山东、江苏、浙江、福建、甘肃、陕西、广西、四川、广东、贵州、安徽、湖南等至少 12 个省区（占全国行省 2/3 以上）的督抚、学政报告已完成改省城书院为大学堂的工作，并报告了各府、州、县书院改设中、小学堂的情况。

与此同时，清朝中央政府又不失时机地于同年 8 月 15 日颁布由管学大臣张百熙制定的中国近代第一部学校系统章程《钦定学堂章程》，又称"壬寅学制"。"壬寅学制"包括《京师大学堂章程》《考选入学章程》《高等学堂章程》《中学堂章程》《小学堂章程》《蒙学堂章程》等六个文件，是全国兴办学堂的指南。[②] 随后，清政府又任命张之洞会同荣庆、张百熙对"壬寅学制"加以修改、补充，于 1904 年 1 月颁布更为完备的学堂章程，又称"癸卯学制"。"癸卯学制"共计 22 个章程，对各类学校的办学宗旨、入学规则、课程设置、学习年限、教员任用、学校管理、学生考试与奖惩，乃至校舍建筑、仪器设备，以及各类学校的相互关系等，均做了详尽的规定。根据"癸卯学制"，全国学堂分为普通教育和专门职业教育两大类。其中，普通教育分为三段七级：第一阶段为初等教育，设蒙学堂、初等小学堂和高等小学；第二阶段为中等教育，设中学堂；第三阶段为高等教育，设高等学堂、大学堂、通儒院。专门职业教育则分为师范教育、实业教育和特别教育三种。其中，师范教育设初级师范学堂和优级师范学堂，分别与中等普通教育和高等普通教育平行；实业教育中的艺徒学堂、初等实业学堂和实习普通学堂与初等普通教育平行；中等实业学堂与中等普通教育平行；高等实业学堂、实业教员讲习所等与高等普通教育平行；特别教育的进士馆、译学馆等与高等普通教育平行。另外，《奏定学堂章程》还鼓励私人兴办学堂，规定对出资创办小学堂者由地方官予以嘉奖，或戴红花，或赠匾额。[③] "癸卯学制"作为中国近代第一个被付诸实施的学制，虽然有不完备之处，如将女子教育排除在学校系统之外，但它无疑为中国近代学制奠定了基础，对推动清末新式学堂的发展起了很好的指导作用。在清政府

---

① 《光绪宣统两朝上谕档》第 27 册，第 175—176 页。

② 详见璩鑫圭、唐良炎编《中国近代教育史资料汇编·学制演变》，上海教育出版社，2007，第 241—295 页。

③ 璩鑫圭、唐良炎编《中国近代教育史资料汇编·学制演变》，第 296—529 页。

的大力提倡和指导下，各类新式学堂快速兴起，由 1903 年的 769 所增至 1904 年的 4476 所和 1905 年的 8277 所，学生数则由 1902 年的 6912 人增至 1903 年的 31428 人、1904 年的 99475 人和 1905 年的 258873 人。[①] 并且，这种发展势头一直延续至 1911 年清朝覆灭。

第二，鼓励出国留学。派遣学生出国留学的做法亦始于洋务运动时期，两个最为著名的例子是 19 世纪七八十年代 120 名中国幼童赴美留学和福建船政学堂学生赴欧留学。但在清末新政改革之前，派遣中国学生出国留学均由地方督抚及一些重臣因办理洋务需要倡导和推动；清末新政改革开始后，留学政策才上升至国家政策层面，并由此得到推广。1901 年 9 月 16 日，清政府发布上谕，明令各省督抚仿照江苏、湖北、四川等省做法，选择文理明通之士出国留学；如学有成效，即行出具切实考语，咨送外务部考验，据实奏请奖励；留学经费也作为正式开支，由各省负责筹措。同时，上谕对自费留学亦予鼓励，宣布对自费留学生，各省督抚应咨明出使大臣随时照料；自费留学生如学成获得优等文凭回国，准照官派留学生一体考验、奖励和任用，分别赏给进士、举人等各项出身。[②] 随后，清政府又令相关部门和官员制定一系列鼓励留学的章程和规定，如 1903 年 10 月颁布的由张之洞制定的《奖励游兴毕业生章程》对毕业于各类日本学堂的留学生给予不同等级的奖励，规定：对毕业于日本普通中学堂、高等学堂、实业学堂、大学堂、国家大学堂和大学院，并获得文凭者，分别授以拔贡、举人、进士、翰林出身，加以任用。[③] 同时，清政府还批准张百熙、荣庆和张之洞三人的奏请，鼓励在职官员和王公子弟自费出国留学，免扣资俸；毕业回国后，将予破格奖励，立予重用。[④] 鉴于地理、文化和留学费用等多种因素，当时清政府特别提倡中国学生前往日本留学，认为"欧美各国，道远费重，即不能多往，而日本则断不可不到"。[⑤] 在清政府的提倡和鼓励下，新政教育改革启动后不久国内就出现留学日本的热潮，赴日留学的中国学生

① 详见王笛《清末新政与近代学堂的兴起》，《近代史研究》1987 年第 3 期。
② 《光绪宣统两朝上谕档》第 27 册，第 177 页。
③ 陈学恂、田正平编《中国近代教育史资料汇编·留学教育》，上海教育出版社，2007，第 58—59 页。
④ 陈学恂、田正平编《中国近代教育史资料汇编·留学教育》，第 22—23 页。
⑤ 陈学恂、田正平编《中国近代教育史资料汇编·留学教育》，第 21 页。

由 1901 年的 280 名左右增至 1902 年的 500 人和 1903 年的 1300 人左右，1905 年底则达到 8000 余人的规模。[①]

第三，改革和废除科举考试制度。始于隋唐的科举取士制度千余年来一直将教育与做官结合在一起，其弊端虽然长期以来受到许多有识之士的抨击，但始终没有受到动摇。1905 年 9 月 2 日，清政府应袁世凯、赵尔巽、张之洞等奏请，发布上谕，以科举制妨碍学校的发展，妨碍人才的培养，宣布"自丙午科为始，所有乡、会试一律停止，各省岁科考试亦即停止"。[②] 同年 12 月 6 日，又下令设立学部专管教育，且位在礼部之上。[③] 由此，清末新政终于完成了废除科举制这一重大教育改革，不但有力推动了新式学堂的大发展，而且深刻影响了中国近代政治、社会和价值观念的转型。[④]

根据《江楚三折》有关"练兵一端，必须改弦易辙，乃可图存"的改革思想，清政府在 1901—1905 年举办新政期间也进行了比较广泛的军事改革，以推动清朝军队的近代化。在宣布实行新政当年的 8—9 月，朝廷就发布数道上谕，谕令废除传统的武科科举考试，各省均设立近代武备学堂，培养新式军官，宣布裁汰和改造绿营、防勇等旧式军队，采用西式枪炮，建立一支国家常备军，申明"朝廷振兴戎政，在此一举，各该将军督抚，务当实力整顿，加意修明，期于日有起色"。[⑤] 1902 年 12 月 12 日，朝廷又以直隶总督袁世凯编练的北洋新军和湖广总督张之洞编练的自强军为全国编练新军的榜样和新军将目的训练基地，指令北方河南、山东、山西等省的新军将目均赴北洋学习操练，南方江苏、安徽、江西、湖南等省的新军

---

① 〔日〕实藤惠秀：《中国人留学日本史》，谭汝谦、林启彦译，三联书店，1983，第 39 页。
② 璩鑫圭、唐良炎编《中国近代教育史资料汇编·学制演变》，第 541 页。
③ 有关学部设立的经过及学部在推动晚清教育文化事业上的作用，请参见关晓红《晚清学部研究》，广东教育出版社，2000。
④ 对于废除科举制的历史意义，严复就没有局限于教育领域，而是将它与商鞅变法和秦始皇的废除封建制、建立郡县制相提并论，称："此事乃吾国数千年中莫大之举动，言其重要，直无异古之废封建、开阡陌。"见王栻主编《严复集》第 1 册，中华书局，1986，第 166 页。
⑤ 《光绪宣统两朝上谕档》第 27 册，第 152、172—173 页。有关清末军事改革研究，可参见〔美〕拉尔夫·尔·鲍威尔《中国军事力量的兴起（1895—1912）》，陈泽宪、陈霞飞译，中国社会科学出版社，1979；〔澳〕冯兆基《军事近代化与中国革命》，郭太风译，上海人民出版社，1994。

头目均赴湖北学习操练，练成后再回各省，带领训练新兵。[1] 1903 年 12 月 4 日，朝廷还在中央设立 "练兵处"，作为主管全国新军编练和教育的最高行政机关。

练兵处成立后，颁布了一系列军事法规和法令，以加快军队改革步伐。其中 1904 年 9 月 12 日奏准颁布的新军《营制饷章》，对军队建设加以统一规范，内容涉及军制、营制、军队军官的选任、士兵的招募、军队的训练和调派、官兵的奖惩和赏罚、军服军械以及卫生和后勤运输的标准和统一，以及各级大小军官薪水和各弁目兵丁饷银及各骡马、军械的开支，等等。根据该章程的规定，清末的军事力量由常备军、续备军和后备军构成。常备军考选 "土著之有身家者充之，屯聚操练，发给全饷"，三年后退伍返归原籍；续备军则以刚退伍的 "常备军" 充任，"分期操练，减成给饷"，三年后递退；后备军又以刚递退下的 "续备军" 充任，"仍分期应操，饷院又递减"，四年后退为平民。常备军新军的最高编制为军，下辖两镇，设总统为总指挥，统辖全军。平常新军的最高编制单位为镇（相当于师），设统制为最高指挥官；每镇下辖两协（相当于旅），设统领为指挥官；每协下辖两标（相当于团），设统带为指挥官；每标下辖三个营，每营设管带为指挥官；每营下辖前后左右四队，每队设队官为指挥官；每队下辖三排，设排长为指挥官；每排下辖三棚，设正目、副目为指挥官。此外，每镇还直辖马队、炮队各一标，工程、辎重各一营和一个军乐队。每镇官兵总人数为 12512 人。其中，全镇官长和司事人员 748 人，夫役人员 1328 名，弁目兵丁总计 10436 人。[2]《营制饷章》的颁布为清末新军的编练提供了统一标准，起到了很好的促进和指导作用。过了一年，北洋六镇即告编练成军；至 1911 年，编练成军的新军计有 14 个镇、18 个混成协及 1 个禁卫军和 4 个标，[3] 成为中国近代不可忽视的一支新式军事力量。

与此同时，练兵处还大力推进近代军事教育，先后制定和颁布《新定陆军学堂办法二十条》《陆军小学堂章程规则》《贵胄学堂章程》《陆军参

①　《光绪宣统两朝上谕档》第 28 册，第 314—315 页。

②　商务印书馆编译所编《大清光绪新法令》第 14 册，商务印书馆，1910 年铅印本，第 54—72 页。

③　有关清末新军编练经过，可参见中国社会科学院近代史研究所中华民国史组编《清末新军编练沿革》，中华书局，1978。

谋大学堂章程》，设立各类军事学堂，为中国培养合格的近代军事人才。根据《陆军学堂办法》的规定，清末陆军学堂分为四级：陆军小学堂、陆军中学堂、陆军兵官学堂和陆军大学堂。鉴于完成以上正课学堂学业需耗时 7 年 4 个月至 10 年，另设陆军速成学堂和速成师范学堂，以备目前各军武官及各堂教习之急需。另各省应在省会所在地设立一所讲武学堂，为在职军官们"研究武学之所"。《陆军学堂办法》和《陆军小学堂章程规则》还规定，根据全国常备军 36 镇所需官长 1/10 之数为定衡，全国须创办 27 所陆军小学堂。其中，大省陆军小学堂学额为 300 名，每年招收 100 名；小省学额为 210 名，每年招收 70 名；将军、都统驻地学额为 90 名，每年招收 30 名；另在京师设立一所蒙古陆军小学堂，专门招收蒙古子弟学生，定额为 120 名，每年招收 40 名。此外，清政府还在直隶、陕西、湖北和江苏分别设立第一至第四陆军中学堂。其中，陆军第一中学堂招收京师、直隶、山东、山西、河南、安徽及东三省和察哈尔驻防各小学堂毕业生；陆军第二中学堂招收陕西、甘肃、四川、新疆各小学堂毕业生；陆军第三中学堂招收湖北、湖南、云南、贵州、广西及荆州驻防各小学堂学生；陆军第四中学堂招收江苏、江西、浙江、福建、广东及驻防各小学堂学生。[①] 根据《贵胄学堂章程》的规定，该学堂系为满洲贵族军事学堂，除招收王公世爵和四品以上宗室子弟外，也招收二品以上京外满、汉文武大员的聪颖子弟，学期为 5 年，招收定额为 120 名，并于 1906 年 6 月正式开办。[②] 此外，为弥补国内军事教育之不足，练兵处还制定和颁布了《选派陆军学生游学章程》，规定赴日陆军留学生的选派以四班为一轮，每年选送一班，每班 100 名，至第四年四班送齐为一轮；留学经费由练兵处和各省各半筹措。[③] 而各省实际选派情况甚至超出练兵处的这一规定，至 1908 年 7 月，派赴留日陆军留学生便已不下一千人[④]。练兵处的上述举措有力地推进了清末的军事近代化。

在 1901—1905 年启动新政改革过程中，清政府对《江楚三折》中有关振兴实业的内容也予以相当重视，推出一系列改革措施。1902 年 2 月 24 日，清政府在发布的一道上谕中就充分强调"农工商业，为富强之根本，

① 《大清光绪新法令》第 14 册，第 1—3、8—27 页。
② 《大清光绪新法令》第 14 册，第 29 页。
③ 《大清光绪新法令》第 14 册，第 3—5 页。
④ 《清末新军编练沿革》，第 342 页。

自应及时振兴"，明令各省按照刘、张的改革建议，认真兴办。① 3 月 11 日，又以"近来地利日兴、商务日广"，谕令设馆编纂矿律、路律、商律，"用示通变宜民之至意"。② 一年之后（1903 年 4 月 22 日），清政府再次发布上谕，令载振、袁世凯和伍廷芳尽快制定商律，以便设立商部，提倡工艺，鼓舞商情，宣称："通商惠工，为古今经国之要政。自积习相沿，视工商为末务，国计民生，日益贫弱，未始不因乎此。亟应变通尽利，加意讲求……庶几商务振兴，蒸蒸日上，阜民财而培邦本，有厚望焉。"③ 9 月 7 日，未及商律编竣，清廷就迫不及待地宣布设立商部，任命庆亲王之子载振为尚书，伍廷芳、陈璧为左、右侍郎，下设四个司，职权涵盖各个经济领域。其中保惠司主要负责处理商务，平均司主要负责农林牧副业，通艺司主要负责近代工矿、交通事业，会计司主要负责税务、银行、货币、赛会和度量衡等事务。商部成立后，成为清朝政府振兴实业的总机关，并在清朝各部中位列第二，仅次于外务部，充分体现了当时清政府对发展经济的重视。

值得特别指出的是，清政府在 1901—1905 年推行的经济政策和改革已明显突破封建制度的樊篱而具有资本主义性质。清政府在这一期间制定和颁布的一系列经济政策和法令、法规，多仿照西方资本主义国家做法，以促进中国近代工商业的发展。如 1904 年初商部颁布的《商人通例》对商人身份、经商权利及相关通行制度从法律上做了规定；《公司律》则将近代西方资本主义企业的组织形式引入国内，将公司形式分为合资公司、合资有限公司、股份公司、股份有限公司四种，规定合资有限公司和股份有限公司在其公司亏空倒闭后只承担有限责任，只以变卖合资人和股份公司的资产为限，不得向合资人或股东另行追补，并给予商办公司与官办、官商合办公司同等的法律地位，声明"无论官办、商办、官商合办等各项公司及各局（凡经营商业者皆是），均应一体遵守商部定例办理"。④《公司注册试办章程》则进一步明确规定："无论现已设立与嗣后设立之公司局厂行号铺

① 《光绪宣统两朝上谕档》第 28 册，第 17 页。有关清末经济政策和改革的研究，可参见朱英《晚清经济政策与改革措施》，华中师范大学出版社，1996。
② 《光绪宣统两朝上谕档》第 28 册，第 36—37 页。
③ 《光绪宣统两朝上谕档》第 29 册，第 71—72 页。
④ 《商部奏定商律》，《大清光绪新法令》第 16 册，第十类"实业·商律破产律"，第 4 页。

店，一经注册，即可享一体保护之利益。"① 第二年，商部又奏定《破产律》69 条，对投资工商业的合法破产者予以保护，强调不能按刑法对待之，对诈伪倒骗与正常亏蚀倒闭应加区别，"若仅以惩罚示儆之条预防流弊，而无维持调护之意体察下情，似与保商之道犹未尽也"。② 商部奏准颁布的《重订铁路简明章程》《矿务暂行章程》《矿政调查局章程》等，也多鼓励本国官商投资近代铁路和矿务，以收回利权，因此招来帝国主义列强的严重抗议。③ 同样，清政府和商部在制定《商标注册试办章程》及在专利和版权保护等问题上，也都以保护本国企业商标和有助中国学习和引进西方先进技术为宗旨，因此招来帝国主义列强的强烈不满和干涉。④ 另外，商部制定颁布《奖给商勋章程》，奖励国内实业家从事创造发明，规定工商业者凡有"创制新法新器，以及仿各项工艺，确能挽回利权，足资民用者"，由朝廷颁给商勋，酌予奖励。⑤ 另制定颁布《商会简明章程》《商部接见商会董事章程》，鼓励和支持国内商人设立商会组织，用以"通商情、保商利"，密切官商关系。⑥ 此外，清政府还启动货币金融和财政改革，于 1903 年 4 月 22 日设立财政处，谕令庆亲王奕劻和瞿鸿禨会同户部整理财政，划一币制，强调"从来立国之道，端在理财用人。方今时局艰难，财用匮乏，国与民俱受其病，自非通盘筹画，因时制宜，安望财政日有起色"。⑦ 但这一时期

① 《商部奏定公司注册试办章程》，《大清光绪新法令》第 16 册，第十类 "实业·注册"，第 26—27 页。

② 《商部修律大臣会奏议订商律续拟破产律折》，《大清光绪新法令》第 16 册，第十类 "实业·商律破产律"，第 13 页。

③ 有关清政府与列强围绕收回路矿权利所展开的交涉和斗争，可参见 Lee En-han, *China's Quest for Railway Autonomy, 1904-1911* (Singapore：Singapore University Press, 1977)；李恩涵《晚清的收回矿权运动》，"中央研究院" 近代史研究所，1978。

④ 有关清政府与列强在知识产权保护问题上的矛盾和冲突，可参见 William P. Alford, *To Steal a Book Is an Elegant Offence*：*Intellectual Property Law in Chinese Civilization* (Stanford：Stanford University Press, 1995)，pp. 30-49；崔志海《中国近代第一部商标法的颁布及其夭折》，《历史档案》1991 年第 3 期；崔志海《试论 1903 年中美〈通商行船续订条约〉》，《近代史研究》2001 年第 5 期。

⑤ 《商部奏酌拟奖给商勋章程折》，《大清光绪新法令》第 16 册，第十类 "实业·劝业"，第 47 页。

⑥ 有关清末官商关系的调整和商会的兴起，可参见〔美〕陈锦江《清末现代企业与官商关系》，王笛等译，中国社会科学出版社，1997；虞和平《商会与中国早期现代化》，上海人民出版社，1993。

⑦ 《光绪宣统两朝上谕档》第 29 册，第 71 页。

朝廷有关货币金融和财政改革的思路并不清晰，许多政策尚在讨论，具体的改革成果十分有限，其中一个比较重要的成果是 1904 年财政处会同户部颁布《试办户部银行章程》，创办户部银行。总之，在 1901—1905 年的新政改革中，清朝这个封建旧政权部分已开始接受和仿行资本主义国家的经济政策。中国近代资本主义经济在 20 世纪头十年得到初步发展，应该说与这一时期清政府的经济政策和改革有着直接关系。

再者，根据《江楚三折》"治国如治疾""欲行新法必先除旧弊"的改革思路，清政府还开始着手整顿吏治，进行行政改革，诸如颁布上谕，宣布裁汰书吏、差役，停止捐纳买官，改陋规为公费等。另为适应社会发展的需要，一方面，清政府裁撤了一些闲衙冗员，增设了新机构，如 1902 年裁撤河东河道总督，裁撤通政使司，将詹事府并入翰林院；1904 年裁撤督抚同城的湖北、云南巡抚和粤海关、淮安关和江宁织造衙门；1905 年裁撤广东巡抚衙门；等等。另一方面，清政府又先后增设外务部、商部、练兵处、财政处、学部和巡警部等新机构。此外，还改良刑狱，修订刑律，限制刑讯逼供，规定"以后除盗案命案、证据已确而不肯认供者，准其刑吓外，凡初次刑供时及牵连人证，断不准轻加刑责"。[①] 1905 年经沈家本、伍廷芳奏准，又废止部分酷刑，规定"凡死罪至斩决而止，凌迟及枭首、戮尸三项，着即永远删除"，"刺字等项，亦着概行革除"。[②] 同时，又推行了一些社会改良政策，如 1902 年 2 月 1 日，朝廷发布上谕，宣布废除满汉通婚禁令，称："满汉臣民，朝廷从无歧视。惟旧例不通婚姻，原因入关之初，风俗语言，或多未喻，是以著为禁令。今则风道同一，已历二百余年，自应俯顺人情，开除此禁。所有满汉官民人等，着准其彼此结婚，毋庸拘泥。"同时，要求戒除汉人女子缠足陋习，指出："至汉人妇女，率多缠足，由来已久，有伤造物之和，嗣后缙绅之家，务当婉切劝导，使之家喻户晓，以期渐除积习。"[③] 但上述这些改革并没有触及政治体制，基本上还是在传统体制内进行行政改革和社会改良，这是 1901—1905 年新政改革与 1906 年开始的预备立宪改革最大的一个区别。也正是由于这一区别，

---

① 朱寿朋编《光绪朝东华录》第 5 册，总 5329 页。
② 朱寿朋编《光绪朝东华录》第 5 册，总 5328 页。
③ 《光绪宣统两朝上谕档》第 27 册，第 272 页。

过去有些学者不恰当地只把 1901—1905 年清政府的改革称为"清末新政"，而将 1905 年之后的预备立宪改革排除在清末新政之外。其实，1905 年之前的改革与此后的预备立宪改革是清末新政中两个彼此关联的改革阶段，前后有着很强的政策连续性，不能只以政治改革作为立论依据。

三　1906—1908 年：政治改革的启动

在清末新政改革过程中，1905 年是一个重要的分水岭。受日俄战争日胜俄败系立宪战胜专制神话的迷惑和鼓舞，在国内立宪派和一部分官员的建议和奏请下，清政府开始酝酿启动政治体制改革。是年 7 月，清廷颁布上谕，命镇国公载泽等五大臣出洋考察政治。1906 年 9 月 1 日，清廷发布诏书，宣布"仿行宪政"，将政治体制改革置于核心地位，作为新政的突破口，要求各项改革都要为预备立宪服务，强调中国之所以国势不振，"实由于上下相睽，内外隔阂，官不知所以保民，民不知所以卫国"；而各国之所以富强，"实由于实行宪法，取决公论"。①

清廷预备立宪仿效日本明治维新做法，也从改革官制入手。在颁布预备立宪上谕的次日，清廷就委派载泽、世续、那桐、载振、荣庆、铁良、奎俊、寿耆等八名满洲亲贵和张百熙、徐世昌、袁世凯、戴鸿慈、葛宝华、陆润庠等六名汉人大臣为编纂新官制大臣，另令端方、张之洞、升允、锡良、周馥、岑春煊等地方重臣选派司道大员进京随同参议，并加派奕劻、孙家鼐、瞿鸿禨为总司核定大臣。9 月 6 日，又专门成立官制编查馆，吸收一大批学习政法的留日归国官员如金邦平、汪荣宝等入馆参与官制的起草工作。由此可见清政府对官制改革的重视和认真。

经过两个月的策划、争论和商议，11 月 6 日，清廷最终颁布上谕，推出由慈禧钦定批准的中央新官制。这个中央新官制的基本内容如下：内阁军机处一切照旧，各部尚书均充参预政务大臣，轮班值日，随时听候召对。

---

① 《宣示预备立宪先行厘定官制谕》（光绪三十二年七月十三日），故宫博物院明清档案部编《清末筹备立宪档案史料》上册，中华书局，1979，第 43—44 页。按：有关清末立宪运动史的研究，以韦庆远、高放、刘文源合著《清末宪政史》（中国人民大学出版社，1993）和侯宜杰著《二十世纪初中国政治改革风潮》（人民出版社，1993）所做的研究最为全面，走在国内学者前列。

中央行政改设 11 部，它们依次为外务部、吏部、民政部、度支部、礼部、学部、陆军部、法部、农工商部、邮传部、理藩院，各部主管除外务部外，其余设尚书 1 人、侍郎 2 人，不分满汉；监察机构都察院设都御史 1 人，副都御史 2 人；改大理寺为大理院，专掌审判。另外，增设资政院，以为博采众言；增设审计院，以为核查经费。再者，一些主要与宫廷皇室有关的机构，如宗人府、内阁、翰林院、钦天监、銮仪卫、内务府、太医院、各旗营、侍卫处、步军统领衙门、顺天府、仓场衙门等均保留不变。①

在颁布中央官制的同一天，朝廷又颁布上谕，启动地方官制改革，谕令奕劻等编纂新官制大臣编订直省官制，并会同地方督抚筹备推行地方自治制度。由于地方官制牵涉地方利益，较诸中央官制更为复杂，经过长达 8 个月的策划、讨论和商议，1907 年 7 月 7 日奕劻、载泽等编纂新官制大臣才奏定地方官制改革方案。这个地方官制改革方案的主要内容如下：一省或数省设总督一员，总理该地方外交、军政，统辖地方文武官员；总督所驻省份不再另设巡抚，由总督兼管该省巡抚事；每省设巡抚一员，总理本省行政，但外交、军政事宜须承本管总督办理。除东三省外，各省督抚之下设三司、两道。三司分别为布政司，负责该省户口、财赋，考核该省地方官吏；提学司，管理该省教育事务，并监督各类学堂和学会；提法司，管理该省司法行政事务，监督各省审判。两道分别为劝业道，专管全省农工商及各项交通事务及驿传事务；巡警道，专管全省巡警、消防、户籍、营缮、卫生等事务。各省行政区划则依管辖区域大小、任务繁重，分为府、直隶州和直隶厅三种；府、厅、州之下为散州和县两种。各直隶州、直隶厅及各州、县应设佐治官——巡警长、视学员、劝业员、典狱、主计员各 1 人，旧有佐贰杂职一律裁撤。另外，各省应就地方情形，分期设立府、厅、州、县议事会、董事会，由民政部拟定细则后施行；各省应分期设立高等审判厅、初级审判厅，分别受理诉讼及上诉事件。② 同日，朝廷还颁布上谕，宣布该地方官制方案先在东三省试行，直隶、江苏两省择地试办，各省于 15 年内分期完成官制改革。

---

① 《裁定奕劻等拟中央各衙门官制谕》（光绪三十二年九月二十日），《清末筹备立宪档案史料》上册，第 471—472 页。

② 详见《总司核定官制大臣奕劻等奏续订各直省官制情形折》（光绪三十三年五月二十七日），《清末筹备立宪档案史料》上册，第 503—510 页。

由于此次官制改革依旧保留军机处，并没有仿行立宪国家的官制成立责任内阁，地方官制也变动不大，且有些虎头蛇尾，因此当时舆论大失所望，多责备清廷无实行宪制之意。但考虑到官制改革遭到各方面的强烈抵制和反对，清廷推出这个新官制实属不易，并不能说明清廷无立宪诚意。任何改革都不能一蹴而就，需要妥协和循序渐进。事实上，朝廷在 11 月 6 日批准中央新官制的上谕中就明确表示：“此次斟酌损益，原为立宪始基，实行预备，如有未尽合宜之处，仍着体察情形随时修改，循序渐进，以臻至善。”① 而当时清廷在最后批准的中央官制中否决裁撤军机处、成立责任内阁方案，一方面的确说明清朝最高统治者无意削弱君主权力，另一方面也与当时清廷内部的权力斗争有密切关系，即防止奕劻和袁世凯出任总理大臣，攫取政府权力。

并且，就新官制来说，虽然没有成立责任内阁，但是立宪政治的三权分立原则一定程度上还是得到了贯彻。如在中央和地方官制中，在行政部门之外，安排设立大理院和高等审判厅、初级审判厅专管审判。这就贯彻了司法独立的原则。另外，在中央增设资政院，在地方设立府、厅、州、县议事会、董事会，筹备地方自治，也有为将来中央和地方开设议院做准备之意。而各部尚书均充参预政务大臣的做法，实也寓有向责任内阁过渡之意，至少部分吸收了责任内阁的制度安排。再者，新官制的机构和官员设置较以前更为合理，更趋职业化和专业化，很大程度上消除了旧体制中的权限不分、职责不明、名实不符等弊端，促进了国家行政机构的近代化。总之，新官制既有保守一面，也有合理性和进步一面，是当时清廷内改革派和反改革派妥协的一个结果，不应简单地看作“伪改革”。

新官制出台后，清政府事实上在继续推进预备立宪政治改革。1907 年 7 月 8 日，在推出地方官制改革的第二天，清廷紧接着就发布上谕，就立宪如何预备和施行向全国官民征求建议，称：“直省官制已据王大臣议拟饬行试办矣。惟立宪之道，全在上下同心，内外一气，去私秉公，共图治理。自今以后，应如何切实预备，乃不徒托空言，宜如何逐渐施行，乃能确有成效，亟宜博访周谘，集思广益，凡有实知所以预备之方施行之序者，准各

----

① 《裁定奕劻等复拟中央衙门官制谕》（光绪三十二年九月廿日），《清末筹备立宪档案史料》上册，第 572 页。

条举以闻。"① 同年 8 月，清廷将考察政治馆改为宪政编查馆，作为编制宪政文件的总机关，使该机构的目标和任务更为明确，并归军机大臣直接领导。9 月 9 日，鉴于先前五大臣出洋考察各国政治过于宽泛，清廷特简外务部右侍郎汪大燮、邮传部右侍郎于式枚、学部右侍郎达寿分赴英、德、日三国考察宪政，为清政府制定宪法提供参考。9 月 20 日，清廷颁布上谕，明确宣布在上下议院未开之前，以资政院为议院之基础，并任命溥伦、孙家鼐为资政院总裁，责成他们会同军机大臣妥拟《资政院章程》。10 月 19 日，为与中央未来开设议院相配合，清廷又发布上谕，要求各省尽快设立谘议局作为未来的地方议会，由各省合格绅民公举贤能作为该局议员，共同集议各省应兴应革等各项地方事宜，并为资政院储备人才。

　　经过近一年的筹备，同时由于受国内速开国会请愿运动的影响，至 1908 年 7、8 月，清政府便加快了预备立宪的进程。为表明其立宪诚意，清廷于 7 月 8 日即匆匆将资政院院章第一章"总纲"和第二章"选举"先行颁布，同时督促其余八章"着即迅速妥订，具奏请旨"。② 7 月 22 日，又将宪政编查馆会同资政院拟订的《谘议局章程》62 条和《谘议局议员选举章程》115 条公布于世，并令各省督抚迅速举办，实力奉行，限一年内开办，申明"中国立宪政体前已降旨宣示，必须切实预备，慎始图终，方不致托空言而鲜实效"，并进一步要求宪政编查馆、资政院等部门加紧将宪法大纲及议院选举各法，以及议院未开之前逐年应行筹备事宜详细罗列，具奏呈览，"以立臣工进行之准则，而副吾民望治之殷怀，并使天下臣民晓然于朝廷因时制宜、变法图强之至意"。③ 根据清廷的指示，宪政编查馆会同资政院很快于 8 月 27 日推出中国近代第一部宪法《钦定宪法大纲》和《议院法要领》《选举法要领》及《议院未开以前逐年筹备事宜清单》（又称《九年筹备立宪清单》），明确宣布开设议院年限为九年，"拟自本年光绪三十四

---

①　《立宪应如何预备施行准各条举以闻谕》（光绪三十三年五月二十八日），《清末筹备立宪档案史料》上册，第 44 页。

②　《资政院等奏拟订资政院院章折》（光绪三十四年六月初十日），《清末筹备立宪档案史料》下册，第 628 页。

③　《谘议局及议员选举章程均照所议办理着各省督抚一年内办齐谕》（光绪三十四年六月二十四日），《清末筹备立宪档案史料》下册，第 684 页。

年起，至光绪四十二年止，限定九年将预备各事一律办齐"。① 同日，朝廷即颁布上谕，对上述 4 个文件予以批准，承诺"至开设议院，应以逐年筹备各事办理完竣为期，自本年起，务在第九年内将各项筹备事宜一律办齐，届时即行颁布钦定宪法，并颁布召集议员之诏"，并要求在京各衙门以及外省各督抚、府尹、司道等均须将《九年筹备立宪清单》悬挂堂上，按照清单所开各节依限举办，每届 6 个月，将举办成绩报宪政编查馆核查。②

根据筹备立宪清单，每年筹办内容具体如下。第一年（1908）：筹办谘议局；颁布城乡地方自治章程和清理财政章程；请旨设立变通旗制处，筹办满汉生计，融化满汉事宜；编辑简易识字课本和国民必读课本；修改新刑律；修订民律、商律、刑事民事诉讼律等法典。第二年（1909）：举行谘议局选举，各省一律开办；颁布资政院章程，举行该院选举；筹办城镇乡地方自治，设立自治研究所；颁布厅州县地方自治章程；调查各省人户总数和各省岁出入总数；厘定京师官制；编订文官考试章程、任用章程、官俸章程；颁布法院编制法；筹办各省省城及商埠等处各级审判厅；核定新刑律；颁布简易识字课本，创设厅州县简易识字学塾；颁布国民必读课本；厅州县巡警限一年内粗具规模。第三年（1910）：召集资政院议员举行开院；续办城镇乡地方自治；筹办厅州县地方自治；汇报各省人户总数；编订户籍法；复查各省岁出入总数；厘定地方税章程；试办各省预算决算；厘定直省官制；颁布文官考试章程、任用章程、官俸章程；各省省城及商埠等处各级审判厅限年内一律办齐；颁布新刑律；推广厅州县简易识字学塾；厅州县巡警限年内一律完备。第四年（1911）：续办城镇乡和厅州县地方自治；调查各省人口总数；编订会计法；会查全国岁出入总数；颁布地方税章程；厘定国家税章程；实行文官考试章程、任用章程、官俸章程；筹办直省府厅州县城治各级审判厅；创设城镇简易识字学塾；筹办城镇巡警；核订民律、商律、刑事民事诉讼律等法典。第五年（1912）：城镇乡地方自治，限年内粗具规模；续办厅州县地方自治；汇报各省人口总数；颁

---

① 《宪政编查馆资政院会奏宪法大纲及议院法选举法要领及逐年筹备事宜折》（光绪三十四年八月初一日），《清末筹备立宪档案史料》上册，第 67—68 页。

② 《九年筹备立宪逐年推行筹备事宜谕》（光绪三十四年八月初一日），《清末筹备立宪档案史料》上册，第 57 页。

布户籍法；颁布国家税章程；颁布新定内外官制；直省府厅州县城治各级审判厅，限年内粗具规模；推广乡镇简易识字学塾；推广乡镇巡警。第六年（1913）：实行户籍法；试办全国预算；设立行政审判院；直省府厅州县城治各级审判厅一律成立；筹办乡镇初级审判厅；实行新刑律；厅州县地方自治和乡镇巡警，限年内粗具规模。第七年（1914）：试办全国决算；颁行会计法；试办新定内外官制；厅州县地方自治一律成立；乡镇初级审判厅，限年内粗具规模；人民识字义者，须达百分之一。第八年（1915）：确定皇室经费；变通旗制，一律办定，化除畛域；设立审计院；实行会计法；乡镇初级审判厅一律成立；实行民律、商律、民事刑事诉讼律等法典；乡镇巡警一律完备；人民识字义者，须达五十分之一。第九年（1916）：宣布宪法和皇室大典；颁布议院法和上下议院选举法；举行上下议院议员选举；确定预算决算；制定明年确当预算案；新定内外官制一律实行；设弼德院顾问大臣；人民识字义者，须达到二十分之一。[①]

从这份清单的内容来看，清政府筹备立宪的任务还是相当繁重的，每年开列的工作除第七年和第八年仅为 6 项和 8 项外，其余都在 9 项以上，平均每年有 10 项之多，每项工作都有始有终，且每年都有具体目标。这些内容基本上与立宪政治有关，概括起来，大体涉及以下数端：修订和颁布宪法；制定和颁布议院法和议院选举法，开办上下议院，以及推行地方自治制度；修订、颁布和施行中央和地方官制，以及创设文官制度和设立相关行政监督机构；修订刑律、民律、商律、民事刑事诉讼律等法典，实行法制改革，同时设立各级审判厅，实现司法独立；完成全国人口普查，制定、颁布和实行户籍法；实行财政制度改革，调查地方和中央岁出入总数，制定、颁布和实行地方税和国家税章程及会计法，最终实行预决算制度；逐步提高普通民众识字率，最终实现民众识字率达到 1/20 的目标。此外，还要逐步变通旗制，消除满汉畛域，同时逐步在全国推行巡警制度，为筹备立宪政治提供良好的政治和社会治安环境。鉴于中国国土的辽阔及经济和教育的落后，且缺乏立宪政治传统，清政府要在九年内完成上述立宪筹备工作，任务是相当艰巨的，那种揣度清政府行九年预备立宪意在拖延的看法，是难以成立和缺乏依据的。

———————————

① 《附逐年筹备事宜清单》，《清末筹备立宪档案史料》上册，第 61—67 页。

一方面，在《钦定宪法大纲》里，清政府接受了立宪政治的三权分立原则和法治原则，同意君主权力接受宪法的约束，《钦定宪法大纲》的前言明确宣示：本宪法大纲"谨按君主立宪政体，君上有统治国家之大权，凡立法、行政、司法，皆归总揽，而以议院协赞立法，以政府辅弼行政，以法院遵律司法。上自朝廷，下至臣庶，均守钦定宪法，以期永远率循，罔有逾越"。并且，《钦定宪法大纲》还初步接受立宪国家的人权原则，其第二部分的前六条规定在法律允许范围内，臣民享有言论、著作、出版、集会、结社、财产居住和人身等自由和诉讼权利，以及依法定资格担任文武官员和议员的权利。就此来说，《钦定宪法大纲》的颁布是中国政治生活中一件破天荒的事情，开了中国立宪政治的先河。

另一方面，《钦定宪法大纲》又抄袭日本宪法，其第一部分前14条赋予立宪君主与专制君主几乎完全相当的权力，总揽立法、行政和司法大权，不但政府对皇帝负责，而且议会对皇帝也只有"辅弼""协赞"作用，宣布大清皇帝"万世一系，永永尊戴""君上神圣尊严，不可侵犯"，规定：皇帝在立法和对立法机关之议会及发布行政命令方面，有颁行法律及发交议案之权，有召集、开闭、停展及解散议会之权，有发命令及使发命令之权，有在议会闭会期间代发紧急诏令之权；在军事方面，有统率陆海及编定军制之权和宣告戒严之权；在人事和赏爵方面，有设官制禄及黜陟之权，有赏爵及恩赦之权；在司法方面，有总揽司法之权；在对外方面，有宣战、议和、订立条约及派遣使臣和认授使臣之权；在皇室事务方面，有制定皇室经费常额及议定皇室大典之权。同样，《议院法要领》和《选举法要领》也最大限度地限制了议会权力及臣民的选举资格，表现出很强的保守性。

综观1906—1908年清廷的政治改革，其显然与民间立宪派所期待的尚有很大距离。清政府从巩固君权、减轻外患和消弭革命这三个目的出发，它所认可的政治改革至多接受某种类似日本和德国崇尚君权的二元制君主立宪政体，尚无意接受和采纳民间立宪派所期待的英国式议会制君主立宪政体。作为统治者，清政府对于政治改革所持的这一立场是十分明确和公开的，并像人们所批评的那样，抱有"欺骗"意图。当然，清政府和民间立宪派在政治改革上的这一分歧和矛盾，无论是对清末政治改革，还是对整个新政改革，都造成致命的伤害。这是当时的清朝统治者始料未及的。

四　1909—1911 年：摄政王载沣主持下的改革

1908 年 11 月 14 日、15 日光绪帝和慈禧相继去世后，清朝最高权力出乎意料地实现了平稳交接。根据慈禧的临终安排，年仅三岁的溥仪于 12 月 2 日举行登基典礼，正式继任皇位，溥仪的父亲醇亲王载沣则以摄政王身份具体负责清朝军国大事。从此，清末新政改革进入摄政王载沣时代。

由于摄政王载沣执政三年清朝即告灭亡，同时由于摄政王载沣政策上的一些失误，对于载沣主持下的改革，人们长期以来不予重视，甚至认为这一时期改革出现严重倒退。但事实上，在载沣执政的三年里，清末新政的各项改革不但没有中断，而且在经历八年改革之后，进入关键的实施阶段，不少方面还有所扩大和深化。

首先，在政治改革领域，载沣在举行登基典礼的次日（12 月 3 日）就以宣统帝名义发布诏书，向中外宣示将严格执行《九年筹备立宪清单》的要求，仿行立宪"仍以宣统八年为限，理无反汗，期在必行"。[1] 1909 年 1 月 2 日，谕准宪政编查馆在馆内设立考核专科，负责考核京外各衙门应行筹备工作。3 月 6 日，发布上谕，重申朝廷推行预备立宪的决心，宣称："国是已定，期在必成，嗣后内外大小臣工皆当共体此意，翊赞新猷。"[2] 5 月，斥责陕甘总督升允反对和诋毁立宪，并于 6 月 23 日发布上谕，准其开缺，以示惩戒。[3] 针对宪政编查馆在考核中发现京外各衙门在筹备立宪过程中存在不作为等问题，11 月 25 日，载沣再次颁布上谕，要求各级政府机构和官员实心办事，指出"先朝谕旨，谆谆以筹备立宪为要图，业经严定年限，各专责成，期于计日程功，届时颁布，不止三令五申。朕临御以来，又复叠降明谕，或于批折内告诫再三，其于宪政前途、实事求是之心，早为天下臣民所共见"，警告各级机构和官员不得因循敷衍，遇事畏难、推诿，毫无作为，否则，"朕惟有凛遵上年八月初一日谕旨，按照溺职例惩处"。[4]

---

①　《光绪宣统两朝上谕档》第 34 册，第 274 页。

②　《光绪宣统两朝上谕档》第 35 册，第 63 页。

③　《光绪宣统两朝上谕档》第 35 册，第 229 页。

④　《光绪宣统两朝上谕档》第 35 册，第 432—433 页。

在摄政王的严厉督促和强力推动下，作为未来地方和全国立法机关的谘议局和资政院如期开办。按照《九年筹备立宪清单》的规定，至 1909 年 10 月 14 日，除新疆外，全国 21 个行省的谘议局均如期成立，一律开办。根据 1908 年 7 月 22 日清政府颁布的《谘议局章程》和《谘议局议员选举章程》的内容，以及各省第一届会议的实际情况，一方面，谘议局还没有像在立宪国家那样具有完全的地方立法权和行政监督权，如章程规定"各省督抚有监督谘议局选举及会议之权，并于谘议局之议案有裁夺施行之权"；[①] 在有关谘议局与地方督抚之间来往的行文用语上，章程也未将谘议局放在与地方督抚平等的位置上，对督抚的行文，《各省谘议局章程》均用了"呈候""呈请""报告"等下级对上级的用语，督抚对谘议局的行文则用"令""批答""批准"等上级对下级的用语。[②] 此外，由于章程对选举人资格实行严格限制，致使各省实际享有选举权的人数在各省总人口中所占的比例十分有限，最高为 0.62%，最低仅为 0.19%，平均为 0.42%。[③]

另一方面，谘议局并非地方督抚的咨询机构，也非毫无实际意义的民主制度的点缀品，而是一个可以独立议事、拥有一定程度立法权和监督行政权的地方议会。章程第六章第 21 条明确规定谘议局拥有以下 12 项职责和权限：（1）议决本省应兴应革事件；（2）议决本省岁出入预算；（3）议决本省岁出入决算；（4）议决本省税法及公债；（5）议决本省担任义务增加事件；（6）议决本省单行章程规则的增删和修改；（7）议决本省权利的存废；（8）选举资政院议员；（9）申复资政院咨询；（10）申复督抚咨询事件；（11）公断和解本省自治会争议事件；（12）收受本省自治会或人民的陈请建议。同时，章程第六章还赋予谘议局一定的地方行政监督权，规定本省官绅如有纳贿及违法等事，谘议局得指明确据，呈候督抚查办；本省督抚如有侵夺谘议局权限，或违背法律等事，谘议局可以呈请资政院核办；谘议局于本省行政事件及会议厅议决事件，如有疑问，有权呈请督抚批答，强调"本条系申明谘议局于本省政务有与议之权"；在谘议局议决

---

① 《清末筹备立宪档案史料》下册，第 681 页。

② 按：在后来谘议局第一届会议上，浙江、江苏、江西、奉天等许多省的谘议局议员就对这套谘议局与地方督抚往来公文格式表示强烈不满，要求改用平行机关的"照会""咨""移"等用词。

③ 张朋园：《立宪派与辛亥革命》，吉林出版集团有限责任公司，2007，第 14—15 页。

事件或督抚交令复议事件上，谘议局与督抚如争议不下，得将全案咨送资政院核议。这些规定在一定程度上已将谘议局与地方督抚放在一个平行的位置上。此外，章程中有关谘议局内部组织、会议程序、议事和表决方式，以及议员、议长、常驻议员的产生、任期、补缺和改选、辞职及对议员的处分等的规定，也基本符合立宪国家的议会规则。而在谘议局第一届会议上，总计1643名各省议员，虽然89%为有传统功名的士绅阶级，但是他们多数是受过新式教育的新知识人，是地方立宪派人物，且大多是43岁左右的中年人，年富力强，具有极强的议政和参政能力。[1]多数议员在第一届会议上积极议政、参政，并在会后发起速开国会请愿运动。谘议局的成立为一部分国民打开了行使民主权利的第一扇大门，并在随后的两年里成为推动中国民主化进程的一股重要政治力量和一个有力的战斗堡垒。

在筹备开办谘议局的同时，根据《九年筹备立宪清单》的安排，地方自治得以加速推进。1909年1月18日，摄政王载沣上台执政不久就颁布了《城镇乡地方自治章程》和《城镇乡地方选举章程》，强调"地方自治为立宪之根本，城镇乡又为自治之初基，诚非首先开办不可"，谕令民政部和各地方"迅即筹办，实力奉行，不准稍有延误"。[2]1910年2月，又颁布《京师地方自治章程》《京师地方选举章程》《府厅州县地方自治章程》《府厅州县议事会议员选举章程》。在清政府的督责下，地方自治在清朝的最后三年里进入实质性实施阶段，在全国各地推广开来。据不完全统计，截至1911年，全国成立的城议事会、董事会超过1087个，镇议事会、董事会超过580个，乡议事会、董事会超过2070个；而其上之府厅州县议事会则超过329个。[3]

与开办谘议局和推行地方自治制度相呼应，作为国家议会的过渡性机构的资政院也在摄政王政府的推动下，于1910年10月3日如期成立。根据1909年8月摄政王批准颁布的《资政院章程》65条，资政院作为一个过渡

① 有关谘议局议员的身份分析，请参见张朋园《立宪派与辛亥革命》，第23—27页。
② 《光绪宣统两朝上谕档》第34册，第368页。
③ 以上数据根据马小泉《国家与社会：清末地方自治与宪政改革》（河南大学出版社，2001）第157—159页中的相关统计及说明得出。另，有关清末地方自治运动的研究，可参John H. Fincher, *Chinese Democracy: The Self-Government Movement in Local, Provincial and National Politics, 1905-1914* (Canberra: Australian National University Press, 1981)。

性的立法机构，尚不完全具备立宪国家议会的性质，其民主色彩较谘议局薄弱，如资政院的总裁和副总裁均由君主特旨简充，议员的产生钦选和谘议局议员互选各为100名。① 同时，资政院的立法权也不完全，无制定修改宪法之权，议决的议案还须经过君主"裁夺"；在政府与资政院的关系上，并无军机大臣对资政院负责的规定，军机大臣和各部行政大臣如有侵夺资政院权限或违背法律之事，以及在资政院通过的议案上发生分歧时，资政院只能请旨裁夺。另外，资政院又拥有一些立宪国家议会所具有的职能和权力，如根据院章规定，资政院拥有议决国家财政预决算、税法和公债的权力，拥有制定和修改宪法之外的新法典的权力，拥有质问行政部门的权力，拥有弹劾军机大臣、行政大臣侵夺资政院权限或违背法律的权力，拥有核议具奏谘议局与地方督抚异议事件的权力。而在资政院第一届常年会召开后，在民选议员的强力推动和主导下，资政院也积极行使上述民主权力。在100天的会期里，资政院议案讨论的内容涉及政治、经济、军事、外交、法律、文化、教育、地方事务和社会习俗等各个方面。其中，针对各省谘议局与地方督抚发生许多有争执的议案，资政院专门设置了由18人组成的"审查各省谘议局关系事件特任股员会"，负责审查研究，向全体会议提出审查报告，调解督抚与谘议局之间的争议，或支持谘议局行使正当权力。在经济领域，资政院曾提出商办铁路非经国会协赞不得收回国有案、铁路公司适用商律案等重要议案。在改良社会风俗方面，资政院提出的重要议案有改用阳历案、禁止妇女缠足案、禁烟案和剪发易服案等。在政治领域，资政院不但多次行使质问权，对各衙门行政事件及内阁会议政务处议决事件提出质询，而且公开提出速开国会案、设立责任内阁和弹劾军机大臣案及开放党禁案等重大敏感政治议案。② 这些都充分表明资政院并不是一个封建专制机构，而是一个民主政治机构。它与谘议局一道推进了中国民主化的历史进程。

继谘议局和资政院相继开办之后，作为立宪政治另一重要制度设置的责任内阁制也在速开国会请愿运动的催促下，于1911年5月8日宣告成立。是日，摄政王政府批准并颁布宪政编查馆和会议政务处制定的《内阁官制》

---

① 资政院第一届议员实际名额为各98名。
② 参见韦庆远等《清末宪政史》，中国人民大学出版社，1993，第421—455页。

19 条和《内阁办事暂行章程》14 条，并颁布上谕，任命内阁总理大臣、协理大臣及各部大臣，同时宣布裁撤旧设内阁、军机处和会议政务处等机构。根据《内阁官制》和《内阁办事暂行章程》的内容，一方面，新内阁采行立宪国家责任内阁制，规定内阁由国务大臣组成，国务大臣包括内阁总理及各部大臣。国务大臣辅弼皇帝，担负责任。总理大臣为政府首脑，决定政治方针，保持行政统一，有权停止执行各部大臣的错误命令或处分；有权对各省及藩属长官发布行政训示，实行监督，并停止其错误的命令或处分；有权颁布内阁令，并随时入对。国家颁布法律、敕令及有关国务谕旨，凡涉及各部者由国务大臣会同署名，专涉一部或数部者由总理大臣会同该部大臣署名。同时，内阁会议也由国务大臣同意议定，并以总理大臣为议长，等等。这就明确了国务大臣的政治责任，将新内阁和国务大臣与旧时的军机处和军机大臣区别开来。旧时的军机处只是皇帝的办事机构，军机大臣相应也就不对国务负有责任。而新内阁作为国家最高行政机关，总揽国务，制定和颁布国务政策，实行副署制度，这就使新内阁官制和国务大臣不能像旧时的军机处和军机大臣那样遇事敷衍塞责，且在一定程度上对君主专制独裁构成限制，同时有助于国家行政机构趋于合理及国家政令的统一和畅通，达到"萃一国行政大臣于一署，分之则专所职，合之则共秉国钧，可否于以协商，功罪于以共负，无隔阂，无诿卸"的效果。[①]

　　另一方面，新内阁还不是完全的责任内阁，与议会责任内阁制多有不符之处，保留了浓厚的君主专制制度色彩，并极力维护君主实际权力不受根本性侵害。如新的《内阁官制》和《内阁办事暂行章程》规定，内阁总理大臣在处理国务问题上与各部大臣、各省长官及藩属长官发生严重分歧时，最终须"奏请圣裁"。在内外新官制施行之前，各部大臣仍可自行请旨入对；按照向例蒙获召见人员，于国务有所陈述者，由内阁总理大臣或协理大臣带领入对，但御前大臣、领侍卫内大臣、军谘处、海军司令部、宗人府、内务府各大臣及其他蒙特旨召见者不在此限；关于国务陈奏事件，凡例应奏事人员及言官奏劾国务大臣，仍得自行专折入奏，候旨裁夺；等等。另外，内阁总理大臣、协理大臣和国务大臣也均由君主特旨简任，而

---

① 《宪政编查馆会议政务处奏拟定内阁官制并办事暂行章程折》（宣统三年四月初十日），《清末筹备立宪档案史料》上册，第 560 页。

非由议会任命。这就使得新内阁还不是完全真正意义上的责任内阁，而具有过渡性质。不但如此，在新内阁成员的任命上，摄政王政府还违背了皇族不得充当国务大臣这一最基本的立宪原则。在 13 名内阁成员中，汉人大臣只有 4 人，满人大臣则有 9 人，其中皇族又占了 7 人（皇族本支即宗室 6 人，远支即觉罗 1 人），且居于领导地位。这充分暴露了满洲贵族无意放弃国家权力的本质，使摄政王载沣的政治改革大打折扣，并导致严重的政治后果。至于武昌起义爆发之后，摄政王政府慑于滦州兵谏，推出《宪法重大信条十九条》，应诺成立完全责任内阁，建立议会制君主立宪政体，已不属于摄政王载沣的自主改革，不代表其改革的真实意愿；与其说是清朝政府的改革，还不如说是辛亥革命的成果。

除了预备立宪政治改革，清末新政的其他改革，诸如法制改革、财政改革、教育改革、军事改革、振兴实业等，也都在摄政王载沣执政的三年里得以继续或加速推进。如在法制改革方面，经过多年的编纂，1909 年 10 月 12 日修订法律大臣奏进《编订现行律例》，经多次争论修改，1911 年 1 月 25 日正式颁布《大清新刑律》总则和分则两编共 411 条，对旧律进行了诸多改革。2 月 24 日，摄政王载沣又从法部奏请，通谕停止刑讯，永远革除一切非刑、私刑，要求有关死刑人犯应行讯者，务须恪遵现行律例办理。[①] 同时，大力推进近代司法制度建设，于 1909 年 12 月颁布《各级审判厅试办章程》，在中国首次确立了较为完备的起诉制度、检察官制度和回避制度。1910 年 2 月颁布的《法院编制法》则为中国确立了四级三审制的审判制度。1910 年 12 月修订法律馆起草完成的《刑事诉讼律草案》和《民事诉讼律草案》排除地方督抚及保守官僚的反对，对陪审制和律师制均予保留，并且内容更为完备。这两部草案虽因清朝覆灭未及核议颁行，但成为稍后北洋政府立法的蓝本。

在教育改革方面，学堂制度得到进一步完善，如 1909 年 5 月，批准学部《变通初等小学堂章程》，将初等小学堂分为五年制的完全科和四年制、三年制的简易科三种，以推广小学教育，并制定、颁布《检定小学教员及优待小学教员章程》，以加强小学师资力量，提高小学师资水平。另为配合预备立宪，提高国民识字率，学部编定和试行《简易识字课本》和《国民

---

① 《光绪宣统两朝上谕档》第 37 册，第 16 页。

必读课本》，颁布实施《简易识字学塾章程》，责令地方督抚在厅州县推广简易识字学塾，对年长失学和无力就读的贫寒子弟进行扫盲教育。在中学教育方面，学部仿照德国学制，于 1909 年 5 月 15 日奏准将中学堂分文科和实科两类，令在全国实行。文科重经学，实科重工艺。另制定、颁布《检定初级师范中学教员及优待教员章程》，以保证初级师范中学教员质量，为培养合格小学教员提供保证。在女子教育方面，继 1907 年 3 月学部颁布《女子小学堂章程》和《女子师范学堂章程》，弥补"壬寅学制"和"癸卯学制"对女子教育之疏忽后，1911 年 4 月，各省教育总会联合会还进一步打破男女不得同校的禁令，议决"初等小学儿童年龄在十岁以内，准男女同学"。① 此外，大力充实和发展实业教育，强调"实业教育最为富国裕民之本"，② 同时继续推动留学教育。1909 年 7 月在美国政府的配合和支持下，外务部和学部拟订利用美国退还部分庚子赔款派遣中国学生赴美留学办法大纲，成立游美学务处，创办留美预备学校清华学堂，于 1909—1911 年的三年里分别挑选 47 名、70 名和 63 名中国学生，分三批前往美国留学。在摄政王载沣执政的三年里，国内学堂和学生数也继续呈增长态势，学堂数由 1905 年的 8277 所和 1908 年的 47995 所，增至 1909 年的 59117 所、1910 年的 42696 所和 1911 年的 52500 所；在校学生则由 1905 年的近 26 万人和 1908 年的 130 万人，增至 1909 年的 163 万人。③ 这说明教育改革在清朝的最后三年里继续得到执行。

在军事改革方面，摄政王载沣不但继续此前的政策，而且在加强中央军事管理，着实推进中央对全国军队的控制方面取得突破。他于 1909 年 7 月 15 日颁布上谕，宣布皇帝为海陆军大元帅，在皇帝未亲政之前，暂由摄政王代理；将军谘处从陆军部分出，成为凌驾于陆军部之上的一个独立军事机构，"通筹全国陆海各军事宜"，使之相当于赞佐摄政王统率陆海军的总参谋部，统辖陆军大学堂、陆军测绘学堂、驻各国使馆武官、陆军文库，并负责全国各地海陆军参谋等官的管理、考核等事宜；任命贝勒毓朗和自

---

① 《各省教育总会联合议决案·请变更初等教育法案》，李桂林等编《中国近代教育史资料汇编·普通教育》，上海教育出版社，2007，第 81 页。

② 《学部通饬整顿筹画实业教育札文》（宣统元年八月一日），璩鑫圭等编《中国近代教育史资料汇编·实业教育、师范教育》，上海教育出版社，2007，第 21 页。

③ 详见王笛《清末新政与近代学堂的兴起》，《近代史研究》1987 年第 3 期。

己的亲弟弟载涛负责军谘处事务。[①] 同时，陆军部在尚书荫昌的主管下改革内部机构，厘订陆军部暂行官制大纲，将原陆军部由 2 厅 10 司缩减为 8 司 2 处，以提高办事效率，明确各司职掌，加强对全国陆军的领导。在载涛和荫昌的相互配合和领导下，军谘处与陆军部先后采取一系列措施，削弱地方督抚兵权，加强中央对地方军队的直接领导和控制，如继 1907 年陆军部尚书铁良将袁世凯北洋四镇收归陆军部，1910 年 10 月，陆军部尚书荫昌将直隶总督控制的剩余二镇北洋军（第二镇和第四镇）收归陆军部直接管辖，另将军队各级高级军官置于军谘处和陆军部的绝对控制之下，由他们负责任免，并取消督抚所兼各省督练公所督办和会办头衔，派员调查地方驻军编制情况，等等。在军事改革中，摄政王载沣还特别重视切实加紧重整海军，1909 年 2 月 19 日即颁布上谕，宣称"方今整顿海军，实为经国要图"，委派肃亲王善耆、镇国公载泽、尚书铁良、提督萨镇冰负责筹划；[②] 7 月又谕令设立筹办海军事务处，任命自己的另一位亲弟弟载洵和提督萨镇冰为筹办海军大臣；1910 年 12 月 4 日即宣布海军部脱离陆军部独立，作为全国海军的最高领导机关；另批准筹办海军事务处制定的《发展海军七年规划》，统一南北洋舰队，将 15 艘适于海战的舰艇编为巡洋舰队，将 17 艘适于江防的舰艇编为长江舰队；筹建象山军港，先后两次派遣筹办海军大臣出国考察海军，订购军舰 12 艘；等等。[③] 这是自甲午战败后，清政府为重整海军而做的力度最大也最有成效的改革。

金融、财政政策方面，经过多年的讨论和筹备，在摄政王载沣当政的三年里也多有突破。在 1905 年底清政府颁布上谕、确定银本位的基础上，1910 年 5 月 23 日度支部颁布《币制条例》24 条，进一步统一国内币制，除确定国币单位、改两为元外，还对各种铸币的成色、重量，主辅币间的关系和使用数量，以及收兑方式、法律责任等做了明确规定，并将铸币权收归中央。同时，度支部还进一步清理纸币，于 1909 年 7 月 23 日颁布《通用银钱票暂行章程》20 条，对各官商银钱行号发行银钱票的条件和数目加以

① 《光绪宣统两朝上谕档》第 35 册，第 251、253 页。
② 张侠等合编《清末海军史料》，海洋出版社，1982，第 93 页。
③ 有关载沣为重整海军所做的改革，可参见海军司令部《近代中国海军》编辑部编《近代中国海军》，海潮出版社，1994，第 563—578 页。

限制。次年，度支部又颁布《厘订兑换纸币则例》19条，将发行纸币权收归国家中央银行。在财政制度建设方面，度支部在建立近代金融机构的基础上，进一步建立与完善近代公库制度，1910年底与资政院奏定《奏定国库章程》15条，规定由国家银行设立金库，专门代国家保管现款，经理出纳事务。度支部还根据《九年预备立宪清单》的要求，于1909年初颁布《清理财政章程》27条，在中央设立清理财政处，在各省设立清理财政局，加强中央对全国财政的控制和管理，并在此基础上实行现代预算制度，于1910年底推出经资政院议定的中国第一个以立法形式宣布的宣统三年（1911）预算案。总之，在摄政王载沣当政的三年里，清末新政在金融和财政改革方面迈出了可喜的步伐。

在经济政策方面，摄政王政府虽然在个别政策上有所调整，特别是1911年5月推出的铁路国有政策，不但与新政初期商部鼓励商办政策相矛盾，而且直接导致辛亥革命的爆发。但铁路国有政策的推出，并不意味着清政府振兴实业的政策发生逆转。事实上，在摄政王载沣当政的三年里，振兴实业的各项政策不但继续得到执行，在某些方面还有所深入，譬如农工商部在发展近代农业的力度上就较前一时期有所加强。并且，就摄政王政府推出铁路国有政策的本意来说，其固然有迎合列强投资中国铁路的因素，但主要还是出于商办铁路"奏办有年，多无起色"，希望通过将铁路收归国有，克服商办铁路的各种弊端，加快中国的铁路建设，同时促进国防建设和交通运输业的发展及军政的统一，并减轻民众负担。载沣在颁布铁路国有政策的上谕中就坚定申明了这一点，指出："朝廷每念边防，辄劳宵旰，欲资控御，惟有速造铁路之一策。况宪政之谘谋，军务之征调，土产之运输，胥赖交通便利，大局始有转机。熟筹再四，国家必得有纵横四境诸大干路，方足以资行政而握中央之枢纽。从前规划未善，并无一定办法，以致全国路政错乱纷歧，不分枝干，不量民力，一纸呈请，辄行批准商办。乃数年以来，粤则收股及半，造路无多；川则倒账甚巨，参追无着；湘、鄂则设局多年，徒资坐耗。竭万民之脂膏，或以虚糜，或以侵蚀。恐旷时愈久，民累愈深，上下交受其害，贻误何堪设想。"① 因此，他推出的铁路国有政策与新政的振兴实业政策不但不矛盾，而且是为推进振兴实业政策

---

① 《光绪宣统两朝上谕档》第37册，第92—93页。

而做的一个调整。①

总之，在载沣当政的三年里，一方面，新政的各项改革不但没有倒退和停顿，反而加速推进。另一方面，其在许多方面表现出加强中央集权的趋向。但这是新政改革一开始就固有的本质，只是随着改革的推进而愈益明显，并不意味着改革的倒退。并且，加强中央集权既是清末新政改革的必然要求，也是清末新政改革的应有之义；新政改革要取得成功，就必须克服先前清朝出现和存在的地方主义等弊端，通过加强中央权力和皇权，实现中央对改革的统一领导。事实上，从世界范围来说，在近代化初期，加强中央集权和巩固君权不仅不会妨碍向近代国家转型，反而更有助于一些落后国家的近代化，日本的明治维新历史和德国的俾斯麦改革就是很好的例子。

清末新政改革的症结在于，在 20 世纪初满汉矛盾趋于激烈和君权被视为中国积贫积弱的罪恶之源时，以及清政府因不能恪尽守土保民之责而丧失权威性和合法性、被视为"洋人的朝廷"的情形下，清政府加强中央集权和巩固皇权的举措必然激化满汉矛盾，破坏新政改革的合理性和进步性由此葬送整个新政改革事业，并为革命党人的"排满"宣传提供口实。这是当时的清朝统治者未曾认识到的一个重大问题，而清政府也将为此付出沉重代价。

五　新政改革与清朝的覆灭

清政府启动新政改革的初衷无疑是度过内外危机，迎合形势发展，挽救清朝统治。然而，这场具有一定资本主义性质的改革运动不但没有实现清政府的初衷，反而加速了清朝的覆灭，并随之夭折。新政改革以如此命运结局，其中的原因是多方面的。

首先，清末新政的整体改革纲领超出了清政府国力和财力所能承担的限度，极大地加重了人民的负担，致使新政改革不但得不到广大民众的拥护，反而成为"扰民"之举，激化了社会矛盾，由此极大地削弱了清政府的统治基础。清政府的财政在甲午战争之前虽然已经呈现东补西缀的窘状，

---

① 有关清末铁路政策的演变及如何看待清末的铁路政策，请参见崔志海《论清末铁路政策的演变》，《近代史研究》1993 年第 3 期。

但大体尚能维持出入平衡，岁入和岁出均在 8000 万两左右；从甲午到庚子年间，因受甲午战费借款和战争赔款的影响，清朝财政每年开始出现 1300 万两的财政赤字，岁入则增加到 8800 万两左右，而支出也扩大到 1 亿多两。随着新政改革的推行，清政府的岁入岁出和赤字在最后 10 年都呈大幅增长之势。根据比较权威学者的研究，1903 年清政府的岁入为 10492 万两，岁出为 13492 万两，财政赤字为 3000 万两，比庚子之前激增 1 倍；1905 年岁入为 10292 万两，岁出 13694 万两，财政赤字增加到 3402 万两；1909 年岁入 30122 万两，岁出 36787 万两，财政赤字高达 6665 万两。根据清朝度支部的预算，1910 年和 1911 年清政府的岁入分别为 29696 万两和 29700 万两，支出分别为 33305 万两和 37400 万两，财政赤字分别为 3609 万两和 7700 万两。①

清末最后十年财政赤字的大幅扩大和岁出的激增，一部分固然因为每年新增了 2000 万两庚子赔款，但主要还是举办各项新政费用所致，这从度支部 1911 年预算案所列的支出中便可一目了然。在该年预算案中，仅军费一项支出就高达 13700 余万两，超过甲午以前军费支出 2 倍多，占该年支出预算总数的 1/3 以上。其中，除 3134 万两属旧军费支出外，其余均属新政改革支出，一为编练新军军费 8000 万两，二为筹办海军军费 1050 万两。行政费也因清末官制改革而快速扩张，支出达 2731 万两，比庚子时增加 2 倍多。另用于推行司法改革的经费为 770 万两，用于财政管理及税收机构的经费为 2813 万两，用于邮传部经费及轮、路、邮、电及各省交通费总计为 5514 万两。教育费预算案定为 336 万两，实际支出则不下 1700 万两。民政费预算案定为 422 万两，实际支出至少在 2000 万两。② 而清末岁入由庚子年不到 1 亿两增加到 1909 年之后每年 3 亿两，在 10 年时间里增加 2 倍，则深刻反映了新政改革给广大民众带来了沉重的财政负担。

清末十年岁入由 1 亿两增加到 3 亿两，固然有经济发展等因素，但最根本的还是对广大人民进行无情盘剥的结果。为了筹备新政款项，清政府一方面加重征收田赋、盐税、厘金等旧税，例如许多省份都将兴办巡警和学

---

① 汪敬虞主编《中国近代经济史（1895—1927）》中册，人民出版社，2000，第 1334—1336 页。

② 汪敬虞主编《中国近代经济史（1895—1927）》中册，第 1326—1331 页。

堂经费在田赋中加以摊派，一些地方还在田赋中推行随粮自治捐、铁路捐、矿务费等新政费用，致使清末田赋收入直线上升，由庚子之前的不超过3000万两增加到1903年的3700万两，1909年达到4396万两，1911年的预算数几近5000万两，较庚子前增加近2/3。除正税之外，清政府为筹获新政经费既加价征收旧有捐税，如契税由庚子之前的按契价每两征税3—4分，到1909年度支部统一提高到卖契每两征银9分，典契每两征银6分，同时还开办名目繁多的新税，诸如房捐、猪捐、肉捐、鱼捐、米捐等地方杂捐，致使各种杂税的收入由庚子之前每年无关痛痒的一二百万两，扩大到1911年度支部岁入预算案中的2616万两，占到该年总岁入的8%以上。① 由此可见，清政府对人民的搜刮，在清末已经到了无以复加的地步。对此，清廷谕旨也是直认不讳，指出："近年以来民生已极凋敝，加以各省摊派赔款，益复不支，剜肉补疮，生计日蹙……各省督抚因举办地方要政，又复多方筹款，几同竭泽而渔。"② 报纸舆论也感叹："以前不办新政，百姓尚可安身；今办自治、巡警、学堂，无一不在百姓身上设法。"③

新政各项改革给广大民众带来沉重负担，严重恶化了官民关系，并将新政改革推向广大人民的对立面，致使新政改革失去群众基础，加速了清朝的覆灭。自1901年新政改革启动至1911年辛亥革命爆发前夕，广大人民抗捐抗税、反洋教、反饥饿、反禁烟、反户口调查、抗租和抢米风潮等各种形式的"民变"接连不断，多达1300余起，"几乎无地无之，无时无之"，并且愈演愈烈。④ 引发清末"民变"的原因十分复杂，多种多样，可谓千差万别，但其中不少与新政改革有着直接或间接的关系。事实上，对于新政改革加重人民负担而激化官民关系并因此危害清朝统治的后果，当时一些清朝官员就发出警告，建议对新政改革加以调整。如直隶总督陈夔龙在1910年的一道上奏中就建议清政府为减轻各地负担，缓和社会矛盾，宜放缓改革步伐，缩减改革内容，指出："窃维比年中外臣工兼营并骛，日不暇给，而时事之阽危，众情之抵触，几倍曩昔，良以规章稠叠，观听纷歧，或数人数十人

① 　汪敬虞主编《中国近代经济史（1895—1927）》中册，第1337—1349页。
② 　朱寿朋编《光绪朝东华录》第5册，总5251页。
③ 　《东方杂志》第7卷第12期，1911年1月，"记载第一·中国大事记"，第181—182页。
④ 　详见张振鹤、丁原英编《清末民变年表》，《近代史资料》1982年第3、4期；马自毅《前所未有的民变高峰——辛亥前十年民变状况分析》，《上海交通大学学报》2003年第5期。

所分任之事界之一手，或数年数十年所应办之事发之一时，上之督责愈严，下之补苴愈甚，而帑藏尤艰窘万端。臣愚以为，此时但当择其事之直接关系预备立宪者专精以赴。"① 同年，河南巡抚宝棻也向朝廷提出相同的建议，指出："方今内外臣工所日汲汲者，地方自治也，审判厅也，实业也，教育、巡警、新军也，而所恃以筹备者不外增租税、行印花、盐斤加价、募集公债，臣恐利未见而害丛生。"② 御史赵炳麟在考察 1910 年湖南长沙抢米风潮过后湖北、湖南两省的社会景象之后，更是直接痛陈新政改革给百姓带来的痛苦，指出："百姓困穷至此，若不度量财力，以定新政次序，在上多一虚文，在下增一实祸；保民不足，扰民有余，良可虑也。"呼吁清政府必须关心民生，切勿忽视百姓利益，谓："夫民之所好，孰切于生；民之所恶，孰甚于死。无食则饥，无衣则寒。生死所关，正治民者所当加意也。"③ 可以说，新政改革没有顾及占全国人口绝大多数的广大下层人民的利益，反而将改革的各项负担多转嫁给广大下层民众，这是新政改革失败及加速清朝灭亡的一个重要原因。

其次，清政府在存在严重争议的情况下启动预备立宪政治改革，不但打乱了清末新政改革计划，而且诱发和激化了清朝统治集团内部的权力斗争，并由此葬送了整个新政改革事业及清朝的统治。由于政治改革涉及权力的再分配，预备立宪启动后，清朝统治集团内部在新政初期达成的大体比较一致的改革共识即趋瓦解，各派围绕政治权力的再分配展开激烈斗争，政潮迭起，且愈演愈烈。1906 年 9 月中央官制改革甫一启动，袁世凯就有意借官制改革机会裁撤军机处，按照立宪国家成立责任内阁，拥护他的政治盟友庆亲王奕劻出任国务总理，自己做副总理大臣，以此达到控制中央政府的目的。但此方案传出后，立即遭到王文韶、鹿传霖、瞿鸿禨、醇亲王载沣等官员的坚决反对，部院弹章蜂起，甚至慈禧本人也大为震怒，结果设立责任内阁方案胎死腹中。1907 年春、夏间，东三省官制改革又直接导致清廷内部发生轰动朝野的"丁未政潮"。以岑春煊、瞿鸿禨、林绍年为首的汉人官僚不满直隶总督兼北洋大臣袁世凯勾结庆亲王，于是借中央和地

---

① 金毓黻编《宣统政纪》第 25 卷，辽海书社，1934，第 26 页。
② 金毓黻编《宣统政纪》第 25 卷，第 27 页。
③ 赵炳麟：《再请预算行政经费疏》，《谏院奏事录》卷 6，第 40 页。

方官制改革之机扩充个人势力，联合御史赵启霖等，以杨翠喜案参劾庆亲王贪庸误国，引用非人，贿赂公行，结果导致袁世凯的亲信、黑龙江巡抚段芝贵遭撤职、查办，庆亲王之子载振被免去农工商部尚书一职。袁世凯和庆亲王则联手部署反击，先以广东有革命党人起事为由，将岑春煊排挤出京，由邮传部尚书调任为两广总督，继又贿买御史恽毓鼎，参劾军机大臣瞿鸿禨"暗通报馆，授意言官，阴结外援，分布党羽"，致使瞿遭革职，后再设计诬陷岑春煊结交康梁、密谋推翻朝局，致使岑再遭开缺；同时，林绍年也被赶出军机处，出任河南巡抚。"丁未政潮"从1907年的4月一直延续到8月，长达4个月之久，虽然最终以奕劻和袁世凯的获胜而告终，但因预备立宪政治改革引发的权力斗争并没有因"丁未政潮"的落幕而归于平静；相反，以"丁未政潮"为契机，重新点燃了清廷内部权力斗争之火。"丁未政潮"平息后不久，富有统治经验的慈禧就着手进行权力的再分配，为抑制奕劻和袁世凯的权势，她于9月4日以明升暗降之策将袁调离北洋，削去袁的兵权，任命袁为军机大臣兼外务部尚书，同时将另一位汉人重臣、湖广总督张之洞调入北京，任命张为军机大臣兼管学部；而在此之前的6月19日，慈禧乘罢黜瞿鸿禨军机大臣之机，任命醇亲王载沣在军机大臣上学习行走，以此达到既制衡庆、袁权势，又加强中央和皇族集权的一箭双雕的目的。

1909年摄政王载沣上台执政后，清朝统治集团内部围绕预备立宪政治改革而展开的权力斗争更趋白热化。为防止袁世凯在将来立宪政治改革中通过攫取责任内阁总理大臣一职控制朝政，摄政王载沣在一部分满洲贵族和汉人官僚的鼓动下，于1909年1月2日下达上谕，彻底剥夺袁世凯的权力，以"足疾"为由将袁开缺，令其"回籍养疴"。在打击袁世凯势力，并尽一切可能排除汉人在中央的权力的同时，摄政王载沣还进一步将权力集中在以他本人为首的满洲亲贵少壮派之手，不但自任陆海军大元帅，训练一支由他亲自统率的禁卫军，而且任命他的亲弟弟载洵为筹办海军事务大臣，载涛和贝勒毓朗掌控凌驾陆军部之上的军谘处，打击妨碍他集权的其他满洲贵族，先后解除当时清廷中两位满洲干才铁良和端方的职务，撤除铁良的训练禁卫军大臣和陆军部长职务，将他外放为江宁将军；端方则在直隶总督兼北洋大臣位上，因在慈禧出殡时所犯的一个小错误而遭革职重罚。

一方面，政治改革所引发的清廷内部权力斗争导致清末预备立宪政治改革严重走样，毁坏了清末政治改革的名声和实际效果，同时削弱了新政改革的领导力量，致使摄政王载沣执政末年出现"朝中无人"的景象，缺乏一个坚强有力的领导核心。1911年皇族内阁成立前夕，军机处只有军机大臣奕劻、毓朗、那桐、徐世昌四人，根本无力解决改革中出现的问题。另一方面，政治改革引发的权力倾轧还严重激化了清朝统治集团内各派政治势力之间的矛盾，加速了统治集团内部的离心倾向，特别是瓦解了作为清朝统治支柱的满汉官僚政治同盟，由此给清朝统治带来灾难性后果。辛亥革命爆发后，手握北洋军权的汉人官僚大臣袁世凯没有像曾国藩当年镇压太平天国农民起义那样对付武昌起义，继续维护清朝统治，为清末新政保驾护航，反而与南方革命党人谈判、妥协，逼迫清帝退位。而清朝的满洲亲贵们也因清末的权力斗争彼此猜忌、交恶，不能合力对付革命，而是自谋出路、各奔前程。清朝统治就这样在众叛亲离中轰然倒塌，这不能不说是预备立宪政治改革所产生的一个恶果，诚如一位清人评论所说，所谓"革命之事，仍诸王公之自革而已"。[①]

同时，预备立宪政治改革还诱发了国内立宪派参政和行使民主权利的热情，由此加剧了清朝政府与国内立宪派之间的矛盾和冲突，促使原本支持清政府改革的国内立宪派倒向革命一边。尽管清政府启动预备立宪，一再公开声明他们无意放弃君主权力，实行英式或美式立宪政治，可是预备立宪一旦启动，就等于是打开了潘多拉盒子，自然激发起国内立宪派的民主热情，这是不以清朝统治者的意志为转移的一个必然结果。1906年9月1日仿行立宪上谕颁布后，国内立宪派们便闻风而动，成立立宪团体和组织，研究和宣传立宪政治，推动国内政治改革。谘议局和资政院相继开办后，国内立宪派更是充分利用这个政治平台行使民主权利，并于1910年发起三次全国性的速开国会请愿运动，要求清政府于1911年召开国会，成立责任内阁。虽然立宪派们提出的速开国会的要求在当时并不具备条件，过于激进，但是他们因立宪问题与清政府产生严重冲突和破裂，这是一个不争的客观事实。在国会请愿运动中，国内立宪派对摄政王载沣拒不接受速开国

---

① 刘体仁：《异辞录》卷4，上海书店，1984年影印本，第28页。

会的请求极为失望，批评摄政王载沣的态度简直"视爱国主义为仇国之举动"，①"必举巴黎、英伦之惨剧演之吾国而始快耶！"② 虽然载沣最后做出让步，于 11 月 14 日发布上谕，宣布缩短 3 年，于宣统五年（1913）开设议院，但国内立宪派并不满足于此，对载沣 12 月 24 日颁布取缔请愿运动的上谕更是强烈不满，认为上谕"直视吾民如蛇蝎如窃贼"，明确表示靠和平请愿办法已无济于事，"势非另易一办法不为功"；③ 警告摄政王"今日毋谓请愿者之多事也，恐它日虽欲求一请愿之人而亦不可得矣"。④ 在京的国会请愿代表团在奉命宣布解散时向各省立宪派发表的一份公告中则公开表示和平请愿已走到尽头，以后如何从事政治活动，"惟诸父老实图利之"。⑤ 1911年春、夏间，国内立宪派还在国会请愿运动的基础上成立全国性的政党组织——宪友会，将立宪的政治希望寄托在自身力量的壮大上，而不再像立宪初期那样寄希望于清政府，宣布组织成立政党的目的一是"破政府轻视国民之习见"，二是"动外人尊重我国民之观念"，三是"充吾民最后自立之方针"，⑥ 公开表达了立宪派努力确立其独立政治地位的意图。皇族内阁甫成立，各省立宪派便立即采取行动，于 6 月初在北京召开谘议局联合会第二次会议，先后两次上折，抨击皇族内阁与君主立宪政体不能相容，要求解散皇族内阁，按照内阁官制章程，另简大员，重新组织，并指出内阁应受议会监督，发表《宣告全国书》，揭露皇族内阁"名为内阁，实则军机；名为立宪，实则为专制"。⑦ 对此，摄政王载沣于 7 月 5 日发布上谕，声称"黜陟百司系君上大权，载在先朝钦定宪法大纲"，各省谘议局议员"不得率行干请"。⑧ 各省谘议局议员也不甘示弱，立即发表《通告各团体书》，对上谕逐条进行驳斥，宣称"皇族政府之阶级不废，无所谓改良政府，亦即无立宪之可言"，指出只有"另改内阁之组织，吾民得完全之内阁，可以求

① 《敬告国民》，《时报》1910 年 7 月 1 日。

② 《读二十一日上谕赘言》，《时报》1910 年 7 月 2 日。

③ 《读初三日上谕感言》，《时报》1910 年 11 月 8 日。

④ 嘉言：《读二十三日上谕恭注》，《申报》1910 年 12 月 26 日。

⑤ 《国会请愿代表团通问各省同志书》，《时报》1910 年 11 月 14 日。

⑥ 《国会同志会请各团体电约各议长入都定计书》，《申报》1911 年 3 月 28 日。

⑦ 《谘议局联合会宣告全国书》，《国风报》第 2 年第 14 期，1911 年，"文牍"，第 12 页。

⑧ 《清末筹备立宪档案史料》上册，第 579 页。

政治之改良。皇族不当政治之中枢，君主立宪愈益巩固，国利民福，岂有暨焉！"① 向以稳健著称的江浙立宪派领导人物张謇也在皇族内阁出台后生了二心，批评朝廷"均任亲贵，非祖制也；复不更事，举措乖张，全国为之解体"。② 1911年6月，他为组织商界赴美访问团而到京请训时，特意绕道从武汉北上，到河南彰德探望谪居在家的袁世凯，商谈时局，有意与袁联合，另谋出路。③ 迨至武昌起义事发，各省相继宣布独立，各省立宪派便纷纷抛弃清政府，倒向革命一边。清政府推出预备立宪政治改革，最后却落得将国内立宪派推向自己的对立面，这不能不说是清末新政改革的一个重大失策。

此外，继皇族内阁之后，摄政王载沣于1911年5月9日推出铁路国有政策，也是清末新政改革中的又一个重大失策，进一步将国内立宪派推向自己的对立面。如前所述，载沣推出铁路国有政策并不意味清末经济政策的整体转向；就修建铁路本身来说，鉴于铁路在国计民生中的特殊地位，国有政策实有其合理性和必要性。但铁路国有政策在以下几方面激化了清政府与国内立宪派的矛盾，使清政府与包括立宪派在内的全国人民为敌。当时的铁路政策不只是经济问题，它首先是一个政治问题。自19世纪末开始，铁路即成为列强争夺中国势力范围的一个重要对象。20世纪初，国内各省发起成立商办铁路公司，目的就是要收回路权。而摄政王政府在推出铁路国有政策后，又于5月20日与英、德、法、美四国签订《湖广铁路借款合同》，这就极大地伤害了立宪派和广大士绅的民族主义感情，使铁路国有政策之争成为爱国和卖国之争。

清政府铁路国有政策出台的程序缺乏合法性。根据清政府颁布的《资政院章程》第14条第3款和《谘议局章程》第21条第1款之规定，国家募集国债须由资政院议决，凡涉及各省利权之事，则应由各省谘议局议决。而清政府未与资政院和谘议局商议，便擅自宣布将地方铁路收归国有并与列强签订借款合同，这就使铁路国有政策问题与当时国内捍卫立宪政治的

---

① 《直省谘议局联合会为阁制案续行请愿通告各团体书》，《国风报》第2年第16期，1911年，"文牍"，第8页。
② 张孝若：《南通张季直先生传记》，中华书局，1930，"年谱"，第66页。
③ 刘厚生：《张謇传记》，香港龙门书店，1965，第181—182页。

斗争联系在一起。对此，四川立宪派人士邓孝可在《答病氓》一文中指出："于此不争，而曰立宪立宪，则将来不过三五阔官，东描西抄，饾饤凑塞，出数十条钦定宪法，于事何济？"他还呼吁只有在这个问题上与清政府进行坚决斗争，"使知徒恃其专制野蛮，一步不能行，则宪政可以固而国基巩矣"。[①] 四川立宪派在发表的《保路同志会宣言书》中则公开表示："政府果悔于厥心，交资政院议决以举债，交谘议局、股东决议以收路，动与路权无干之款以修筑，朝谕下，夕奉诏。非然者，鹿死无阴，急何能择，吾同志会众惟先海内决死而已，不知其他。"[②]

　　清政府的铁路国有政策损害了地方立宪派和民众的经济利益。在宣布将粤汉、川汉铁路收归国有之后，清政府没有给予各省商办铁路公司相同的合理经济补偿：粤省铁路公司由清政府发还六成现银，其余四成发给国家无利股票；湘、鄂两省商股全数发还现银，米捐、租股等发给国家保利股票；而对川省铁路公司，清政府不但对其在上海的300余万两倒折之款不予承认，并且对其已用之款和现存之款一概不还现款一律换发给国家铁路股票，这就极大损害了川省立宪派和广大中小股东的经济利益，使川省立宪派和民众与清政府的矛盾格外尖锐，以致四川的保路运动成为辛亥革命的导火线。

　　最后，清末新政没有挽救清朝统治，这是由于新政改革本身就具有革命性，具有颠覆清朝统治的内在动力。清政府本质上是一个封建政权，而新政改革在许多方面具有近代资本主义性质。由一个封建旧政权推行具有资本主义性质的改革，一方面令清末新政改革具有保守一面，不能完全资本主义化，这在新政改革暴露出来的问题和不足中得到充分体现。另一方面，清朝这个封建旧政权推行有限度的资本主义性质的改革，必然要突破旧政权的限制，成为旧政权的对立面，这是不以清朝统治者的意志为转移的历史必然规律。例如，清政府推行近代教育改革的目的无疑是培养其统治所需要的人才，因此千方百计将教育改革限制在符合旧政权统治需要这一根本目的上，在兴办近代学堂过程中强调无论何种学堂"均以忠孝为本，

① 隗瀛涛、赵清主编《四川辛亥革命史料》上册，四川人民出版社，1981，第212—213页。
② 隗瀛涛、赵清主编《四川辛亥革命史料》上册，第193—194页。

以中国经史之学为基，俾学生心术壹归于纯正，而后以西学瀹其智识"，①一再严令学生不得从事政治活动，并谕令学务官员和地方督抚及学堂监督、学监、教员等务须切实整饬学风，对那些离经叛道的学生严加惩处，"以副朝廷造士安民之至意"。② 在驻外使馆中则设立留学生监督处，监督中国留学生学习和日常活动，制定留学生约束章程，规定留学生不得"妄发议论，刊布干预政治之报章"，出版和翻译著作不得"有妄为矫激之说，紊纲纪害治安之字句"，③ 等等。但学堂学生和留学生一旦接受近代西方教育，接触西学知识和民主政治理论，就不是清朝统治者所能控制得了的了，他们必然要突破清政府的限制，成为清朝封建专制制度的批判者，发起学潮，投身爱国民主政治活动。清廷在 1907 年底的一道上谕中所说的"乃比年以来，士习颇见浇漓，每每不能专心力学，勉造通儒，动思逾越范围，干预外事；或侮辱官师；或抗违教令，悖弃圣教，擅改课程，变易衣冠，武断乡里。甚至本省大吏拒而不纳，国家要政任意要求，动辄捏写学堂全体空名，电达枢部，不考事理，肆口诋諆，以致无知愚民随声附和，奸徒游匪借端煽惑，大为世道人心之害"，④ 就反映了这样一个客观事实。截至 1911 年，新政教育改革培养了大约 200 万名学堂学生和万余名留学生，他们多数因接受近代教育而成为旧政权的反对者。这些新型知识分子在当时中国人口中所占比例虽然还十分有限，但由于他们属于知识精英分子，是传统封建社会沟通官民的中介群体，是中国传统封建社会的稳定器，因此，他们对清朝统治的影响就非同小可，确乎如上谕所说，"大为世道人心之害"。事实上，对于新政教育改革对清朝统治造成的危害，当时一些清朝官员就有所认识，如曾出任广东巡抚、山西巡抚、河南巡抚、两广总督等职的张人骏就抨击清政府的留学政策败坏人心，助长革命，是自毁长城，"开辟至今未有之奇祸"，指出中国学生涌入日本留学"好者，不过'目的''影

---

① 张百熙、荣庆、张之洞：《重订学堂章程折》（1904 年 1 月 13 日），璩鑫圭、唐良炎编《中国近代教育史资料汇编·学制演变》，第 298 页。
② 朱寿朋编《光绪朝东华录》第 5 册，总 5807 页。
③ 张之洞：《筹议约束鼓励学生章程折（附章程）》（1903 年 10 月 6 日），陈学恂、田正平编《中国近代教育史资料汇编·留学教育》，第 57—58 页。
④ 朱寿朋编《光绪朝东华录》第 5 册，总 5806—5807 页。

响'数百新名词，全无实际，否则'革命''自由''排满'而已"。①

　　与教育改革相似，新政军事改革也具有相同的效果。军队是国家统治的重要机器，清政府编练新军，不言而喻是为了巩固清朝的统治，并且部分也曾收到了这样的效果，清末的反清起义有些就是被新军所镇压。但是，随着新军接受近代军事教育和近代军事技术训练，以及新军官兵文化知识的提高，他们的国家意识和民族意识及政治觉悟也大为提高，逐渐认识到当时中国社会的腐败、黑暗、落后及民族危机的严重性，从而滋生对清朝统治的强烈不满，最终成为清政府的掘墓人。1911 年 10 月 10 日推翻清朝统治的武昌起义的枪声，就是由湖北的新军首先打响；随后，新军在宣布独立各省的起义中均发挥了十分重要的作用。其中，湖北、湖南、江西（九江）、陕西、山西和云南六省的起义均由新军领导；贵州、浙江、广西、安徽、福建、广东、四川（成都）、江西（南昌）和江苏九省虽然由各省谘议局合同士绅、商人和商会宣布独立，但是都得到新军的有力支持，实际上是新军军官与各省谘议局携手合作设立军政府；甚至在由清政府直接控制的原袁世凯训练的北洋军中，也发生了著名的声援武昌起义的滦州兵谏和滦州起义。并且，无独有偶，作为清末军事改革重要组成部分，更为现代化的军事力量清朝海军，虽然在辛亥革命初期曾配合清军镇压武昌起义，但在革命形势及革命党人的策反下，武昌起义爆发后仅一个月，整个清朝海军即反戈相向，完全倒向革命一边，并参加了反清作战和北伐。②

　　清政府的军事改革导致这样一个相反的结果，其原因就如澳大利亚学者冯兆基在《军事近代化与中国革命》一书中所分析的："军事教育和军事技术的剧烈变革往往是一场政治性的经历。这些变革以某种形式向官兵提供了公民的权利和义务方面的教育，尽管他们没有受过明确而正式的政治训练。新式军人越来越懂得发展新的技术领域与新的技术体系是近代国家的基础，从而十分清楚地意识到中国比较衰弱，也理解了他们所处社会的政治性质，并知道他们自己在社会发展中的特殊作用"，由此"愿意为建立强大昌盛、独立民主的中国而奋斗"。③ 这是一个不以清朝统治者的意志为转移的必然结果。

----

① 《致张允言等》（1907 年 6 月 2 日），《张人骏家书日记》，中国文史出版社，1993，第 114 页。
② 有关清朝海军反正起义的情况，详见《近代中国海军》，第 679—710 页。
③ 〔澳〕冯兆基：《军事近代化与中国革命》，第 94—95 页。

除了教育改革和军事改革，清末新政的其他改革，诸如经济政策、预备立宪政治改革等，也均具有类似的效果——搬起石头砸自己的脚。作为一场具有资本主义性质的近代化改革运动，清末新政的最后结局无非两种：要么是清政府真心实意地开放政权，和平实现政权性质的转换，由此消除旧政权与近代化改革运动之间这一不可调和的矛盾；要么就是清朝政府被革命推翻，由一个新的政权重新设计中国的出路。

历史最终选择了后一种结局，清末新政改革没有挽救清朝统治，清朝政府最终还是被革命推翻。并且，在清政府这个旧政权被推翻后，由于特殊的历史环境，中国在很长一段时期内处于战乱之中，没有诞生一个稳定的、具有权威性和合法性的新政权，领导中国走上一条适合中国国情的近代化道路。就此意义来说，清末新政是完全失败了。但就新政改革内容及其所产生的实际效果和影响来说，它并没有完全失败，原因有二：一则新政的许多改革内容并没有因清朝统治被推翻而遭中断，而是在民国的历史上得以继续；二则新政所产生的实际效果和影响与辛亥革命的方向，最终在很大程度上是一致的，是并行不悖的。因此，我们既不必因肯定辛亥革命而否定清末新政改革内容的进步性，也不必因肯定清末新政改革而否定辛亥革命的正当性和进步性，为新政没有挽救清朝的统治而感惋惜。清朝的灭亡乃是历史的必然，是其咎由自取。

第十二章

立宪运动与民间宪政诉求

　　清末立宪运动与预备立宪是既相关联而又有不同的两个概念。虽然两者的基本目标都是以和平变革方式实现从君主专制制度向君主立宪制度转型，但运动的主体与路线并不相同。预备立宪是清政府主导的自上而下的宪政改革，是清末新政从体制内变革发展到政治体制变革的必然结果。而立宪运动则是由立宪派领导的自下而上推动清政府走向宪政改革的运动，是从体制外促动清政府进行政治体制变革的运动，实际上可以说是"运动立宪"。两者相互作用、相互影响。立宪派发动立宪运动是清政府实施预备立宪的重要推动力量，清政府预备立宪的进度又直接影响立宪运动的进程甚至成败。

　　日俄战争后，立宪思潮高涨。1906年9月1日，清廷正式宣布预备立宪。立宪派闻命欢欣鼓舞，对朝廷的宪政改革充满了热切的期望。他们纷纷组织立宪团体，积极参与谘议局和资政院的组建及议政活动，并连续多次发动了轰轰烈烈的国会请愿运动，将立宪运动推向高潮。但是，清廷并没有完全按照立宪派的意愿行事，其迟缓拖延的态度与借立宪之名而行集权之实的举措与立宪派的宪政改革理念颇有差距，"皇族内阁"的出台终于使立宪运动陷于绝境。武昌起义后，对清廷绝望的立宪派最终走上了与革命派合流的道路。

　　学界关于清末最后十年（1901—1911）历史的研究，在相当长的一段时期内主要是以辛亥革命为主线。在这种革命史的框架中，立宪派的活动只是作为革命的背景来叙述，甚至是当作革命的对立面来批判。20世纪50

---

　　* 本章由李细珠撰写。

年代末，大陆学者胡绳武、金冲及二位先生合著《论清末的立宪运动》（上海人民出版社，1959），对立宪运动做了开创性研究。他们认为："弄清楚这次运动的性质、社会基础、发展过程和影响，对理解中国近代在戊戌变法以后一系列的改良主义政治运动和思想思潮的反动本质及其复杂性，对理解辛亥革命时期的阶级斗争，都有着十分重要的意义。"（《前言》）显然，这个研究思路有着非常明显的时代印记。20世纪60年代末，台湾学者张朋园先生出版《立宪派与辛亥革命》（商务印书馆，1969），也是从辛亥革命史的角度研究立宪派，总体上仍未脱革命史的窠臼，但其对立宪派在辛亥革命中贡献的正面叙述则被称为"扩充了历史研究的范畴"（《韦慕庭先生序》）。张玉法先生的《清季的立宪团体》（"中央研究院"近代史研究所，1971）也是相关研究的重要著作。大陆学界对立宪运动的客观实证研究，则晚至20世纪70年代末80年代初才真正起步。李新先生主编的《中华民国史》第一编下册（中华书局，1981）用较长篇幅客观地描述了立宪派的立宪运动。1993年，韦庆远、高放、刘文源三位先生的《清末宪政史》（中国人民大学出版社，1993）和侯宜杰先生的《二十世纪初中国政治改革风潮——清末立宪运动史》（人民出版社，1993）是这方面的代表性著作。本章拟在既有研究成果的基础上，系统论述清末立宪运动的来龙去脉。

一 立宪派与立宪思潮

立宪派大致由两部分人组成：一是戊戌时期形成的以康有为、梁启超为首的维新派，他们在戊戌政变后又以保皇派的姿态出现，基本上在海外活动；二是在清政府新政推行的过程中形成的绅商群体，包括具有一定新知识、新思想的近代式商人、实业家和一些开明士绅，如张謇、汤寿潜等人，他们是国内立宪运动开展的主要社会基础和领导力量。日俄战争前后，由于立宪派的鼓吹，立宪思潮高涨，以和平方式从体制外推动清政府进行宪政改革的立宪运动逐渐步入正轨。

日俄战争的刺激与影响

清末新政启动后，随着教育、经济、军事等各项改革的进行，政治体制改革也逐渐被提上议事日程。这既是新政改革本身发展的内在需要，也是国内外政治形势压力所致。"吾国立宪之主因，发生于外界者，为日俄战争；其发生于内部者，则革命论之流行，亦其有力者也。"① 革命运动的蓬勃发展与立宪思潮的勃兴，迫使清政府不得不做出宪政改革的抉择，以迎合立宪派而对付革命。其中关节，日俄战争的刺激是一个重要的因素。

1904—1905 年的日俄战争，是日本与俄国为争夺中国东北的利益而在中国领土上进行的一场帝国主义战争。战争爆发后，软弱无能的清政府竟然无视战火在自己领土上燃烧，宣布严守"局外中立"，任凭两个帝国主义国家肆意蹂躏中国人民的生命与财产。人们怀着尴尬屈辱的心情关注着战争的进程，预测着战争的结局，并企盼着中国的前途与希望。战争伊始，人们希望黄种而立宪的日本战胜白种而专制的俄国，因为这个结果将证明两点："一则黄种将与白种并存于世，黄白优劣天定之说，无人能再信之；二则专制政体为亡国辱种之毒药，其例确立，如水火金刃之无可疑，必无人再敢尝试。"② 战争的结局果然是"蕞尔岛国"日本战胜了庞大凶横的沙皇俄国，这对中国思想界产生了极大的震动。

日俄战争的结果对中国思想界的影响主要表现在以下三个方面。

第一，黄种战胜白种，给中国人以信心。自鸦片战争后，中国在西方列强的武力侵略下被迫进入近代世界。长期中外较量和竞争中的挫折与屈辱使国人逐渐形成一种抑郁、悲愤的民族自卑心态。在进化论刚刚风行神州大地的时代，中国屡战屡败的惨痛现实，加上西方殖民主义者对"白种优于黄种"谬论的宣扬，使国人心中产生一种深深的忧虑：黄种将有被白种残酷淘汰的危险！日俄战事刚起，便有人表露了这种忧虑的心态："黄种、白种，中国之一大问题也。若俄胜日败，则我国国人之意，必以为白兴黄蹶，天之定理，即发愤爱国之日本，亦不足与天演之公理相抗，而何论于中国。此意一决，则远大之图，一切绝灭，而敬畏白人之意将更甚于今日，而天下之心死矣。"③ 随着日本对俄国的节节胜利，这种忧虑逐渐烟消云散。同为黄种的日本战胜了白种的俄国，彻底戳穿了所谓"白种优于

---

① 伧父：《立宪运动之进行》，中国史学会主编《中国近代史资料丛刊·辛亥革命》（本章以下简称《辛亥革命》）第 4 册，上海人民出版社，1957，第 4 页。

② 《论中国前途有可望之机》，《东方杂志》第 1 年第 3 期，1904 年。

③ 《论中国所受俄国之影响》，《中外日报》1904 年 4 月 4 日。

黄种"的谬论，使郁闷已久的国人颇感振奋和欣慰。

第二，立宪战胜专制，给中国人以希望。日本自明治维新后成为新兴的立宪国家，沙皇俄国则是老牌的专制帝国。时人认为，日俄之战不仅是黄种与白种之间的种族之战，更重要的是"立宪、专制二政体之战"。① 对此，国人还有一大忧虑：如果俄国战胜日本，岂不为清政府加强专制统治提供口实？因为日俄战争既是两国综合实力的较量，也是"专制国与自由国优劣之试验场"。② 如果日本战胜俄国，就为立宪战胜专制提供了铁证。"非有此战，则俄国之内容不显，而专制、立宪之问题不决。我国十余年来，每言及专制、立宪之问题，辄曰：专制既不足以立国，何以俄人富强如此？自有此战，而此疑释矣。"③ 可以说，日俄战争的结局使中国人民认清了专制的祸害，明确了立宪的方向。

第三，师法日本模式，确定立宪的目标。中国向日本学习并不始于日俄战争，但日俄战争促使国人进行了深刻的反省。甲午一战，中国被迅速崛起的东邻日本战败，曾经使国人颇感震惊，于是开始走上师法日本的道路。中国与日本为同洲、同文、同种之国，"故言变法者莫不曰师日本，师日本"，但至日俄战争时，"十年以来，徒得其形式而不得其精神"，并没有显著的成效。日本明治维新之精神何在？"日本丕变之精神，在易少数贵族之专制政体而为多数民族之代议政体，由集权中央惟一之制度而调和以地方自治之制度而已。"可见其关键在立宪。因此，中国欲救亡图存，必须"改行立宪政体"。④ 日本以立宪国战胜专制国俄国，为中国的宪政改革提供了一个现成的榜样。中国立宪宜仿日本成法，已成时人之共识。事实上，日后清廷的预备立宪就多有取法日本之处并非偶然。

日俄战争是中国思想界转向立宪的一大契机。"自甲午以至戊戌，变法之论虽甚盛，然尚未有昌言立宪者。政变以后，革新之机，遏绝于上而萌

---

① 《中国立宪之起原》，《宪政初纲·立宪纪闻》，《东方杂志》临时增刊，商务印书馆，1906，第1页。
② 中国之新民（梁启超）：《俄罗斯革命之影响》，张枏、王忍之编《辛亥革命前十年间时论选集》第2卷上册，三联书店，1978，第20页。
③ 《论日胜为宪政之兆》，《中外日报》1905年5月21日。
④ 《论朝廷图存必先定国是》，张枏、王忍之编《辛亥革命前十年间时论选集》第1卷下册，第945—946页。

发于下，有志之士，翻译欧美及日本之政治书籍，研究其宪法者渐众。甲辰日俄战争起，论者以此为立宪专制二政体之战争。日胜俄败，俄国人民，群起而为立宪之要求，土波诸国，又闻风兴起。吾国之立宪论，乃亦勃发于此时。"① 立宪思潮陡然高涨，清政府的宪政改革即在此背景下应运而生。

立宪思潮的奔涌勃发

立宪思想在近代中国纯属西方舶来品。19 世纪末，一些早期改良派人士与康梁维新派都零星地介绍了诸如议院之类的若干关于西方近代宪政制度方面的知识，立宪思想开始萌发。20 世纪初，在民主革命思潮勃兴的同时，君主立宪思想也蔚然成为一股颇具影响的社会政治思潮。立宪思潮兴起后，人们便把主张君主立宪者称为立宪派，立宪派一词便取代维新派而成为改良派的代名词。② 立宪派的主要代表人物有流亡国外的康有为、梁启超和留日学生杨度（后回国活动），以及在国内颇为活跃的张謇、汤寿潜、郑孝胥、赵凤昌等人。

较早系统地阐述君主立宪理论的思想家是梁启超。1901 年 6 月，梁启超在《清议报》上发表《立宪法议》一文，认为世界上有君主专制、君主立宪和民主立宪三种政体，当时全球强国之中除俄国为君主专制政体、美国与法国为民主立宪政体以外，其余各国是君主立宪政体，故"君主立宪者，政体之最良者也"。立宪政体与君主政体的根本区别就在于是否有宪法限制权力，各种有限之权皆来源于宪法，宪法是国家的根本大法。因此，政体改革必须立宪。值得注意的是，梁启超在此文中提出了"预备立宪"思想。他认为，当时的中国并不能立刻实行立宪政体，"立宪政体者，必民智稍开而后能行之"。日本从宣布立宪到实施宪法用了二十年时间，中国最快也得十年或十五年。为此，他设想了预备立宪的几个基本步骤：一是颁明诏确定中国为君主立宪之帝国；二是派遣重臣三人带领随员考察欧、美、日本各国宪法之同异得失，以一年为期；三是重臣考察回国后，在宫中开设立法局，起草宪法；四是由立法局翻译各国宪法原文及其解释宪法之名

---

① 伧父：《立宪运动之进行》，《辛亥革命》第 4 册，第 3—4 页。
② 有人查证，立宪派这一称谓最早见于 1903 年 9 月出版的《浙江潮》第 7 期所载《四政客论》。参见侯宜杰《二十世纪初中国政治改革风潮——清末立宪运动史》，第 39 页。

著，颁布天下；五是宪法草稿完成后，在官报刊布，令全国士民逐条辨析，经五年或十年时间损益，制成定本颁布，非经全国人投票，不得擅行更改；六是自颁诏确定政体之日始，以二十年为实行宪法之期。[①] 该文概括地说明了立宪思想的基本纲领，对立宪思潮的兴起有着重要的推动作用。随后，梁启超还陆续发表论著，进一步阐述自己的宪政思想，并有意识地劝告清廷实行立宪。同时，他还在《清议报》和《新民丛报》上刊发大量其他有关宪政的著作，介绍各国立宪史及各种宪政学说。

康有为流亡海外后以保皇派自居，始终坚持君主立宪主张。1902 年，康有为发表著名的公开信《答南北美洲诸华商论中国只可行立宪不可行革命书》，明确表示要依靠光绪帝实行君主立宪。同年，康有为还以数百万海外华侨的名义起草了一份折稿，批评清政府刚刚开始的"新政"变法是"无其根本而从事于枝叶，无其精神而从事于其形式"，要求慈禧"归政皇上，立定宪法，大予民权，以救危亡"。[②] 显然，康有为仍然寄希望于依靠光绪帝实行君主立宪。

张謇早在 1901 年参与刘坤一、张之洞《江楚会奏变法三折》的起草工作时就著有《变法平议》，主张仿照日本明治维新，提出"置议政院"与"设府县议会"的构想，但未被采纳。1903 年，张謇从日本游历考察回来，深受日本宪政的鼓舞，非常热衷研讨立宪问题，"见到官员友人，遇到谈论通信，没有不劝解磋摩各种立宪的问题"。[③] 次年，张謇与蒯光典、赵凤昌、汤寿潜等人数易其稿，为鄂督张之洞与江督魏光焘起草了一份《请立宪奏稿》，张之洞再三嘱咐张謇要先与直隶总督袁世凯商量，袁世凯表示"尚须缓以俟时"，这份奏稿最终没有上奏。与此同时，张謇还与赵凤昌等人刻印《日本宪法》《日本宪法义解》《议会史》等书，并将之送达清廷及铁良等重臣。[④] 这时的张謇始终在为立宪积极奔忙。

在立宪派思想宣传的影响下，国内思想界开始更多地关注立宪问题。

---

① 梁启超：《立宪法议》，《清议报》第 81 册，1901 年 6 月 7 日。
② 康有为：《请归政皇上立定宪法以救危亡折》，上海市文物保管委员会编《康有为与保皇会》，上海人民出版社，1982，第 19、8 页。
③ 张孝若：《南通张季直先生传记》，中华书局，1930，第 138 页。
④ 《日记》，《啬翁自订年谱》，《张謇全集》第 6 卷，江苏古籍出版社，1994，第 528—529、865—866 页。

一般士人逐渐不满清政府枝枝节节的"新政"变法，认为"变法不自设议院、改宪法始，则变如不变"。① 显然，人们希望新政能更进一步而至于实行立宪，于是宪法问题遂被时人所重视。当时上海积山乔记书局出版的《新学大丛书》收集了许多关于宪法的论著，包括《宪法通义》《宪法溯源》《宪法论》《各国宪法论略》《日本宪法创始述》《英国宪法沿革考》《德意志宪法沿革考》《普鲁士宪法沿革考》《法兰西宪法沿革考》等。② 可见，立宪问题已经成为新知识界一个重要的思想兴奋点。

其时立宪思潮的高涨主要表现在以下两个方面。

一方面，立宪派进一步加强了舆论宣传，并奔走运动中央与地方权要赞成立宪。1904 年，夏瑞芳在上海创办《东方杂志》，梁启超协助狄葆贤在上海创办《时报》，这两家报刊立即成为鼓吹立宪的重要思想阵地。其他还有不少报刊如《中外日报》《外交报》《政艺通报》《大公报》等，也加强了对立宪的舆论宣传。如《大公报》在 1905 年举行千号纪念征文时，被取为一等奖的就是一篇大谈"君主立宪者，政体之完全无缺者也"的文章。③立宪之词一时成为新闻舆论的焦点。与此同时，在张謇与汤寿潜、赵凤昌等江浙立宪派的积极奔走运动之下，清政府的军机大臣奕劻、瞿鸿禨和地方督抚袁世凯、张之洞、岑春煊、端方、周馥等重臣都不同程度地表示了赞成立宪的态度，甚至慈禧在看了张謇、赵凤昌等人送呈的《日本宪法》后也对立宪表示了好感。她在召见枢臣时说："日本有宪法，于国家甚好。"④ 其时，立宪之声四起，上自王公大臣，下至绅商学子，多口谈立宪。立宪一词几乎成为"中国士夫之口头禅"。⑤

另一方面，清政府内部发出了立宪的呼声，部分开明官僚倾向立宪。1904 年 1 月，日俄开战之前，云贵总督丁振铎与云南巡抚林绍年联衔电奏清廷请迅速实行全面变法。他们主张："中国自今以后，一切即尽行改革，期于悉符各国最善之政策而后已。…… 即力行改革，期如不数年即悉如泰

---

① 孙宝瑄：《忘山庐日记》上册，上海古籍出版社，1983，第 556 页。

② 参见张玉法《清季的立宪团体》，第 306—307 页。

③ 参见方汉奇《中国近代报刊史》上册，山西人民出版社，1981，第 283 页。

④ 《啬翁自订年谱》，《张謇全集》第 6 卷，第 866 页。

⑤ 《论立宪当以地方自治为基础》，《东方杂志》第 2 年第 12 期，1905 年。

西各国而后已。"① 虽然没有明确点出立宪，但立宪自是其全面变法主张的题中应有之义。同年4月，驻法公使孙宝琦上书政务处，明确提出"仿英、德、日本之制，定为立宪政体之国，先行宣布中外"，然后派大臣采访各国宪法，按照立宪政体制定宪法，并建议变通各国议院成例，在中央设立上下议院，以政务处为上议院，都察院为下议院，同时在地方各省、府、县设立公议堂，选举绅士议政。他还认为，如果实行立宪，国家将迅速强盛，"不但远轶汉、唐，且将与英、德、日本比强"。② 孙宝琦的上书在当时引起了轰动，尤其使立宪派备受鼓舞。1905年，慈禧召见端方，询问新政举办情形，端方以立宪相对，慈禧颇有所感。③ 正是清政府内部部分开明官僚的倾向立宪最终促成了清廷的预备立宪。

需要说明的一点是，这个时期立宪思潮的高涨还与革命运动的蓬勃发展密切相关。立宪思潮最能打动清政府的恰是立宪可以消弭革命的主张。"当此之时，国民之中，主张激烈之革命论者，日益蔓延。清政府欲利用立宪说，以消弭其患，其采用君主立宪制之本意，尤以此为多。"④

立宪派希望通过立宪运动改变专制政治的现状，实现政治民主化，使自己有机会参与国家政治，以提高其政治地位。因为立宪派与清政府有着千丝万缕的联系，所以他们主张用和平改革的方式达到自己的政治目的。在选择立宪模式的问题上，与清政府师法日本模式不同，立宪派主张建立英国式的君主立宪政体。他们认为："今世言宪政者，莫不首推英国，非特君主国之宪政宜以英为称最也，即共和国亦无有能及之者。"⑤ 英国的宪政模式是通过议会来限制与削弱君主的权力，置君主于事实上的虚君地位，虽然君主名义上仍然是国家元首，但其实只是一个国家的政治象征符号；国家政治大权由议会（立法权）与议会多数党组织的责任内阁（行政权）掌握，其结果势必在一定程度上将君主的权力架空而削弱君权。虽然清政

① 《癸卯十二月初三日云南丁制台、林抚台来电》，《张之洞存来往电稿》，中国社会科学院近代史研究所图书馆藏档案，档号：甲182-436。
② 《出使法国大臣孙上政务处书》，《东方杂志》第1年第7期，1904年。
③ 魏元旷：《魏氏全书·坚冰志》，中国史学会主编《中国近代史资料丛刊·戊戌变法》第4册，神州国光社，1953，第313页。
④ 伧父：《立宪运动之进行》，《辛亥革命》第4册，第4页。
⑤ 熊范舆：《立宪国民之精神》，《中国新报》第1年第4号，1907年。

府预备立宪与立宪派的立宪运动都主张君主立宪，但是在日本模式与英国模式的选择上，结果大不一样。如果说清政府看重日本模式，主要是维护君权，那么立宪派钟情英国模式，则是有意扩充绅权。

二　立宪政团纷起

清廷宣布预备立宪后，立宪派纷纷组织立宪团体。据不完全统计，在1906—1911 年的立宪运动中，海内外各地共建立各种立宪团体 84 个。① 各地立宪团体的涌现是立宪派作为一个独立政治派别走向成熟的重要标志。

江浙立宪派与预备立宪公会

以上海为中心的江浙地区经济发达、人文荟萃、风气开通、思想先进、是国内立宪派活动最重要的基地。张謇、汤寿潜等江浙立宪派是立宪运动的积极倡导者和领导者，他们的思想与活动都已超越狭隘的省区地域而具有全国性意义。清廷开始预备立宪后，正是他们首先着手组织了国内第一个立宪团体——预备立宪公会。

1906 年 12 月 16 日，预备立宪公会在上海成立，郑孝胥任会长，张謇、汤寿潜任副会长。据一份《预备立宪公会会员题名表》所列资料统计，235名会员中江苏 103 人、浙江 55 人，江浙籍人士共占会员总数的 67%强，可见该会是以江浙立宪派为主体的立宪团体。在这 235 人中，有 113 人曾经任过各种政府官职或具有某种官衔，这些官绅将近占会员总数的一半，其余便主要是在各种企业、银行、公司、商会任职的商绅。② 事实上，那些所谓官绅也有不少经营各种工商企业。可见，预备立宪公会的主要阶级基础是绅商，并与官府有着密切的联系。该会的灵魂人物是江浙立宪派的领袖张謇。

预备立宪公会的活动以筹办宪政为中心，主要表现如下。第一，出版书刊，宣传宪政知识。该会编辑的报刊主要有《预备立宪公会报》和《宪

---

①　参见张玉法《清季的立宪团体》，第 91—98 页。

②　《预备立宪公会会员题名表》，浙江省辛亥革命史研究会等编《辛亥革命浙江史料选辑》，浙江人民出版社，1981，第 210—222 页。

志日刊》两种。《预备立宪公会报》为半月刊，于 1908 年 2 月在上海创办，至 1910 年 1 月停刊，共出 46 册。1910 年 5 月在北京改出《宪志日刊》，由孟昭常主编；次年 2 月，又议决改为《宪报》。该会出版的图书主要有孟昭常的《公民必读》和《城镇乡地方自治宣讲书》、钱润的《地方自治纲要》、张家镇的《地方行政制度》、孟森的《谘议局章程讲义》及邵羲译的《日本宪法解》、汤一鹗译的《选举法要论》等。各书畅销一时，影响颇大。第二，开办法政讲习所，培养宪政人才。1909 年 2 月，该会接办由原江苏学会创办的法政讲习所，招收各省学员学习法政知识。先有半年一期的班次，注重地方自治知识，包括财政、预算、决算等方面，专门培养地方自治人才；后增设一年一期的班次，注重法律，造就司法人才。第三，推动地方自治的进行与谘议局的筹办。在推行地方自治方面，预备立宪公会不仅督促各地士绅学习法政知识，而且催促宪政编查馆从速制定地方自治章程。在筹办谘议局方面，预备立宪公会也做了不少工作：在会中设立通信部，统一谘议局章程的解释与施行办法；每周召开谈话会一次，商议谘议局议案；与各省谘议局联系，互相交流经验。张謇被选为江苏谘议局议长，其他不少预备立宪公会会员被选为谘议局议员。第四，参与国会请愿运动。张謇、雷奋、杨廷栋、孟森、孟昭常等预备立宪公会成员在清末国会请愿运动中表现得非常活跃（详见下文）。[①]

预备立宪公会是清末存在时间最长、影响最大的立宪团体，其活动一直持续到武昌起义以后。

康梁与帝国宪政会和政闻社

在张謇等立宪派于国内设立预备立宪公会的同时，流亡海外的康梁也在谋求组织立宪团体。

1906 年 10 月 21 日，康有为以个人名义向各埠保皇会会众发布公启，宣布在丁未（1907）元旦改保皇会为国民宪政会，并拟定了改会简章。[②] 当时，梁启超正在日本与熊希龄、杨度、蒋智由、徐佛苏等人商议组党。他接到

---

① 参见张玉法《清季的立宪团体》，第 369—370 页；侯宜杰《二十世纪初中国政治改革风潮——清末立宪运动史》，第 121—123 页。

② 《布告百七十余埠会众丁未新年元旦举大庆典告藏保皇会改为国民宪政会文》《行庆改会简要章程》，汤志钧编《康有为政论集》上册，中华书局，1998，第 597—606 页。

康有为关于保皇会改名的信后，便与熊希龄等人商榷。熊希龄等人建议改用"帝国宪政会"之名，梁启超表示赞同。他致书康有为称："何不用帝国之名，而用国民之名耶？岂赶不及耶？窃以为及今改之，未为晚也。"①康有为并未表示反对。

1907 年 3 月底 4 月初，康有为在纽约召集各埠代表召开改保皇会为宪政会大会，正式宣布帝国宪政会成立。帝国宪政会成立后，其活动主要是响应国会请愿运动。1907 年底至 1908 年初，康有为发动亚、欧、美、非、澳五洲二百埠帝国宪政会侨民数十余万人上书请愿，要求"立开国会以实行立宪"。②在海外，帝国宪政会不仅面临日益壮大的革命党人势力的竞争，而且因为开办商务公司、华墨银行尤其是振华公司等实业经营不善，内部矛盾重重，势力大为削弱，反而不如保皇会时期声势之大。武昌起义后，康有为通告各埠会众改帝国宪政会为"国民党"，③后被合并于共和党。

就在康有为酝酿改组保皇会的同时，梁启超也在与杨度等人谋求组党。后来由于领导权问题，双方发生矛盾，合作组党计划流产，各自分道扬镳。梁启超认为，杨度之所以热心组党之事，是因为他"颇有野心"，即希望利用康梁一派的人力、财力与名誉图谋个人的发展。所谓"欲以其所支配之一部分人为主体，而吾辈皆为客体"，"欲利用吾党之金钱名誉，而将来得间则拔戟自成一队"。④结果，杨度成立了宪政讲习会，梁启超与蒋智由、徐佛苏等人组织了政闻社。

1907 年 10 月 17 日，政闻社在东京神田区锦辉馆正式召开成立大会。当天与会者有以梁启超为首的社员近二百人，其他赴会者千余人，并有日本名士犬养毅等人为之捧场。当梁启超演说国会议院等事时，潜伏其中的革命党人张继、金刚、陶成章等人起身喊打，会场一片混乱，梁启超等人

---

① 梁启超：《与夫子大人书》，丁文江、赵丰田编《梁启超年谱长编》，上海人民出版社，1983，第 369、374 页。
② 《海外亚美欧非澳五洲二百埠中华宪会侨民公上请愿书》，汤志钧编《康有为政论集》上册，第 609 页。
③ 康有为：《致各埠书》，《康有为与保皇会》，第 368 页。
④ 梁启超：《致蒋观云书》《与南海夫子大人书》，丁文江、赵丰田编《梁启超年谱长编》，第 391、409 页。

落荒而逃，大会不欢而散。① 政闻社在一场闹剧中正式成立。

政闻社在海外成立后，便面临艰难的生存环境，主要是与革命派的矛盾冲突不可避免。双方当时在海外的活动主要是以华侨和留学生为依托，因此在人力、财力、活动空间等方面存在激烈的争斗。还在商议组党之时，梁启超就已经察觉到形势的严峻性。他致书康有为称："革党现在东京占极大之势力，万余学生从之者过半。……今者我党与政府死战，犹是第二义；与革党死战，乃是第一义。有彼则无我，有我则无彼。"② 政闻社成立大会上革命派张继等人的存心捣乱更使双方的矛盾公开化。因此，政闻社成立不久即谋求转向国内活动。

1908 年初，政闻社总务员马良、常务员徐佛苏和麦孟华率本部迁回上海。政闻社在国内活动的最大目标是请愿速开国会。在 1907—1908 年立宪派发动的国会请愿运动中，政闻社充当了一个重要的角色。政闻社不仅与上海预备立宪公会等团体发起组织国会期成会，发动全国规模的签名请愿速开国会运动，而且还以该社全体名义致电宪政编查馆请愿，要求"乞速宣布期限，以三年召集国会"。③ 1908 年 7 月 25 日，政闻社成员、法部主事陈景仁以个人名义电奏朝廷，请求确定三年内召开国会，并把主张从缓立宪的赴德国考察宪政大臣于式枚革职以谢天下，结果陈景仁反被清廷革职。8 月 13 日，清廷谕令查禁政闻社，正式成立不到一年的政闻社因此被迫解散。

杨度与宪政讲习会及宪政公会

杨度与梁启超等人合谋组党失败后，遂谋求独立组党。1907 年 2 月 9 日，杨度与方表、陆鸿逵、杨德邻等人在东京组织政俗调查会，"其宗旨在反对政府及革命党，而主张君主立宪"。④ 7 月，杨度与熊范舆等人在政俗调查会的基础上，正式成立宪政讲习会，其宗旨标榜"预备宪政进行之方

---

① 《政闻社社员大会破坏状》，汤志钧编《章太炎政论选集》上册，中华书局，1977，第 370 页。

② 梁启超：《与夫子大人书》，丁文江、赵丰田编《梁启超年谱长编》，第 373 页。

③ 参见丁文江、赵丰田编《梁启超年谱长编》，第 454 页。

④ 《我之历史》，陈旭麓主编《宋教仁集》下册，中华书局，1981，第 713 页。

法，以期宪政之施行”。[①] 宪政讲习会以熊范舆为会长，实际主持人是杨度。

宪政讲习会成立不久，即对外公开发表《意见书》，提出设立民选议院的主张，认为欲救中国“非改造责任政府不可，欲改造责任政府，则非设立民选议院不可”，并表示本会同志愿为“宪政之先驱”。[②] 同年10月，在杨度与宪政讲习会的策划下，由熊范舆领衔向清廷请愿要求开设民选议院，开民间请愿开国会之先河，并掀起了一场全国性规模的国会请愿运动。

其时，杨度因料理伯父丧事回湘，宪政讲习会也随之开始在国内发展势力。是年底，杨度与湘绅谭延闿、龙绂瑞、廖名缙等人在长沙成立宪政讲习会湖南支部。1908年初，杨度改宪政讲习会为宪政公会，湖南支部即称为湖南宪政公会。随后，杨度进京设立宪政公会本部，并在上海等地建立分会，积极从事国会请愿联络活动。4月20日，由于张之洞与袁世凯的保荐，清廷谕令杨度“以四品京堂候补在宪政编查馆行走”。[③] 此后，杨度借助在政府中的各种关系，大力发展宪政公会的势力。

然而，杨度在进入清政府体制后，其政治立场逐渐发生微妙的变化，开始由著名的立宪派领袖转变为清政府筹办宪政的御用官僚。其时，清廷颁布《钦定宪法大纲》和《九年筹备立宪清单》。某些立宪派人士认为九年为时过长，攻击清廷有意拖延时间，甚至怀疑清廷立宪的诚意。杨度以宪政公会常务长的名义发表《布告宪政公会文》，公开为清廷辩护，认为“以君主大权制钦定宪法，实于今日中国国势办理最宜”；至于立宪期限，则是“宁迟无速，立宪政体不可早成”，“上而谕旨惶惶，岂宜违反”；并劝告该会会员“此时但宜奉扬谕旨，引导人民恪遵分年预备之单而为确立基础之法，不宜以空言为重，以实事为轻，见目前之近情，遗天下之大计”。[④] 除杨度外，宪政公会一些骨干分子也纷纷进入官场。熊范舆先被河南巡抚林绍年聘为法政学堂总教习，后又被云贵总督李经羲调往云南任知府。沈钧儒被浙江巡抚增韫聘为谘议局筹办处总参议。薛大可应湖广总督之聘，陆鸿逵应湖南巡抚之聘，方表、黄敦怿应山东巡抚之聘，杨德邻应东三省总

---

① 《东京中国宪政讲习会总章》，《时报》1907年8月11日。

② 《东京宪政讲习会意见书》，《时报》1907年8月12日。

③ 中国第一历史档案馆编《光绪宣统两朝上谕档》第34册，广西师范大学出版社，1996，第63页。

④ 《布告宪政公会文》，刘晴波主编《杨度集》，湖南人民出版社，1986，第511—512页。

督之聘，筹办谘议局和地方自治。诚如时人所谓，"彼团中人皆分布各省督抚幕府"。[①] 宪政公会会务无人打理，组织渐形涣散。政闻社被查禁后，清政府对集会结社取缔甚严，宪政公会也自然消亡。

其他地方性立宪团体

除了上述几个跨省区甚至具有全国性规模的重要立宪团体，立宪派还组织了基本上是以省区为单位的地方性立宪团体，如吉林省自治会、广东粤商自治会、贵州自治学社与宪政预备会、湖北宪政筹备会、福建政与会等。

1. 吉林省自治会

1907 年 1 月 6 日，吉林地方自治研究会成立，松毓为正会长，庆山、文禄为副会长。10 月 7 日，吉林地方自治研究会正式改名为吉林省自治会，以署理吉林民政使司民政使谢汝钦为监督，松毓为正会长，庆山为副会长。自治会成立后，便在省城设立自治研究所，编辑《自治报告书》，开办宣讲所，培养自治人才，传播新学，以开通风气，并积极开展筹办地方自治的准备工作。除此之外，自治会还参与了吉林省谘议局的筹办等宪政筹备工作，表现极为活跃。但是自治会的发展使绅民权力逐渐得以扩张，引起了官府的不满，最终招致被解散的命运。1908 年 11 月 10 日，东三省总督徐世昌与吉林巡抚陈昭常发布公告，宣布解散该会，将吉林省地方自治事宜改归谘议局筹办处一并筹办，并缩小规模，改为吉林府自治局，拟先从吉林一府试办。[②]

2. 广东粤商自治会

粤商自治会是广东商人自行组织的立宪团体。1907 年冬，在两广人民开展反对英国攫夺西江缉捕权的斗争中，商人陈惠普等决定成立自治组织，"冠以粤商名号"，即粤商自治会。粤商自治会主要由广东的商业和金融业资本家组成，其重要代表人物有陈惠普、李戒欺、陈基建、黄景棠等。粤

---

① 徐佛苏：《致任公先生书》，丁文江、赵丰田编《梁启超年谱长编》，第 464 页。
② 《自治会移民政司吉林省地方自治沿革录》《吉林地方自治会监督、会长、参议、职员衔名一览表》《总督徐世昌、巡抚陈昭常为吉林自治会归并谘议局筹办处收小规模改为吉林府自治局布告》，吉林省档案馆、吉林省社会科学院历史所编《清代吉林档案史料选编·辛亥革命》，内部发行本，1981，第 106—108、122—123、132—133 页。

商自治会成立时宣称："本会遵旨预备立宪，先与同胞谋自治，将以研究内政、外交之得失，发为议论，供朝廷采择；调查工商实业之利弊，力为整顿，以谋地方公益。"在筹办宪政方面，粤商自治会自筹经费办起了自治研究所，并协助一些城镇设立自治会，推动了广东地方自治的开展。与此同时，粤商自治会还积极参与1908年的国会请愿运动。1909年，广东谘议局成立，粤商自治会的成员几乎被全部排除在谘议局之外，但是粤商自治会还是以民间团体的形式积极提出议案，努力参与谘议局的一些活动，对推动广东宪政改革运动的发展起了重要的作用。①

3. 贵州自治学社与宪政预备会

贵州较早的重要立宪团体为自治学社，由张百麟等人于1907年底创办。自治学社发行《自治学社杂志》作为其舆论机关，其社章标榜"以预备立宪、催促立宪为宗旨"。起初，自治学社完全是一个立宪团体；1908年秋以后，自治学社逐渐转向革命；1910年以后，自治学社终于卷入革命的洪流，成为革命团体。②

在自治学社逐渐转向革命的时候，贵州立宪派开始筹设新的立宪团体——宪政预备会。贵州宪政预备会在贵州教育会的基础上产生，任可澄为会长，陈廷棻为副会长，其会务实际上由教育会会长唐尔镛控制。1909年11月28日，贵州宪政预备会正式召开成立大会。会上，任可澄宣称"本会以预备宪政为范围"，具体分调查、著译、演说、研究四部。③ 该会还办有法政学堂，并出版有《黔报》和《贵州公报》，鼓吹立宪。

4. 湖北宪政筹备会

湖北宪政筹备会附设于湖北教育总会。1909年5月20日，湖北宪政筹备会开会选举职员，学界、绅界有资望者80余人与会。会上选举姚晋圻为会长，李哲明为副会长。④ 湖北宪政筹备会的实际领导人是著名立宪派人物汤化龙与张国淦，正是在他们的领导下，湖北立宪派团聚于宪政筹备会，

---

① 以上关于粤商自治会的情况，主要参见邱捷《辛亥革命时期的粤商自治会》，《纪念辛亥革命七十周年青年学术讨论会论文选》下册，中华书局，1983，第373—400页。

② 参见张恒平、陈世和《试论贵州自治学社的性质》，《纪念辛亥革命七十周年青年学术讨论会论文选》下册，第447—462页。

③ 《贵州发起宪政预备会大会纪详》，《申报》1909年12月30日。

④ 《湖北宪政筹备会选举职员纪事》，《时报》1909年5月21日。

积极参加国会请愿运动，成为全国宪政改革运动的重要力量。

5. 福建政与会

福建政与会成立于 1909 年 12 月，其主义标榜"专以辅佐地方自治之不逮，并为谘议局机关之助"。① 政与会主理干事为林长民、刘崇佑、陈之麟，评议员为高登鲤、黄乃裳、林辂存等人，均是谘议局的重要成员。福建政与会是与谘议局等宪政机构关系密切的重要立宪团体。

另外，还出现了许多以一府、一州、一县或一个城市为单位的规模更小的地方性立宪团体，如扬州的法政研究会、天津的自治期成会、常熟的地方自治会、汕头的自治研究社等。还有一些立宪团体是专为某一项特定的宪政目标而结成的，如国会期成会、国会请愿同志会、谘议局研究会、地方自治研究会等。京城与驻防八旗士民也成立了自己的立宪团体，如北京的八旗宪政会、杭州的杭乍两防旗人自治会等。在立宪运动中，由于各种政治团体的创设，立宪派逐渐聚合成一个独立而成熟的政治派别。同时，正是由于国内外各个立宪团体之间不断的联合活动，各地立宪派逐步实现了全国性的联合，并将全国立宪运动推向新的高潮。

三　立宪派参与议政

立宪派作为传统官僚体制之外的民间政治势力，在清末预备立宪时期参与议政的场所主要有谘议局、各省谘议局联合会和资政院。在这些省区与全国性的议政场所，立宪派突破了传统的官僚政治体制，针对各省地方甚至国家政策走向与政治运作，充分表达了民间政治势力的政治诉求。这是近代民主政治在清末的初步尝试。

立宪派在谘议局中的议政

谘议局是省议会的基础。1909 年 10 月 14 日（宣统元年九月初一日），除新疆因故缓办外，全国 21 个省谘议局同时宣布成立。各省谘议局成立后，便成为立宪派议政的重要场所。许多著名的立宪派领袖人物如张謇、汤化龙、谭延闿、陈黻宸、梁善济、吴景濂、蒲殿俊、罗纶等被选为谘议局正

---

① 《闽省设立政与会之宗旨》，《申报》1909 年 12 月 25 日。

副议长。正是在他们的领导下，立宪派在谘议局中的议政活动颇为活跃。

《谘议局章程》规定，谘议局会议分常年会与临时会两种：常年会每年召开一次，会期为 40 天，自九月初一日至十月十一日，如有必要，可延长 10 天；临时会遇有紧要事件临时召开，会期为 20 天。谘议局所议议案有三类：一是各省督抚提出交议的议案；二是谘议局议员自行提议的议案；三是自治会或人民陈请的议案。

在第一届常年会上，各省谘议局收到了很多议案，议员议政热情极高，议决了不少重要的议案。《东方杂志》记载，江苏谘议局收集议案 184 件，其中督抚交议案 15 件，议员提议案 98 件，人民请议案 71 件。结果是：已经决议案 109 件，包括督抚交议案 15 件，议员提议案 72 件，人民请议案 22 件；议而未决案 20 件，包括议员提议案 16 件，人民请议案 4 件；未及提议案 13 件，包括议员提议案 10 件，人民请议案 3 件；另外，人民请议案中尚有 37 件被废弃或留作备考，有 5 件未及审查。① 虽然因为会期有限，谘议局议决的主要是督抚交议案和议员提议案，尚有一些议员提议案尤其是大量人民请议案未及开议，但是从议员提议案和人民请议案都有较大数量甚至远远超过督抚交议案的事实来看，立宪派与一般民众的参政议政热情是很高的。

各局议案的内容可以吉林谘议局为例。吉林谘议局共议决 28 案，大致可以分为八类：（1）关于民政者 5 案，即督抚提议的筹划巡警经费案和改营业税为附加税以充地方自治经费案，谘议局提议的乡巡利弊案、速办城镇乡自治选举案和变通自治研究所办法案。（2）关于财政者 6 案，即督抚提议的募集公债整顿币制案，谘议局提议的税契减轻案、租赋弊端案、裁减税卡厘剔弊端案、牲畜税尽数提解案和不认长农新加车捐案。（3）关于学务者 6 案，即督抚提议的设立简易识字学塾案、设立实业教员讲习所案、推广初等小学案、整顿学务饷捐案和划一提充学款章程案，谘议局提议的学业利弊案。（4）关于实业者 2 案，即督抚提议的设立农会案，谘议局提议的矿产兴废案。（5）关于交涉者 1 案，即谘议局提议的质问外交失败案。（6）关于军政者 2 案，即谘议局提议的筹设制造军械局案和整顿军务以清盗源案。（7）关于地方政治者 3 案，即谘议局提议的兴革依兰府一带地方

---

① 《各省谘议局议案记略》，《东方杂志》第 6 年第 13 期，1909 年。

利弊案、指陈新城府金守酷刑违法案和指陈桦甸县李违法徇私案。（8）其他 3 案，即谘议局提议的保路会善后办法案、学生祖国光借款留学案和议员回籍调查案。① 可见，各省谘议局的议案具体涉及本省政治、经济、军事、文化教育、社会生活等多方面的实际问题，结合省情参议省政，"要皆按诸地方情形，切中当时利弊"，② 真正起到了为各省地方政治献计献策的积极作用。

各省谘议局第一届常年会大体进行得较为顺利。东三省总督锡良在奏报奉天谘议局会议情形时说："此次呈定议案，类多切中时势，有益地方；即会议期内，俱能秩序井然，恪诚任事。"③ 英国《泰晤士报》驻北京记者莫理循（G. E. Morrison）也"高度评价"了在太原和西安亲眼看到的山西和陕西两省谘议局情形。他以记者敏锐的目光观察到，在谘议局会议上，"代表们那样从容不迫地履行自己的职责，那样有秩序地讨论议题"。其结论是："试办谘议局显然是个成功。"④

尽管如此，各省谘议局第一届常年会并非尽善尽美，事实上也有许多不尽如人意之处。如吉林谘议局因提议"质问外交失败案"而与巡抚陈昭常发生冲突，贵州谘议局所提议案"或有理论而无办法，或已表决而复修正，混淆牴牾，棼然相乱"。⑤ 当然，在立宪派第一次参政议政的实践中存在一些问题是不可避免的。

1910 年 10 月 3 日，各省谘议局第二届常年会如期召开。在此常年会上，各省谘议局又议决了许多重要议案。例如，四川谘议局会期 50 天，开正式会议 20 次，通过议决案 30 余件，如请代奏速开国会案、以地方公产筹设各府厅州县殖业银行案、法令公布规则案、整顿全省学务案、请饬审理词讼衙门张贴判决书案等。《蜀报》记载，在议决纠举巡警道违法案当天，

---

① 《各省谘议局议案记略》，《东方杂志》第 6 年第 13 期，1909 年。

② 《浙江巡抚增韫奏浙江谘议局开会始末并议案大略折》，故宫博物院明清档案部编《清末筹备立宪档案史料》下册，中华书局，1979，第 705 页。

③ 《奉省谘议局开会闭会暨会议情形折》，中国科学院历史研究所第三所主编《锡良遗稿·奏稿》第 2 册，中华书局，1959，第 1043 页。

④ 〔英〕乔·厄·莫理循：《致瓦·姬乐尔》，〔澳〕骆惠敏编《清末民初政情内幕——〈泰晤士报〉驻北京记者袁世凯顾问乔·厄·莫理循书信集（1895—1912）》上卷，刘桂梁等译，知识出版社，1986，第 641—643 页。

⑤ 周素园：《贵州民党痛史》，《辛亥革命》第 6 册，第 437 页。

"旁听八百余人。议员根据法理，不屈不挠，旁听席眉飞色舞，至日暮犹不去。吁！民气蹐局久矣。万头攒动，侃侃直言，无惑乎令人神往也"。[①]

各省谘议局第二届常年会大都能吸取第一届会议的经验教训，因而开得更有成效。如贵州谘议局便因事先准备充分而取得了较好的效果，"自治党鉴于往岁之覆车，先期开议案预备会，从事研究，议员亦益明习政事，熟练程序。第二届常会以全力争预算案，于地方经费大有减削。又通过龚文柱改良税收方法案，以法律形式促巡抚公布，舆论翕然称之"。[②]

在第二届常年会上，有不少省份发生了谘议局与地方督抚之间因权力关系造成的矛盾冲突。《东方杂志》记载，浙江谘议局因浙路事陈请巡抚增韫代奏收回成命而停议待旨，增韫多次劝告谘议局开议，但议员始终不从，坚持要求增韫先行拟电代奏，双方僵持达一个月之久。湖南谘议局因巡抚杨文鼎举办公债未经交局议决而擅自奏准发行，以为侵权违法，故电请资政院核办。广东谘议局提出定期禁赌议案，要求两广总督袁树勋在三日内电奏清廷，宣布广东赌博一律禁绝期限，否则停议力争，甚至全体辞职。袁树勋以尚未确定筹抵赌饷办法为由表示不便即行电奏，议员当即实行停议，最后迫使袁树勋不得不据情电奏，议员始照常开议。福建谘议局因闽浙总督拒不交议预算案之岁入，决定全体罢议。顺直（直隶）谘议局因直隶总督陈夔龙奏请续募公债，曾提出质问书，质问所办公债是作为地方公益之用还是充当行政经费之用，但陈夔龙不予理睬，于是谘议局在第二届常年会闭会后召开临时会，特提出"陈总督侵权违法案"，呈请资政院核办。[③]

各省谘议局第二届常年会上争议最多的是关于预算案问题。按《九年筹备立宪清单》规定，1910 年应试办各省预算。《谘议局章程》规定，各省预算案必须由督抚提出并交谘议局议决。但是，谘议局第二届常年会召开后，各省督抚或迟迟不提交预算案，或所交预算案中仅有岁出而没有岁入，致使谘议局无法开议。各省谘议局一面质问督抚，一面致电度支部和资政院，以求妥善解决，然迄闭会而无结果。于是，各省谘议局遂纷纷召开临

---

① 《四川咨议局宣统二年九月常年会纪略》，隗瀛涛、赵清主编《四川辛亥革命史料》上册，四川人民出版社，1981，第 152 页。

② 周素园：《贵州民党痛史》，《辛亥革命》第 6 册，第 437—438 页。

③ 问天：《宣统二年九月中国大事记》《续记各省谘议局与行政官争执事》《三记各省谘议局与行政官争执事》，《东方杂志》第 7 年第 10、11、12 期，1910 年。

时会议决预算案。在此过程中，谘议局与督抚及官府的矛盾冲突仍然无法避免。例如，四川谘议局为了做好议决预算工作，特派议员分别到省城附近各局、所、学堂、工场参观调查，以资印证，竟被官府借故拒绝阻难。①再如，江苏谘议局议决两江总督张人骏提交之宣统三年宁属预算案，"其中增减数目于各学堂经费有以百分裁去四十余分者，有裁去百分之数分者，有同等学堂用数本多而减数甚微者，有用数本少而减数甚巨者，实无划一办法"。张人骏对此颇为不满，不予公布施行。江苏谘议局议长张謇与副议长及常驻议员全体辞职。随后，江苏绅商成立预算维持会，声援谘议局。资政院江苏籍议员通过总裁向内阁提出公呈，要求妥善解决江苏预算案。在各方的压力下，张人骏最后公布了预算案。虽然较之局议尚多出入，但张謇等为顾全大局，表示接受。②

立宪派在各省谘议局两届常年会上的议政活动，是我国政治现代化过程中地方民主政治的初步尝试。

立宪派在各省谘议局联合会中的联合议政

各省谘议局的设立为立宪派提供了重要的议政场所，但与此同时，也相应地限制了立宪派的议政范围。谘议局以省为单位，使得立宪派所议之政不得不局限于一省之内。事实上，许多问题本身已超越省区界限，并不是一省之力所能解决的。因此，立宪派在谘议局议政的过程中业已产生联合起来的需要。尤其是在全国性的国会请愿运动中，各省谘议局代表通过相互接触与联合行动，更加感到有必要组织一个超越省区界限的统一机构，以"会议关于牵涉各省之议案，以谋一致"。③于是，各省谘议局联合会（又称直省谘议局议员联合会）便应运而生。

1910年8月10日，各省谘议局联合会在北京成立。其章程规定，联合会由各省谘议局遣派的议员组成，各局选出的资政院议员也可遣派为会员。联合会议事范围有三：一是各省谘议局共通利害之事；二是资政院提案预备之事；三是关于本会章程及其他种规则之事。议案分三种：一为联合会

---

① 《议员无参观之权利》，隗瀛涛、赵清主编《四川辛亥革命史料》上册，第191页。
② 《江苏谘议局议长张謇辞职书》《江苏谘议局复预算维持会函》，《张謇全集》第1卷，第160—161、173页。
③ 心史：《宪政篇》，《东方杂志》第6年第13期，1909年。

共同提出之议案；二为各省谘议局提出之议案；三为到会会员临时提出之议案。各种议案一经决议，各省谘议局应采取一致行动。联合会每年农历六月在北京开会一次。"本会开会之日为成立，闭会之日为终止。"① 可见，各省谘议局联合会没有常设的组织机构，并不是一个固定的政治结社，其实只是一个供各省谘议局议员联合议政的临时性机构。

8 月 12 日，各省谘议局联合会举行第一次正式会议。会上选举汤化龙为主席，蒲殿俊为副主席。直到 9 月 7 日闭会，共开会 13 次。在这届谘议局联合会的 13 次会议中，各省议员代表共提出议案 46 件，最后议决议案 14 件，其中 5 件是关于改变盐法、裁撤厘捐、禁绝鸦片、保护商办铁路、废除学堂以科举名称奖励毕业生的问题，另外 9 件都是关于政治的问题。陈请提议请速开国会案主张速开国会。陈请申明资政院立法范围提议案申明正式议院成立以前资政院具有完全立法性质，预备立宪以来颁布的法律法令都应由资政院审查，宪政编查馆不得侵犯其权限。请根据章程确定权限解释公呈案、陈请更正谘议局文书体式建议案、陈请解决谘议局办理困难情形案、沥陈谘议局困难请变通办法案旨在确立谘议局的地位与权限，不满意宪政编查馆对谘议局章程的解释及有关谘议局文书格式的规定，要求资政院予以纠正。陈请建议速定官制提前实行案建议资政院议决责任内阁官制草案，于开会期间奏请施行。陈请修改结社集会律案要求资政院修改《结社集会律》有关人民自由结社集会的限制性条文，如禁止学堂教员结社集会，政治结社以 100 人为限，政论集会以 200 人为限等条文，必须删除。② 这些议案由各省谘议局联合会准备提交即将正式成立的资政院议决，这是立宪派在各省谘议局联合会集体议政的结果，反映了全国立宪派的共同呼声。

对于各省谘议局第二届常年会上争议最多的预算案，各省谘议局联合会事先探闻到度支部以本年尚在预算期内而要督抚不必提交谘议局议决的消息，特别讨论了对待方法，通告各省谘议局。其具体方法是：（1）如果督抚不提交预算案，谘议局应一面诘问督抚，一面致电资政院，要求其确

---

① 《直省谘议局议员联合会章程》《直省谘议局联合会临时办事处规则》《直省谘议局联合会议事规则》，《时报》1910 年 8 月 19 日。

② 各省谘议局联合会议案的详细内容见《直省谘议局议员联合会报告书·议决案汇录》，参见侯宜杰《二十世纪初中国政治改革风潮——清末立宪运动史》，第 295—296 页。

实速复。如果是奉旨不交，则各局当互相电告，皆致电资政院力争，不达目的，同时停议。（2）预算内容如果只有出入总表而无分表，或只有岁出经费而无岁入款目，应同时交还督抚，并致电资政院请求更正，不达目的，同时停议。（3）其他情况，如预算案之岁入类不分别国家税、地方税，而仅以一部分之岁入作为地方行政经费，应将岁出各经费削减，如督抚不准，则致电资政院争之。① 由此可见，各省谘议局联合会未雨绸缪，为各省谘议局与地方督抚争执预算案事先做了充分的准备。

在资政院开院以前，各省谘议局联合会的成立为全国立宪派提供了联合议政的场所。这对于加强各省立宪派的联系，协调各省立宪派的行动，共同推动立宪运动的发展都有重要的积极意义。

立宪派在资政院中的议政

资政院的成立为立宪派提供了又一个议政场所。资政院由钦选议员和民选议员组成，两者数量各半，但就宪政知识与政治活动能量而言，后者远胜前者。钦选议员除少数是从各部院推选的年轻官员而有所表现外，大多数是年迈庸碌的贵族和官僚，他们在资政院中并无积极的表现。民选议员则都是各省谘议局的重要议员，大都是立宪派的骨干分子，他们在资政院中表现得颇为活跃。资政院虽然不是正式国会，只是预立国会的基础，但时人仍然对之寄予很高的期望。如《申报》所云："宣达舆情，规划宪政，尽监督之责任，树国会之先声。"② 又如《盛京时报》所谓："资政院固代表舆论之最高机关也。"③ 时论如此，立宪派当然也把资政院当作议政的舞台。

立宪派在资政院的议政活动主要表现在积极参加资政院会议上。《资政院章程》规定，资政院会议分常年会与临时会两种：常年会每年召开一次，会期三个月，自农历九月初一日至十二月初一日，如有必要可延长会期一个月；临时会遇有紧要事件临时召开，由行政各衙门或总裁、副总裁之协议，或议员过半数之陈请，均得奏明奉特旨召集。

---

① 《中国纪事·谘议局联合会对于各省督抚不交预算案之准备》，《国风报》第 1 年第 25 期，1910 年。

② 《本馆同人献言》，《申报》1910 年 10 月 3 日。

③ 《敬祝资政院之前途》，《盛京时报》1910 年 10 月 4 日。

1910年9月23日，资政院第一次召集议员，宣布正式成立。总裁溥伦、副总裁沈家本为正、副议长。10月3日，资政院召开第一次常年会开会典礼。典礼异常隆重，监国摄政王、军机大臣、大学士、各部尚书均亲莅议场。10月4日，资政院第一次常年会正式开会议事。这次常年会按院章规定会期为三个月，后因议事未完而延期10天，到1911年1月11日闭会，其间共开议事会39次。会议接收并议决了许多议案，这些议案主要有政府交议、议员提议和谘议局请议三类，另有团体或人民陈请的议案，具体涉及政治、经济、法律、外交、文化教育、社会生活等各个方面，如速开国会案、速设责任内阁案、速立官制提前实行案、弹劾军机大臣案、资政院立法范围案、谘议局困难案、统一国库章程案、裁厘加税案、商办铁路非经国会协赞不得收为国有案、地方学务章程案、停止学堂奖励明定学位以正教育宗旨案、大清新刑律案、修正结社集会律案、赦免国事犯案、著作权律案、报律案、改用阳历案、禁烟案、剪发易服案等。下面简要介绍几个重要议案议决的基本情形。

1. 速开国会案

资政院开议之时，正值国会请愿运动高潮，请愿代表与各省谘议局联合会向资政院呈递了陈请速开国会的说帖。在立宪派议员的促动下，议决速开国会案遂被提上资政院的议事日程。10月17日，议员易宗夔首先提出了应该先行讨论作为"根本上的问题"的速开国会案。议员黄毓棠、于邦华、刘荣勋等人也认为资政院应该讨论速开国会这样最紧要的"重大议案"，不要讨论那些无价值的问题，白白浪费议员们的"黄金时间"。① 10月22日，资政院开议陈请速开国会议案。议员罗杰首先发言，对此案提出三点意见："一、此案不决，诸案均不能决，要求本院议员全体赞成通过；二、要求议长从速上奏；三、要求到院政府及特派员暨我国有气力之人，设法使摄政王见信即允速开。"随后议员江辛、牟琳、于邦华、陶镕相继发言，均表示赞成，要求即行表决。当副议长沈家本宣布如有赞成请开国会者起立时，出席此次会议的141名议员全体"应声蠹立，鼓掌如雷"，并齐声三呼："大清帝国万岁！大清帝国皇帝陛下万岁！大清帝国立宪政体万

---

① 《资政院第一次常年会第七号议场速记录》，宣统二年九月十五日。

岁！"① 全场震动。10 月 26 日，资政院到会 171 名议员一致通过了陈请速开
国会具奏案。议员易宗夔、李榘、于邦华、许鼎霖等人要求议长溥伦"从
速具奏"，并在面奏时"极力陈说"各方面请速开国会的热情，以促成皇上
早日允准，得到溥伦的允诺。② 随后，资政院具奏。11 月 4 日，清廷谕令改
为宣统五年（1913）召开国会。此举虽然比原定计划提前了三年，但立宪
派仍感不满，要求"再具议案，请求即开"。③ 后来，速开国会案终于因为
清廷对国会请愿运动的压制再没有进展。

2. 弹劾军机大臣案

弹劾军机大臣案起因于资政院核议各省谘议局与督抚争执的议案。在
各省谘议局第二届常年会上，湖南谘议局与湖南巡抚就发行公债案发生争
执，云南谘议局与云贵总督就盐斤加价案发生争执，广西谘议局与广西巡
抚就限制外籍学生案发生争执，均请资政院核办。资政院支持谘议局，迅
速议决请旨办理，但由军机大臣草拟并副署的清廷谕旨把资政院议决上奏
之案再交有关行政衙门议奏。资政院议员异常愤慨，认为"本院决议上奏
之案，乃交行政衙门议奏，是以行政机关蹂躏立法机关之独立，实为侵夺
资政院权限"，纷纷主张"根据院章，弹劾拟旨之军机大臣"。④ 11 月 22
日，资政院会议以绝对多数通过了弹劾军机大臣案。12 月 18 日，资政院正
式具折上奏，指责军机大臣只知保持禄位，而根本没有负起其应负的责任，
主张迅速成立责任内阁。当天，军机大臣也奏请全体辞职。清廷同时发布
两道谕旨：一面挽留军机大臣；一面斥责资政院。⑤ 12 月 19 日，在资政院
会议上，议员们对两道上谕颇为不满，主张再行弹劾军机大臣。议员们纷
纷发言，有的主张弹劾军机大臣机关，有的主张弹劾军机大臣个人，有的
主张仍请明定军机大臣之责任，有的主张全体辞职或请旨解散资政院，最
后以多数表决通过具奏明定军机大臣责任案。⑥ 24 日，资政院会议通过了修

---

① 《资政院第一次常年会第九号议场速记录》，宣统二年九月二十日。
② 《资政院第一次常年会第十号议场速记录》，宣统二年九月二十四日。
③ 《资政院第一次常年会第十四号议场速记录》，宣统二年十月初六日。
④ 《资政院开院后续闻》，《东方杂志》第 7 年第 11 期，1910 年。
⑤ 金毓黻辑《宣统政纪》卷 29，中华书局，1986，第 10—11 页。
⑥ 《第二十五次会议记事》，《资政院第一次常年会议事录》第 27 号，宣统二年十一月十八日。

正后的请速设责任内阁折稿。① 显然,资政院悄然调整了斗争策略,撤开了弹劾军机大臣的责任问题,而直接提出速设责任内阁。不料,资政院尚未上奏,清廷就采取了先发制人的举措。25 日,清廷谕令宪政编查馆速拟内阁官制具奏,使资政院的奏折失去了上奏的意义。26 日,资政院以多数表决通过了撤销速设责任内阁折稿。② 30 日,资政院会议再次通过了弹劾军机大臣折稿。折稿以"枢臣失职,不胜辅弼之任"为由,认为"该大臣等素工趋避,不知仰体宸衷,甚且阴恃为保障之资,益弛其辅弼之责,不特于臣院有进行之阻碍,或更至宪政有根本之动摇"。③ 次日上奏,结果留中不发,所谓弹劾军机大臣案终于石沉大海,湮没无闻。

3. 开释党禁案

开释党禁案主要是赦免康有为、梁启超等戊戌党人,同时兼及孙中山等革命党人。资政院讨论开释党禁案与康梁的运动密切相关。12 月 15 日,在资政院会议上,议员提议请昭雪戊戌冤狱案和请赦国事犯罪人员具奏案,会议表决通过交特任股员一并审查。④ 12 月 21 日,有各省人民代表河南举人王敬芳等和直隶王法勤等向资政院呈递陈请开释党禁说帖,资政院也交审查请赦国事犯罪人员具奏案之特任股员一并审查。⑤ 1911 年 1 月 3 日,资政院会议以多数表决通过了请赦国事犯罪人员具奏案。会上,议员长福受特任股员长庄亲王委托,说明了审查的具体情形,认为赦免问题须分两层办理,包括戊戌党人和革命党人:戊戌党人"从前虽为有罪之人,到立宪时代宗旨与政策相同,便变无罪之人,应请恩赦";革命党人"其行为虽可诛,其用心已可悯",如不恩赦,"或激起激烈手段,要亦非中国之福",故主张"一并恩赦"。随后,罗杰、雷奋、易宗夔等相继发言,大都建议将戊戌党人和革命党人"一体特赦"。⑥ 1 月 10 日,资政院第一次常年会最后一次议事会通过了昭雪戊戌冤狱折稿和请赦戊戌获罪人员折稿并上奏朝廷。⑦

---

① 《第二十七次会议记事》,《资政院第一次常年会议事录》第 29 号,宣统二年十一月二十三日。
② 《第二十八次会议记事》,《资政院第一次常年会议事录》第 30 号,宣统二年十一月二十五日。
③ 《第三十一次会议记事》,《资政院第一次常年会议事录》第 33 号,宣统二年十一月二十九日。
④ 《第二十四次会议记事》,《资政院第一次常年会议事录》第 26 号,宣统二年十一月十四日。
⑤ 《第二十六次会议记事》,《资政院第一次常年会议事录》第 28 号,宣统二年十一月二十日。
⑥ 《资政院第一次常年会第三十四号议场速记录》,宣统二年十二月初三日。
⑦ 《第三十九次会议记事》,《资政院第一次常年会议事录》第 41 号,宣统二年十二月初十日。

但是清廷未予理睬。直到武昌起义后，立宪派在资政院第二次常年会再次提出此案，监国摄政王载沣迫于各方压力才正式下诏赦免党人。

4. 各省谘议局与地方督抚相争执的议案

为了核议各省谘议局陈请的议案，资政院特别设立了"审查各省谘议局关系事件特任股员"，由议长指定 18 名议员充任。[①] 他们专门负责审查有关议案，然后向会议提供审查情况报告，以供议员议决。在各省谘议局第二次常年会上，发生了许多谘议局与督抚争执的事件，一般情况是陈请资政院核议。事实上，资政院第一次常年会也处理了不少这样的议案，如第一次议事会讨论的第一个议案就是广西谘议局与巡抚张鸣岐争议的全省禁烟案，其他如湖南公债案、云南盐斤加价案、广西限制外籍学生案等，都经过了资政院会议的核议。其中，各省普遍存在的谘议局与督抚争议的预算案问题，也是此次资政院常年会议决的重要议案。

总之，资政院第一次常年会为立宪派提供了重要的议政舞台，立宪派也相应地发挥了自己的议政才能，议决了不少重要的议案。结果也许并不乐观，由于强大的专制势力的存在，立宪派所议决的某些议案并没有取得应有的效力，这是中国早期政治现代化过程中不可避免的现象。认识到这一点，就必须承认，立宪派议政活动的经验与教训为近代中国政治民主化提供了有益的启示。

四 国会请愿风潮

清政府在颁布《九年筹备立宪清单》后，希望照单进行预备立宪。按照这个清单，清政府将要进行九年的"预备"工作，之后方能召开国会。这与立宪派的要求有很大的差距，立宪派一般希望在两三年内即开国会。因此，虽然清政府设立了作为"议院之基础"的谘议局和资政院，但这并不能满足立宪派的愿望。"国民知谘议局之见厄于政府，资政院又为非驴非马之议会，俱不可恃，因有联合请愿国会之举。"[②] 1910 年，以各省谘议局为中心，在立宪派的领导下，先后多次发动了全国性的国会请愿运动，要

---

① 《资政院第一次常年会第九号议场速记录》，宣统二年九月二十日。
② 心史：《宪政篇》，《东方杂志》第 6 年第 13 期，1909 年。

求速开国会。国会问题一时成为全国舆论的焦点。立宪派始终致力于开国会运动，其根本的目的就是打开专制政治体制的缺口，以国会与责任内阁的形式分享国家政权。实行国会制度与建立责任政府，是立宪派从事立宪运动的理想追求。

第一、二次国会请愿的失败

第一次国会请愿运动酝酿于1909 年10 月各省谘议局成立之际，具体发起人为江苏谘议局议长张謇。当时，张謇与江苏巡抚瑞澂及立宪派骨干分子雷奋、杨廷栋、孟昭常、许鼎霖商议，议定由瑞澂联合各省督抚请速组织责任内阁，由张謇联合各省谘议局请速开国会，并派杨廷栋、方还、孟昭常三人分途前往各省进行具体的联络工作。[①] 与此同时，张謇还发表《请速开国会建设责任内阁以图补救意见书》，以为舆论鼓吹，认为国势危急，救急之法，唯有请明降谕旨，定以宣统三年召集国会。[②]

经过一个多月的多方联络，各省代表陆续抵达上海，会议确定请愿大旨。1910 年1 月，各省请愿代表团到达北京，并于16 日向都察院呈递了由孙洪伊领衔的请愿书。请愿书明确以"速开国会"为主旨，首先从内政与外交两方面说明开国会"一日而不可缓"，然后进一步尖锐地指出国会关系到大清王朝的安危问题，"有国会，则与之对待之责任内阁始能成立。国会有议政之权，然后内阁得尽其职务；内阁负全国之责，然后皇上益处于尊荣。显可以末虑助圣主之聪明，隐可以公论消奸人之反侧"。因此，他们认为"根本中之根本计，宜速开国会"，最后还吁请"皇上速降谕旨，颁布议院法及选举法，期以一年之内，召集国会"。[③] 当时，都察院没有立即代奏。

请愿代表本欲求见都察院都御史，但未被接见。于是，他们遍谒王公亲贵大臣，以求疏通。1 月21 日，请愿代表晋谒军机处王大臣。庆亲王奕劻与那桐"均表赞成之意"。鹿传霖认为："既设谘议局，何须复开国会？"虽经代表详为解释，但"仍未得要领"。戴鸿慈认为："各种预备尚未完全，能否速开国会？"经代表解释后他表示"深以为然"。23 日，请愿代表见军

---

① 《日记》，《张謇全集》第6 卷，第625 页。
② 《请速开国会建设责任内阁以图补救意见书》，《张謇全集》第1 卷，第135 页。
③ 《都察院代递孙洪伊等吁恳速开国会呈》，《东方杂志》第7 年第1 期，1910 年。

机大臣世续，晓之以理，动之以情，使世续"为之动容"。27 日，请愿代表又见满洲亲贵。肃亲王善耆、贝子溥伦、镇国公载泽"均辞不见"，贝勒载涛"言极望国会早开，庶几可挽危局"，贝勒毓朗"言定当竭力相助"。28日，请愿代表再见资政院总裁、贝子溥伦，溥伦虽然认为"资政院与国会无异，何必急开国会"，但又表示"如果奉旨准开国会，我亦甚愿"。与此同时，直隶总督陈夔龙、两广总督袁树勋与奉天、吉林、山东等省巡抚，以及出使各国大臣均致电政府，"请俯从舆论，速开国会"。御史江春霖特上专折"奏请缩短国会年限，词极恳切"。甚至旗籍人民也"联合同志，公举代表，赴都察院呈请代奏速开国会"。① 在这种情况下，都察院只好将各省代表与旗民的请愿书一同上奏。30 日，清廷发布上谕，对于国会请愿予以委婉的拒绝，仍然坚持九年预备立宪期限不变。至此，第一次国会请愿失败。

国会请愿代表对这次请愿的失败早有思想准备。2 月 6 日，在京国会请愿代表议决善后办法：（1）继续进行第二次请愿，请愿代表或留京活动，或回省分头运动；（2）组织请愿即开国会同志会，在各省尽快设立分会；（3）开设报馆，创办日报；（4）设立各省谘议局联合会。7 日，请愿即开国会同志会在京开会议决，暂以京师代表团为开会总部，并致电各省绅商学团体，要求各省从速成立分会，选举代表进京，再上请愿书。此举得到各省学会、商会的积极支持。与此同时，黎宗岳、陈佐清等人还在京城组织国会期成会，以为请愿即开国会同志会的后援会。②

5 月底 6 月初，经过几个月的联络与发动，各省商会、学会等团体或绅民请愿代表陆续进京，海外华侨请愿代表也专程回国，举行第二次请愿的时机逐渐成熟。这次进京请愿代表总计约有 150 人，参加请愿签名者达 30万人，规模远远超过第一次。

6 月 16 日，进京请愿代表齐集都察院，共呈递 10 份请愿书。各团体代表及其领衔人为直省谘议局议员代表孙洪伊、各省商会代表沈懋昭、江苏商务总会代表杭祖良、南洋雪兰莪二十六埠中华总商会代表及澳洲华侨代表陆乃翔、直省教育会代表雷奋、江苏教育总会代表姚文枏、各省政治团

---

① 问天：《宣统元年十二月中国大事记》，《东方杂志》第 7 年第 1 期，1910 年。
② 《记国会请愿代表进行之状况》，《东方杂志》第 7 年第 2 期，1910 年。

体代表余德元、直省绅民及旗籍绅民代表李长生与文耀、东三省绅民代表乔占九。① 各份请愿书侧重点不同，实际上是从多方面论证了速开国会的必要性与可能性，基本结论都是主张在一年之内召开国会。

随后，各团体请愿代表还上书摄政王载沣。一方面，痛切地指出，在此内忧外患国势危急之时，只有开国会才是"弭乱救亡之策"；另一方面，痛斥阻挠速开国会的大臣"皆自全躯命保禄位之臣，惮于改革而或不利于身家者"，"直为戊戌、庚子新政罪人之续，而为国家万年根本之蠹"。② 与此同时，各团体请愿代表又集体上书政府，更加沉痛地说明，如果不能速开国会，则政府机构就将无法正常运作，因而难以承担弭乱救亡的重任，"汉唐元明末造之祸，必将复见于今日"。他们大发警世危言："与其俟大难已作同遭玉石俱焚之惨，何不及今力持大体，俯顺民情，速开国会，以弭乱于无形乎？"③

6 月 21 日，都察院将请愿书上奏清廷。朝中大臣意见不一，或"力主以严旨震吓，以免哓哓不休"，或以为"民心不可失，民怨不可积，仍须婉言对付，以免酿生意外枝节"。④ 27 日，摄政王载沣召见会议政务处王大臣，召开御前会议，"各王大臣多谓宪政尚在预备，国会不能骤开，且借口各省荒灾、匪乱，驳阻请愿；摄政王深以为然"。⑤ 结果，对于第二次国会请愿，朝廷采取了比上次更加严厉的态度，上谕表示"仍俟九年筹备完全，再行降旨定期召集议院"，并严词申明"毋得再行渎请"。⑥ 第二次国会请愿又以失败告终，但立宪派并不甘心。

---

① 问天：《宣统二年五月中国大事记》，《东方杂志》第 7 年第 6 期，1910 年。10 份请愿书的具体内容见《国会请愿代表第二次呈都察院代奏书汇录》，中国社会科学院近代史研究所图书馆藏。

② 《各团体国会请愿代表上监国摄政王书》，《国会请愿代表第二次呈都察院代奏书汇录》，第 49—50 页。

③ 《请愿国会谘议局代表孙洪伊绅民代表李长生东三省绅民代表乔占九旗籍代表文耀教育会代表雷奋江苏教育会代表姚文枏商会代表沈懋昭上海苏州商会代表杭祖良政治团体代表余德元南洋暨澳洲华侨代表陆乃翔等公上政府书》，《国会请愿代表第二次呈都察院代奏书汇录》，第 42—48 页。

④ 《国会请愿近情种种》，《时报》1910 年 6 月 26 日。

⑤ 《专电》，《时报》1910 年 6 月 28 日。

⑥ 《仍俟九年预备完全再定期召集议院谕》，《清末筹备立宪档案史料》下册，第 645 页。

第三次国会请愿与清政府宣布缩改立宪期限

第二次国会请愿失败以后，各省纷纷致电在京请愿代表，鼓励其继续请愿，希望请愿代表"力持上第三次请愿书，为民请命勿懈"。① 在京请愿代表通电各省，表示了继续请愿的坚定决心："务必再作第三次请愿之举，矢以百折不挠之心，持以万夫莫拔之力，三续，四续，以至十续，或可有望成功。"② 于是，又发动了第三次国会请愿运动。为此，在京请愿代表会议议决进行办法。（1）变更请愿代表团组织。原来的请愿代表团组织以谘议局议员代表为限，现扩大范围，各界在京代表一律加入。（2）代表团选派专员分往各地游说联络，推广府、厅、州、县分会，发表演说，赶办签名册，为请愿做切实准备。（3）具体准备第三次请愿。③ 请愿代表关于联络农工商各界继续请愿的决议得到广大人民群众的普遍支持。

10月7日，国会请愿代表团开始第三次上书请愿活动。当天，在孙洪伊等请愿代表整队出发之际，有奉天旅京学生赵振清、牛广生等17人突然来到，交给请愿代表一封信，"力陈国家瓜分在即，东三省土地已先沦亡，非速开国会不能挽救，二次请愿国会无效，今第三次请愿，势不能再如前之和平"，表示要"以血购国会"，随即拔刀"欲剖腹绝命以明心迹"，经代表苦劝未遂，牛、赵二人迅即从自己左腿、右臂割肉一块，在致代表书上摩擦数遍，惨不忍睹，并高呼"中国万岁""代表诸君万岁"，拭泪负痛，跄踉而去。④ 代表们颇为感动，带着全国人民的殷切期望，毅然前往上书监国摄政王。当天因载沣不在府上，上书由肃亲王善耆代为转交。

10月9日，请愿代表孙洪伊等又上书资政院，仍然从挽救国势危亡的角度立论，要求速开国会。请愿书认为"今中国非实施宪政，决不足以拯危亡"，而"责任内阁者，宪政之本也；国会者，又其本之本也"，因而请求资政院尽快提议"于宣统三年内召集国会，并请提前议决代奏"。随后，请愿代表又遍谒庆亲王奕劻、肃亲王善耆、贝勒毓朗、镇国公载泽、军机大臣那桐和徐世昌，"力陈国会不可不开之理由，及民人渴望速开国会之情

---

① 《奉天谘议局致乔郭两代表电》，《大公报》1910年8月10日。
② 《国会请愿之近状》，《东方杂志》第7年第7期，1910年。
③ 问天：《宣统二年五月中国大事记》，《东方杂志》第7年第6期，1910年。
④ 《呜呼血泪青年》，《民立报》1910年10月14日。

状，痛哭流涕，王公大臣均为之动容"。①

孙洪伊等请愿代表上书资政院后，各省谘议局联合会及海外华侨代表汤觉顿相继向资政院呈递了陈请书。资政院对此非常重视。10 月 22 日，在民选议员的强烈要求下，资政院提前议决并通过了速开国会议案，随后便具折上奏。资政院的行动是对国会请愿运动的极大支持。

第三次国会请愿运动与前两次不同的是，立宪派在这次请愿中还发动了广大人民群众进行了声势浩大的请愿游行。例如，奉天全省 20 多个城市举行了集会，各地参加群众均在 1 万人以上，并拟到省城请愿，签名者达 30 余万。② 另外，地方督抚也参与了请愿运动。10 月 25 日，东三省总督锡良、湖广总督瑞澂、两广总督袁树勋、云南（贵）总督李经羲、伊犁将军广福、察哈尔都统溥良、吉林巡抚陈昭常、黑龙江巡抚周树模、江苏巡抚程德全、安徽巡抚朱家宝、山东巡抚孙宝琦、山西巡抚丁宝铨、河南巡抚宝棻、新疆巡抚联魁、江西巡抚冯汝骙、湖南巡抚杨文鼎、广西巡抚张鸣岐、贵州巡抚庞鸿书联名致电军机处，主张内阁、国会同时设立，请为代奏。他们认为："内阁、国会，为宪政根本。…… 舍此则主脑不立，宪政别无着手之方；缺一则辅车无依，阁、会均有逾辙之害。程度不足，官与民共之，不相磨励，虽百年亦无所进；法律难定，情与俗碍之，互相参考，历数年可望实行。"因而奏请"立即组织内阁"和"明年开设国会"。③ 这对请愿运动更是有力的声援。

在这种情况下，清廷不得不做出一定的让步，决定缩短预备立宪期限。11 月 4 日，清廷发布上谕，宣称：

今者人民代表吁恳既出于至诚，内外臣工强半皆主张急进，民气奋发，众论佥同，自必于人民应担之义务，确有把握，应即俯顺臣民之请，用协好恶之公。惟是召集议院以前，应行筹备各大端，事体重要，头绪纷繁，计非一二年所能蒇事，着缩改于宣统五年，实行开设议院。先将官制厘订，提前颁布试办，预即组织内阁。迅速遵照钦定

---

① 问天：《宣统二年十月中国大事记》，《东方杂志》第 7 年第 11 期，1910 年。
② 参见侯宜杰《二十世纪初中国政治改革风潮——清末立宪运动史》，第 311 页。
③ 问天：《宣统二年十月中国大事记》，《东方杂志》第 7 年第 11 期，1910 年。

宪法大纲，编订宪法条款，并将议院法、上下议院议员选举法，及有
关于宪法范围以内必须提前赶办事项，均着同时并举，于召集议院之
前，一律完备，奏请钦定颁行，不得少有延误。总之，决疑定计，惟
断乃成。此次缩定期限，系采取各督抚等奏章，又由王大臣等悉心谋
议，请旨定夺，洵属斟酌妥协，折衷至当，缓之固无可缓，急亦无可
再急，应即作为确定年限，一经宣布，万不能再议更张。①

预备立宪的计划被提前到宣统五年完成，事实上比原来的九年筹备计划缩
短了三年。应该说，第三次国会请愿虽然没有达到第二年即开国会的目的，
但还是取得了一定的成效。

请愿运动的继续与清政府的压制

清政府在宣布缩短国会期限的同时，还发布了一道遣散国会请愿代表
的上谕，宣布："现经降旨，以宣统五年为开设议院之期，所有各省代表人
等，着民政部及各省督抚剀切晓谕，令其即日散归，各安职业，静候朝廷
详定一切，次第施行。"② 但立宪派大都不满，表示请愿运动仍将继续。

11 月 5 日，国会请愿代表团遵旨宣布解散，并发布《通问各省同志
书》，对三次请愿仅得国会期限缩短三年的结果深表"痛心"。同时，国会
请愿同志会则议决了继续进行的办法：（1）暂时遵旨取消国会请愿代表团，
日后请愿另行组织。（2）国会请愿同志会的宗旨本来不仅在请愿，还在灌
输一般国民之宪政知识，其原章规定非国会成立后不得解散，故应保留，
作为同人通信联络机关。（3）宣统五年召集国会的成命难以遽请收回，可
多方面督促要求在宣统四年春间或秋间召集。（4）设法参与宪法、议院法、
选举法及官制、内阁组织法的编订。（5）改组政党宜慎重从事，先举人起
草纲要，再与各地商议组织办法。（6）切望各省继续进行国会请愿，一面
促动政府，一面唤起民气，既可为将来倡议宣统四年召集国会之动机，又
可使一般国民希望宪政之热度再进一步。③ 各省纷纷致电国会请愿同志会，

①　金毓黻辑《宣统政纪》卷 28，第 2 页。
②　金毓黻辑《宣统政纪》卷 28，第 2 页。
③　问天：《宣统二年十月中国大事记》，《东方杂志》第 7 年第 11 期，1910 年。

要求国会请愿代表不要解散出京，应继续请愿，力争速开国会。尤其奉天、直隶等省人民，还发动了第四次请愿运动。

东三省与直隶历年来深受日、俄等列强侵略之害，民族危机异常严重，各界人士痛感救亡图存迫在眉睫，因而在历次国会请愿运动中表现非常活跃。第三次国会请愿失败后，奉天各界人士群情激愤，决计进行第四次请愿。12月11日，奉天各界推举的全省人民代表董之威、刘焕文等人，在广大群众的热烈欢送下启程进京请愿。21日，奉天代表向资政院呈递请愿书，随后又拜谒奕劻、那桐等王公大臣，并上书监国摄政王载沣。24日，清廷谕令将东三省（奉天）请愿代表遣送回籍，并严厉压制各地的请愿运动。上谕称："今又有以东三省代表名词来京递呈，一再渎扰，实属不成事体。着民政部、步军统领衙门立即派员，将此项人等迅速送回原籍，各安生业，不准在京逗留。…… 此后倘有续行来京借端滋扰者，定惟民政部、步军统领衙门是问。各省如再有聚众滋闹情势，即非安分良民，该督抚等均有地方之责，着即懔遵十月初三日谕旨，查拿严办，毋稍纵容，以安民生而防隐患。"① 随后，奉天请愿代表被军警强行押送出京。

在奉天人民请愿运动的影响下，直隶各界人士也开展了轰轰烈烈的请愿运动。12月22日，天津学界代表在自治研究所开会，推举进京代表，决议各省在津学生派人回省发动，并以旅津全国学界国会请愿同志会的名义通电各省谘议局及教育会、商会，呼吁各界支持，"速起以为后援"。② 在天津学生的号召下，直隶、奉天、四川、湖北等省学生纷纷行动起来，罢课停学、刊印传单、游行请愿，要求速开国会。学界请愿风潮渐有蔓延全国之势，引起了清政府的极大恐慌。1911年1月2日，清廷谕令各省督抚严厉弹压请愿学生。上谕称：国会期限已定，"不安本分之徒，借速开国会为名，仍复到处鼓惑。各学堂学生，多系年幼无知，血气未定，往往被其愚弄，轻发传单，纷纷停课，聚众要求。闻奉天、直隶、四川等省均有此项情事，恐他省亦在所不免。似此无端荒弃正业，奔走呼号，日久恐酿成他变，贻害民生。…… 前已面谕学部尚书唐景崇通饬各省严行禁止。着各省督抚再行剀切晓谕，随时弹压，严饬提学使及监督、提调、堂长、监学等，

---

① 　金毓黻辑《宣统政纪》卷29，第17页。

② 　《联合进行》，《大公报》1910年12月22日。

按照定章，随时开导、查禁，防范未然。倘再有前项情事，立即从严惩办，并将办学人员一并重处，以儆其余。如或仍前玩愒，以致滋生事端，定惟该督抚等是问"。① 为了惩一儆百，直隶总督陈夔龙逮捕了天津学界领袖普育女学堂校长温世霖，以"此次在津竟敢假请愿国会为名，结众敛钱，已属有害地方"和"擅捏通国学界同志会名义，妄称会长，遍电各省，广肆要结，同时罢课，意图煽惑，居心实不可问"为辞，奏请"严行惩儆"。1月9日，清廷谕令："温世霖着即发往新疆，交地方官严加管束，以遏乱萌而弭隐患。"② 在清政府的高压之下，以奉天、直隶为中心的第四次国会请愿运动也以失败告终。

五　立宪陷入绝境

立宪派国会请愿运动的失败暴露了清王朝专制统治的真面目。随后，清政府推出"皇族内阁"，更使立宪运动陷入绝境，立宪派人士毅然抛弃对清政府的幻想，终归与革命派合流，走上反清革命的道路。

清廷推出"皇族内阁"

1910年12月6日，清廷谕令宪政编查馆修正宪政筹备清单。25日，清廷再次催促宪政编查馆迅速修正筹备清单，并纂拟内阁官制。1911年1月17日，宪政编查馆将修正宪政逐年筹备清单上奏，得到批准。

这个修正宪政逐年筹备清单的具体情形如下。

宣统二年（1910）：厘定内阁官制，厘定弼德院官制，颁布新刑律，续办地方自治，续办各级审判厅，续筹八旗生计。

宣统三年（1911）：颁布内阁官制与设立内阁，颁布弼德院官制与设立弼德院，颁布施行内外官制，颁布施行各项官规，颁布会计法，厘定国家税、地方税各项章程，厘定皇室经费，颁布行政审判院法与设立行政审判院，颁布审计院法，颁布民律、商律、刑事民事诉讼律，颁布户籍法，汇报各省户口总数，续办地方自治，续办各级审判厅，续筹八旗生计。

---

① 　金毓黻辑《宣统政纪》卷30，第1页。
② 　金毓黻辑《宣统政纪》卷30，第8页。

宣统四年（1912）：颁布宪法，颁布皇室大典，颁布议院法，颁布上下议院议员选举法，举行上下议院议员选举，确定预算决算，设立审计院，实行新刑律、民律、商律、刑事民事诉讼律，续办地方自治，直省府厅州县城治各级审判厅一律成立，续筹八旗生计。

宣统五年（1913）：颁布召集议员之诏，实行开设议院。

以上修正清单所列各项事宜并未具体列出承办单位，只能指望由即将成立的新内阁奏定。宪政编查馆奏称："现拟修正各项，其在未设内阁以前，承办同办之各衙门，均仍照原单办理。惟皇室经费，除照原单由内务府、宪政编查馆同办外，应兼会同度支部办理。一俟新内阁已设，官制已定之后，所有承办同办之各衙门，如何酌定之处，届时应由新内阁奏明，请旨遵行。"① 于是，设立新内阁便成为筹备宪政的首要任务。

1911 年 5 月 8 日，宪政编查馆会同会议政务处将所拟《内阁官制》与《内阁办事暂行章程》上奏，得到清廷允准。《内阁官制》与《内阁办事暂行章程》对于新内阁的基本组织结构与职权做了明确的规定：内阁由国务大臣组成，国务大臣由内阁总理大臣、协理大臣和各部大臣充任，内阁总理大臣 1 人，协理大臣 1—2 人，外务、民政、度支、学务、陆军、海军、司法、农工商、邮传、理藩 10 部大臣各 1 人，国务大臣均候特旨简任，辅弼皇帝，担负责任。内阁职权为会议下列各项事宜：一是法律案及敕令案并官制；二是预算案及决算案；三是预算外之支出；四是条约及重要交涉；五是奏任以上各官之进退；六是各部权限之争议；七是特旨发交及议院移送之人民陈请事件；八是各部重要行政事件；九是按照法令应经阁议事件；十是内阁总理大臣或各部大臣认为应经阁议事件。②

在内阁官制公布的同一天，清廷任命了国务大臣，责任内阁正式成立。国务大臣名单为总理大臣奕劻，协理大臣那桐、徐世昌，外务大臣梁敦彦，民政大臣善耆，度支大臣载泽，学务大臣唐景崇，陆军大臣荫昌，海军大

---

① 《宪政编查馆大臣奕劻等拟呈修正宪政逐年筹备事宜折（附清单）》，《清末筹备立宪档案史料》上册，第 88—92 页。

② 《宪政编查馆会议政务处会奏拟定内阁官制并办事暂行章程折附清单二》，《清末筹备立宪档案史料》上册，第 561—565 页。

臣载洵，司法大臣绍昌，农工商大臣溥伦，邮传大臣盛宣怀，理藩大臣寿
耆。① 在这 13 名国务大臣中，满人有 9 人，其中皇族就占了 7 人；汉人仅有
4 人。因此，时人颇为形象地称此内阁为"皇族内阁"。

设立责任内阁，自是筹办宪政的题中应有之义；奕劻新内阁的出台，
就其形式而言，在中国宪政史上可谓破天荒，本可大书特书。然而，由于
该内阁人员配置的极端不合理，充分反映了清廷集权皇族的用意，显然与
宪政精神背道而驰，因而其民主性意义大打折扣，并进一步使全国人民尤
其是立宪派对清廷预备立宪的前途失去信心。

立宪政党昙花一现

清廷宣布预备立宪之初，各地立宪派组织了预备立宪公会、政闻社、
宪政公会等立宪团体，为立宪政党的建立初步奠定了组织与思想基础。各
省谘议局联合会的成立、资政院的开办及几次全国规模的国会请愿运动，
使立宪派进一步加强了全国性的联合。与此同时，立宪派逐渐认识到建立
全国性政党的必要性，以为"凡立宪国不可无政党而可以利用之也"。② 在
此基础上，以谘议局与资政院议员为主体的立宪派开始筹组政党，为将来
召开国会和实现政党政治做准备。于是，帝国宪政实进会、政学会、宪友
会、辛亥俱乐部等政党应运而生。

1. 帝国宪政实进会和政学会

帝国宪政实进会和政学会是由资政院议员发起组织的政党。1911 年 1
月初，在资政院闭会前夕议决新刑律案的过程中形成了对立的两派势力：
赞成者投蓝票，以汪荣宝为代表，称为蓝票党；反对者投白票，以劳乃宣
为代表，称为白票党。③ 随后，便分别以白票党和蓝票党为基础建立了帝国
宪政实进会和政学会。

帝国宪政实进会以资政院中白票党为基本班底组成。该党由劳乃宣、
宋育仁、喻长霖、马士杰、于邦华、陈树楷、陶葆廉等人发起，以陈宝琛

---

① 《授奕劻为内阁总理大臣那桐徐世昌为协理大臣谕》《任命各部大臣谕》，《清末筹备立宪
　档案史料》上册，第 566 页。
② 《近日各政党之政纲评》，陈旭麓主编《宋教仁集》上册，第 230 页。
③ 关于蓝票党与白票党，论者多有混淆，详细考证参见张玉法《清季的立宪团体》，第
　495—496 页。

为会长，于邦华、姚锡光为副会长。帝国宪政实进会以"资政院钦选议员居多数"，这主要是就其领导层而言，所谓"发起人主要属于官僚系统"，并接受载泽不少资金的资助，因此时人称之为"吏党"（官僚党）。① 正因为该党与官方关系密切，因而其在政治上较为稳健，"其性质属保守党"。②

政学会又称政学公会，以资政院中蓝票党为基本班底组成。1910 年 10 月初，资政院开议不久，肃亲王善耆召见钦选议员汪荣宝和喀喇沁蒙古郡王贡桑诺尔布，"大有组织政党思想"，嘱汪等邀集同志筹谋。③ 1911 年初，资政院闭会后，汪荣宝等蓝票党议员正式成立政学会，党员 20 余人，主要人物有汪荣宝、曹汝霖、章宗祥、陆宗舆等。该党接近官府，是当时四个政党中势力最小的。④

2. 宪友会

宪友会是在国会请愿同志会和各省谘议局联合会的基础上成立的政党。1910 年 11 月初，因第三次国会请愿得清廷缩改国会期限之结果，请愿代表团遵旨宣布解散，立宪派便以国会请愿同志会为基础着手改组政党，众推孙洪伊等人草拟党纲、党规。此事得到康有为、梁启超等海外立宪派势力的支持。孙洪伊曾致电梁启超"促动党名"，梁启超为之拟名帝国统一党。⑤当孙洪伊等人以帝国统一党向民政部申请立案并获批准时，康有为欣喜万分，认为："今统一党之注册于民政部也，乃中国政党发启明之初焰。民政部之许统一党注册也，为中国官认立党之雷震第一声。于是数千年专制禁党之旧俗，遂为埃及之僵尸、印度之灰塔，皆为古旧之前尘影事矣。"⑥ 此所谓帝国统一党即宪友会之先声。

1911 年 5 月，各省谘议局联合会第二届常年会召开，为促成宪政之进

① 《近日各政党之政纲评》，陈旭麓主编《宋教仁集》上册，第 238 页；〔日〕宗方小太郎：《一九一二年中国之政党结社》，章伯锋、顾亚主编《近代稗海》第 12 辑，四川人民出版社，1988，第 68 页。
② 谢彬：《民国政党史》，上海学术研究会总会，1924，第 30 页。
③ 《汪荣宝日记》，宣统二年九月初五日，沈云龙主编《近代中国史料丛刊三编》第 63 辑，文海出版社，1991，第 649 页。
④ 参见张玉法《清季的立宪团体》，第 494 页；侯宜杰《二十世纪初中国政治改革风潮——清末立宪运动史》，第 429—430 页。
⑤ 梁启超：《致佛苏足下书》，丁文江、赵丰田编《梁启超年谱长编》，第 529 页。
⑥ 康有为：《民政部准帝国统一党注册论》，《康有为与保皇会》，第 315 页。

行，同人又发起组党事宜，并将帝国统一党改组为宪友会，其宗旨以"发展民权，完成宪政"为目的。① 6 月 4 日，宪友会在北京湖广会馆召开成立大会，正式宣布成立。随后，宪友会一面申请在民政部备案，以获得合法政党地位；一面在湖南、山西、直隶、贵州、福建、江苏等省建立支部，将势力向全国各地扩展。

对于宪友会的成立，立宪派期望甚高。徐佛苏致书梁启超说："现在此会已成立矣（名为宪友会）。其总揽者，系三头政治，弟与雷继兴、孙伯兰当选。此会声势极隆，三数月之内，各省必皆有分会成立，且有七八省占全盛之势，在宣统五年之国会，必占大多数议席。若中央总部能主持得法，各省又不分裂，则真泱泱大党之风也。弟对于国事，原始终认为万无可救，然除却救亡之外，亦不可无事以送生涯，故此会弟亦愿视为一生之大举也。"② 徐佛苏所谓以他自己、雷奋、孙洪伊为首组成了宪友会中的"三头政治"，表明宪友会代表了当时三股重要的立宪派势力：徐佛苏是康有为、梁启超等海外立宪派势力在国内的代表；雷奋是立宪运动初期以江浙预备立宪公会为中心的国内老牌立宪派势力的代表；孙洪伊则是在国会请愿运动的过程中形成的以各省谘议局联合会和国会请愿同志会为中心的国内新兴立宪派势力的代表。与帝国宪政实进会和政学会等官僚政党不同，宪友会党员"以谘议局联合会为中坚"，是大多数在野的立宪派势力的代表，因此有"纯粹民党"之称。③

3. 辛亥俱乐部

辛亥俱乐部是介于"保守官僚党"帝国宪政实进会与"进步民党"宪友会之间的第三党。该党首先由资政院议员长福、罗杰、易宗夔、胡骏、黎尚雯等人发起组成，有"资政院中之吏党"或"纯官党"之称，甚至被人视为帝国宪政实进会之"别动队"。后来，随着党务的发展和党员的增加，大量民间志士加入进来，甚至革命党人宁调元、程明超、田桐、魏宸组、严启衡等人也成为其重要职员或会员。该党逐渐"公然亮出民党旗帜

① 《宪友会章程》，《时报》1911 年 6 月 10、11 日。
② 徐佛苏：《致任公先生书》，丁文江、赵丰田编《梁启超年谱长编》，第 549—550 页。
③ 《中国政党小史》，《时报》1911 年 6 月 12 日。

向政界号召"，并转变为"纯粹之民党"。① 辛亥俱乐部酝酿于 1911 年初，6月 15 日召开成立大会，正式成立。② 辛亥俱乐部成立后，即在各地建立支部，其中尤以湖南成绩显著。随后，四川、福建、广东、湖北等地也建立了支部。

总之，帝国宪政实进会、政学会、宪友会、辛亥俱乐部等第一批立宪政党的建立是政党合法化的标志，在近代中国宪政史上具有重要的历史意义。一方面，合法政党的出现，表明以立宪派为代表的人民政治觉悟的提高和民主意识的增长，这是清末宪政改革运动的重要成果；另一方面，清末立宪政党的建立，为民初政党建设和政党政治运作奠定了一定的思想和组织基础，提供了有益的经验。当然，清末立宪政党的种种弊端及其艰难生存的境况，其实也预示了政党及政党政治在近代中国尴尬的历史命运。

立宪派在绝境中转向革命

本来，立宪派的立宪运动与清廷的预备立宪都有消弭革命的目的，这是两者的相合之处；所不同的是，立宪派希望通过立宪运动使自己参与政权，而清廷则旨在利用预备立宪加强集权，这是两者的矛盾之处。如果清廷能够适时适度地满足立宪派的参政要求，那么要化解两者之间的矛盾而齐心协力对抗革命，这并非不可能。然而，事实却恰恰相反。在民族危机日益严重，革命运动蓬勃发展之时，立宪派热切地希望加快立宪的步伐，清廷的反应却总是慢一拍，其拖延、敷衍的姿态终于使立宪派抛弃幻想，转而走向清廷的对立面。

在国会请愿运动受挫时，部分激进的立宪派人士业已萌生革命的念头。据徐佛苏回忆，第三次请愿运动后，清廷发布了解散请愿代表团的谕旨，"各代表闻此乱命，亦极愤怒，即夕约集报馆中，秘议同人各返本省，向谘议局报告清廷政治绝望，吾辈公决密谋革命，并即以各谘议〔局〕中之同志为革命之干部人员，若日后遇有可以发难之问题，则各省同志应即竭力

---

① 〔日〕宗方小太郎：《一九一二年中国之政党结社》，章伯锋、顾亚主编《近代稗海》第 12 辑，第 70—72 页；谢彬：《民国政党史》，第 32 页。
② 《辛亥俱乐部之初组织》，《时报》1911 年 6 月 20 日。

响应援助起义独立云云"。① 随后，"皇族内阁"推出，全国舆论哗然，"一般稍有智识者，无不绝望灰心于政府"。② 立宪派尤为失望，他们本来就对清政府拒绝速开国会的举措极为不满，现在又弄出一个集权皇族亲贵的内阁来，其失望可想而知。然而，在愤怒之余，大多数立宪派人士仍然理智地试图再以请愿的方式予以挽回。

1911 年 5 月 12 日，各省谘议局联合会第二届会议正式召开，这届会议最重要的议题就是推翻皇族内阁。6 月 10 日，各省谘议局联合会向都察院呈递了一份反对皇族内阁的公呈，请求代奏清廷，公呈明确地指出，"皇族内阁与君主立宪政体有不能相容之性质"，要求在皇族外另简大臣组织责任内阁。③ 公呈递上之后，清廷不予理睬。7 月 4 日，由奉天谘议局议长袁金铠领衔，19 个省 40 余名谘议局议长与议员联衔再次上书都察院，重申"君主不担负责任，皇族不组织内阁，为君主立宪国唯一之原则"，认为现在以皇族组织内阁，"适与立宪国之原则相违反"，要求"仍请皇上明降谕旨，于皇族外另简大臣组织责任内阁，以符君主立宪之公例，以餍臣民立宪之希望"。次日，此书由都察院代奏，却遭到清廷谕旨的严词申斥："黜陟百司，系君上大权，载在先朝钦定宪法大纲，并注明议员不得干预。值兹预备立宪之时，凡我君民上下，何得稍出乎大纲范围之外，乃议员等一再陈请，议论渐近嚣张，若不亟为申明，日久恐滋流弊。朝廷用人，审时度势，一秉大公，尔臣民等均当懔遵钦定宪法大纲，不得率行干请，以符君主立宪之本旨。"④ 立宪派的努力在皇权的压制下毫无结果。

随即，各省谘议局联合会发表了一通《宣告全国书》，揭露皇族内阁是"名为内阁，实则军机；名为立宪，实则专制"；⑤ 稍后又发表了一通《通告各团体书》，认为："日日言立宪，宪政重要机关之内阁，首与宪政之原则

① 徐佛苏：《梁任公先生逸事》，丁文江、赵丰田编《梁启超年谱长编》，第 514 页。

② 《新内阁史·发表后之舆论》，《时报》1911 年 5 月 18 日。

③ 《中国大事记·都察院代递谘议局联合会呈请亲贵不宜充内阁总理折》，《东方杂志》第 8 年第 5 号，1911 年。

④ 《各省谘议局议长议员袁金铠等为皇族内阁不合立宪公例请另组责任内阁呈》《各省谘议局议员请另组内阁议近嚣张当遵宪法大纲不得干请谕》，《清末筹备立宪档案史料》上册，第 577—579 页。

⑤ 《谘议局联合会宣告全国书》，《国风报》第 2 年第 14 期，1911 年。

背道而驰。呜呼，其何望矣！"① 立宪派对于清廷的宪政改革几近绝望。虽然他们表示要为"内阁制案"继续请愿，但是武昌起义的星星之火迅即演成燎原之势，立宪派最终投入反清革命的洪流。立宪运动陷于绝境之时就是大清王朝穷途末路之日。

武昌起义爆发后，清廷在形势的压力下，不得不做出一些让步。如颁布《宪法重要信条》19 条，明确规定"皇族不得为总理大臣及其他国务大臣并各省行政长官"，② 并任命由资政院公举的袁世凯为新的内阁总理大臣，由袁氏组织完全责任内阁。然而，这些举措并不能使心灰意冷的立宪派回心转意，更不能阻止奔涌勃发的革命潮流，民心尽失的清王朝大势已去，终归走上无可挽回的覆亡之路。

立宪运动与革命运动最终走向合流。值得探讨的是导致双方合流的原因。第一，清政府的倒行逆施是立宪派与革命派合流的推动力。预备立宪曾经一度为清政府与立宪派的合作提供了现实的可能性，然而当清政府不能满足立宪派的要求时，当立宪派逐渐对清政府的立宪诚意失去信心时，事物走向了反面。在清政府不可救药的时候，立宪派终于弃清廷而加入革命的行列。清廷推出"皇族内阁"使亲贵揽权，"足令全国谘议局之议员人人丧气而绝望。谘议局议员绝望之日，即清廷基础动摇之时，至是内外人心皆去"。③ 当保路运动遭到清政府压制时，立宪派在绝望中宣称："国内政治已无可为，政府已彰明较著不要人民了，吾人欲救中国，舍革命无他法。"④ 现代西方政治学理论表明，"每一个未被吸收到政治体系中的社会阶级都具有潜在的革命性。……挫败一个集团的要求并拒不给它参与政治体系的机会，有可能迫使它变成革命的集团"。⑤ 清政府没有笼络住具有强烈参政欲望的立宪派，而使立宪派转向了革命。可见，事实上是清政府把立宪派逼到了自己的对立面。第二，两派为实现民主宪政的政治目标基本一致，这是双方合流的思想基础。立宪派与革命派的分野在于他们各自设计

---

① 《直省谘议局联合会为阁制案续行请愿通告各团体书》，《国风报》第 2 年第 16 期，1911 年。

② 《择期颁布君主立宪重要信条谕》，《清末筹备立宪档案史料》上册，第 103 页。

③ 刘厚生：《张謇传记》，上海书店，1985，第 184 页。

④ 粟戡时：《湘路案》，《辛亥革命》第 4 册，第 551 页。

⑤ 〔美〕塞缪尔·P. 亨廷顿：《变动社会的政治秩序》，张岱云等译，上海译文出版社，1989，第 299 页。

的实现这个政治目标的政治方案不同，立宪派主张君主立宪，革命派主张民主共和，其中的关键在于双方对待皇权的态度。"革命党与立宪党宗旨之差异，全在破坏君主政体与巩固君主政体之一点。"① 立宪派本来试图以和平的方式向皇权争民主，结果碰得头破血流；而与此同时，皇权又在革命的撞击下摇摇欲坠。在这种情况下，立宪派转向用暴力摧毁皇权而实现民主的道路也就是很自然的了。

立宪派与革命派的合流加速了清王朝的覆灭。辛亥革命的成功，固然是革命派长期不懈努力奋斗的结果，但立宪派的作用也不可低估。武昌起义爆发后，立宪派或自己领导宣布独立，或协助革命党人建立军政府，或促使旧官僚反正，为各省脱离清政府而独立做出了不同程度的贡献。虽然在此前后也发生了不少立宪派与革命党人争权夺利的斗争，但是从总的倾向来看，当时的立宪派对革命还是支持拥护的。这是毋庸置疑的事实。在清末革命派、立宪派与清政府三股政治势力之间，当革命派与清政府双峰对峙时，立宪派的倾向就显得颇为举足轻重了。需要进一步说明的一点是，立宪派转向与革命派合流，不仅加快了清王朝覆灭的步伐，而且深深地影响了民初政局的演变。

---

① 《直省谘议局联合会为阁制案续行请愿通告各团体书》，《国风报》第 2 年第 16 期，1911 年。

第十三章

帝制面临的挑战：新政的制度
困境和伦理转换

辛亥革命是一个从帝制到共和的"五千年以来之大变"，[①] 过去的研究更多集中在"革命党"方面。近些年研究倾向已有所改变，不过整体上仍更多注意朝野的"对立"，且多出以批判性的论述（如新政改革是朝廷"欺骗"人民就是一个长久不衰的论题）；对当时中央和地方政府举措则研究偏少，考察政府试图以变革来维持既存体制的努力和作用的更少，而对既存体制内的朝野共同行动关注尤少。其实当时朝野是否也有共识，有哪些共识，或在多大程度上取得共识，非常需要厘清。

回溯革命爆发的前十年，最需要回答的问题是：清廷并无太多特别明显的暴戾苛政和"失道"作为，至少教科书常说的"土地兼并急剧"和"阶级矛盾激化"一类现象，此时并不多见。作为新经济因素的工商业尽管迅速上升，对社会造成不小的冲击，但似也未曾引起类似的激变。在朝廷没有过分倒行逆施的情形下，何以会发生革命？清朝何以那样快就崩溃（或革命何以能轻易而迅速地取得成功）？进而言之，辛亥革命爆发于朝廷正以前所未有的速度和广度推行全面改革之时，而革命却能较为轻易地速成，则改革与革命的互动究竟是一种怎样紧张和冲突的竞争关系？

---

* 本章由罗志田撰写。
① 杜亚泉：《通论》，周月峰整理《辛亥前十年中国政治通览》（原名《十年以来中国政治通览》，是1913年1月《东方杂志》第9卷第7号所附"刊行十年纪念增刊"），中华书局，2012，第1页。

　　要回答这些问题，首先要认识那场革命本身。关于辛亥革命，周荫棠曾提出，历史上的改朝换代，除体制内的"篡位"、地方割据者的坐大和少数民族入主外，多是起于草野的"民变"；而"清朝的灭亡，不是由于铤而走险的民变，乃是由于激于大义、处心积虑、具有计划的士变"。起事的革命党人多是"白面书生"。简言之，同样是造成政权更替，辛亥革命在中国历史上有一与前不同的特色，即为"士变而非民变"。①

　　这是一个很有启发性的见解。过去对革命的研究，多循"有压迫就有反抗"的揭竿而起思路，相对侧重被动的一面；而所谓"士变"式的革命，则可能是一种思想领先、主动而非被动的革命（对革命者来说，如果革命本是"应当"进行的，便无须受到多深重的"压迫"）。② 当然，这不必是全局的解释，或许仅是那次革命的特色之一。然既有此特色，士人的心态，他们对朝廷、对世局、对世界的认知，就都是认识这次革命的重要因素。而且，清末的新政改革同样具有思想领先、主动大于被动的特色，多少也可看作一场"士变"。

　　进而言之，革命和改革可能是为了一个相同或至少相近的目标，即通过根本性的政治转型来改变中国在世界的地位。而改革与革命演成对立的态势，并最终被革命取代，或不必是由于目标的歧异，转可能是由于对达成目标的方式，甚或更多是达成目标之速度的歧异。曾有一种流行的看法，即因为改革不成功（过去更爱说是朝廷以假改革欺骗人民），所以不能不革命。持这一说法者，在潜意识中恰以为两者的目标相近或相同，提示这一思路早已存在，甚可参考。

　　清季"士变"的发生有着更为根本的因缘：帝国主义的全面入侵，以及外国在华存在（foreign presence in China）成为中国权势结构的一部分，造成权势结构的巨变，是一个必须思考的关键因素。最具根本性的是，在从所谓大一统到列国并立的世局下，一个推行了数千年的小政府政治模式，被迫走向必须展现政府作为的"富强"新路；而与之伴随的政治伦理，也面临前所未有的挑战。

---

① 周荫棠：《中国历史的一个看法》，《斯文》第 1 卷第 15 期，1941 年 5 月 1 日，第 17 页。
② 其实，更宏阔的 20 世纪中国革命也多少带有"士变"的意味，参见罗志田《士变：二十世纪上半叶中国读书人的革命情怀》，氏著《近代读书人的思想世界与治学取向》，北京大学出版社，2009，第 104—141 页。

近代中国因西潮冲击造成中外竞争的新局面，朝野均面临政治方向、政治结构和政治伦理的根本变革。就清末十年而言，最根本的一个问题，就是体制或结构是否改变、怎样改变及以什么样的速度改变。正是由于制度的困境，新政带有自毁的意味——由于改和革的一面不断加速，而建设的一面无法跟随，终造成旧建制已去而新建制更多仅存于纸面的现象，逐渐发展成不可收拾的局面。更由于政治伦理的真正转换远不如条文制度那样可以速成，政治体制的转型便遇到进一步难以逆转的困境，终不得不让位于被认为更迅捷更有效的革命。

对于这样重要的历史大转变，改革和革命的因缘又如此复杂，应有更深一层的梳理、分析和诠释。[①] 也只有这样，才能真正认识辛亥革命的历史作用和历史意义。本章即侧重考察革命前改革的制度困境，并论及相应的伦理转换之成败，借此增进对从帝制到共和这一巨变的理解。

一 近代权势结构的转变

中国"近代"与历代最根本的不同之处，即外力入侵造成了既存权势结构的巨变（这里所说的"权势结构"不仅是政治的、军事的和经济的，也包括社会的、心理的和文化的，是这些众多因素的合力所促成）。外国在华存在通过条约体系所建构的间接控制，既体现着一种外在的压迫，其本身又已内化为中国权势结构的直接组成部分。故即使是纯粹内部的"改朝换代"，任何对既存权势结构的挑战也都要涉及帝国主义列强的利益，实际也构成对条约体系的冲击，致使中国内争和外力的纠结和互动远甚于他国。

而外国在华势力成为中国权势结构的一部分，也越来越为中国人所认识到。庚子年间清政府援引义和团以对抗外国，部分即因其感到列强对中国内政的干预过分深入。1905 年袁世凯等六疆臣要求立停科举的奏折明言，废除推行了千年以上的科举制，也是要对外国人有所交代，希望借此取信

---

① 参见 Joseph W. Esherick, "How the Qing Become China," in Joseph W. Esherick, Hasan Kayali and Eric Van Young, eds., *Empire to Nation: Historical Perspectives on the Making of the Modern World* (London: Rowman and Littlefield, 2006), pp. 229-259.

于外人，改变外人对中国的观听，以换得其"推诚相与"。① 这一对外取向与庚子年间截然相反，却同样提示出来自外国的影响和压力。正如次年一份四川办学纲要所注意到的：中外"交通既久，几于无事不与外人为缘"。② 芮玛丽（Mary Wright）后来有类似的认知，她表述外国在华存在的术语，即外国无所不在（the foreign omnipresence in China）。③

恰因其无所不在，外国权势的影响力有时体现在直接干预上，有时体现在间接进言上，有时甚至不必有什么主动的作为——外国的"存在"本身就可以发挥影响。"列国并立"与"大一统"最大的不一样，就是有了作为参照系的"他人"（the other）因素之存在。外人的"观听"固然直接影响中国的政局，外国政教模式的存在，尤其是日益成为"正确"或成功的典范，也在很大程度上间接影响中国朝野的走向。

从郭嵩焘在英伦看见"三代之治"开始，外国参照系就已成为"证明"中国成败的重要指标。随着中国读书人被西方改变思想方式进程的发展，西方越来越具有可以取代"三代"的地位，④ 而俄国和日本则扮演学习胡服骑射而称霸的赵国的角色。因此，尽管中国的改革不断扩充、不断加速，但是只要可资对比的"他人"发展突飞猛进，同样可以使本土的变化相形见绌；由于希望太美好，实际变化虽大，而不如所希望的那样大，结果仍然导致强烈的失望。换言之，由于西方的"优越"在很大程度上是被灌输的或憧憬出来的，清季那种"中不如外"甚或"今不如昔"的感觉本身也可以是构建出来的。

黄遵宪在 20 世纪初就注意到了中外对比的严重性。他说，欧洲近代革命，是因其中古"政治之酷，压制之力，极天下古今之所未见"，再加上"赋敛之重，刑罚之毒"，而又"教化大行，民智已开；故压力愈甚，专制力愈甚，其反动力亦愈甚"。中国的专制其实没有中古欧洲那样厉害。假如

---

① 袁世凯等：《奏请立停科举推广学校折》（光绪三十一年八月初二），《故宫文献特刊·袁世凯奏折专辑》，台北故宫博物院，1970，第 1991 页。上奏者包括北洋大臣和直隶总督袁世凯、盛京将军赵尔巽、湖广总督张之洞、署两江总督周馥、署两广总督岑春煊及湖南巡抚端方。

② 《四川奏定致用学堂办法纲要》，《北洋学报》第 20 册，1906 年，"学界纪要"，第 1 页。

③ Mary Wright, "introduction," in idem ed., *China in Revolution: The First Phase, 1900-1913* (New Haven and London: Yale University Press, 1968), pp. 54-58.

④ 与"三代"一样，这新来的参照系从一开始就充满了想象的意味（因为此前大家既不想知道也确实不知道西方的真实情形），且凡被援引，往往带有对现状不满和批评的意思。

"时非今日，地无他国，无立宪共和之比较，乃至专制之名，习而安之，亦淡焉忘"。然而现实恰是，时在今日，地有他国，出现了立宪共和之比较，出现了国民、民权、"民约"（特指卢梭所言）、类族（即后所谓民族主义）等新观念，甚至输入了国家本"为国民、由国民"（for the people，by the people）的新义。①

这是极有洞察力的睿见，没有西潮的入侵，清季很多问题或不会发生，或不被发现（很多现象不想去看就会视而不见，有中外对比然后得以凸显）。同时，中外的对应也使很多原本可以分别思考和处理的具体事物整体化，助长了整体解决的思路。康有为的《日本变政考》一开始就说，在"万国交通，争雄竞长"的时代，"不能强则弱，不能大则小，不能存则亡，无中立之理"。② 万国争雄的成败，隐喻着中外竞争的未来。在这样一种"不存则亡"的二元对立思维之下，为了制胜，更不得不向竞争对手甚或侵略者学习。

1905 年以中国为战场的日俄战争，改变了世界对黄种人作战能力的看法，也改变了东亚政治的权势格局。而作为战场主人的中国却宣布"局外中立"，更是世界历史上少见的特例（从中国传统看是失道，即失去了统治的合道性；从新引进的西方国家观念看是不能捍卫主权，也失去了执政的合法性）。同时，日俄战争的胜负以实例向中国人"证明"了立宪优于专制，也就结束了以俄国还是日本为学习典范的长期争议。

对于学日本还是学俄国，中国朝野一直有争议。盖中日同文，而中俄同大；日本毕竟是岛国，似不甚可效仿。然而日俄战争后，《申报》即有文说，"日俄之胜负分，而立宪专制之胜负亦由此定"，中国人因而醒悟，"朝廷上始有立宪之议，于是有五大臣出洋考察各国政治之举"。③ 类似看法较为流行，林白水后来说："朝廷推求俄、日胜败之故，乃悟专制政治之结果，国虽大无当也，因是遂有立宪之议。"④ 他所说的"国虽大无当"，既指

① 《黄遵宪致梁启超》（光绪二十八年十一月），吴振清等编《黄遵宪集》，天津人民出版社，2003，第 508、510 页。

② 《日本变政考》（1898 年），姜义华、张荣华编校《康有为全集》第 4 集，中国人民大学出版社，2007，第 10 页。

③ 《论五大臣遇险之关系》，《申报》1905 年 9 月 28 日。

④ 宣樊（林懈）：《政治之因果关系论》（1912 年 1 月），张枬、王忍之编《辛亥革命前十年间时论选集》第 3 卷，三联书店，1977，第 763 页。

俄国，也可以是自况。既然政治体制的重要超过了国土面积，俄国也就淡出了中国的学习典范之列。① 《申报》的即时观察，仅联系到五大臣的出洋考察宪政；林白水的事后分析则明言其与立宪的关联。两皆由外及内，最能体现"外事"与"内务"的关联已进入一个纠结难分的层次。

如前所述，权势结构不仅涉及政治、经济、军事等实在的领域，文化、思想领域同样重要。康有为当时观察到，庚子后"人心大变"，实"二百年所未有"。关键在于，"向者不过变自小民，今则变自士夫矣"，以前士人"犹望复辟之自强，今则别谋革命自强"。② 盖外国不仅提供了改变的榜样，还始终在努力参与并试图指引改变的方向。读书人的思想方式在西方引导下发生转换，遂成为一种难以逆转的剧变。

王国维后来指出："自三代至于近世，道出于一而已。泰西通商以后，西学西政之书输入中国，于是修身齐家治国平天下之道乃出于二。"③ 这是一个根本性的转变，"道"本应是普适于天下即全人类的，既然西方自有其"道"，则中国的"道"也就成为中西学区分下的一个区域成分了。过去即使在改朝换代之时，也很少有士人对基本的纲常礼教产生怀疑。由于出现了中外的对比，形成了道出于二的语境，因此中西之道都成为可能的选项。更因黄遵宪所引述的新观念大都被树立为"正确"的标准，中国"专制"的可恶和可怖更得以凸显。所以黄氏认为，当时的"坏劫"和"厄运"，乃"由四五千年积压而来，由六七大国驱迫而成"。但比较起来，"今日大势，在外患不在内忧"。④

很多时候，西方也并不掩盖直接以掠夺方式摄取利益的野心。故其不仅提供了变革的思想资源，也以其行为证明帝国主义的存在，并提示了对抗西方的思想武器。从19世纪后期开始，凡与中央不保持一致的地方督抚大体都得到列强的支持。基本上，中国士人对西方观念和行为的接受每进一步，他们对西方的不满也增进一层：中国人因接受西方观念而重视主权，

---

① 到"二十一条"后日本失去了榜样的资格，以俄为师的观念重新回到中国人的意识之中。

② 《答南北美洲诸华商论中国只可行立宪不能行革命书》（1902年5月），姜义华、张荣华编校《康有为全集》第6集，第332页。

③ 王国维：《论政学疏稿》（1924年），《王国维全集》第14卷，浙江教育出版社、广东教育出版社，2009，第212页。

④ 《黄遵宪致梁启超》（光绪二十八年十一月），吴振清等编《黄遵宪集》，第510—511页。

而主权的重要性一旦凸显，此前一些可能是主动"丧失"的东西就变得重要，遂不能不"排外"。对外国司法观念的逐步接受，也就意味着对治外法权的不满。报刊和电报、铁路等既增进了全国意识，也较前更迅速地传播了任何一种中外不平等的事例。走向富强的西式改革需要大幅增加支出，被外人掌控的海关收入便引起了人们的注意。

可以说，从晚清开始，外国对中国事务的参与程度极深，而其影响也特别广泛。这样一种与前相当不同的历史局面，既是辛亥鼎革的语境，很大程度上也是其发生的原因。充分认识到这样一种权势结构的转移，有助于理解清朝的颠覆。

日俄战争后仅一年，朝廷新设的政务处就"议饬各部院衙门均在本署内添设仕学馆一区，谕令各司员娴习应办公事，并研究西学政治外交等事，以广造就"。① 所有政府机构都要"研究西学政治外交"，鲜明地体现出外国无处不在早已是多么具体。推行新政的政府如此，要推翻政府的革命者亦然。当辛亥年孙中山在美国获悉武昌革命的消息时，这位革命家不是疾速返国，而是转往英国以寻求可能抑制日本的外交帮助。② 詹森（Marius B. Jansen）教授曾敏锐地指出，这表明在中国领袖人物的认知中，外国在中国政治中的作用具有压倒性的重要意义。③

武昌的革命政府对此也有充分的认识。10 月 12 日，军政府都督黎元洪就照会各国领事，承诺保护租界和各国人民财产及"所有各国之既得权利"，声明清政府"前此与各国缔结之条约，皆继续有效；赔款外债，照旧担任"；但以后缔结的条约、借款则不能承认。④ 军政府随即对内发布告示，明确规定"伤害外人者斩""保护租界者赏，守卫教堂者赏"，⑤ 并在白话布告中说："各人要守本分。第一不要扰害各国租界，不要害外国人生命财产，不要烧领事署及教堂。因外国人没有害我们，害我们的是满人。若是

① 《议饬各部院添设仕学馆》，《申报》1906 年 3 月 22 日。
② 参见孙中山《建国方略》（1917—1919 年），《孙中山全集》第 6 卷，中华书局，1985，第 244—245 页。
③ 〔美〕詹森：《国际环境》，〔美〕吉尔伯特·罗兹曼主编《中国的现代化》，江苏人民出版社，1988，第 297 页。
④ 《中华民国军政府鄂省都督黎元洪照会汉口各国领事》，辛亥革命武昌起义纪念馆、政协湖北省委员会编《湖北军政府文献资料汇编》，武汉大学出版社，1986，第 593 页。
⑤ 《军政府鄂军都督告示》，1911 年 10 月 16 日见报，《湖北军政府文献资料汇编》，第 24 页。

害了外人，各国都来与我们为敌，那就不得了呢。"①

并非仅武昌如此，芮玛丽注意到，辛亥革命期间，南北军队都非常小心地不损伤外国产业。英国领事惊讶地注意到革命军对外国权利的默认：在沪宁之战时，革命军沿着沪宁铁路旁的崎岖小路徒步跋涉，目送火车从身旁飞速驶过。他们当然有能力夺取火车快速前进，这不仅舒适很多，更重要的是可以赢得战役的先机，然而他们却不曾尝试这样做。②

革命一方的作为很快得到了列强的认可，10 月 18 日，驻汉英、俄、法、德、日五国领事正式颁发布告，援引国际公法关于"政府与其国民开战"的规则，宣告严守中立，等于间接承认武昌革命政府为代表中国"国民"的交战团体。③ 在外国影响无所不在的权势格局之下，列强的迅速表态是个至关紧要的转折点。此前，主张支持立宪而反对革命的人有一种基本论调，即中国若革命即会内乱，列强必因此出兵干预，进而瓜分中国。领事团的反向表态彻底粉碎了这一曾经广为流传的说法，至少从操作层面证明了"革命"的可行性。④

尽管稍后长江上的英国海军确有借中立以掩护清政府军的举措，曾引起革命党人的不满。⑤ 但列强的表态整体上显然对革命一方更为有利，实际鼓励了革命在他省的蔓延。几天以后就出现了湖南军政府，此后各地军政府遂陆续成立。时在内阁掌文字的许宝蘅看到"各路蜂起"，便知"大局危殆"，只能发出"奈何、奈何"的感叹。⑥ 至此，对清廷来说已难了局，除非取得全面彻底的军事胜利。

其实，即使没有革命的爆发，清廷先已处于一种前所未有的尴尬状态。这仍与外国在华存在有密切的关联：此前为对抗外国势力的干预，清政府

---

① 《中华民国军政府鄂军都督黎布告》，附入镇江关税务司戴乐尔（F. E. Taylor）致总税务司安格联（F. A. Aglen）函，1911 年 10 月 24 日，中国近代史资料丛刊编辑委员会编《中国海关与辛亥革命》，中华书局，1983，第 144 页。

② Mary Wright, "introduction," in idem ed., *China in Revolution*: *The First Phase*, *1900-1913*, p. 56.

③ 《驻汉英俄法德日五国领事关于严守中立的布告》，《湖北军政府文献资料汇编》，第 594 页。

④ 当然，这一态度虽对革命一方更有利，却也并非全出于善意。所谓交战团体者，即胜负未决之意。列强仍可接受任何取胜的一方，同时保留了包括军事干涉在内的所有行动可能。

⑤ 《江汉关税务司苏古敦（A. H. Sugden）致安格联》（1911 年 11 月 14 日），《中国海关与辛亥革命》，第 28 页。

⑥ 许恪儒整理《许宝蘅日记》，1911 年 10 月 26 日，中华书局，2010，第 370 页。

史无前例地援引了义和团这一民间的力量。在读书人眼中，这是一个明显的"失道"象征，直接导致了士人与朝廷的疏离。[①] 避难到西安的光绪帝在1901 年初发布谕旨，要求"严禁新旧之名，浑融中外之迹"。[②] 后者针对的是刚落幕的中外武装冲突，前者却揭示出一种更加危险的状态——新旧对立的背后实隐伏着义和团运动后士人与朝廷间的紧张。

二　庚子后清廷的失道形象和士人心态

上引谕旨里新与外、旧与中的潜在逻辑关联，总体虽可说是近代的通相，却也因朝野的一度共同趋新，本已淡出时人的言说。从曾国藩时代开始，朝廷逐渐成为新派的后盾。尽管向竞争对手学习有着种种的不愉快，但若非外国势力的直接介入过深，朝野趋新的主流或会延续，而不致排外。故义和团兴起时最高层和底层历来少见的朝野一致，反暴露出朝局的分裂和朝野的疏离：相当一部分地方政府公然对抗中央政策，暗中实得到不少士人的认可。不过朝廷与士人之间这样曲曲折折的合离却也渊源已久。

清廷与士人的关系从来不是一帆风顺的。嘉道以后，满汉隔阂虽渐为人所淡忘，传统的"上下之隔"却又发展到相当严重的程度。龚自珍在西潮入侵之前所写的《尊隐》篇中，已提到文化重心由京师向山林的倾移：由于京师不能留有识之士，"豪杰益轻量京师，则山中之势重"。[③] 这样一种朝野之间的疏离，因西潮的入侵而加剧。后之所谓开风气者，越来越多地出自非京师的地方。

张之洞在戊戌维新时期已注意到新型媒体的影响，其《劝学篇》曾专辟一节以论"阅报"。他说："乙未以后，志士文人，创开报馆，广译洋报，参以博议。始于沪上，流衍于各省，内政、外事、学术皆有焉。"[④] 就像《申报》曾经是一切报纸的代名词一样，"沪上"也不仅仅就指上海一地，

①　关于清政府支持民间异端力量，参见罗志田《异端的正统化：庚子义和团事件表现出的历史转折》，氏著《裂变中的传承：20 世纪前期的中国文化与学术》，中华书局，2003，第1—32 页。

②　故宫博物院明清档案部编《义和团档案史料》下册，中华书局，1959，第 915 页。

③　《尊隐》，王佩诤校《龚自珍全集》，上海古籍出版社，1975，第 87—88 页。

④　张之洞：《劝学篇·阅报》，《张文襄公全集》（4），中国书店，1990 年影印本，第 574 页。

却不啻一种新型的"山中"。重要的是，不仅内政、外事，就连学术方面的新观念也"始于沪上，流衍于各省"，提示出当时风气之开源自何处。且这或许已是封疆大吏晚来的承认，类似的倾向早已形成多时了。

近代中国一个很重要的现象，即人员和思想的新流通方式促成了一种相对"独立"于朝廷的"舆论"，却又能影响朝廷的决策。由于社会及社会观念的部分西化，开始出现一些愿意说话甚或"出来干"的人（新旧皆有，以新为甚）。梁启超曾观察到：

> 试观数年以来，倡政治改革之人，非即倡教育改革之人乎？倡教育改革之人，非即倡实业改革之人乎？倡实业改革之人，非即倡社会改革之人乎？以实业论，则争路权者此辈人，争矿权者亦此辈人，提倡其它工商业者亦此辈人也。以教育论，则组织学校者此辈人，编教科书者此辈人，任教授者亦此辈人也。以政治论，则言革命者此辈人，言暗杀者此辈人，言地方自治者亦此辈人也。其它百端，大率类是。[1]

这一观察非常重要，即一段时间以来，无论说什么做什么，大致都出于同一群被认为是了解新事物的人。关键是这样的"舆论"能够影响朝廷的决策。很多原处边缘的趋新者逐渐形成"舆论"，造成压力，使处于权势中央（不仅是中央政府）的掌控者接受这样的思路，进而转化为当权者的想法和政治策略（且这些人并无太明确的朝野之分，新政时期的规划，相当一部分奏折、章程等甚或出自一些逃亡在外、在国内连合法身份都没有的人）。尽管从曾国藩时代起朝廷就已渐趋新，然而边缘处还有思虑更激进的，后来又逐渐转向中心，成为新的开风气者。从19世纪后期开始，这样一种从边缘到中央的新旧转换，已形成一种倾向性的发展趋势，在20世纪很长的时间里还在延续。

19世纪最后十年，中国舆论一个非常流行的观点，即在"退虏""送穷"等具体的"富强"层面，既存中国学术已基本"无用"，应该束之高阁，转而更全面地学习西方的政艺之学。被迫向竞争对手甚或侵略者学习

---

① 梁启超：《新民说》（1902—1903年），《饮冰室合集·专集之四》，中华书局，1989，第156—157页。

的选择，也带来深层次的心态紧张，进而促生一种集焦虑和激情于一体的急迫情绪，总想完全彻底地一次性解决中国的问题，并不惜借助非常规的方式。其间还有一股潜流，即甲午海战的失败，似乎提示着办海军这一学习西艺方向的无效。此前对"制造"的重视已趋淡化，如今可能受到进一步的怀疑。既然这一趋"新"路向的效应不佳，强调中外差异在器物为主的"富强"方面的主张也减弱了说服力，有些士人或会寻找其他可能应对中外冲突的方式。

这两种一显一隐的观念在很大程度上影响了朝廷的决策，对华北义和团这一"神拳"的借重，提示着主政者基本接受了中学之上层正统已不足以救亡图存的观念，而又不欲进一步仿效西方模式，故走向基层，启用中国传统中任何可以尝试的资源，实即往"异端"方面寻求力量和支持。尽管如此，这或许是近代国人最后一次从中国传统里寻找思想资源。在那之后出现了更大的变化，寻求思想资源的眼光再次向外发展，所有中国的思想都不再重要也无人想要了。

义和团的重要象征意义在于，那恐怕是中国历史上第一次将"怪力乱神"的事放到最高的中央政务会议上来讨论，并将之作为决策的依据，在此基础上制定了当时的国策。这意味着"中国"本身也发生了根本的变化，已不复是以前那个"礼仪之邦"了。而此前朝野的共同趋新也是逼出义和团行为的一个潜在远因。素负理学盛名的大学士徐桐公然为"神拳"背书，以为能收"以毒攻毒"之效。[①] 这便最能体现那种隐忍已久、不得不发的心态；而在久抑之后一举释放而出时，显然已急不择术了。

这样看来，义和团的失败不仅是一次作战的失败，也是朝廷在进行文化选择的时候站到了整个价值体系的对立面。对许多士人而言，文野之辨胜过中西之分。当年曾国藩等读书人要起来打太平天国，就是觉得那边崇奉的是异端的耶稣教；这一次则是朝廷援引了内部的"异端"，同样引起了大量读书人的强烈不满。

当清廷也像当年洪、杨一样提倡怪力乱神时，表明其在社会层面已不

---

① "以毒攻毒"的背后潜藏着"正不压邪"的隐忧，揭示出朝廷主政者也认为正统思想资源已无法解决当时的问题？参见胡思敬《退庐全集·驴背集》（沈云龙主编《近代中国史料丛刊续编》第45辑），文海出版社，1970年影印本，第1163—1164页。

一定依靠士人，在思想层面既不能维持中国"正学"，又不能接受外来的新学，实不足以救亡，更不能振兴中国。从这时起，越来越多的读书人已不相信政府能解决中国的问题，即不再寄希望于这个政权来改变中国的现状。特别值得注意的是，相当数量的封疆大吏也有类似的看法。"东南互保"局面的出现，实则是那些曾在清廷与太平天国之间选择了前者的疆臣这次却在清廷与列强之间选择了中立所致。"中立"是近代引入的西方新概念，从传统观念看，就是有外侮而不勤王，听凭外人宰割君主，至少也是抗命不遵朝旨。这样的局面是西潮入侵前没有的。

在传统意义上几乎等于叛国的"东南互保"，反因朝廷的"失道"而具有了较充分的正当性。[①] 当时便少见人说"东南互保"是卖国，清廷事后也未对此追究。后来的研究者固可说这是所谓地方权力上升的表现，更不能排除朝廷自觉此前作为已属"失道"，故不宜纠缠，免得提示曾经存在的倒行逆施。但这些因素彼此都有暗中的因应，久已淡化的满汉意识很快再度受到关注，朝廷中出现亲贵内阁，而不少地方督抚也在加强相互联络（以及其中某些人与外国领事的联系加强），多少都与"东南互保"有些关系。

所有这一切都为次年的《辛丑条约》所固化。总理各国事务衙门"按照诸国酌定"改为外务部，班列六部之前，确立了外倾的国家走向；而全面的武器禁运则从此断绝了此前以购买方式强军的途径，并辅以各国可长期驻军的独立使馆区及削平京师至海通道的所有炮台。一个不得不走向世界的国家，防务上却门户洞开，且已几乎无法实现今日所谓"军事现代化"，怪不得此后"瓜分"就成了舆论的持续主题。而巨额的赔款，不仅使全民直接感受到了朝廷倒行逆施的代价，也为此后一系列内政改革的艰困埋下了伏笔。在越来越重视纸面条文的时代，这等于将朝廷钉死在失道的耻辱柱上了。

因此，庚子年是清末的一个转折点，局面已很难逆转（却也不是没有可能）。陈三立在庚子当年即几乎明言朝中已有"暴君虐相"，足以促"民权之说"兴起。他说，泰西"民权之所由兴，大抵缘国大乱，暴君虐相迫

---

① 陈寅恪后来就把"庚子岁东南诸督抚不遵朝命杀害外侨"与《马关条约》后"政府虽已割台，而人民犹可不奉旨"并视为"爱国"和"有是非之心"的表现。参见陈寅恪《寒柳堂记梦未定稿（补）》，《寒柳堂集》，三联书店，2001，第215—216页。

促，国民逃死而自救，而非可高言于平世者也"。而中国"义和团之起，猥以一二人恣行胸臆之故，至驱呆竖顽童张空拳战两洲七八雄国，弃宗社，屠人民，莫之少恤"。如此，"专制为祸之烈，剖判以来未尝有也"。他的推测是"民权之说转当萌芽其间，而并渐以维君权之敝"。①

戊戌时与陈三立同在湖南推动维新的黄遵宪也想到了"民权"，他原以为庚子后联翩下诏"设政务处，改科举，兴学校"，或可以达到"尊王权以导民权"之平生希望。然而新政的实际举措令他非常不满，"今回鉴将一年，所用之人，所治之事，所搜括之款，所娱乐之具，所敷衍之策，比前又甚焉。展转迁延，卒归于绝望。然后乃知变法之诏，第为避祸全生，徒以之媚外人而骗吾民也"。② 黄遵宪敏锐地观察到清廷变法那不得已的一面，即避祸全生，以媚外人；而这个寄望于改革之人的沉痛绝望，暗示着与陈三立相近的分析，即王权和民权难以两全。稍后陈天华正式提出"改创民主政体"的主张，理由即为"现政府之不足与有为也，殆已成铁据"。③

又两年后，山西举人刘大鹏总结说："世道大变，自庚子年始。人心于是大坏，风俗于是大乖，至学界风潮于是大涨。凡出洋游学，即在学堂之人，多入无父无君之境。诚有不堪设想者。"④ 革命者的经历很能支持这个看法，孙中山在庚子年趁北方之乱而发动惠州起义，虽仍失败，但他发现当时"中国之人心，已觉与前有别"。此前"举国舆论莫不目予辈为乱臣贼子，大逆不道，咒诅谩骂之声，不绝于耳"；而庚子以后，"则鲜闻一般人之恶声相加，而有识之士且多为吾人扼腕叹惜，恨其事之不成矣。前后相较，差若天渊"。⑤

鲁迅后来回忆说："戊戌变政既不成，越二年即庚子岁而有义和团之变，群乃知政府不足与图治，顿有揸击之意矣。"⑥ 这里的"群"当然是指

---

① 陈三立：《清故光禄寺署正吴君墓表》（光绪二十六年），钱文忠标点《散原精舍文集》，辽宁教育出版社，1998，第68页。

② 《黄遵宪致梁启超》（光绪二十八年十一月），吴振清等编《黄遵宪集》，第512页。

③ 思黄（陈天华）：《论中国宜改创民主政体》，原载《民报》第1期，张枬、王忍之编《辛亥革命前十年间时论选集》第2卷，三联书店，1963，第124页。

④ 刘大鹏：《退想斋日记》，1907年3月8日，乔志强标注，山西人民出版社，1990，第158页。

⑤ 《建国方略》（1917—1919年），《孙中山全集》第6卷，第235页。

⑥ 《中国小说史略》，《鲁迅全集》第9卷，人民文学出版社，1981，第282页。

士大夫，因为一般的老百姓在义和团之时恰与清政府一度有"合作"。鲁迅和陈天华都曾在日本留学，也都倾向于革命一方；然而他们的表述无意中提示了一个重要的潜在共识，即后来走向激进方式以"掊击"政府的革命党人也曾有与政府合作以"图治"的愿望，前提是政府能够"有为"。

或可以说，当时已形成一股内外夹攻的强大政治变革压力，使政府终于认识到全面改革已刻不容缓。然而，晚清新政有一致命的弱点，即大量过去维护朝廷的士人已开始对政府失去信任。前引黄遵宪在短期内即对新政由希望到绝望的进程，当然不是孤立的。以今日的后见之明看，当年朝廷已经注意到士人心态的转变，并有因应的举措——政府主动推行了自上而下的一系列越来越急迫、越来越全面彻底的改革措施。

在士人心态与清廷政策颇有距离的情形下，朝廷的举措也不得不步步紧逼、层层加码。以科举制改革为例，庚子后几年间，仅张之洞、袁世凯等人奏折中所提出的办法就几乎是几月一变，一变就跃进一大步；前折所提议的措施尚未及实施，新的进一步建议已接踵而至。原拟用十年的时间逐步以学堂代科举，而不过一年，便不能等待学堂制的成熟，在1905年就把实施了千年以上的科举制彻底废除，很能体现政府那种破釜沉舟的决心。①

立宪亦然。就在1905年当年，报纸已观察到"昔者维新二字，为中国士夫之口头禅；今者立宪二字，又为中国士夫之口头禅"的现象。② 至1907年，孙宝瑄感慨道："风气至今，可谓大转移。立宪也，议院也，公然不讳，昌言无忌；且屡见诸诏旨，几等口头禅，视为绝不奇异之一名词。"③数年前这还是"所梦想不及"的事，现在已有付诸实践的希望了。最初朝廷正式确立的预备立宪年限为九年，仅两年后的1910年，颇类当初改废科举的模式，朝廷又将预备立宪期从九年缩减为五年，而朝野已在讨论进一步缩减为三年甚或立即施行的可能。

类似废科举、试行立宪这样的改革，都是千年未有之巨变，因此不能说朝廷没有决心、没有诚意。不论朝廷的举措在多大程度上是被逼无奈，这样的步步深入都的确体现了改革的诚意。改革的不断加速进行，表明朝

---

①　参见王德昭《清代科举制度研究》，中华书局，1984，第236—245页。

②　《论立宪当以地方自治为基础》，录乙巳八月二十三日《南方报》，《东方杂志》第2年第12期，1906年，第216页。

③　孙宝瑄：《忘山庐日记》下册，1907年10月21日，上海古籍出版社，1983，第1082页。

廷的确希望可以借此挽回士人的支持。当然，在士人对朝廷的不信任相对普遍之时，很多人还是对立宪持观望的态度；然而这正是黄遵宪曾经梦想的"尊王权以导民权"，朝野中不少人对此也曾寄予厚望。盖一旦实行立宪，皇帝就真成虚君了。这样举足轻重的大事，仍有进一步考察分析的必要。

三　自上而下的立宪

若向前追溯，清末立宪也曾经历了一个民间走在前面的阶段，但很快就出现在官员的奏折之中。① 日俄战争结束后，由于袁世凯和端方的努力，立宪主张"渐达天听"。② 先是出使各国考察政治大臣载泽上奏说，立宪方可使"皇位永固"，且能解决满汉矛盾等各种问题。③ 不久，"立宪足以安帝室"的主张渐为朝野所接受。④ 大概从1905年起，立宪已成朝野共识，遂出现前引立宪二字成为"士夫之口头禅"的现象。

与此同时，立宪越来越被看作通向富强的必由之路。端方的奏折就一再强调，日俄战争表明，"立宪与否"就是"兵强国富与否之原因"。据他在外国考察，"东西洋各国之所以日趋于强盛者，实以采用立宪政体之故"。中国若"内政不修，专制政体不改，立宪政体不成，则富强之效，将永无所望"，如"欲国富兵强，除采用立宪政体之外，盖无他术"。⑤ 稍后仿行立宪的上谕也明确肯定："各国之所以富强者，实由于实行宪法，取决公论。"⑥

---

① 邓实观察到，"立宪之声，已遍传于草野，而宫府不闻也；立宪之文，已交奏于臣工，而政府依旧也"。见氏著《鸡鸣风雨楼民书·民政第七》（1904年），《光绪甲辰政艺丛书·政学文编卷三》，第16页B（卷页）。杜亚泉稍后也总结说："疆吏之陈请、人民之请愿，皆立宪发动之助因。"见氏著《通论》，周月峰整理《辛亥前十年中国政治通览》，第24页。

② 《御史胡思敬奏立宪之弊折》（1910年10月27日），故宫博物院明清档案部编《清末筹备立宪档案史料》上册，中华书局，1979，第346页。

③ 《出使各国考察政治大臣载泽奏请宣布立宪密折》（1906年），《清末筹备立宪档案史料》上册，第174—175页。

④ 孙宝瑄：《忘山庐日记》下册，1908年8月20日，第1230页。

⑤ 端方：《请定国是以安大计折》（1906年8月26日），《端忠敏公奏稿》，沈云龙主编《近代中国史料丛刊》第10辑，文海出版社，1967年影印本，第702—705页。

⑥ 《宣示预备立宪先行厘定官制谕》（1906年9月1日），《清末筹备立宪档案史料》上册，第43页。

到 1909 年 4 月，学部奏折再次肯定"立宪之效，必以富强为归"。[①]

晚清的富强国策本来就是被动推出的，即黄遵宪所谓"避祸全生"。立宪亦然，常被不少人视为一种摆脱危机、解救危局的脱困举措，带有不得不推行的被动意味。《东方杂志》的署名文章当时就指出："立宪之谋，乃剥肤于敌国外患，被动所生，而非主动，此无可讳饰者也。"[②] 尽管如此，这样一种以立宪致富强的取向，仍体现出一种积极正面的努力精神。

作为一种国家行为，立宪究竟是积极主动还是消极被动，实有很大的差异。时人已感觉到这一点，以为有必要弄清"将以立宪为兴国之目的乎？抑以立宪为救亡之手段乎？"前者近于"好事喜功之发动"而"欲大有为"，后者则是出于"天时人事之交迫"而"不可不为"。[③] 从清廷的整体作为看，在立宪国策的确立方面显然有些踌躇；而在政策确定之后，却推进得雷厉风行（至少中央政府非常急迫，已使多数地方疆吏难以接受），大体表现出一种被动中的主动倾向。

随着革命的主张开始流行，清廷不得不以革政的方式与之竞争，以避免革命的发生。杜亚泉稍后即说："吾国立宪之主因，发生于外界者，为日俄战争；其发生于内部者，则革命论之流行，亦其有力者也。"[④] 在某种程度上，立宪与革命之争已成为中国两种出路的竞争。以立宪消弭革命，基本也是一种被动的反应，但以革政的方式与革命竞争，仍表现出一种被动中的主动倾向。

立宪这一朝野共识的形成，用朱执信的话说，"其倡者一二无赖，而和

---

① 学部：《奏报分年筹备事宜折》（1909 年 4 月），《教育杂志》第 1 年第 4 期，1909 年。在既存研究中，王人博特别强调了晚清立宪的目标是富强，亦即宪政是走向富强的工具，故中国宪政与西方宪政的关怀不同。革命党人与立宪党人的争论基本也是何者更能使中国富强，而不是立宪、共和两种政体的优劣与否。参见王人博《宪政文化与近代中国》，法律出版社，1997，第 251 页。更详细的讨论见该书第七章。

② 薶照：《人民程度之解释》，《宪政初纲》（《东方杂志》临时增刊，光绪三十二年十二月，约 1907 年 1 月），第 5 页（类页）。

③ 《论立宪与财政之关系》，《广益丛报》第 4 年第 30 号，1907 年 1 月 13 日，"国计"，第 1 页 A。按：该文作者认为立宪已是"救今日中国之急"的唯一手段，也是推行其余具体新政的基础，不可不立即进行。

④ 杜亚泉：《通论》，周月峰整理《辛亥前十年中国政治通览》，第 24 页。

者乃遍中国；相与鼓吹张皇之，使深入于士民之心"。① 胡思敬更清楚地看到，只有朝廷先做出决策，然后"二三浮薄希宠之徒"才可以"相与鼓煽其间"。② 若结合二人的话共观之，则立宪先由"一二无赖"提倡，继经"二三浮薄希宠之徒"附和。当时最保守者和最激进者的概括，实相当接近。

这一共性揭示出，尽管从历时性的视角看，立宪已是石破天惊的根本性巨变，但在共时性的语境中，立宪还是一个介于激进与保守之间，同时面临双方抨击的举措。不过，革命党方面的攻击更多在海外，而守成者的反对也仅部分公开（由于已是既定的国策，很多心存不满的官员不能不取自我禁抑的态度，甚或以表面支持求实际的延缓，详后）。大体上，立宪已成大势所趋。

就其发生和发展的途径看，立宪无疑经历了一个自下而上的过程，但不过几年，起自民间的思路渐具朝野共识。或可以说，朝廷派五大臣出洋考察政治时即已基本倾向于立宪，出洋考察不过是为一项半公开的既定政策寻求支持，以增强其正当性。当年报纸就注意到，自考察大臣归国到下诏宣布立宪，历时仅一个月。③ 可知立宪之意先已预定。而民间也读懂了上意。自五大臣出洋，"薄海人民，咸知朝廷实有与民更始之意，而希望立宪之情乃益切"。驻外使节和枢臣疆吏"亦纷纷奏请立宪"。④ 到其正式被确定为国策后，立宪就基本形成一个自上而下强力推动的态势。这是宪政能够风靡的主要基础，也是一个不可忽视且值得进一步考察的倾向。

立宪的自上而下特征

鲁迅后来说："中国太难改变了，即使搬动一张桌子，改装一个火炉，几乎也要血；而且即使有了血，也未必一定能搬动，能改装。"⑤ 但清季朝野则皆感外国立宪必流血，而中国不仅不流血，还是上比下积极。当出洋考察五大臣被行刺时，夏曾佑就提出："天下各国民人要求朝廷立宪，朝廷

---

① 蛰伸（朱执信）：《论满洲虽欲立宪而不能》（1905 年），张枬、王忍之编《辛亥革命前十年间时论选集》第 2 卷，第 116 页。

② 《御史胡思敬奏立宪之弊折》（1910 年 10 月 27 日），《清末筹备立宪档案史料》上册，第 346 页。

③ 《立宪纪闻》，《宪政初纲》，第 5 页（类页）。

④ 《立宪纪闻》，《宪政初纲》，第 2 页（类页）。

⑤ 《娜拉走后怎样》，《鲁迅全集》第 1 卷，第 164 页。

不许，致有种种凶险之举，此为国家之常事。而惟我国，则朝廷深欲立宪，而民人抛炸弹以止之，亦何其可怪之甚哉？"① 夏氏指出了一个重要的差异，即中国立宪本是模仿外国，其进程却与外国颇不相同——外国立宪多自下而上，中国立宪却表现出自上而下的特征。

这一特征，其实当年政治立场不同的各方面人都已共同注意到了。革命党人汪精卫首先就指出："立宪事业，满洲政府实司其柄，自定宪法，以规律大权之行动。"他更明言，这是满洲政府"自率己意，以定宪法，于国民何与焉？"② 汤寿潜私下说："以五千年相沿相袭之政体，不待人民之请求，一跃而有立宪之希望，虽曰预备，亦极环球各国未有之美。"③《东方杂志》则公开说，立宪诏书和改官制的上谕中都表述了"民格不及、程度不足""民智不足"之意；"质而言之，即谓下之自谋，不若上为之谋也"。④ 此虽可见婉转的指责，但仍指出了实质，即立宪本非"下之自谋"，而更多是"上为之谋"。

所有这些人都看到并指出了一个共同点，即此时的立宪是自上而下的。且正因是自上而下的，似乎还来得太容易。邓实在1904年还慨叹"革命难矣，而革政抑亦不易"。他很担心立宪的希望可能会"望之终古而已"。⑤ 到立宪上谕颁布后，夏曾佑转而感叹："自古立宪之迟，莫如中国；自古立宪之易，亦莫如中国。"⑥

换言之，这次是朝廷主动要立宪，而不是被要求立宪。且后来朝廷表现得似乎越来越"主动"，不论其是否情愿，开设国会的期限确实越缩越短。1910年11月4日（宣统二年十月初三日），清廷颁布上谕，宣布将开设国会的期限缩短三年，于宣统五年开设议院。诏书指出：由于时势危迫，"日甚一日"，且"内外臣工，强半皆主张急进"；朝廷"宵旰焦思，亟图挽

---

① 夏曾佑：《论车栈行刺之可怪》（1905年9月），《夏曾佑集》，上海古籍出版社，2011，第375页。

② 精卫：《满洲立宪与国民革命》，《民报》第8号，1906年10月，第21—22页（文页）。

③ 《汤寿潜致瞿鸿禨》（1906年），《瞿鸿禨朋僚书牍选》（下），《近代史资料》总109号，中国社会科学出版社，2004，第56页。

④ 蘧照：《人民程度之解释》，《宪政初纲》，第8页（类页）。

⑤ 邓实：《鸡鸣风雨楼民书・民政第七》，《光绪甲辰政艺丛书・政学文编卷三》，第16页B（卷页）。

⑥ 别士（夏曾佑）：《刊印宪政初纲缘起》，《宪政初纲》，第1页（类页）。

救，惟有促成宪政，俾日起而有功。不待臣庶请求，亦已计及于此"。①

这一上谕明确了立宪开国会是为了应付危迫的时势，承认了内外臣工"强半皆主张急进"的现实，并强调了朝廷"不待臣庶请求"已在筹划此事。这大体应非虚言，而系实述。盖对朝廷在立宪方面的主动，就连政府中人也有疑虑。稍早在大臣讨论立宪的会议上，据说铁良就提出：

> 吾闻各国之立宪，皆由国民要求，甚至暴动。日本虽不至暴动，而要求则甚力。夫彼能要求，固深知立宪之善，即知为国家分担义务也。今未经国民要求，而辄授之以权；彼不知事之为幸，而反以分担义务为苦，将若之何？②

而袁世凯解释说，过去欧洲人民是因"积受压力，复有爱国思想，故出于暴动以求权利"。中国则朝廷崇尚宽大，故"民相处于不识不知之天，而绝不知有当兵纳税之义务"。故"各国之立宪，因民之有知识而使民有权；我国则使民以有权之故，而知有当尽之义务"。吾辈之责任，在"使民知识渐开，不迷所向"。

袁的回答道出了立宪的一项要素，即开民智而使之有权利义务观念。一般宪政研究似较少述及教育，其实宪政乃新政之一部分，其间教育始终得到强调，被置于首要的位置。③ 朝廷的具体预备立宪次序，也是先普及教育，以推行地方自治。这是从戊戌维新时期开始的以教育培养"国民"（对应于"臣民"）努力的延续，本是在野的趋新读书人向所提倡者，为朝廷所采纳。时人认知中的"国民"，是要"与国家之兴衰有关系"，④ 即不仅

---

① 宪政编查馆录《提前实行立宪谕》（1910年11月），中国第二历史档案馆编《中华民国史档案资料汇编》第1辑，江苏人民出版社，1979，第128页。

② 本段与下段均见《立宪纪闻》，《宪政初纲》，第4页（类页）。

③ Peter Zarrow, "Constitutionalism and Imagination of the State: Official Views of Political Reform in the Late Qing," in idem ed., *Creating Chinese Modernity: Knowledge and Everyday Life, 1900-1940* (New York: Peter Lang, 2006), pp. 61-64.

④ 罗振玉注意到，"近日东西教育家分人民与国民为二"，而"所谓国民者，已受义务教育，与国家之兴衰有关系之谓也"。若"人民之未受义务教育者，则不得冒国民之称"。见罗振玉《日本教育大旨》，王宝平主编《晚清中国人日本考察记集成·教育考察记》（上），杭州大学出版社，1999，第233页。

要有自治的能力和权利，更要知爱国；而爱国的一个主要表现就是多缴税还愉悦，同时愿意当兵。张荫棠就明言，"立宪政体之善"，就在于"使民知国家者，君与己共之，爱国之心油然而生，然后肯牺牲财产以供租税，牺牲身命以为兵役"。[①]

提到"开民智"，有些人或许连带想到的是"兴民权"，朝廷则显然更看重使其"知有当兵纳税之义务"的一面。当时以教育培养国民爱国心的直接目的，大都在于"肯牺牲财产以供租税，牺牲身命以为兵役"。那时被视为袁世凯主要权力竞争者的瞿鸿禨，这方面看法与袁相类。他也说："宪法之利于国者，在人人知当兵、纳税之义务，而可致富强；其利于民者，在人人可享法律之自由，人人有与闻国政之荣利，不啻上下互为报施。"如此，则必"民智大开，民德日厚，夫然后下知当兵、纳税，而皆有急公好义之诚"。[②] 这些人之所言，大体仍是咸同以降官文书中最常见的筹饷、练兵二事。但不同的是，西来的权利义务观念在官员中已相当普及，并成为其论事的学理依据。

而铁良的疑问，显然代表了较普遍的看法。于式枚也说：

> 各国立宪，多由群下要求，求而不得则争，争而不已则乱。夫国之所以立者曰政，政之所以行者曰权。权之所归，即利之所在。定于一则无非分之想，散于众则有竞进之心。其名至为公平，其势最为危险。行之而善，则为日本之维新；行之不善，则为法国之革命。[③]

于式枚不仅道出了中国立宪与各国的不同，更指出了一个可能的反向结果：外国是因争权而致乱，中国则可能因授权而致乱。大学堂监督刘廷琛进而提出，"欧洲各国立宪，皆因昏君暴相，肆行掊克，民不堪命，乃起而与政府相抗，几经流血而成"。中国则反是，民间未见什么抗争，朝廷则

---

① 《出使美墨秘古国大臣张荫棠为时局危亟请速行宪政折》（1911 年），《清末筹备立宪档案史料》上册，第 362 页。

② 瞿鸿禨拟《复核官制说帖》，周育民整理《瞿鸿禨奏稿选录》，《近代史资料》总 83 号，中国社会科学出版社，1993，第 36 页。

③ 《考察宪政大臣于式枚奏立宪必先正名不须求之外国折》（1908 年），《清末筹备立宪档案史料》上册，第 336—337 页。

"持太阿之柄以示人，坐使国势纷攘而不安"。① 刘廷琛的见解有和于式枚相近处，然更直截了当，明言立宪已导致"国势纷攘"。不过，使臣张荫棠有相反的看法。他以为，各国由专制政体变为立宪政体，"俱不免有官民上下权限之相争"，而中国则"全赖朝廷预制机先，明决断行"，遂能"融洽党见，消弥隐患"。②

在革命党方面，从预备立宪之诏初下时起，"有识之士即号于众曰：各国立宪无不由国民流血以购之，今我政府竟如是慷慨，而分权让利于吾民也，乌可得哉？"③ 其态度虽是负面的，却也点出了立宪自上而下的特征。当年倾向于革命者反对立宪的一个代表性说法，即天下没有平白而至的好事，若出现，不是假的，就是欺骗和阴谋。

雷昭性就分析说，宪法的实际功用，即"杀政府之权，而与人民以参政权"。通常政府都不愿意分其权力，故"各国立宪，其原动力皆发自人民。政府于百端抗拒阻挠之后，至于势不能支、力不能拒而后许焉"。而"吾国则政府为原动力，无须逼迫，而泰然分其权与人民，何其文明程度高于各国若是也！"和于式枚相近，他也视立宪为政府与人民之间的权力竞争，而政府显然是强势一方，故各国人民"于不得已之时而不免用激烈之冲突"。由此可知，宪法者，"大都由激烈时代人民逼迫而成，非可由平和时代政府酝酿而成"。④

《民立报》的社论指出：宪法是"保护人民"而"束缚君权"的，"人民不起而立之，断未有君主肯起而立之"者；同理，国会也没有"人民不起而开之"而"君主肯起而开之"者。故"自来宪法，未有非国民能起而自立，而可以得美备之宪法者；自来国会，未有非国民能起而自开，而可以得有力之国会者"。若"有恩许开之者，必非真正之宪法、真正之国会"。

① 刘廷琛：《奏为宪政败象渐彰新党心迹显著请亟图变计以救危机折》，刘锦藻：《清朝续文献通考》，浙江古籍出版社，1988 年影印本，第 11511—11512 页。
② 《出使美墨秘古国大臣张荫棠奏陈设责任内阁裁巡抚等六项文职官制折》（1911 年），《清末筹备立宪档案史料》上册，第 550 页。
③ 铎人：《对于宪政之民心与立宪之不可得和平》（1911 年），张枬、王忍之编《辛亥革命前十年间时论选集》第 3 卷，第 814 页。
④ 铁厓（雷昭性）：《中国立宪之观察与欧洲国会之根源》（1910 年 5、6 月），张枬、王忍之编《辛亥革命前十年间时论选集》第 3 卷，第 698—699 页。

国民应当负起责任，不能坐视君主"自立宪而自开国会"。① 不论该报的态度如何，最后一语仍点出了立宪更多出自朝廷的特征。

更重要的是，由于立宪的自上而下特征，关于宪政已形成某种程度的言论禁抑，特别是官员的自我禁抑，即大家不怎么说反对的话（不敢说或不愿说），实际往往是说了也白说。内阁学士文海一开始即指出，立宪有六大错，其实"人所共知"，参与定策的"会议诸臣亦所共知"，不过因"势成指鹿为马而不敢言"。② 内阁中书王宝田等稍后也说，立宪、改官制的弊害"固夫人之所知也；特知之而不肯言，言之而又不实不尽也"。③ 就连革命党人戴季陶也注意到："今日之政府中人，自摄政王以至于各亲贵大臣，无论其人格如何、性质如何、意见如何，未有敢发一言以反对宪政者。"④

值得注意的是，那些质疑立宪或宪政的官员，多是官位不甚高者，或官品虽高而疏离于权力中心者，还有一些则是以谏诤为责任的言官（他们的立论基础不尽同）。左都御史陆宝忠当时就对这种"大臣不言，而小臣言之"的现象感到"汗颜无地"。⑤ 当然，也有少数握有实权的疆臣对宪政举措公开表示不同意见，陕甘总督升允直接反对，两江总督张人骏则婉转抵制。不过，由于立宪乃上之所好，两人"皆负大不韪之恶名"，支持立宪者"群起而相诟厉"。⑥ 而这些诟厉者，当然包括迎合上意的各级官员。

不论是主动迎合还是被迫追随，宪政的风靡，意味着政府尚有可以作为的余地。这是非常重要的。盖尽管朝廷希望立宪可以保皇室，而朝野中不少人也希望立宪可以阻革命，立宪的实质意义，正在于它是推行新政的制度基础。

① 海空：《论国民宜急起参与宪法》，马鸿谟编《民呼、民吁、民立报选辑》，河南人民出版社，1982，第574—576页。
② 《内阁学士文海奏立宪有六大错请查核五大臣所考政治并即裁撤厘定官制馆折》（1906年），《清末筹备立宪档案史料》上册，第140页。
③ 《内阁中书王宝田等条陈立宪更改官制之弊呈》（1906年），《清末筹备立宪档案史料》上册，第161页。
④ 《最近政界之悲观》（1910年12月15日），唐文权、桑兵编《戴季陶集》，华中师范大学出版社，1990，第185页。
⑤ 《陆宝忠致瞿鸿禨》（1906年9月15日），《瞿鸿禨朋僚书牍选》（上），《近代史资料》总108号，中国社会科学出版社，2004，第21页。
⑥ 《御史胡思敬奏立宪之弊折》（1910年10月27日），《清末筹备立宪档案史料》上册，第346页。

"开千古未有之创局"

夏曾佑很早就意识到立宪这一改革的根本性和整体性，所以他在 1905 年就提出，仿效外国立宪"当师其意，而不必袭其名"。因此，他希望朝廷在"改政体时，不当尽求之于法学家，而必求之于哲学家"。[①] 这一看法不仅在当时没引起什么反响，后来也少见跟进，却提示后之研究者，当从基本的思想层面去思考制度的变革。

必须充分认识立宪带来的根本性转变。正如资政院开院典礼（1910 年 10 月 3 日）上宣统帝的上谕所说，预备立宪乃是"开千古未有之创局"。而十天前资政院总裁溥伦也在首次召集日上强调，这是"我中国数千年以来没有行过的盛典！"[②] 在稍后的第二十六次资政院会议（1910 年 12 月 15 日）上，剪辫易服案的提案者罗杰说，剪辫是否有违祖制，可以不必考虑。若说"不能变更祖制，这个立宪政体，岂不是显然变更祖制吗？既然政体可以变更，何有区区发辫呢？"[③]

这样的提议也出现在资政院，胡思敬就深有感慨："不图海外之逆书，忽变而为公朝之议案。"[④] 而对于朝中兴起内阁代君主负责之说，他更点出这一转变的彻底性："使雍正、乾隆之朝而有是言，两观之诛，何以逃罪？今众口并为一谈，牢不可破。"[⑤] 用时人的话说，以立宪"永保皇位"，是一个改变"政体"以保存"国体"的取向——政权的保存更多是名义上的，而治权的转换却是根本性的。其手段的激进与目标的保守之间隐伏着尖锐的紧张，前者在很大程度上直接威胁后者。

无论出于何种意图，立宪一旦实行，皇帝就成为真正的虚君了。从实际执政的角度言，这不啻一个否定皇帝自身统治正当性的决策。升允看到了其中的关键：宪政的好处在于"虽有暴主，不能虐民"；然其弊，则即使

---

① 《论日胜为宪政之兆》（1905 年 5 月），《夏曾佑集》，第 341 页。

② 李启成点校《资政院议场会议速记录》，上海三联书店，2011，第 4、1 页。

③ 李启成点校《资政院议场会议速记录》，第 369 页。

④ 胡思敬：《请查办奸人倡剪辫易服煽乱人心折》（宣统二年十一月），《退庐全集·退庐疏稿》，沈云龙主编《近代中国史料丛刊续编》第 45 辑，文海出版社，1970 年影印本，第 991 页。

⑤ 《御史胡思敬奏立宪之弊折》（1910 年 10 月 27 日），《清末筹备立宪档案史料》上册，第 346 页。

"有圣君"亦"不能泽民"，因为皇帝已"无负担、无责任，拘挛于法宫高拱之中，莫由屈伸"。① 孙宝瑄很早就知道，既立宪，则"国中之事，举听命于相"，皇帝不过"徒有君之名耳"。② 他后来进而指出，也只有君主不负责任，置掌权的宰相于可立可易之位，然后帝室才可以"安然无恙"。③

从当局者的视角看，即使作为解救危局甚或避免革命的举措，立宪这一方式也充满了风险，甚至是危险。对任何时代的任何当政者来说，做出这样的改革决策都不可能是轻而易举的。在决策确定后，推行过程中的犹疑和反复既是自然的，也会是持续的。而其间的审慎、迟缓和蹒跚又都很容易被视作拖延和欺骗。④ 换言之，要说清廷的立宪有多么主动和诚恳，显然过于理想；其尽可能延缓进程，祈求某种扭转局势的奇迹出现，这样的心态也并非不存在。

然而，以治权的根本转移换取政权的名义保存，无论如何都是一个彻底的变革，即余肇康所谓"别开一四千年来之世界"。⑤ 反对新定官制的陆宝忠指斥"三五嗜进喜事少年"不学无术，"任意去留，几欲举祖宗成法扫除而更张之"。⑥ 这绝非无的放矢，戴鸿慈和端方关于改官制的奏折说得很明白，他们"详细参稽，悉心斟酌，实欲舍中国数千年之所短，就东西十数国之所长"。⑦ 短长的标准是不定的，但"中国数千年"和"东西十数国"的对应性时空弃取，充分表明了改革的彻底性。

虚君之后，再加上这样从文化到政治的全面弃取，朝廷实所剩无几。既没了退路，也很难再进一步了。若按立宪进程实行选举，仅数百万之满

---

① 《补录开缺甘督升允痛诋新政折（续）》，《申报》1909 年 8 月 1 日。
② 孙宝瑄：《忘山庐日记》上册，1901 年 6 月 27 日，第 359 页。
③ 孙宝瑄：《忘山庐日记》下册，1908 年 8 月 20 日，第 1230 页。
④ 在当年的主持舆论者看来，立宪的整体进程便显得缓不济急。即使到立宪推行得非常急切的 1910 年，报纸仍感觉"何举动若是其寥寥"，强调"岁云暮矣，逝者如斯"，政府与国民皆不能"长此优游以卒岁"。见毅《一年内政府与国民之大举动（续）》，《申报》1910 年 1 月 30 日。
⑤ 《余肇康致瞿鸿禨》（1906 年 9 月 22 日），《瞿鸿禨朋僚书牍选》（上），《近代史资料》总 108 号，第 21 页。
⑥ 《陆宝忠致瞿鸿禨》（1906 年 9 月 15 日），《瞿鸿禨朋僚书牍选》（上），《近代史资料》总 108 号，第 20 页。
⑦ 《出使各国考察政治大臣戴鸿慈等奏请改定全国官制以为立宪预备折》（1906 年），《清末筹备立宪档案史料》上册，第 383 页。

人是无法与占多数的汉人相抗衡的，这等于将各级权力奉还汉人。① 这是那些"体制内"改革者心知肚明而不宜点醒者，革命党人又岂不知之乎！陈寅恪比很多人更清楚地看到了问题的关键所在——"君宪徒闻俟九年，庙谟已是争孤注"。② 如其所揭示的，很多时人关心和争论的是立宪的缓急，对皇室来说，这已是名副其实的孤注一掷了。

以今日的后见之明看，朝廷对于立宪实已相当主动。尽管很多充满焦虑的时人的确感觉立宪推行太慢，但是从改革的彻底性及变动的广度言，恐怕朝廷是操之过急而非过缓。进而言之，清季立宪的自上而下特色，以及立宪未必出自一般人民要求，共同表明了一个重要的事实，即中国的立宪主要并非某些社会群体在政治权力的分配上感觉受到了压制，而更多是基于想要实现富强的国家目标，以解决中国在世界上的地位问题。

《东方杂志》的署名文章也说：从预备立宪的上谕看，"朝廷所以主张立宪者，意在救亡。实灼然于制治之旧，不足以肆应于世界大势之新"。③ 武昌事发后，资政院总裁世续等的奏折指出，革命党人鼓煽之说，"皆由怵于危亡而起"，盖"生今之世，万国竞争，非立宪无以立国"，彼"窥我政府之意则决不肯立宪，不立宪则亡。与其坐而待亡，孰若起而革之"，以"铁血立宪"代"和平立宪"。④ 而端方等在奏请立宪时已说，此后"中国转危而为安，转弱而为强，亦能奋然崛起，为世界第一等国。则举国臣民其沐我皇太后、皇上之福者，将亘亿万年而无穷"。⑤

这就说明，那时朝野都开始意识到有一个相对超越易姓或君民利益之上的新事物，即身处万国竞争之中的"国家"。而中外竞争的胜负，可能是君民双方共同的——胜即双赢，负则两输。正因如此，一姓一时之立宪才

① 例如，根据《谘议局章程》，各省谘议局虽单列旗籍议员专额，然除京旗为十名外，各省仅设一至三名，比例实低。《宪政编查馆等奏拟订各省谘议局并议员选举章程折（附清单）》（1908 年），《清末筹备立宪档案史料》下册，第 670—671 页。以当时的定义，谘议局并非省议会，但朝野均有人视之为向省议会过渡的机构，故仍有明显的提示性。

② 《王观堂先生挽词》，《陈寅恪集·诗集》，三联书店，2001，第 15 页。

③ 蕙照：《人民程度之解释》，《宪政初纲》，第 5 页（类页）。

④ 《资政院总裁世续等请明诏将宪法交院协赞折》（1911 年），《清末筹备立宪档案史料》上册，第 94 页。

⑤ 端方：《请定国是以安大计折》，《端忠敏公奏稿》，沈云龙主编《近代中国史料丛刊》第 10 辑，第 717 页。

具有"亘亿万年而无穷"的意义。换言之，与西方许多国家的立宪要求不同，清末的立宪要求似乎不是因为中国的内政出了问题，而是因为既存的政治制度无法解决对外竞争的问题。后来一些力图模仿外国的人为看不到类似西方为要求民主而奋斗的第三等级一类群体的出现而失望，却并未注意到此虽牵涉内部的权力分配，却本非因此而产生的问题。

从根本言，晚清的政治改革，特别是拟将推行的宪政，本是一种全新的外来政治形式，既涉及国家性质和权力的再分配，在很大程度上也意味着政治秩序甚至文化秩序的重新整合。可是清末朝野虽也经常提及国家性质和权力的再分配等问题，却仅点到为止，较少见从学理方面思考和讨论这些重要面相。尤其西人在提倡宪政时对人民主权（即国家权力在民，且以自下而上的方式确立）的强调，似乎不是中国鼓吹立宪者的重要议题。制度的学理基础，以及制度与人民的关系，或人民在制度中的地位，也都不是时人关注的重点。甚至立宪的基本含义，即以宪法为基础的治理，也并未特别受到重视。宪法本身，从当时到现在，都不是各类"立宪"讨论中的一个关键议题。①

那时不少人往往从符号（或时人常说的"名词"）而非制度层面去思考体制问题，视宪法或立宪为一种象征，仿佛其有某种神奇的力量，一旦做了，问题也就解决了。在某种程度上，宪法的确也只是一种称谓或说法。若论一国的根本体制，即所谓"广义宪法"，则时人也知道，"无论何国，统治以来，莫不有之"。中国本有其体制，更有成文或不成文的传统，而且是有约束力的传统，即晚清君臣常说的"祖制"（此所谓"制"，不必论其是否成文，盖昔人本特别重视先例也）。但晚清人心中口中的"宪法"，更多是特指"扩张民权，组成代议制度，使参预立国法之根本"的所谓"狭义宪法"。②

---

① 《民立报》在1910年就注意到，尽管立宪的论述已风行数年，却很少有人"博采兼收，比类旁通，研究讨论宪法国会之为何物"。海空：《论国民宜急起参与宪法》，《民呼、民吁、民立报选辑》，第572—573页。当年革命党人颇言卢梭式主权在民说，鼓吹立宪者较少议论这类问题，固可能是不关注，也可能是有意回避。此承北京大学历史学系李欣然同学提示。

② 关于宪法的广义狭义，参见苏楼《〈宪法大纲〉刍议》，张枬、王忍之编《辛亥革命前十年间时论选集》第3卷，第678—679页。

　　近代中国的特别之处，正在于为了模仿这外在的狭义宪法，不惜废弃既存的广义宪法（例如科举制的废除）。盖因立宪本落实在"富强"的国家目标之上，大部分人似已预先确认了外国宪政的正确性和正当性，而不甚注意和关心宪政在西方也仍是发展中的议题。他们所争论的，更多是仿效何国、何种宪政，以及拟议的各项具体举措是否学到了其所欲仿效的宪政。

　　而对于朝廷是否真能实行立宪，当年海内外有不同立场、持不同取向之人，其实都不够信任，唯程度不同，反应也不同。革命党人的态度特别意味深长，他们公开否认朝廷能够立宪，其实内心对政府有信任，故也常发出"不许"政府立宪的主张，甚至有人承认若立宪成功，革命就没希望了（详后）。这样，改革进程本身就成了对其正当性的论证方式和检验手段。若朝廷证明自己真能立宪，则可进入操作层面继续推进自上而下的改革；若朝廷被"证明"不能立宪，则不论是开国会还是革命，都是另一种自下而上的途径了。

　　朝廷这样破釜沉舟的努力，仍让相当一些读书人感觉不满，应有更深层的原因在，需要认真对待和分析。另外，清末朝野之谈论立宪，颇有些类似后来的读书人"说革命"，[①] 始终夹杂着想象和憧憬，很少有人真正认识到立宪是对此前已在推行的诸多具体新政举措的制度提升。由于对此的体认不够深入，因而缺乏心理上和学理上的准备。例如，与制度变革密切相关的政治伦理同样需要有重大的转变，却很少进入时人的意识层面和言说。最要命的是，在新政从一些可以分散进行的具体作为上升到立宪的整体制度层级后，很多此前尚未充分暴露的根本性制度困境就在实际的操作中越来越清晰地呈现出来。

四　制度困境下的新政

　　从清季开始，中国的既存制度不适应时代便是一个流行的说法。当时人已在申说立宪与专制的对立，稍后又延伸到帝制与共和的对立（前者是时人对于"政体"的一种概括称谓，后者则是时人所谓的"国体"）。到

---

　　① 参见罗志田《士变：二十世纪上半叶中国读书人的革命情怀》，氏著《近代读书人的思想世界与治学取向》，第104—141页。

1949 年后，至少在中国大陆，则多说封建制度和资本主义时代的对立。这些见解的思想资源各异，观察视角也不尽同，但大体都接受类似的预设，即一时代应有一时代的制度，而近代中国已进入一个新的时代，其制度却滞后，故不能适应。

前引龚自珍的"尊隐"说，已提示出不待西潮冲击，中国的问题已存在。汪士铎稍后说，"当咸丰中，海内多故，非上有失政，下有贪酷"，而是人口多而风俗奢相，物力不能给所致。由于"休养久而生齿繁，文物盛而风俗敝"，故"不必有权相藩封之跋扈，不必有宦官宫妾之擅权，不必有敌国外患之侵凌，不必有饥馑流亡之驱迫"，虽"上无昏政，下无凶年，而事遂有不可为者"。①

汪氏所说的权相藩封之跋扈、宦官宫妾之擅权、敌国外患之侵凌及饥馑流亡之驱迫的四"不必有"，除"敌国外患之侵凌"外，其余几条，直至民国代清，可说没有太大的变化。但近代外患侵凌，很可能是造成中国局势变化的一项根本因素，其实际的和认知上的作用皆不可小视。而且，耗散式的体制疲软和衰退通常是可逆的，如通过改善人才选拔（此汪士铎所最不满），或其他一些修补式的制度调整，或许就能解决问题。真正的挑战是作为"正确"模式的外来新体制的出现，由于国家目标的外倾导致政府职能的转换，进而不得不进行全面彻底的整体制度更易，这就与此前的困境大不一样了。

小政府遇到了大问题

傅斯年曾论"王安石变法"，说"其改革之总用意，亦为富国强兵，以雪契丹之耻"，故不仅其用心不可非，"即其各法，亦多有远见之明，此固非'不扰民'之哲学所赞许，却暗合近代国家之所以为政也"。② 这是一个非常深刻的观察，盖王安石的"变法"实已触及社会结构的根本改变，其成败当从制度及其背后的基本价值观念看（这是少数与前引夏曾佑见解相近者）。在中国，"不扰民"的小政府政治哲学早已体制化，至少为体制所

---

① 参见王汎森《汪悔翁与〈乙丙日记〉——兼论清季历史的潜流》，氏著《中国近代思想与学术的系谱》，联经出版公司，2003，第 81—82 页。汪士铎文字也都转引自此。

② 傅斯年：《中国民族革命史》，未刊手稿，原件藏"中央研究院"历史语言研究所傅斯年档。

固化，若不从基本价值观念上开始转变，并据此对体制进行更易，则任何"富国强兵"式的改革都很难成功。

清末新政也可由此考察：外敌的实际入侵和继续入侵的威胁，使"富国强兵"成为政府不可回避的责任，而"富强"的确使傅斯年所谓"近代国家"的政治观念与"不扰民"的小政府政治哲学形成了根本的对峙，几乎没有妥协的余地。这就使清廷遇到了一个非常棘手的问题：中外之间的国际竞争不可避免，为了不在竞争中落败，就只能向"近代国家"靠拢。用传统的术语说，为了"退虏"，先要"送穷"，这样才可能实现"富强"。体现在政府职能转换上的国家功能转变，意味着整个政治体制、政治结构和政治伦理都不得不进行根本性的变革。

从世界史的视角看，中国统治的国土面积那么大，维持那么久（朝代虽更易，基本未变换体制），似仅此一例。① 按照欧洲的经验，广土众民几乎是不可能一统治理的，也没有实施实际政治管理的先例。而根据中国的历史经验，由于实行了真正"小政府"的无为模式，② 在低成本的情况下运作，广土众民的状况是可以治理的，实际也在很长的时间里实现了治理。其间一个重要因素，即政府把权、责层层释放。

中国传统政治讲究的是社会秩序的和谐，其基本立意是统治一方应"无为而治"。先秦政治思想有一个核心原则，即孔子所说的"为政以德，譬如北辰居其所而众星共之"。所谓"治世"，即统治一方从上到下均可以无为，而天下的社会秩序仍能和谐。用今日的话说，"无为而治"就是政府尽量不作为。故中国的传统政治，至少在理想的层面上，基本是一个不特别主张"作为"的"小政府"模式，接近于西方经典自由主义那种社会大于政府的概念。中国古人也许很早就意识到了国家机器很可能会自主而且自动地扩张，所以必须从观念上和体制上对此"国家自主性"进行持续有效的约束。

---

① Esherick, "How the Qing Become China," in Joseph W. Esherick, Hasan Kayali and Eric Van Young, eds., *Empire to Nation: Historical Perspectives on the Making of the Modern World*, p. 229.

② 摩尔并非中国专家，但他根据二手研究敏锐地觉察到中国传统政府什么也不做的特征。参见 Barrington Moore, Jr., *Social Origins of Dictatorship and Democracy: Lord and Peasant in the Making of the Modern World* (Penguin Books, 1973), p. 204.

与"小政府"对应的是某种程度上的"大民间"或"大社会"，过去常说中国是中央集权，那最多只体现在京师的中央政府本身。① 到了各地，则大体是一种逐步放权放责的取向，越到下面越放松。用清季时人的话说，即天子慎择宰相，宰相慎择守臣，守臣慎择牧令，皆"责其成"而不问其具体之所为。② 且权、责不仅是分给省或州县一级的地方官，很多时候是直接分给了基层的地方社会。

先秦时诸侯治理的地域不甚广，故官治基本直至乡一级。秦汉大一统后，怎样在广土众民的局面上延续以前各诸侯国的治理模式是一大挑战。③ 唐中叶以后，大体上官治只到州县一级，且直接管理的事项不多，地方上大量的事情是官绅合办甚或是由民间自办的。用现代术语来表述这一官绅"共治"的特点，即"国家"不在基层，也缺乏向基层扩张的意愿和动力。清初朝廷似曾有过试图强化保甲而弱化士绅的努力，但并不成功，也未见延续，此后基本维持唐中叶以后的政治形态。④

中央与各地官员的职责也有明确的划分。袁世凯后来用新名词解释说："国家设官任职，首须权限分明。其大要不外立法、行政而已。内而各部，皆为立法之地，此中央之所以集权；外而各官，皆为行政之人，此地方之所以寄治。"简言之，就是中央"议事"而外官"办事"。相应的，各部的部员也"为中央议事之人，而非地方办事之人"。若"立法有未善者，外官亦得而条陈之，但不能分中央制度之权；其行政有未善者，部臣亦得而纠查之，但不能攘地方治事之权"。⑤ 他以立法和行政这样的新术语，非常简

---

① 即使在京城，也与今日理解的"集权"很不一样。不仅所谓"皇权"远没有平常所说的那样大，对于京官，更存在从载和职责等各方面的限制——京官的载不如外官，通常也不能对老百姓实施直接的治理。类似限制虽未必成文，却是众所周知的。

② 《再论中央集权》，录七月二十三日《中外日报》，《东方杂志》第 1 卷第 7 期，1904 年，第 152 页。

③ 这方面较新的研究，参见黄宽重主编《中国史新论·基层社会分册》，联经出版公司，2009。其中邢义田的《从出土资料看秦汉聚落形态和乡里行政》一文，特别可见从小国寡民（相对后来而言）时代到广土众民时代的转折，尤其值得参考。

④ 参见 Hsiao Kung-chuan, *Rural China: Imperial Control in the Nineteenth Century* (Seattle: University of Washington Press, 1960); Ch'u T'ung-tsu, *Local Government in China Under the Ch'ing* (Cambridge, Mass.: Harvard University Press, 1962).

⑤ 《请饬另行核议路务办事章程折》（1906 年），廖中一、罗真容整理《袁世凯奏议》，天津古籍出版社，1987，第 1291—1294 页。

明扼要地对议事和办事的区分进行了学理提升，即中央政府负责订立制度，更多起主导作用，而各级地方政府则承担具体的治理。

当然，所谓无为，并非零行为，而是对某种行为方式和取向的强调。若论政府参与的事务，似乎中国还胜过西方。严复曾比较东西立国之异，说"西国之王者，其事专于作君而已；而中国帝王，作君而外，兼以作师"，故西方君主"所重在兵刑"，而"中国帝王，下至守宰，皆以其身兼天地君亲师之众责"，举凡礼乐、宗教、营造、树畜、工商，乃至教育文字等皆其事也，结果是"君上之责任无穷，而民之能事无由以发达"。①

实际上，历代真能"作之君作之师"的皇帝是很少的，大多数时候是皇帝和士人共治，实现一种群体的君师之治。用蒋梦麟的话说，中国久已没有贵族，只有"相当于贵族的士大夫阶级"，逐渐衍化成一个"学者之国——最受尊敬的是学问，最受珍视的是文化"。统治者依靠"学者领袖来驱策督导"，通过"教育人民"以"真正地领导人民"。② 这样的群体君师之治，也可以称为"士治"。在此体制下，从帝王到守宰的责任固无穷，具体治法却又是相对放任的。类似中央与地方的区分，各级政府也更多是起主导作用而已。

严复的意思，是不满中国政府干预民事太甚，但他的确领会到了中国传统政治那种政教相连的特色。从根本言，政府可以无为的前提就是教化，即贾谊所说的"有教然后政治也，政治然后民劝之"（《新书·大政》）。这里的"政治"，意思就是以政教为治和政事得到治理。百姓受教而化之，各亲其亲，则政府对内的职责只在老幼孤寡的福利问题，当然可以无为，且"民劝之然后国丰富"，自可趋向"无为而无不为"的境界。这样一种政治和社会秩序的理念，与其说是一个可以完全实现的目标，不如说是一个值得争取、可以趋近的理想。③

然而，小政府模式的根本缺点就是很难应付较大的突发事件，故最怕"天下有事"。这种资源匮乏的政府就连应付天灾都感乏力，更不用说对外作战了。而近代的一个新形势，就是康有为强调的从大一统变成了万国林

① 《〈社会通诠〉按语》，王栻主编《严复集》第4册，中华书局，1986，第928页。
② 参见蒋梦麟《西潮》，中华日报社，1960，第178页。
③ 参见罗志田《中国文化体系中的传统中国政治统治》，《战略与管理》1996年第3期。

立的竞争局面。随着资本主义和科技的发展，今日所谓全球化那时已经开始。本来儒家强调国家不与民争利，前提是对外不多欲，才能够内施仁义。晚清的困窘在于，中外的竞争既严峻又紧迫，外来的压力接踵而至，已经不容许一个小政府的存在，迫使清廷不得不向一个有作为的大政府转变，由此产生了一系列的问题。

一旦政府真要有作为，中央政府也就感到了"集权"的确实需要。清廷因仿行宪政而推行中央集权，的确是各地不满的一个重要原因（详另文）。但这还不是当时最严重的挑战。最具根本性的结构性紧张在于，一个向以"无恒产"为宗旨之"国"，忽然要完成"退虏""送穷"的紧迫任务。一旦中央政府选择了"富强"这一目标，就不能不在政治伦理和统治模式上做出结构性的改变。但当年的政府及关心国事的多数读书人，恐怕都没充分意识到这一点。

从民富国强到政府理财

小政府模式的管理成本较低，资源需求不多，无须大量征收赋税。这一政治哲学的典型表述，即《老子》所谓"民之饥，以其上食税之多，是以饥；民之难治，以其上之有为，是以难治"。正因政府"作为"方面的要求不高，故产生与此配合的轻徭薄赋政策，可以不与民争利。康熙朝那句"永不加赋"，让很多读书人对非汉族政权产生了认同感，成为清廷能长期存在的一个重要原因。而是否加赋，主要在于政府的管理需要支出多少钱。曾任州县的汪辉祖也知道，"多一重衙门，便多一重费用，百姓何能堪此！"[①] 只有减少支出，维持一个不作为或少作为的小政府，才能做到"永不加赋"。

按照孟子的说法，士可以无恒产，一般人则不可无恒产。中国这样具有"士治"风采的小政府模式，使"国家"（state）似也带有士人的意味，即国可以无恒产，各级政府都不以府库充盈为目标（若以此著称，便可能被视为苛政），而藏富于民，民富则国安。[②] 梁启超稍早在论证古今中外"有国者之通义"时曾表示，"民无恒产则国不可理，于是乎有农政、矿政、

---

① 汪辉祖：《学治臆说》，中华书局，1985，第16页。
② 《论语·颜渊》所谓"百姓足，君孰与不足？百姓不足，君孰与足？"是这一理念的早期表述。用梁启超的话说，即"民无恒产则国不可理"。

工政、商政"。① 所谓"民无恒产则国不可理"是传统观念的简明总结，故其所说的各"政"，虽已可见外来的影响，但大体还是由政府扮演提倡、督促和推动的角色。

时人对此也是有所认识的。《中外日报》在 1904 年即曾指出：专制之君"最不相宜者，则干涉民之财政"。若其"不明此理，而横干民之财政，则无论其用意之为善为恶，而君位皆不能保"。王莽和王安石的改革"皆欲为民整顿财政"，结果是天下大溃。② 杜亚泉在 1911 年初也警告说："国运之进步，非政府强大之谓。不察此理，贸贸焉扩张政权，增加政费，国民之受干涉也愈多，国民之增担负也愈速。干涉甚则碍社会之发展，担负重则竭社会之活力。社会衰，而政府随之。"③

这样能延续民富国安的思路，并看到"国家"实依赖社会的睿见，当时恐怕有些超前。更多人或憧憬着从"专制"走向立宪的巨变，似以为从政府到读书人都可以"转变作风"。孙宝瑄就认为，"变法之本在立宪，立宪之本在财赋，财赋之本在实业"。他很羡慕"日本维新之际，士族皆改业工商"。而对中国"士夫稍开明者，动好为大言，谈民权自由，不务实业，有愧多矣"。④ 这不仅表现出士人心态的转变，更揭示出"立宪"本身也可以为很多前所未有的行为正名。

当时舆论甚至以国家举动的多寡判断其文明与野蛮。以为身处"轮轨交通、政学竞进"的时代，"稍一迟回，稍一懈怠，而国势之强弱判焉，文化之进退分焉"。故不仅"不能以宁静和缓处理今日之天下"，且当以"一年内举动之多寡"，卜国是之"进退"。⑤ 在此世风鼓荡之下，面临"退虏送穷"时务的"国家"，当下就要有作为，甚至很快发展到处处需要有作为，还必须是政府自己作为（而不能仅是引导），则不得不改变国无恒产的取向，以寻求富强。

---

① 梁启超：《西政丛书叙》（1897 年），《饮冰室合集·文集之二》，第 62 页。

② 《再论中央集权》，录七月二十三日《中外日报》，《东方杂志》第 1 卷第 7 期，1904 年，第 152 页。

③ 杜亚泉：《减政主义》，《东方杂志》第 8 卷第 1 期，1911 年，收入田建业等编《杜亚泉文选》，华东师范大学出版社，1993，第 12 页。

④ 孙宝瑄：《忘山庐日记》上册，1903 年 9 月 5 日，第 729 页。

⑤ 毅：《一年内政府与国民之大举动》，《申报》1910 年 1 月 29 日。本条材料承北京大学历史系梁心同学提示。

晚清的一大变化，就是越来越多的人开始疏离于"民无恒产则国不可理"的传统思路，并在不知不觉中转而信奉"国无恒产则国不可理"的观念，逐渐倾向于政府直接理财的政策取向。

问题在于，实业可不是那种可以一蹴而就的事，而那时却充斥着急于求成的强劲世风。朝臣中也有人知道最合适的富强方法是因富求强，袁世凯就提出："迨利源日拓，库帑日充，然后因富求强，势自顺而事自易。"他也明知改革当"行之以渐，不责近功；持之以恒，不摇定见"。然而他仍像很多时人一样，期待着一次性的"百废不难俱举"。① 这种希望一举解决全部问题的心态，在那时是相当普遍的。早在戊戌维新期间，张之洞就说，只要照他说的做法办理学堂，"则万学可一朝而起"。② "缓不济急"是晚清公文中的流行语，最能表现这种急迫的心态，同时揭示出"无为而治"的小政府长期存在的问题。

任何轻徭薄赋的"小政府"遇到外患时都常显捉襟见肘之窘境。尤其中国长期以来是农业社会，政府的主要赋税来源也是农业税。除非长期积累，仅靠农业税很难应对大型的公共支出；若税收往非农业方向发展，则意味着社会结构的大变，必然冲击以"耕读"为核心的整体文化。孙宝瑄所说的"财赋之本在实业"虽是外来的新观念，却也触及关键之所在。所谓"立宪之本在财赋"，不过是以立宪涵盖整体的新政。当年新政的举措可以说样样需要钱，且每一项都要大量花钱。③ 被人寄予厚望的路矿等新事物，生财还遥遥无期，却先带来了很多新问题。

而且，对各级政府而言，新政的开支基本是额外的支出。如梁启超所说："各省所入，其支销皆已前定，而未有一省入能敷出者。"④ 各省如此，中央亦然。中国此前虽无所谓预算制，大体还是以出量入，再量入为出。小政府的府库中不能有实际也没有大量的积蓄。当时政府尚处于从不作为

① 《遵旨敬抒管见上备甄择折》（1901年4月），廖中一、罗真容整理《袁世凯奏议》，第275、277、269页。

② 张之洞：《劝学篇》（1898年），《张文襄公全集》（4），第570页。

③ 由于常常是士人而不是商人一类在策划，因此确曾存在过分花钱的倾向。如张之洞主持办学，过分注重校舍等的建设，增添了大量的支出。

④ 梁启超：《上涛贝勒（载涛）书》（1910年2月），丁文江、赵丰田编《梁启超年谱长编》，上海人民出版社，1983，第504页（文字已据《近代十大家尺牍》核改，下同）。

向有作为的过渡之中，正经历着一个由政府提倡督导为主向政府直接经手的过渡进程（辛亥革命爆发时仍在进行）。

除了更早办理制造局、编练海陆军等"洋务"，清末新政大体以学务为先。遵循上述原则，高层级的学校虽是政府办理，但大量基层办学的主要经费是出自民间的。可到底出在谁身上是一个很直接的问题。刚开始办学的时候，筹款还相对容易。地方上有各种各样的"会"，都有多少不一的"公费"（晚清的"公"在官与私之间，不是今天所说的"公款"），大致可以从中募到办新学的钱。但各种"会"里的"公费"总数是有限的，很快就用得差不多了。于是款子的来源就逐渐转向相对富有的绅，并进而转向一般的民。这些款项和巨额战争赔款及外债等，最终都落在老百姓身上，成为不小的负担，也造成了强烈的民怨。

而且，没过多久，学务之外的其他新政又来了。那一整套面向富强的新政，样样都是需要政府投入或至少政府引导投入的项目。江苏提学使毛庆蕃1908 年抱怨说，即使像江苏这样"凤号财赋之邦"的地方，近年也已"实苦认派之巨。司局各库，悉索无遗"。不仅官方"罗掘无术"，而且若款项要"摊派民间。而苏省民情，实已非常苦累"。与学务相关的就地筹捐，"其捐之农民者，则有带征积谷、串票、税契、中金等捐；其取之货商者，则有丝捐、米捐、木捐、典捐，甚至鸡、鸭、鱼、肉、茶碗，几于无物不捐，何能再派？"[1]

正因新政以办学为开端，故当时"毁学"行动既普遍又激烈。在各项新政中，教育的变革之所以关键，在于其直接触及每一个向往社会变动的人，而非如铁道、矿业等只涉及部分区域和部分人。民众的"毁学"早经学者注意，但中国文化对文字和学问向来极为崇敬，在此文化长期熏陶下的民众能如此反应激烈，应予特别的留意。[2] 其中一个重要因素，当然是新出的苛捐杂税确实超出了人们所愿承受的负担。且学务毕竟开始较早，后来的情形如毛庆蕃所说，是"新政繁兴，在在需款"。地方官已不堪重负，"纵心力之俱殚，终罗掘之无术"。[3] 这是一个很有代表性的表述，毕竟江苏

---

[1]　《苏抚奏拨苏省学务经费》，《申报》1908 年 7 月 28 日。

[2]　部分也因为其中很多人并不认可"新学"的学问资格，故极不愿也不能为一个不具权威的新事物承担重负。参见罗志田《科举制废除在乡村中的社会后果》，《中国社会科学》2006年第 1 期。

[3]　《苏抚奏拨苏省学务经费》，《申报》1908 年 7 月 28 日。

还是"财赋之邦"，别处情形或当更差。

进而言之，以富强为目标的"新政"，诸如兴学堂、办实业、治警察、行征兵，以及包括成立府州县城乡镇自治组织、调查户口和岁入岁出、设立自治研究所等的"地方自治"，这些内容基本都是模仿西方的。梁启超曾批评政府"徒骛新政之名，朝设一署，暮设一局；今日颁一法，明日议一章。凡他国所有新政之名目，我几尽有之矣"。① 实际上，新政的一些改革内容本身就是在外国要求下举办的；即使那些中国自身寻求的改变，也大多以西方为榜样，按照西方的做法来推行。从过去的观念看，不少是当时一般人眼中未必急需的支出。

最显著的就是增加了一个管理的费用。现在很多人认为管理最能体现西方的优越性，是中国人不擅长的。然而中国过去不重管理，也曾节约了很多开支。以地方初级教育为例，以前办私塾，只需请一位老师；改成新学堂后，每一学堂都要设一名监督（即校长），凭空增添一个管理人。这一倍以上的人事开支，往往是地方无法承受的。教育还相对简单，其他过去中国没有的门类，涉及管理的费用更高。这类"管理"观念有着明显的模拟特性，不仅与"无为而治"的传统取向明显对立，而且使改革的物质成本猛增，需要更为巨大的财力支持。

当时人人都知道钱不够，关键是不够的钱从哪里来。不过，那时朝野似有一共识，即中国因为"专制"导致民信不足，故不能像外国一样征收大量赋税，还没什么民怨。② 如果能实行立宪，再推行公开的预算决算制，或改革币制，或实行某种理财之法，便可以大获进项，一举扭转局面。游历日本的直隶绅士潘宗礼就说，"东西各国，赋税数倍中国，而民不怨"，是因为他们实行预算决算制，每年"列表宣布，俾国民人人周知"。中国人本也知爱国，但因"上下相蒙，民乃不信"。如果也实行预算决算之制，使"民知所纳之税，某项用于某处，系为我谋公益、保治安，非中饱亦非糜费"，则经费易筹，新政易举，立宪之基可定。③

若说潘宗礼是个无人知晓的一般读书人（他为了让人知道自己的看法，不惜投海自杀），其言论无轻重，但梁启超也有类似的见解。他认为当时政

---

① 梁启超：《上涛贝勒（载涛）书》，丁文江、赵丰田编《梁启超年谱长编》，第 503 页。

② 这当然是典型的想象，多数外国老百姓对多交税从来不快，向有怨言。

③ 《通州游历绅士潘宗礼条陈》，附在袁世凯《游历绅士潘宗礼忧愤捐躯遗有条陈据情代奏折》（1906 年 3 月），廖中一、罗真容整理《袁世凯奏议》，第 1261 页。

府的税收政策是"竭泽而渔，以朘削贫窭之小民。充其量，所得不能增数千百万，而举国已骚然"。一旦"民不能自赡其生，则铤而走险，何所不至"。反之，"苟能遵财政学之公例，以理一国之财，则自有许多新税源，可以绝不厉民，而增国帑数倍之收入"。他自己就曾拟出一个"中国改革财政私案"，若能据此"将财政机关从根本以改革之"，则施行之后，"每年得十万万元之收入，殊非难事"。①

这显然是一个充满想象的计划，而所谓"税源"，当然指向民间现有之款。其实晚清政府增加财政收入的努力已颇见成效，国家岁入（中央和各省政府收入）大致从鸦片战争后的 4000 万两，增加到甲午战争后的 8000 万两，再增加到辛亥年的约 3 亿两，其中大部分来自非农业税收。② 若按梁启超的意思，只要能改良理财方式，国家岁入则不难再增至三倍以上。且不论当时民间是否有这多钱，即使有，猛增比过去多达数倍的税收，百姓可以接受，还不致"铤而走险"，确实需要非常丰富的想象力。

另外，当年物质层面的社会能力到底有多大，也还可以进一步考察。如四川后来在军阀时期的苛捐杂税是举世闻名的，预征 50 多年赋税的名声甚至已进入某些教科书。即使分摊到数年，也是每年预征约十倍的赋税；在整个世界史中，恐怕很难找到一个地方的百姓可以在不到十年的时间里持续地承担如此以倍数计的赋税，却并不造反，仅仅抱怨而已。这充分反证出当年的实际赋税相当低，而民间也尚有余财可敛（若非过去藏富于民，短期内的巨额赔款已难应付，安能再加新政支出）。

然而，清季民间尚有余财不假，却也不是无尽的活水，可以源源不断。当时税收确实不算重，即使清季新增的各种临时捐税，与后来或与外国比较，绝对值也不一定很高。③ 但数字现实是一事，心理承受能力又是一事。对从前不怎么出钱的人来说，新增部分数量如此大、种类如此多，其负担

---

① 梁启超：《上涛贝勒（载涛）书》，丁文江、赵丰田编《梁启超年谱长编》，第 506 页。

② 见 Jean-Laurent Rosenthal and R. Bin Wong, *Before and Beyond Divergence*：*The Politics of Economic Change in China and Europe*（Cambridge, Mass.：Harvard University Press, 2011），pp. 201-202. 这一材料承北京大学历史学系王果同学提示。

③ 前引潘宗礼的条陈就说，日本"区区三岛，进出款项，几四五倍于我"（廖中一、罗真容整理《袁世凯奏议》，第 1261 页）。痛斥苛捐杂税的梁启超也承认，"以各国租税所入与吾相较，则吾民之负担似不得云重"。见梁启超《上涛贝勒（载涛）书》，丁文江、赵丰田编《梁启超年谱长编》，第 505 页。

已经特别"沉重"了。为增加财政收入所付出的社会成本可能非常高昂。对本已面临普遍不信任情绪的清季政府而言，这类作为直接违背不与民争利的传统观念，属于典型的苛政，更是"失道"的表现。

在上无拨款的大背景下，新政举措的主要开支实际只能依靠民间。各级官员对动员社会力量的态度本各不一样：趋新者可能勇于任事，守旧者便无意与民争利；有的人或因官场积习而出以敷衍，有的人可能看到民间反弹的危险而不敢过于积极。结果是逐渐演化出一个非常可怕的倾向，即新政逐渐流于一种纸面的作为。很多地方官还真不是要敷衍，确有不得已之处。盖不论社会的物质潜能有多大，都是一个常数，不可能取之不尽，用之不竭。而新政的特点是层层加码，越来越全面。用时人的话说，就是所谓"繁兴"。这当然代表了朝廷改革的诚意，却也因"不欺骗人民"而付出了沉重代价。

新政繁兴导致"纸张天下"

蒋梦麟曾说，在中国这样的"学者之国"，尽管改革的过程缓慢，但是在某种倾向性形成后，"一旦决心改革"，又"总希望能够做得比较彻底"。[①] 前引袁世凯所期望的"百废俱举"，就代表了一次性解决全部问题的普遍期望。据梁启超对清末世风的观察，面对各种事情，若"谓其一当办，而其它可无办焉，不得也；谓其一当急办，而其它可缓办焉，不得也。于是志士热心之极点，恨不得取百事而一时悉举之，恨不得取百事而一身悉任之"。[②] 类似的风气，在新政期间得到充分的反映。

尤其在进入筹备宪政阶段后，朝廷更是"朝设一署，暮设一局；今日颁一法，明日议一章"，甚至"朝设一署，暮颁一法令。条诰雨集，责吏民以奉行"。梁启超也承认，"国家凡百庶政，无一不互相连属"。但"一国财源只有此数，而应办之事太多，则权其轻重缓急，而分配务使得宜"。也只有如此，才可收纲举目张之效。而实际则"本末倒置者，不知凡几"。尽管中央"文告急如星火，而一语及费之所出，则不复能置词"。每一新政出，即"饬该省督抚，无论如何必须先尽此款"，但是"督抚虽极公忠，虽极多

---

① 参见蒋梦麟《西潮》，第178—179页。
② 梁启超：《新民说》（1902—1903年），《饮冰室合集·专集之四》，第157页。

才，而无米之炊，云何能致？"①

梁启超所谓"条谕雨集""文告急如星火"，既体现出朝廷对推行新政的急迫态度，却也已颇有杜亚泉稍后所说的"纸张天下"的意味。② 随着新政的"繁兴"，上面要求的改革措施一天比一天多，应接不暇的各级官员不得不将其做成官场的应付文章。1911 年，学部某视学员获悉，当时州县官仅应付"填表一层，已大见困难"，遑论办事。即以学务论，要给督抚、藩司、提学司、道、府分别填表五份，不得不"日夜为之"，故"各省学务，有名无实者居多，而外州县尤甚"，且"从前新政惟学务一种"，地方官"尚有尽心力者。今日新政名目既多，不止学务一种。则惟有一概置之，而专于表面上做工夫"。③

清季官僚体制的积重难返是不容讳言的，前引御史黄瑞麒的奏折已点出了"空言粉饰、取具文告"的官场风习。指责他人粉饰和自称绝不敷衍的表述，在当时的官文书中频繁可见。一方面，追随朝旨表态积极者，不论是否真做，往往能得以升迁。另一方面，各省疆吏对政府所下之令，有时也可以抗不奉行；若"迫于严切之诏旨，不敢据理力争，而其势又万不可行，则相率以阳奉阴违了事，以免政府之催督"。④ 也就是说，主动的粉饰和被动的敷衍都已成为官场常见现象。

梁启超就曾指出，当时朝廷无款，多"责督抚以报效"。而各督抚所认报效常逾千万，以"买政府欢心，得为升迁之资"。其一旦升迁，则认报效之责就转归后任。即使不得升迁，也往往"迁延年余，实缴者不及二三十万"。且这也不能怪督抚，各省"每岁所入，仅有此数；而待支之款，百出而不穷"。中央每个部门都要求先完成其所管辖之门类，实则全都完不成，"政府亦无辞以相难"。虽"人人明知外患内忧之岌岌不可终日，顾各怀得过且过之心"。其结果，京师与各省不过"文牍往还，涂饰了事"。⑤

这正是杜亚泉所说的"纸张天下"。在杜氏看来，清季"政治所以纷繁

①　梁启超：《上涛贝勒（载涛）书》，丁文江、赵丰田编《梁启超年谱长编》，第 502—504 页。

②　杜亚泉：《减政主义》，《杜亚泉文选》，第 16 页。

③　《各省学务腐败之原因》，《申报》1911 年 6 月 26 日。

④　《论中央集权之流弊》，录七月初二日《中外日报》，《东方杂志》第 1 卷第 7 期，1904 年，第 148 页。

⑤　梁启超：《上涛贝勒（载涛）书》，丁文江、赵丰田编《梁启超年谱长编》，第 504—507 页。

纠杂者，正因官吏太多，彼此以文牍往还，以消日力"，故"当局以张皇粉饰其因循，朝士以奔走荒弃其职务。问其名则百废具举，按其实则百举具废"。他预测，后果不出两途："一曰迫于财政之困乏，仅仅维持现状而不得，则敷衍益甚，而几等于销灭；一曰不顾民力之竭蹶，益益进行现在之政策，则搜括愈力，而终至于溃决。"更可怕的则是"一方面行其敷衍之策，而政治销灭于上；一方面尽其搜括之实，而经济溃决于下；大局遂不堪问矣"。①

实际上，那时发生"民变"的频率已大增。《国风报》一篇讨论"民变"的文章就直接归咎于新政导致的官场腐败。盖因"考成所关，悉在于是"，上下都把新政挂在口上，"上官之督责文书，以责成其属僚也，但曰举办新政；属僚之奔走喘汗，以报最于上官也，但曰举办新政"。虽"敝精费神，曾无实效；涂泽粉饰，上下相蒙"。更有"不肖之吏，且假非驴非马之新政，以肆其狼贪羊狠之私谋，驱其民而纳之罟擭陷阱之中，以至激成大变"。②

更严重的是，由于上下都在条文上努力，一些新的举措不过是模拟外国，表现出想象领先、已不那么熟悉自身国情的现象。例如，仿行宪政时的一项要务，也是最不受老百姓欢迎的举措之一，就是模拟外国的各类"调查"。当时的思路是，要开发富源，就先要知道各地有什么，故应调查；要选举，就先要知道有多少选民，所以要实行户口调查；等等。然而，开发富源一类，的确向不为政府所关注；像户口这样的大事，过去何以不知其详？是故意的，还是无意的？若过去已知，本不必调查，就可按既有数据实行选举。

故"调查"的需要不仅是外来的，也揭示出一个思路，即政府及部分民间士人已经认识到，他们对于国情的了解是不足的。而这不足，既有真正的不足（因为小政府不需要足），又与外来影响不可分。近代中国的各种外在对比项，本已具有很强的想象意味；③ 后来对自身国情的认识，也出现了连带性的想象。如前所述，近代一些肯说话、愿意说话，也能说话的人

---

① 杜亚泉：《减政主义》，田建业等编《杜亚泉文选》，第13—16页。
② 长舆：《论莱阳民变事》（1910年），张枬、王忍之编《辛亥革命前十年间时论选集》第3卷，第657页。
③ 参见罗志田《国家与学术：清季民初关于"国学"的思想论争》，三联书店，2003，第50—51页。

形成了所谓"舆论"，影响朝野的决策。但很多时候，这些人或不过是模拟外在的认知，又胆大敢说而已，他们有时并不真正了解自己的国家和国民。

不幸的是，梁启超就是这类人中的一个。他在通过日本输入西方观念的同时，也"借鉴"或引申性地"发现"了一些中国的"国情"。可怕的是，类似的观念后来却被制定政府政策的人采纳，而成为国策。梁氏在 1896 年说：国强基于民智，而民智的基础是天下人都能读书识字。"德、美二国，其民百人中，识字者殆九十六、七人。欧西诸国称是。日本百人中，识字者亦八十余人。中国以文明号于五洲，而百人中识字者不及三十人。"① 这大概是根据当时各国国势强弱反推出的想象判断。在梁启超眼中，中国的识字率虽远比列强低，到底也还接近 30%。在后来的认知中，这一比率则大幅降低。到 1908 年，宪政编查馆定出的筹备立宪目标，"人民识字义者"竟然要到筹备第七年才可以达到 1%，第八年达 1/50，第九年到 1/20。②

不过十余年，在当时政府官员眼里，素重教育的中国基本已成一个极少有人识字的蛮荒国度了。若不求精确，识字率本不难知大概。此虽一例，却可推见其余。故清末朝野对人对己的不少认知都已建立在想象的基础上。如果朝野对国情和外情的了解如此，其所推动和实施的各项改革措施到底是基于想象还是现实？到底有多少是基于想象，又有多少是应对现实？这恐怕都需要进一步探索。仿行宪政时一些模拟举措确属无的放矢，应是新政不成功的一个重要因素。有些相关的努力，或许真如冯友兰后来所说，只能"壮纸片上之观瞻"。③ 这样，清季新政已进入一个非常危险的阶段。

五 小政府和大政府的紧张

与此前的"弱国家"相比，清廷已经变得非常强有力了。但其并未准备彻底改变其政治模式，因而也无意从根本改变其政治伦理。当年推行新

---

① 梁启超：《沈氏音书序》（1896 年），《饮冰室合集·文集之二》，第 1 页。按：《饮冰室合集》之中国识字者为"不及二十人"，此据《时务报》改。

② 《宪政编查馆资政院会奏宪法大纲暨议院法选举法要领及逐年筹备事宜折（附清单二）》（1908 年），《清末筹备立宪档案史料》下册，第 665—666 页。

③ 冯友兰：《新学生与旧学生》（1918 年 9 月），《三松堂全集》第 13 卷，河南人民出版社，1994，第 619—623 页。

政时，凡遇"地方"之事，尤其涉及款项者，相关的政府公文中可见一条很重要的内容，即"官不经手"。如1905年的《天津四乡巡警章程》就规定，办巡警的经费"皆责成绅董，官不经手"。而袁世凯在呈报章程的奏折中也说，巡警月饷"由村董酌定支给，官不经手"。当然，这是袁世凯所谓"官绅联合"的模式，故"官弁薪工马匹杂支"等费，仍"由官发给，以示体恤。"①

这一取向表述出一个很明确的原则，就是官（中央和地方政府）既要主导，又不起具体作用，似也仅承担有限的责任。换言之，小政府已进入政府官员的下意识层面，成为自觉的政治伦理，故其在意识层面对自身角色也有较清晰的定位。类似规则特别能体现过渡时代的转折，由官方督办领导的乡村巡警，显然是一种新的体制；而经费上仅象征性地参与，又维持着既存的政治伦理，则是小政府模式的一种自然延续。

与"官不经手"类似的一个当时的表述是"劝"，甚至可说这是清末新政的一个关键词。1907年地方官制改革时，各直省均设立劝业道，后来又在地方设立劝学所、劝学员等。这些以"劝"为名的机构和人事设置，大体均表明官方既要主导而又仅有限参与，折射出后人眼中的国家与社会那互为交结的一面。

在外来思想观念的影响下，朝廷较前远更主动、更有力地参与了各项新政事务，同时又对"国家"功能有明确的认识，始终坚持"国家"只起倡导和推动作用。从"官督商办"到"官不经手""官绅联合"等，都表明清廷大致还在坚持"小政府"的行为伦理。从主观意愿看，清廷虽已从不作为走向有作为，然其试图扮演的仍只是一个"积极的小政府"角色，并不希望变成一个实际的"大政府"。然而，因为其面临的退虏、送穷任务既迫切又艰巨，实际却不能不一步步走上"大政府"的不归路。

故清季的现实困境是，一个小政府的机构，却不得不行使大政府的职能；不仅思想上没有充分的准备，在政治伦理、行为模式和体制方面也都

---

① 《拟定天津四乡巡警章程折》（1905年8月）及所附《天津四乡巡警章程》，《袁世凯奏议》，第1172、1170—1171页。学部次年的《劝学所章程》也规定，劝学员在本管区内筹款兴学，"此项学堂经费，皆责成村董就地筹款，官不经手"。见学部《奏定劝学所章程》（1906年5月），朱有瓛等编《中国近代教育史资料汇编·教育行政机构及教育团体》，上海教育出版社，1993，第62—63页。

缺乏足够的预备。朝廷如此，民间亦然。但就是在这样的背景下，清廷却仓促进行了一系列具有根本性的制度改革。从废科举到筹备立宪，件件都是千年未有之巨变。

在具体举措方面，明知因富求强才是正途，但当时提倡的生利之法均非可有款项立至，不能短期解决问题，正所谓缓不济急。若政府改变体制，直接参与理财，便违背了不与民争利的传统。这既是一个根本的转变，也是一种非常危险的尝试；且任何正确的理财方法，也不可能少米多炊，更不能为无米之炊。如果徒然实行修改税收制度等敛钱之法，且不说很难在短期内筹集巨款，同样的问题是，普通民众真能如潘宗礼所想象的那样知所纳之税的用途就愿意缴纳吗？若百姓不理解而民怨激增，恐怕就不能给政府以继续改革的时间了。

换言之，若不解决小政府的问题，清廷已陷于一个诡论性（paradoxical）微妙处境：不改革则不能解决问题，而要推行新政就需要花钱；且多一项改革举措就增进一步经费的窘迫，直至破产。这基本就是一条不归路——不作为则显无能，欲作为则无财力，而解决之道更处处威胁自身统治的合道性。即使没有其他事情发生，这样的情况也维持不了多久。故芮玛丽认为，正是清政府的改革摧毁了这一推行改革的政府，因为它不能控制其自身政策造成的加速度。[①]

不过，这只是一个带有后见之明的分析。如前所述，当时社会的物质潜能到底有多大是一个尚需斟酌的问题。例如，像梁启超这样的人便认为社会仍具可开发、可整合的巨大潜力，只要理财方法正确，即刻便可获取数倍于当时岁入的款项。但问题在于，由于朝野的政治伦理并未出现根本转变，任何民力的"开发"都会被视为盘剥（且不说实际操作中确曾出现借此盘剥的现象），则社会力量的动员本身可能就是对政府的一道紧箍咒。

为富强而大幅增加开支是一件让人非常不愉快的事情。诸多令人不满的现象背后都潜藏着结构性的体制变更，并要求政治伦理也有相应的转变。

小政府模式的基本准则就是政府不作为或少作为，只有不扰民的政府才是好政府。如果政府要有作为，就需要花钱。大政府的观念是很晚才传

① Mary Wright, "introduction," in idem ed., *China in Revolution: The First Phase, 1900-1913*, p. 50.

入中国的，对改变了思想方式的今人来说，政府要为人民服务，就要向人民收钱；就像人民在议院里要有代表，政府才能体现人民的意愿一样。这些都是近代西方典型的大政府观念。而小政府的不作为，是基于对国家机器"自主性"的某种体认（与权力永远导致腐败，故政府不可信任的西方观念表述虽不同而相类）。即使不言抽象的政治伦理，进一步的问题是，早已习惯于小政府的中国老百姓能信任转变中的当时政府吗？

当时的局势的确非常困难，却也不是毫无转圜的可能。很多人确以为要变天了，同时也有不少人在努力，还有更多人在观望。简言之，以革命的方式解决问题并不一定是"必然"的，也不是唯一的选择。以立宪为表征的革政就曾是中国出路的一个选项。而改革最终被革命取代，即因其结构性困境充分暴露，却又无法回头，进而形成进退两难的局面。大致从这时起，革政遂不复能与革命竞争，而逐渐转化成为革命的助推器了。